Naples et la côte amalfitaine

Duncan Garwood
Cristian Bonetto

Naples et la côte amalfitaine
2e édition
Traduit de *Naples & the Amalfi Coast* *(2nd edition), April 2007*

Traduction française :

place des éditeurs

12 avenue d'Italie, 75627 Paris cedex 13
☎ 01 44 16 05 00
lonelyplanet@placedesediteurs.com
www.lonelyplanet.fr

Dépôt légal
OCTOBRE-2008
ISBN 978-2-84070-626-7

Imprimé par IME (Imprimerie Moderne de l'Est), France

SOMMAIRE

NAPLES

ET LA CÔTE AMALFITAINE

Rocco Fasano

UNE PERLE À L'ORÉE D'UNE CÔTE LÉGENDAIRE

À l'ombre du Vésuve assoupi, Naples est une ville sans cesse en mouvement, qui semble vivre chaque jour comme si c'était le dernier.

Les rues encombrées de Naples évoquent une scène de théâtre haute en couleur, où les amoureux se disputent avec passion, les automobilistes se prennent pour Fangio et les vendeurs à la sauvette écoulent de faux Prada en guettant la police du coin de l'œil. Des champs Phlégréens (Campi Flegrei) aux ruines incroyablement parlantes d'Herculanum et de Pompéi, les environs présentent également un spectacle permanent.

Mais on aurait tort de résumer la grande métropole de l'Italie du Sud à son ambiance anarchique, sa pizza margherita et ses activités mafieuses. Ancienne capitale royale sous différentes dynasties, la ville compte en effet trois palais royaux, un musée archéologique remarquable, des collections d'art couvrant toutes les périodes et un centre historique (*centro storico*) au riche patrimoine architectural et culturel. Il y a là un nombre incalculable d'églises et de cloîtres bien cachés à l'abri des regards, à l'ombre de citronniers.

Échappant aux phénomènes de mode et de mondialisation, Naples a conservé son authenticité, ce qui fait d'ailleurs tout son attrait. On y trouve encore beaucoup de restaurants familiaux transmis de génération en génération et les tailleurs à l'ancienne n'ont pas été entièrement supplantés par les enseignes internationales. Les aspects les plus modernes et branchés, car ils existent, s'inscrivent encore dans un décor digne des films néoréalistes de Vittorio de Sica, celui des foules exubérantes et des *belle ragazze* comme Sophia Loren.

Vedette de cinéma à part entière, la fameuse côte amalfitaine serpente vers le sud, bordée de falaises verdoyantes tombant à pic dans les eaux bleues de la Méditerranée et émaillée de villes coquettes aux noms célèbres. Les riches héritières américaines ont un faible pour Positano et ses couleurs pastel, les touristes affluent à Amalfi et Richard Wagner résida autrefois à Ravello, cité perchée au-dessus de la mer. Au large de la baie de Naples, Capri abrite une grotte d'un bleu phosphorescent et attire la jet-set en villégiature comme jadis les empereurs romains. Plus à l'ouest, Ischia est célèbre pour ses sources thermales tandis que la petite île de Procida offre un cadre apaisant dans ses villages de pêcheurs balayés par le vent.

Cité chaotique, ruines romaines suggestives et côte légendaire de toute beauté : bienvenue dans ce que l'Italie méridionale a de plus pittoresque.

SOLEIL, MER ET CINÉMA

NOM	Antonietta de Lillo
ÂGE	47 ans
PROFESSION	Cinéaste
LIEU DE RÉSIDENCE	Naples et Rome

Naples, décor de cinéma

"Naples constitue une source d'inspiration intarissable pour la réalisatrice que je suis. Il y a ici une énergie qui semble tirée du **Vésuve** même. Comme le clair-obscur des peintures du Caravage, c'est un lieu de lumière et d'ombre extrêmes : d'un côté des châteaux majestueux resplendissant au soleil – **Sant'Elmo**, le **Castel Nuovo** et le **Castel dell'Ovo** – et la vue imprenable depuis le **Pausillipe** ; de l'autre une ville cachée, celle des **Quartiers espagnols** (Quartieri Spagnoli) et de **La Sanità**, où la misère et l'anarchie voisinent avec de somptueux escaliers baroques, des cours secrètes et des palais oubliés. L'un de mes monuments préférés est le palais Doria d'Angri, dessiné par Luigi Vanvitelli, sur la Piazza VII Settembre. Considéré comme l'une des plus belles réalisations architecturales du XVIIIe siècle napolitain, il a servi de cadre à mon film *Resto di niente*, dont l'action se déroule sous la République parthénopéenne, en 1799.

"À l'instar de tous les personnages remarquables, Naples présente une physionomie complexe composée de multiples strates. Sous la frénésie urbaine gît un monde fascinant de catacombes, de ruines et de cultes anciens. Le circuit **Napoli Sotterranea** (Naples souterrain), qui vous emmène sous terre à travers un paysage inquiétant de grottes et de galeries, permet

Le Castel dell'Ovo (p. 83) à l'ombre du Vésuve

JEAN-BERNARD CARILLET

de le découvrir. L'impression de mystère se poursuit au niveau de la rue où de petits autels et sanctuaires rendent hommage à divers saints et… joueurs de football. L'importance du religieux ainsi que l'amour des Napolitains pour les rituels et le spectacle expliquent notre riche héritage dramatique et musical. La grande tradition du théâtre populaire napolitain est issue de la commedia dell'arte, et le **théâtre San Carlo** demeure l'un des plus grands opéras du monde.

"LA GRANDE TRADITION DU THÉÂTRE POPULAIRE NAPOLITAIN EST ISSUE DE LA COMMEDIA DELL'ARTE"

Naples montre un visage encore différent dans le nouveau musée d'art contemporain **MADRE**. J'adore m'y rendre pour le contraste entre ses œuvres d'avant-garde et la vieille ville fatiguée de l'autre côté de la vitre. C'est ce paradoxe que j'apprécie le plus. Ça et, bien sûr, les sublimes pâtisseries de **Moccia**. Il n'y a pas de places assises, mais on accepte volontiers de déguster debout le meilleur *caprese* (gâteau au chocolat et aux amandes) qui soit.

"Lorsque j'ai besoin d'inspiration ou d'une pause, j'essaie de m'échapper à **Procida**. L'île a inspiré quantité d'œuvres. J'y ai moi-même tourné *Non è giusto*. Avec ses pêcheurs et ses maisons aux tons pastel, cette petite île a l'air plus sauvage et authentique que ses voisines **Capri** et **Ischia**. Ischia célèbre chaque année la **Festa di Sant'Anna**, en l'honneur de sa sainte patronne ; la mer se couvre alors de bateaux et des feux d'artifice sont tirés à minuit – un spectacle somptueux à voir depuis Procida."

Massimo Troisi dans *Le Facteur* ALL STAR PICTURE LIBRARY

Une rue des Quartiers espagnols (p. 78) JEAN-BERNARD CARILLET

UN PATRIMOINE EN DANGER

NOM	FRANCESCO SIVO
ÂGE	32 ANS
PROFESSION	ARCHITECTE
LIEU DE RÉSIDENCE	NAPLES

Le langage des pierres

"Pour comprendre une ville, il suffit de regarder ses monuments. Chaque pierre et chaque place révèle non seulement l'histoire du lieu, mais aussi l'âme de ses habitants. Dans *La Perle et le Croissant* (Plon, 1998), l'écrivain français Dominique Fernandez observe : 'La ville la plus baroque du monde, Naples, est baroque d'abord dans la rue : ébullition colorée du moindre vicolo, gloire bigarrée des marchés, fête permanente, pouillerie transmuée en joie.' Les vieux escaliers monumentaux figurent parmi les exemples les plus évocateurs de cette sensibilité démonstrative, notamment les ouvrages à doubles volées de marches de l'architecte du XVIIIe siècle Ferdinando Sanfelice, qui semblent conçus pour une scène d'opéra. Les plus beaux d'entre eux se trouvent au **palais Sanfelice** et au **palais dello Spagnolo**. Autre joyau baroque récemment

Obélisque baroque sur la Piazza San Domenico Maggiore (p. 73) DALLAS STRIBLEY

Église du Gesù Nuovo (p. 69) dans le centre historique GREG ELMS

restauré, l'église **San Gregorio Armeno**, dans le centre historique, dont le somptueux intérieur doré est ponctué de sculptures en marbre et d'autres splendides œuvres d'art.

"Naples a également marqué l'histoire de l'alchimie, comme en témoigne la façade en pointes de diamant de l'**église du Gesù Nuovo**. Antérieure à l'édifice, elle faisait initialement partie du palais des Sanseverino, construit au XVe siècle. Peu de gens savent que chacune de ses pierres porte un mystérieux symbole ésotérique. Les spécialistes pensent que ces signes propitiatoires furent, pour une raison inconnue, gravés à l'envers, jetant ainsi la malédiction sur l'édifice et ses résidents. Le premier propriétaire, Antonello Sanseverino, fut contraint de quitter le palais par l'ambassadeur d'Aragon. Le second propriétaire, Ferrante Sanseverino, fut chassé en 1580 par le roi d'Espagne Philipe II qui vendit le bâtiment aux jésuites. Ces derniers furent mis dehors en 1767 au profit des franciscains, expulsés à leur tour pour que soient réintégrés les Jésuites dans la place en 1821.

"L'infortune qui frappe l'architecture urbaine vient surtout du manque de financement pour les travaux de restauration. Naples foisonne de superbes monuments méconnus qui tombent en décrépitude. C'est le cas de l'église Santa Maria Delle Grazie a Caponapoli, à côté de l'Ospedale degli Incurabili, qui représente pourtant l'un des fleurons de la sculpture napolitaine du XVIe siècle. Dessinée par Giovan Francesco di Palma, cette église Renaissance inspirée du style toscan arbore un décor en pierre sculptée et une belle porte de Giovanni Donadio. L'accès à l'édifice est actuellement condamné et sa cour décorée de fresques sert de buanderie à l'hôpital voisin."

BONNES AFFAIRES, MODE D'EMPLOI

NOM	CINZIA BOGGIA
AGE	32 ans
PROFESSION	AGENT DES TÉLÉCOMMUNICATIONS
LIEU DE RÉSIDENCE	NAPLES

Du bon usage des marchés napolitains

"Si vous cherchez les bonnes affaires, les marchés de Naples sont imbattables. On y trouve pratiquement tout, à des prix habituellement très bas. Commençons par l'immense marché de **Poggioreale**, l'endroit incontournable pour les chaussures, des baskets pour homme aux talons aiguilles griffés. Ce qui vaut 150 € dans une boutique ne coûte ici que 20 €. Les grandes marques ne sont pas des contrefaçons, mais des fins de stock, ce qui réduit le choix en matière de tailles. Venez plutôt le dimanche ou le lundi, quand tous les stands sont ouverts. Proposez toujours au vendeur la moitié de la somme demandée, ce qu'il refusera invariablement. Faites alors mine de vous éloigner et il vous fera une offre avantageuse.

À l'heure du marché (p. 140)

CRAIG PERSHOUSE

"Autre grand marché de Naples, **La Pignasecca** vend absolument de tout, des parfums aux draps en passant par les CD bon marché. Mieux vaut cependant laisser vos objets de valeur en lieu sûr à cause des pickpockets. L'habillement et les sacs de marque – des copies bien imitées – coûtent si peu cher que vous n'aurez pas besoin de marchander. Mais La Pignasecca est surtout le lieu idéal pour l'alimentation, qu'il s'agisse de manger un *crocchè* sur le pouce ou d'acheter du poisson frais.

"À CHIAIA, UN MARCHÉ TRÈS TENDANCE OÙ L'ON DÉNICHE VÊTEMENTS CHIC ET ACCESSOIRES ORIGINAUX"

"Pour goûter une ambiance totalement différente, rendez-vous aux **Bancarelle a San Pasquale** à Chiaia, un petit marché très tendance où l'on déniche des vêtements chic ainsi que des bijoux et des accessoires originaux. Le marchandage n'est toutefois pas de mise dans cette partie de la ville. Sur les hauteurs du Vomero, le **Mercatino di Antignano** propose chaussures, vêtements et articles de maison de qualité fabriqués en Italie.

"Je préfère, pour ma part, le **Mercatino di Posillipo**, plus décontracté que ceux du centre-ville. Vers le sommet de la colline, sur la droite, un stand offre un beau choix de vêtements vintage. Modèles de la saison passée et stocks de démonstration Armani, Moschino, Dolce & Gabbana et Calvin Klein ne coûtent parfois pas plus de 10 €. Les articles Gucci et Prada sont en revanche des contrefaçons, tout comme les sacs Louis Vuitton en vente au pied de la colline. "

ALAN BENSON

GREG ELMS

BONHEUR INSULAIRE

NOM	CLAUDIA VERARDI
ÂGE	37 ans
PROFESSION	TRADUCTRICE
LIEU DE RÉSIDENCE	NAPLES

Capri, ce n'est pas fini…

"J'ai une véritable passion pour Capri car mes meilleurs souvenirs d'enfance – longues promenades en famille, glace au chocolat le soir sur la Piazzetta et excursions à la **Grotte bleue** – se rattachent à ce lieu magique. J'y retourne aujourd'hui avec mon chien Scooby et nous nous y baladons sans but précis. On ne sait jamais qui l'on va rencontrer au cours de sa promenade. Dans les années 1950 et 1960, Sophia Loren, Clark Gable et Vittorio de Sica fréquentaient couramment la Piazzetta. J'y ai d'ailleurs croisé le fils de De Sica, Christian, l'été dernier. Quelques jours plus tard, j'ai aperçu Tom Cruise devant le **Capri Palace**. Enfin, Naomi Campbell sort parfois au **Musmè** ou à l'**Anema e Core**, deux clubs très sélects de Capri.

Cabines de plage à Marina Piccola (p. 179), Capri

STEPHEN SAKS

Les hauts pitons calcaires des Faraglioni (p. 175), Capri STEPHEN SAKS

"La ville séduisait déjà les "VIP" bien avant l'arrivée des yachts et des paparazzi. Au Ier siècle, l'empereur Tibère possédait sur l'île douze villas fastueuses. Outre la **Villa Jovis**, la mieux conservée, on peut en découvrir d'autres avec un guide spécialisé.

"Au large de la côte sud-est, les Faraglioni surgissent des flots. Sculpté par le vent et la mer, le plus éloigné de ces trois rochers géants abrite une espèce endémique de jolis lézards bleus. Ma période favorite pour visiter Capri se situe au printemps et au début de l'été. Le temps est chaud, les bougainvilliers tapissent les murs blancs des bâtiments et la foule des estivants n'a pas encore débarqué. Avant de mettre votre bikini dans la valise, pensez à regarder l'hilarant *Empereur de Capri* de Luigi Comencini, avec le grand comique napolitain Totò."

Marina Grande (p. 178), Capri JONATHAN SMITH

MYTHES ET LÉGENDES

NOM	MARCELLO DONNARUMMA
ÂGE	24 ANS
PROFESSION	CHERCHEUR DANS LE TOURISME
LIEU DE RÉSIDENCE	NAPLES

Les champs Phlégréens : un secret bien gardé

"J'ai écrit ma thèse sur les **champs Phlégréens** (Campi Flegrei), qui m'ont marqué à jamais. Avec son paysage volcanique, ses ruines envoûtantes et ses mythes anciens, ce site a quelque chose de surréaliste et de magnifique, comme si chaque pierre racontait une histoire. À **Cumes**, on peut voir l'endroit où débarqua Énée et celui où il consulta la Sibylle. Non loin se trouve le **lac d'Averne** où le héros de Virgile pénétra dans les Enfers comme le fit plus tard Dante dans la *Divine Comédie*. Mais si les empereurs romains passaient jadis l'été dans de luxueuses villas sur les collines, les champs Phlégréens n'en demeurent pas moins une destination souvent ignorée.

"Pour les explorer, prenez d'abord le train, la Cumana, à la gare de Montesanto et descendez à Arco Felice, où se dresse le **Monte Nuovo**, mon lieu favori. J'aime en effet l'idée que cette montagne, la plus jeune d'Europe, n'a que 400 ans. De petits trous exhalent de la vapeur volcanique le long de ses pentes et l'on accède facilement au sommet qui offre une vue superbe sur la baie de Pouzzoles.

Le cratère de la Solfatara (p. 104), Pouzzoles

MARTIN MOOS

Le Grand amphithéâtre de Pouzzoles (p. 103) JEAN-BERNARD CARILLET

"Autre merveille peu connue, l'impressionnante **Piscina Mirabilis** de Bacoli, plus vaste citerne romaine au monde. Mme Filomena, la vieille gardienne qui habite en bas de la rue, vous ouvrira les portes de ce coin secret empreint de mystère. Profitez-en pour vous promener à pied dans Bacoli, qui rappelle l'Italie des années 1950 et se prête idéalement à la baignade.

Agréable pour nager et accessible uniquement en bateau-taxi, la petite **Spiaggia del Castello**, en contrebas du Castello di Baia, possède un charmant phare.
Évitez toutefois la période estivale, quand la moitié de Naples s'y entasse. Après avoir fait trempette, je monte parfois jusqu'au château. À l'intérieur, le **Musée archéologique des champs Phlégréens** conserve notamment le nymphée romain découvert sous l'eau au large de Baies."

LES AUTEURS

DUNCAN GARWOOD

Duncan a découvert la côte amalfitaine pour la première fois lors d'un week-end pluvieux de mai 1998. À bord d'une Ford Fiesta déglinguée, il a suivi le ruban sans fin de la route littorale en priant pour arriver à bon port jusqu'à Ravello. Séduit par la région, il l'a retrouvée à l'occasion de l'écriture du guide *Italie* de Lonely Planet puis, deux ans

plus tard, pour la première édition du présent ouvrage. Il vit désormais près de Rome, mais prend l'autoroute à la moindre occasion pour s'immerger un bain d'énergie napolitaine.

PHOTOGRAPHE

GREG ELMS

Collaborateur de Lonely Planet depuis plus de 15 ans, Greg trouve que photographier une ville pour un guide équivaut à voyager en accéléré. Afin de conserver tout son ressort et d'esquiver d'un bond les fous du volants napolitains, il a dévoré force pizzas et fait des pauses glace régulières. La côte amalfitaine s'est révelée plus reposante, malgré les falaises obligeant à loucher entre viseur et précipice. Greg habite à Melbourne où il travaille en freelance pour des magazines, des graphistes, des agences de publicité et des maisons d'édition.

CRISTIAN BONETTO

Au grand dam de sa famille originaire du nord de l'Italie, Cristian a un faible pour Naples. Cette attirance n'a rien que de très naturelle pour un auteur de comédies et de soap-opéras qui aime manger des moules et griller les feux rouges. Ce goût lui est venu en 1997 à l'occasion d'un voyage sac au dos. Il a suffi alors d'une balade en deux-roues sur le front de mer pour que le charme opère. En 2003, sa pièce *Il Cortile*, dont l'action se déroule à Naples, a fait le tour de la Péninsule, et ses méditations sur les charmants paradoxes de la cité ont été publiées dans plusieurs magazines australiens et britanniques. Installé à Melbourne, il retourne régulièrement dans sa ville fétiche pour la dose d'adrénaline que lui procure la simple traversée d'une rue.

MISE EN ROUTE

Difficile de faire plus différents que Naples et la côte amalfitaine ; la première est un concentré d'énergie urbaine, la seconde le littoral le plus spectaculaire d'Italie.

La côte amalfitaine constitue l'une des destinations les plus touristiques de la Péninsule. La plupart des visiteurs arrivent via Naples, débarquant à la gare centrale ou à l'aéroport Capodichino, à 8 km au nord-est du centre-ville. En bus, l'aéroport n'est qu'à 1 heure 15 de Sorrente, l'extrémité ouest de la côte. Une fois sur le littoral, un réseau de bus efficace et bon marché fonctionnant toute l'année permet de se déplacer assez facilement. De même, des ferries relient les principales villes côtières de Pâques à fin septembre. Circuler en voiture procure certes davantage de liberté, mais les difficultés commencent dès qu'on cherche à se garer.

Pour trouver un logement à Naples en dehors de la haute saison, il est inutile de réserver. Sur la côte, mieux vaut en revanche prendre ses précautions, et ce quelle que soit la saison. En effet, si Amalfi, Positano, Ravello et Capri accueillent une foule de vacanciers durant les mois d'été, nombre de prestataires et d'établissements choisissent de fermer en hiver.

QUAND PARTIR

Naples se visite tout au long de l'année, même si certains mois sont plus prisés – et, par voie de conséquence, les tarifs nettement plus onéreux – que d'autres. C'est en règle générale au mois de mai qu'il y a le plus de monde, en raison de la manifestation culturelle le Maggio dei Monumenti (Mai des monuments). La période qui précède Noël et Pâques se situe également en haute saison. Le printemps (d'avril à mi-juin) constitue le moment idéal, avec des températures douces et une ville encore en pleine activité. En août, la moitié des commerces ferment et la majorité des habitants, à l'instar des autres Italiens, passent leurs vacances sur le littoral.

Pour explorer la côte amalfitaine, préférez la basse saison (qui court sur deux périodes : d'avril à mi-mai d'une part et de mi-septembre à octobre, de l'autre) car le temps reste agréable, les hôtels coûtent jusqu'à un tiers de moins et les touristes se font plus rares. Cela dit, la période de juin à septembre est la plus propice pour assister aux festivités locales (voir p. 18).

Bien que la notion de saison varie d'un établissement à l'autre, attendez-vous en tout état de cause à payer le prix fort à Pâques, en été (de juin à la mi-septembre pour ce qui concerne la côte) et durant les fêtes de fin d'année. Notez enfin qu'un grand nombre d'hôtels de la côte et des îles cessent leur activité en hiver, généralement de novembre à mars.

(Suite page 20)

FÉVRIER

CARNAVAL

Le ***carnevale*** se tient durant la période précédant le mercredi des Cendres. Les enfants se déguisent et se lancent des confettis (*coriandoli*) pendant que les adultes s'adonnent une dernière fois à la gourmandise, avant le jeûne du Carême.

FÊTE DE SANT'ANTONINO

Sorrente

Le 14 février, Sorrente célèbre la Saint-Antonin, patron de la ville, par des processions en musique dans le centre historique et un grand spectacle pyrotechnique.

MARS ET AVRIL

SEMAINE SAINTE

De nombreuses processions solennelles ont lieu à Naples et dans les environs durant la **Settimana Santa** (semaine avant Pâques). Les processions de Procida et de Sorrente sont les plus célèbres.

ADAM EASTLAND / ALAMY

SEMAINE DE LA CULTURE

www.beniculturali.it

La **Settimana per la Cultura** est un une opération nationale destinée à promouvoir l'ensemble du patrimoine italien. Durant cette périlode, l'entrée est gratuite dans tous les musées nationaux.

MAI

FÊTE DE SAN GENNARO

Duomo, Naples

Le premier samedi de mai, (fête de la translatiton des reliques du saint) des milliers de personnes se rassemblent dans le Duomo (la cathédrale) pour voir se liquéfier le sang du saint (conservé dans deux ampoules). Un miracle qui protégerait la ville de possibles désastres.

ADAM EASTLAND / ALAMY

MAI DES MONUMENTS

☎ 081 247 11 23 ; Naples

Le **Maggio dei Monumenti** est le principal événement culturel de la ville. Un mois d'expositions, de concerts, de spectacles de danse, de visites guidées et bien plus. Beaucoup de monuments fermés le reste de l'année sont ouverts au public durant cette période.

JUIN

PALIO DELLE QUATTRO ANTICHE REPUBBLICHE MARINARE

Amalfi

Le premier dimanche de juin, processions navales et régates entre les quatre grandes cités maritimes rivales : Pise, Venise, Amalfi et Gênes. Le palio a eu lieu à Venise en 2007, ce sera le tour de Gênes en 2008 et d'Amalfi en 2009.

ESTATE NAPOLI

☎ 081 247 11 23 ; www.napolioggi.it ; Naples

De juin à septembre, toute la ville devient une scène quand musique, films et danses descendent dans les rues.

FESTIVAL DE RAVELLO

☎ 089 85 83 60 ; www.ravellofestival.com ; Ravello

C'est la principale manifestation culturelle de la côte : de juin à septembre des musiciens de réputation internationale se produisent dans les jardins de la Villa Rufolo.

JEAN-BERNARD CARILLET

JUILLET ET AOÛT

FÊTE DE SANT'ANNA

Ischia

Le 26 juillet, la Sainte-Anne se traduit par l'"incendie symbolique du château aragonais", une procession de bateaux et un feu d'artifice.

FESTIVAL DES VILLAS VÉSUVIENNES

☎ 081 40 53 93 ; www.vesuviane.net ; Ercolano

La Villa Campolieto, une des villas vésuviennes du XVIIIe siècle d'Ercolano, accueille des concerts en plein air pour ce festival delle Ville Vesuviane.

MADONNA DEL CARMINE

Piazza del Carmine, Naples

La fête traditionnelle de la Madonna del Carmine, qui se déroule le 16 juillet sur la Piazza del Carmine, se termine par des feux d'artifice spectaculaires.

NEAPOLIS ROCK FESTIVAL

www.neapolis.it ; Bagnoli, Naples

Le plus grand festival de rock du sud de l'Italie se tient à l'ouest du centre-ville, près de la plage, à Arenile di Bagnoli.

ASSOMPTION

Le 15 août, journée la plus chargée de l'année sur les plages, **Ferragosto** est célébrée par des concerts et différentes manifestations locales.

DALLAS STRIBLEY

SEPTEMBRE

FÊTE DE PIEDIGROTTA

Mergellina ; Naples

Cet ancien Festival de la chanson a été relancé. Église Santa Maria di Piedigrotta, du 5 au 12 septembre.

JEAN-BERNARD CARILLET

FÊTE DE SAN GENNARO

Duomo, Naples

Le 19 septembre, date de son martyre, liquéfaction du sang séché de saint Janvier *(san Gennaro)*.

LA NOTTE BIANCA

www.nottebiancanapoli.it (en italien) ; Naples

Une "nuit blanche" de manifestations, gratuites pour la plupart, dont des projections de films en plein air, des concerts, des expositions artistiques et des spectacles de danse. Les magasins restent également ouverts jusqu'au matin.

PIZZAFEST

☎ 081 420 12 05 ; www.pizzafest.net ; Naples

Hommage au plat emblématique de Naples par les *pizzaioli* de toute la région. Nombreuses manifestations autour de la... pizza !

DÉCEMBRE

FÊTE DE SAN GENNARO

Duomo, Naples

Le miracle de la liquéfaction du sang de Gennaro, troisième manifestation, tous les 16 décembre.

NOËL

Concerts dans les églises, expositions et frénésies d'achats, surtout de *presepi* (crèches), dans les boutiques de la Via San Gregorio Armeno, à Naples, jusqu'au jour de **Natale** (Noël).

NOUVEL AN

Piazza del Plebiscito ; Naples

Des dizaines de milliers de Napolitains se rassemblent sur la Piazza del Plebiscito pour le traditionnel concert de **Capodanno**.

(suite de la page 17)

COÛT DE LA VIE

Le budget à prévoir dépend presque exclusivement de l'endroit où vous logerez. Naples fait partie des villes les moins chères d'Italie et bénéficie d'un grand choix d'hébergements pour toutes les bourses. À contrario, la côte amalfitaine est une destination où l'hôtellerie s'adresse à une clientèle plus fortunée. À Naples en haute saison, comptez autour de 115 € par jour pour une chambre confortable dans un établissement de catégorie moyenne, deux repas complets, le transport et une entrée de musée. Sur la côte amalfitaine, tablez sur un minimum de 130 €.

Les transports terrestres dans la région ne vous ruineront pas : le trajet en bus Sorrente-Amalfi ne coûte par exemple que 2,40 € et le billet de train Naples-Pompéi, 2,30 €. La location d'une voiture revient à 55 € par jour environ, plus l'essence et le stationnement (parfois très onéreux sur la côte). Le prix d'une traversée en bateau varie suivant qu'il s'agit d'un ferry (Sorrente-Capri : 7,80 €) ou d'un hydroglisseur (12 €).

Dans un souci d'économie, renseignez-vous sur les tarifs spéciaux des musées : l'entrée est souvent gratuite pour les citoyens de l'UE de moins de 18 ans et de plus de 65 ans, à prix réduit pour les 18 à 25 ans. Sur le plan de l'hébergement, les *agriturismi* (gîtes ruraux) se révèlent fréquemment avantageux, en particulier pour les familles, à condition d'être motorisé.

LIVRES À EMPORTER

Dictionnaire amoureux de Naples (Jean-Noël Schifano, Plon). Naples, ses rues, ses habitants, ses paysages, ses arts, majeurs et mineurs...

QUELQUES PRIX

Taxi de l'aéroport à la gare centrale : 12,50 €
Essence : 1,30 €/litre
Demi-litre d'eau minérale : 0,50-2 €
Bouteille de bière Peroni : 1-5 €
Part de pizza : à partir de 1,50 €
T-shirt souvenir : 10 € environ
Ticket de bus dans Naples : 1€
Entrée au Musée archéologique national : 6,50 €
Hydroglisseur de Naples à Capri : 14 €
Site de Pompéi : 11 €

GREG ELMS

Voyage à Pompéi (Alexandre Dumas, Éd. de Passy). La région de Naples et ses sites antiques vu par le père des *Trois Mousquetaires*.

Montedidio (Erri di Luca, Gallimard). Prix Femina 2002 pour ce roman, contant la vie d'un jeune menuisier dans un quartier de Naples, Montedidio.

La Camorra (Hugues Rebell, Alteredit). Le Naples des années 1860 sous la plume d'un auteur "fin de siècle".

Guide de conversation français/italien (Lonely Planet). L'essentiel pour ne pas garder sa langue dans sa poche.

SITES INTERNET

Campania Trasporti (www.campaniatrasporti.it). Site exhaustif sur les transports, avec des liens vers les compagnies de bus et de ferry, ainsi qu'un système utile pour déterminer son itinéraire (NB : ne tapez pas Naples mais Napoli dans la case départ ou destination).

Capri (www.capri.net). Le meilleur des nombreux sites consacrés à Capri : liste des lieux d'hébergement, horaires des ferries, suggestions d'itinéraires, etc.

Lonely Planet (www.lonelyplanet.fr). Informations de dernière minute, catalogue des titres, actualité du voyage, forums et fiche pays.

Naples (www.inaples.it). Le site officiel des autorités touristiques de Naples fournit une foule d'informations couvrant l'histoire, les principaux monuments, les manifestations culturelles et les transports.

Sites sur Pompei (www.pompeiisites.org). Des informations récentes sur les grands sites archéologiques – Pompéi, Herculanum, Oplonte, Boscoreale et Stabie émanant de la Soprintendenza Archeologica di Pompei qui les gèrent (en anglais et en italien).

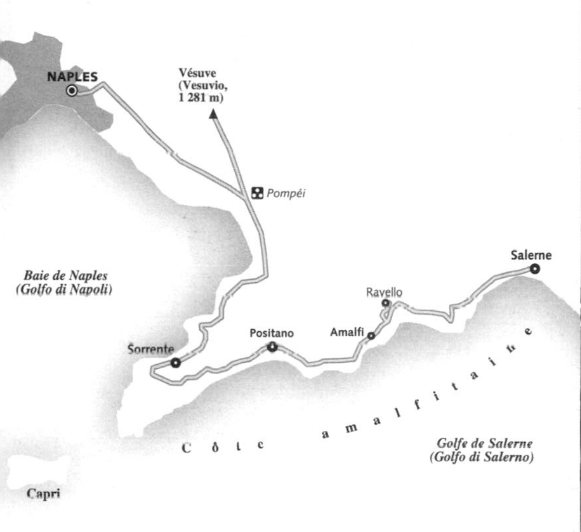

CIRCUITS

LES GRANDS CLASSIQUES

LE MEILLEUR DE LA CÔTE/DEUX SEMAINES

Commencez par deux jours à **Naples** (p. 63) pour visiter le **Musée archéologique national** (p. 80) et parcourir Spaccanapoli, ainsi que les autres rues du centre historique. Profitez-en pour manger une pizza dans la ville qui l'a inventée et boire un des meilleurs cafés d'Italie.

Quand le rythme citadin trépidant commencera à vous fatiguer, sautez dans un train à destination de **Pompéi** (p. 160), le site archéologique-phare de la région. Il vous faudra une bonne partie de la matinée pour arpenter les rues antiques, figées par les cendres du **Vésuve** (p. 158) voisin. Projetant son ombre menaçante, ce volcan en sommeil fait désormais partie d'un parc national sillonné de sentiers de randonnée, dont le plus fréquenté monte jusqu'au sommet du cratère.

En poursuivant le long de la baie de Naples, vous arriverez à **Sorrente** (p. 204), qui conserve un charme distingué malgré les touristes étrangers qui s'y bousculent l'été – la vue sur la mer jusqu'au Vésuve y est sans doute pour quelque chose. Poussez ensuite jusqu'à **Positano** (p. 221), ville fort pittoresque, la plus à l'ouest de la côte amalfitaine, où les maisons colorées s'étagent à flanc de rocher au-dessus de deux petites plages. La route littorale serpente ensuite de manière impressionnante jusqu'à **Amalfi** (p. 230), ancienne capitale d'une puissante république maritime. Après avoir flâné dans les vieilles rues, grimpez jusqu'à **Ravello** (p. 236). Célèbre pour ses villas aux jardins magnifiques, cette aristocrate hautaine offre la plus belle vue sur la côte. Quant à votre dernière étape, **Salerne** (p. 244), c'est une cité portuaire animée au centre médiéval remarquable.

Un séjour de deux semaines peut sembler long pour couvrir 110 km, mais la partie de la côte entre Naples et Salerne mérite vraiment qu'on s'y attarde. En chemin, vous découvrirez la cité fantôme de Pompéi et le Vésuve dont elle fut victime, des paysages méditerranéens de carte postale et des vues à couper le souffle – littéralement.

HOLLYWOOD SUR MÉDITERRANÉE/UNE SEMAINE

Aussi splendide dans la vraie vie que sur pellicule, la côte amalfitaine a servi de décor à de nombreux films dont les lieux de tournage peuvent constituer les étapes d'un circuit.

Pour *Plus fort que le diable* (1953), une parodie de film d'aventures, John Huston et un casting de stars indisciplinées, dont Humphrey Bogart et Gina Lollobrigida, investirent **Ravello** (p. 236) et **Atrani** (p. 230). Plus bas, **Amalfi** (p. 230) fut le cadre de *A Good Woman* (2004), une comédie légère de Mike Barker avec Scarlett Johansson. En continuant vers l'ouest, **Positano** (p. 221) fut bizarrement choisie pour *Sous le soleil de Toscane* (2003), d'Audrey Wells, l'histoire d'une divorcée américaine qui reprend goût à la vie en rénovant une villa toscane délabrée. Film d'action sans prétentions artistiques, le thriller de Paul Greengrass *La Mort dans la peau* (2004), avec Matt Damon, raconte l'histoire d'un tueur à gages de la CIA que l'on suit à Berlin, Moscou et **Naples** (p. 63). Matt Damon a également joué dans *Le Talentueux Monsieur Ripley* (1999) auquel le ministère du Tourisme italien doit sans doute beaucoup. Le film a été tourné, entre autres, au théâtre San Carlo de Naples, à Ischia Ponte sur l'île d'**Ischia** (p. 188) et à la Marina Grande de **Procida** (p. 200). Toujours à Procida, la Marina Corricella et le quartier de Pozzo Vecchio figurent dans plusieurs scènes du *Facteur* (*Il Postino*) de Michael Radford, qui obtint un grand succès en 1994.

Ce circuit de 120 km vous révèlera pourquoi la région plaît tant aux réalisateurs de films étrangers. Il part de Ravello, longe la côte amalfitaine, puis remonte jusqu'à Naples et sa baie, pour s'achever par l'imposant palais royal de Caserta.

Dans les terres, les fans de la *Guerre des étoiles* ne manqueront pas le palais royal de **Caserta** (p. 101), utilisé par George Lucas pour filmer l'intérieur de la résidence de la reine Padmé Amidala dans *La Menace fantôme* (1999) et *L'Attaque des clones* (2002).

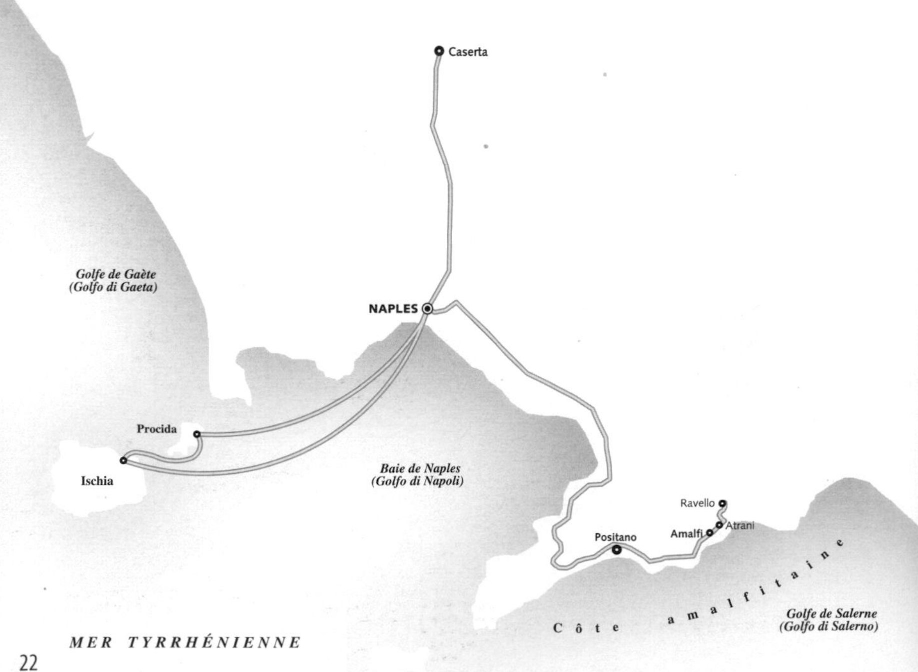

LES ÎLES DE LA BAIE DE NAPLES/UNE SEMAINE

Capri, la plus célèbre des trois îles de la baie de Naples, exerce depuis longtemps une forte attraction sur l'imaginaire collectif. Mais ne manquez pas d'explorer Ischia et Procida, elles aussi pleine de trésors, dont de magnifiques jardins, des villages de pêcheurs à flanc de rocher et des châteaux.

Un ferry relie **Sorrente** (p. 204) à la séduisante **Capri** (p. 172), destination reine des touristes en Méditerranée. Après avoir fait le tour de la petite ville de **Capri** (p. 174) et visité la fameuse **Grotte bleue** (p. 178), montez jusqu'aux vestiges de la **Villa Jovis** (p. 176), jadis résidence principale de l'empereur Tibère sur l'île. À **Anacapri** (p. 177), arrêtez-vous à la **Villa San Michele** (p. 177) d'Axel Munthe et empruntez le télésiège qui mène au sommet du **mont Solaro** (p. 177).

Des célèbres grottes et magasins chic de Capri aux jardins d'Ischia, en passant par les paysages pittoresques de Procida, cet itinéraire de 42 km peut s'effectuer en trois ou quatre jours. Une semaine vous permettra cependant de passer une nuit dans chaque île et de vous détendre au rythme de la vie locale.

Reprenez ensuite le ferry pour rallier **Ischia** (p. 188), au nord-ouest, réputée pour ses eaux thermales, ses belles plages et ses paysages spectaculaires. Ne manquez pas son **château aragonais** (p. 192), emblématique, avant de rejoindre Forio, sur la côte ouest. Là, les jardins de **La Mortella** (p. 194), parmi les plus remarquables d'Italie, regroupent quelque 1 000 espèces de plantes rares et exotiques. La **Spiaggia dei Maronti** (p. 194), près de Barano, se prête à la baignade dans un cadre grandiose.

Sur **Procida** (p. 200), la plus petite et la moins développée des trois îles, les villages aux tons pastel ont conservé une authenticité insulaire qui a presque disparu ailleurs. Et ce, malgré un tourisme en plein essor. Parmi ses sites d'intérêt, citons l'**abbaye San Michele Arcangelo** (p. 201) et la sinistre prison du **palais royal d'Avalos** (p. 201), mais aussi de ravissantes marinas où déguster des fruits de mer et louer un bateau pour passer la journée de plage en plage.

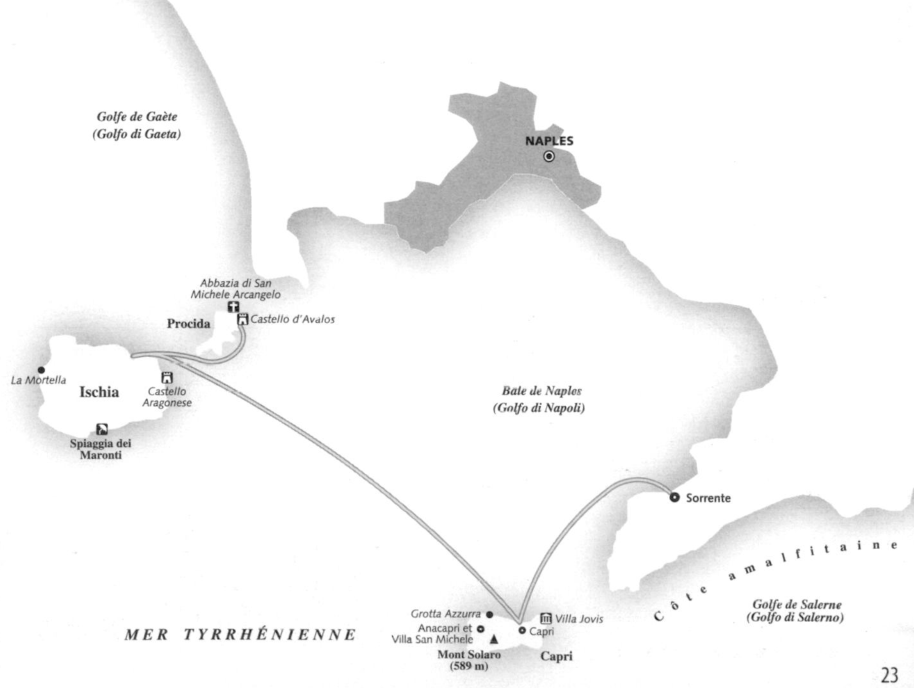

VOYAGES THÉMATIQUES

CIRCUIT ANTIQUE

La côte au sud-est de Naples peut s'enorgueillir de sites archéologiques fabuleux, hélas souvent enchâssés dans le tissu urbain.

Pour vous mettre au diapason, débutez à **Naples** par le **Musée archéologique national** (p. 80), où vous admirerez notamment des mosaïques de Pompéi et une maquette de la ville ensevelie. Une fois votre appétit de connaissances rassasié, prenez la ligne ferroviaire Circumvesuviana jusqu'à Ercolano Scavi, l'arrêt qui dessert **Herculanum** (p. 165). De taille bien plus modeste que celles de Pompéi, ces ruines bien conservées d'environ 4,5 ha se visitent aisément en deux ou trois heures. À Torre Annunziata, l'arrêt suivant, **Oplonte** (p. 157) a pour pièce maîtresse la Villa de Poppée, villégiature de la seconde épouse de Néron. Juste en bas de la route, **Pompéi** (p. 160) se passe de présentation. Clou de tout circuit archéologique, elle offre un aperçu fascinant de la vie quotidienne à l'époque romaine. Plus au sud, les deux villas de Castellammare di Stabia constituent les seuls vestiges visibles de l'antique **Stabie** (p. 157). En descendant encore sur la côte, on arrive à **Paestum** (p. 168), où se dressent de remarquables temples grecs. Enfin, 44 km plus loin, Ascea (Velia) abrite les ruines de l'ancienne cité grecque d'**Elea-Velia** (p. 248).

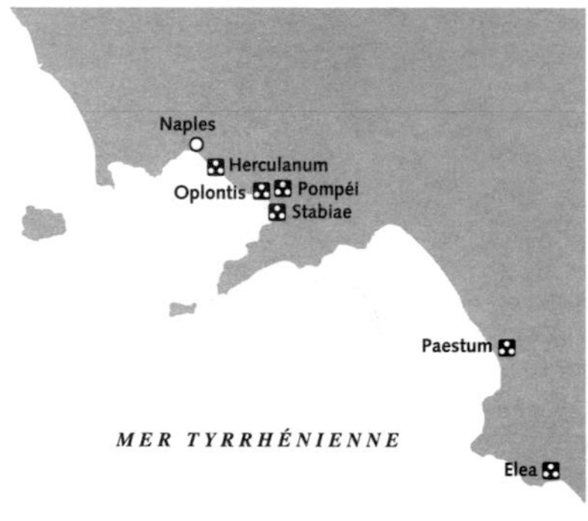

LE GOÛT DU SUD

Comme vous le diront tous les Napolitains, c'est à **Naples** (p. 115) qu'on mange les meilleurs pizzas du monde, à commencer par la classique *margherita* (tomate, mozzarella et basilique). Parmi les autres spécialités de la ville, citons le baba au rhum et le café, servi très serré. Au large de la côte, **Capri** (p. 172) revendique la paternité du *limoncello*, une liqueur à base de citron, et celle de l'*insalata caprese* (salade de tomates à la mozzarella). À une encablure, **Sorrente** (p. 204) est réputée pour ses *gnocchi alla sorrentina* (gnocchis à la sauce tomate et à la mozzarella gratinés au four) et son *limoncello*. Non loin, à **Vico Equense** (p. 215), on peut commander de la pizza au mètre à la Pizzeria da Gigino, qui en a créé la recette.

C'est dans un couvent de **Conca dei Marini** (p. 229) que fut inventée, au XVIIIe siècle, la *sfogliatella* (pâtisserie feuilletée fourrée à la ricotta parfumée à la cannelle et de fruits confits) et dans un monastère au-dessus de la **Maiori** (p. 241) que l'on conçut les *melanzane al cioccolato* (aubergines au chocolat). Plus à l'est, **Cetara** (p. 242) est un important centre de pêche, connu pour son thon et sa *colatura di alici* (sauce à l'anchois proche du *garum* antique) – Sapori Cetaresi en vend près de la plage. Pour goûter de la véritable mozzarella de bufflonne, montez jusqu'à **Caserta** (p. 101) ou descendez au sud, à **Paestum** (p. 168). Là, vous pourrez assister à sa fabrication dans une ferme, la Fattoria del Casaro.

HISTOIRE

Détail d'une mosaïque de Pompéi exposée au Musée archéologique national (p. 80)

NEAPOLIS

Fondée par des colons grecs, Naples devint plus tard le lieu de villégiature de la haute société romaine.

Selon Homère, Ulysse survécut à la voix envoûtante des sirènes en bouchant les oreilles de ses marins avec de la cire et en se faisant attacher au grand mât de son bateau. La ruse provoqua la colère des sirènes. Parthenopê, en particulier, en fut si perturbée qu'elle se jeta dans la mer et s'y noya. Les vagues portèrent son corps sur un îlot volcanique à quelques mètres de la terre italienne. C'est sur cette île de Megaris (où est bâti le Castel dell'Ovo) que fut fondée Naples.

La colonie, d'abord nommée Parthenopê en l'honneur de la sirène suicidaire, fut établie vers 680 av. J.-C. par des marchands grecs déjà installés dans la ville proche de Cumes. Située à 10 km au nord sur la côte, Cumes, première colonie grecque en Italie, avait été fondée par des Grecs venus de l'île égéenne d'Eubée au VIIIe siècle av. J.-C. Ils avaient aussi créé en chemin la colonie de Pithecusa sur l'île d'Ischia.

La colonie de Parthenopê, qui couvrait l'île de Megaris et le mont Echia (ou mont Pizzofalcone), devait rester dans l'ombre de Cumes. Cette dernière, une cité commerçante florissante, dut repousser par deux fois les attaques des Étrusques. Après la seconde bataille en 474 av. J.-C, les Grecs de Cumes fondèrent une nouvelle cité dans les terres : Neapolis ("nouvelle ville") qu'ils nomment ainsi pour la distinguer de Palepolis ("vieille ville", nom sous lequel était alors connue Parthenopê). Aujourd'hui, le centre historique de Naples correspond à la Neapolis antique.

Là où les Étrusques avaient échoué, les Romains réussirent. En quête de nouvelles terres et toujours prêts à une guerre, ils se lancèrent à l'assaut des Samnites qui s'étaient emparés de Cumes en 421 av. J.-C. Ces derniers furent vaincus après un siège de deux ans. En 326 av. J.-C., les légionnaires entraient dans Neapolis.

LA LOI ROMAINE

Les citoyens grecs de Neapolis ne furent jamais complètement romanisés. Ils refusèrent par exemple d'abandonner leur langue, dont des traces subsistent dans le dialecte napolitain. La Campanie est alors une région riche où la haute société romaine vient en villégiature. Le christianisme s'implantera par ailleurs très tôt puisque l'apôtre Paul arrive à Pouzzoles

GREG ELMS

(Pozzuoli) en 61. Les citoyens restaient cependant hostiles au pouvoir romain. Durant les guerres civiles romaines (88-82 av. J.-C.), ils s'opposèrent à Rome, provoquant la colère du dictateur Sylla qui prit rapidement la ville et massacra des milliers d'habitants. En 73 av. J.-C., Spartacus, chef des esclaves révoltés, installait le camp de son armée rebelle sur les pentes du Vésuve.

Le Vésuve se manifesta brutalement en 79. L'explosion ensevelit les villes toutes proches de Pompéi et d'Herculanum sous un mélange de lave en fusion, de boues et de cendres. Se produisant 19 ans après un séisme important, l'éruption du Vésuve porta un coup énorme à la région qui déclina rapidement. Pourtant, à l'intérieur de son enceinte, Neapolis était en pleine expansion. Le général Lucullus construisait une énorme villa sur l'emplacement de l'actuel Castel dell'Ovo et Virgile s'installait un moment dans la cité.

La civilisation romaine s'était alors imposée et le bien-être de Neapolis ne faisait plus qu'un avec celui de l'Empire. Quand le dernier empereur, Romulus Augustule, mourut en 476, prisonnier du roi goth Odoacre, la cité passa aux mains des barbares.

EN DESSOUS DU VOLCAN

Victimes d'une pluie de débris volcaniques et d'un souffle brûlant, les anciens habitants de Pompéi n'eurent pas le temps de réaliser ce qui leur arrivait. La grande majorité des Romains ignoraient alors que le Vésuve était un volcan et ceux qui le savaient le croyaient éteint. Aujourd'hui, plus personne ne méconnaît son activité. Les vulcanologues ne peuvent dire quand la prochaine éruption aura lieu, mais ils la prévoient dévastatrice : quelque 600 000 personnes vivent en effet dans un rayon de 7 km autour du cratère.

Pour tenter de dégager la partie basse du Vésuve, les autorités régionales ont lancé en septembre 2003 le Progetto Vesuvia qui prévoit la remise d'une indemnité de 30 000 € aux habitants prêts à déménager. Mais l'offre n'a guère rencontré de succès pour des raisons aussi bien affectives que financières (la somme proposée ne représente que le quart du prix d'un deux-pièces neuf dans une banlieue de Naples) ou encore agricoles (ce sol volcanique fertile produit le meilleur raisin de la région et les tomates les plus goûteuses d'Italie).

LE ROYAUME DES DEUX-SICILES

L'art et la culture sur fond d'occupation et de révolte.

Les Normands arrivèrent en Italie du Sud à partir du Xe siècle. Ils ne faisaient à l'origine qu'y passer lors de leurs pèlerinages à Jérusalem. Seuls restèrent des groupes de mercenaires, attirés par l'argent à gagner en combattant pour une des principautés rivales ou contre les musulmans de Sicile.

Au début du XIe siècle, le duc de Naples Serge IV engagea un Normand, Rainulf Drengot, pour chasser les Lombards de Capoue. Pour conférer un semblant de légitimité à son action, en 1038 Serge IV fait de Rainulf Drengot le duc d'Aversa, ville proche de Naples, dont la forteresse avait été confiée aux Normands. Ceux-ci font de la petite ville une place forte et, aidés par des mercenaires déterminés à profiter au maximum des luttes entre factions rivales, partent en conquête.

En 1062, Rainulf Drengot remplit son contrat et prend Capoue. Après la conquête d'Amalfi en 1073, puis de Salerne quatre ans plus tard, et celle de la Sicile par Robert Guiscard et son frère Roger de Hauteville, la plus grande partie de l'Italie du Sud passe dès 1130 aux mains des Normands. En 1139, les clés de Naples sont remises à Roger II de Sicile. L'Italie du Sud devient dès lors un seul royaume avec Palerme pour capitale. Sous le règne de Roger II, le royaume connaît une période de prospérité matérielle et culturelle.

L'héritage de la dynastie normande restée sans héritier passa en 1189 à la dynastie souabe des Hohenstaufen lorsque l'empereur germanique Henri VI, qui avait épousé Constance, la fille de Roger II, revendiqua le royaume de Sicile. Très impopulaires auprès des Napolitains, les rois souabes entreprirent pourtant d'améliorer les infrastructures de la ville. Et le représentant le plus célèbre de la dynastie, Frédéric II, créa en 1224 à Naples une université et fit ainsi de la Campanie un centre culturel important en Italie.

La fin arriva pour les Souabes en février 1265, quand le roi Manfred fut mis en déroute par Charles Ier d'Anjou à la bataille de Bénévent. À la tête de la dynastie française des Angevins, Charles Ier prit le contrôle du royaume de Sicile avec la bénédiction du pape, qui s'était engagé à soutenir les Angevins contre la difficile (et coûteuse) tâche consistant à éliminer les Souabes. Trois ans plus tard le dernier représentant des Souabes, Conradin, fils de Frédéric II, était battu à la bataille de Tagliacozzo (23 août 1268) et décapité sur la Piazza del Mercato.

Les Angevins étaient déterminés à faire de Naples un centre majeur de la vie artistique et intellectuelle. Charles Ier d'Anjou fit construire le Castel Nuovo en 1279 et agrandir le port. Au début du XIVe siècle, le troisième roi Angevin, Robert d'Anjou, bâtit le Castel Sant'Elmo. Surnommé *il Saggio* (le Sage), Robert (1309-1343) fit également venir à Naples les plus grands artistes et écrivains de l'époque. Giotto, Pétrarque et Boccace, entre autres, répondirent à son invitation.

Le dernier siècle de domination angevine sera marqué par des luttes politiques complexes et souvent sanglantes entre factions familiales. Affaiblis par les querelles internes, les Angevins perdent rapidement leur emprise sur le pays.

top 5
DES LECTURES HISTORIQUES

Sous le soleil de Naples
Jean-Noël Schifano
(Gallimard, 2004)

Enquête sur la Camorra, Naples et ses réseaux mafieux
Tom Behan (Autrement, 2004)

Naples 44
Norman Lewis (Phébus, 2003)

Le Goût de Naples
dir. Pascale Lismonde
(Mercure de France, 2003)

Chroniques napolitaines
Jean-Noël Schifano (Folio, 1984)

LES ARAGONAIS

Après de violents combats, Alphonse Ier d'Aragon prend le contrôle de Naples en 1442 aux dépens du roi René, dernier représentant des Angevins. En butte à l'opposition des Napolitains pro-angevins, il se proclame rapidement roi des Deux-Siciles et s'organise pour que son fils Ferdinand Ier lui succède. Ce sera le cas en 1458.

Surnommé *il Magnanimo* (le Magnanime), Alphonse Ier fait beaucoup pour Naples. Il soutient les arts et les sciences et met en place des réformes institutionnelles, mais ces initiatives n'effacent pas le souvenir des populaires Angevins à qui il a pris le trône. Naples est certes prospère, mais la situation reste très instable et le soutien aux Angevins vivace.

En 1485, les barons de la cité prennent les armes contre Ferdinand Ier. En moins d'un an, le roi réussit à exécuter les meneurs (dans la salle des Barons du Castel Nuovo) et à signer la paix avec les autres. Cette paix ne durera pas. En 1495, le roi français Charles VIII envahit la ville. Aidé par un groupe de barons mais en butte à l'opposition virulente de la population, il n'occupera la cité que quatre mois. C'est l'Aragonais Ferdinand II qui montera sur le trône.

Un an plus tard, à la mort de Ferdinand II, les barons insurgés montrent encore leurs forces. Ils couronnent cette fois son oncle Frédéric, provoquant ainsi la colère de tous, Napolitains, Français et Espagnols, qui voulaient que ce soit sa veuve Jeanne qui lui succède. En 1501, la ville est envahie par une union franco-espagnole. Frédéric essaye de s'accrocher au pouvoir mais, face à une opposition quasi unanime, il s'enfuit et laisse Naples au général espagnol Gonzalve de Cordoue, dit le Grand Capitaine.

DON PEDRO ET LES VICE-ROIS D'ESPAGNE

Les XVIe et XVIIe siècles constituent un âge d'or pour Naples, qui profite de la nouvelle richesse de l'Espagne.

Durant deux siècles, entre 1503 et 1707, le royaume de Naples fera partie de l'empire d'Espagne. Dirigée par une succession de vice-rois au service de Ferdinand d'Aragon, de Charles Quint puis de Philippe II, la ville s'épanouit sur le plan artistique et gagne une bonne part de son actuelle splendeur.

Le XVIe siècle est une époque dorée pour Naples. La nouvelle richesse de l'Espagne – avec l'or et l'argent du Nouveau Monde – profite à tout son empire. Les barons factieux sont ramenés sur le droit chemin, l'ordre imposé et la cité forcée de s'agrandir en raison de l'augmentation de sa population. De fait, avec ses 300 000 habitants, Naples était devenue en 1600 la plus grande ville d'Europe. Le vice-roi don Pedro de Toledo prend des mesures énergiques pour résoudre le problème de la surpopulation. Il s'emploie à la coûteuse tâche de bâtir un nouveau quartier : la Via Toledo et les Quartiers espagnols. Fournir un toit au peuple ne suffit pas, des centaines d'églises et de monastères verront également le jour, décorés pour beaucoup par la nouvelle génération d'artistes et d'architectes de la ville.

Cosimo Fanzago (1591-1678) fut le plus prolifique d'entre eux. Le travail de ce maître du baroque se retrouve dans de nombreuses églises napolitaines. Il faut aussi citer, entre autres, les grands sculpteurs Giovanni di Nola et Pietro Bernini, père du célèbre Gian Lorenzo. Les peintres n'étaient pas en reste. Le Caravage, fuyant une inculpation pour meurtre à Rome, arriva à Naples en 1606. Inspirés par son style révolutionnaire, Giuseppe de Ribera, Massimo Stanzione, Luca Giordano et Francesco Solimena se firent également un nom à cette époque féconde. Cette explosion de créativité correspondit toutefois avec une période de troubles économiques. Si le XVIe siècle avait été favorable à Naples, ce ne fut pas le cas du siècle suivant.

Le premier choc fut lié à l'écroulement économique de Gênes en 1622. L'Espagne, comme Naples, entretenait d'étroits liens commerciaux avec la cité-État ligurienne et les répercussions se firent durement sentir. Au même moment, les guerres menées par l'Espagne faisaient peser un poids de plus en plus lourd sur les finances de l'empire. Pour faire face aux coûts de leurs engagements militaires, les Espagnols commencèrent à lever de nouveaux impôts poussant les Napolitains à la rébellion.

LA RÉVOLTE DE MASANIELLO

Le mécontentement gagnait de plus en plus une population déjà écrasée sous le poids des impôts, quand en janvier 1647 les Espagnols introduisirent une taxe sur les fruits frais. C'en était trop ! Le 7 juillet 1647, les événements se précipitèrent. Stimulée par le refus des négociants en fruits de Pouzzoles de payer la nouvelle taxe, et haranguée par un pêcheur illettré d'Amalfi, Tommaso Aniello, dit Masaniello, la colère de la foule explosa. Des combats éclatèrent entre manifestants et soldats envoyés du Castel Nuovo.

De son poste de commandement sur la Piazza del Mercato, Masaniello exposa ses exigences, ou plutôt son exigence, car il demandait seulement la suppression de la taxe sur les fruits frais. Il n'était pas antimonarchiste et ne cherchait pas à détrôner les Espagnols. Pour un rebelle napolitain, c'était une ligne très mesurée mais dangereuse. Sa modération causa sa perte. Avec le soutien tacite du vice-roi espagnol, des rebelles extrémistes, déçus par sa position, saisirent l'occasion de se débarrasser de lui lorsqu'elle se présenta. Masaniello fut assassiné le 16 juillet dans l'église Santa Maria del Carmine.

Entre-temps, la révolte avait fait boule de neige et était devenue une crise politique majeure. Alors que les rebelles s'étaient au départ battus pour une seule raison, tous ceux ayant une quelconque revendication essayaient d'exploiter la situation anarchique. Les Français tentèrent de s'introduire dans le jeu et envoyèrent le duc de Guise prendre le contrôle de la ville par la force. Il échoua et fut capturé le 6 avril 1648 par le nouveau vice-roi d'Espagne, le comte d'Oñate. L'ordre fut bientôt rétabli, les chefs rebelles exécutés et la vie dans la cité reprit un semblant de normalité.

LES BOURBONS

Tandis que la Révolution secoue la France, les Bourbons règnent sur Naples.

De l'accession de Charles VII au trône napolitain en 1734 à la réalisation de l'unité italienne en 1860, Naples fut profondément transformée et connut une période prospère. Sous le règne des Bourbons, Naples devint une ville pouvant rivaliser avec les grandes capitales européennes du siècle des Lumières. Le Palais royal de Capodimonde, le théâtre San Carlo et le Palais royal de Caserte furent construits, les fouilles de Pompéi et d'Herculanum amorcées, la Bibliothèque nationale créée, et l'Albergo dei Poveri devint le plus grand centre d'accueil de pauvres d'Europe. La ville était devenue si prestigieuse que de nombreux aristocrates européens vinrent s'installer dans les palais de la Via Toledo.

Même s'il ne passait pas pour particulièrement brillant, Charles VII, aidé de son Premier ministre Bernardo Tanucci, fut un des représentants du despotisme éclairé et laissa une profonde marque sur Naples et sa région. Outre la construction de palais et les fouilles des cités romaines ensevelies, il encouragea le développement économique de la région, entreprit une réforme des institutions en promouvant les droits de l'État au détriment de ceux des ecclésiastiques.

UN SIÈCLE DE CATASTROPHES

Les désastres qui touchèrent Naples au XVIIe siècle ne furent pas tous provoqués par la main de l'homme. La nature joua également un rôle, frappant à trois reprises en l'espace de 60 ans.

La première catastrophe fut l'éruption du Vésuve le 16 décembre 1631. Après quelque 500 ans de sommeil, le sommet du cratère explosa, crachant un mélange en fusion de cendres, de gaz et de pierres. La coulée mortelle détruisit tout sur son passage et fit 3 500 morts.

Mais ce chiffre n'est rien comparé à l'épidémie de peste qui, en 1656, se propagea en Campanie. En six mois, les trois quarts de la population de Naples moururent, mettant fin à tout espoir de reprise économique. Les tableaux accrochés dans la Salle 37 de la chartreuse San Martino (p. 91) illustrent de manière très réaliste l'horreur qui infesta les rues sordides de la ville.

Enfin, le coup de grâce se produisit 32 ans plus tard sous la forme d'un tremblement de terre. Malgré la distance entre Naples et Bénévent, l'épicentre du séisme, l'onde de choc provoqua des dégâts considérables.

LA RÉPUBLIQUE PARTHÉNOPÉENNE

Le gouvernement napolitain resta étonnamment optimiste quand les nouvelles de la Révolution de 1789 arrivèrent dans le Sud. Cela ne dura pas. L'exécution de la sœur de Marie-Caroline (voir encadré, ci-contre), Marie-Antoinette, suffit à pousser Naples à se joindre à la coalition antifrançaise.

DRÔLE DE COUPLE

Quel couple mal assorti que celui formé par l'inculte roi de Naples Ferdinand IV, fils de Charles VII de Bourbon, et son épouse autrichienne Marie-Caroline, aussi belle qu'intelligente

L'une des 16 enfants de l'impératrice Marie-Thérèse d'Autriche, la jeune Marie-Caroline débarqua à Naples en 1768, à l'âge de 16 ans, pour épouser Ferdinand. Calculatrice et impitoyable, elle semblait pourtant une partenaire bien improbable pour ce souverain napolitain, notoirement fruste, qui ne parlait que le dialecte. Elle couvait également des projets politiques comme celui de prendre ses distances avec l'Espagne pour se rapprocher de l'Autriche et de l'Angleterre. Son mari se montra trop heureux de lui laisser, ainsi qu'à ses sbires, les rênes du pouvoir.

La première victime de l'ambitieuse Marie-Caroline fut Bernardo Tanucci, le Premier ministre qui dans les faits dirigeait Naples, depuis que Charles VII avait laissé la ville à son fils de huit ans pour monter sur le trône d'Espagne en 1759. Homme intègre, Tanucci fit preuve d'efficacité, abolissant les privilèges féodaux, réduisant l'impôt prélevé par l'Église. Il ne put cependant empêcher la reine d'exercer son intelligence avec une grande acuité.

En accord avec les termes du mariage, Marie-Caroline rejoignit le Conseil d'État de Naples à la naissance de son premier fils, en 1777. Elle n'attendait que cela pour chasser Tanucci, qu'elle remplaça rapidement par John Acton, un aristocrate anglais né en France. Acton ne tarda pas à réaliser qui détenait le véritable pouvoir et à s'attirer les bonnes grâces de Marie-Caroline avec sa politique hostile aux Bourbons et son style autoritaire. Il devint ainsi son Premier ministre et, au dire de certains, son amant. Sous sa férule, Naples rejoignit la coalition antifrançaise, obligeant le roi et la reine à s'enfuir en Sicile à deux reprise pour échapper aux troupes révolutionnaires françaises.

C'est en 1806, lors du second de ses exils volontaires, que le destin de Marie-Caroline bascula à cause de Lord William Bentinck, ambassadeur d'Angleterre en Sicile et maître de facto de l'île. Sans que son époux n'intervienne, elle fut exilée en Autriche en 1811 où elle mourut trois ans plus tard. Ferdinand rentra à Naples en 1816 et régna sur le royaume des Deux-Siciles jusqu'à sa mort en 1825.

Les troupes révolutionnaires françaises et celles de Naples se heurtèrent une première fois en 1798 à Rome, occupée par les Français, quand les Napolitains revendiquèrent avec succès la ville. Onze jours plus tard cependant, ils fuyaient vers le sud, poursuivis de près par les troupes françaises.

En butte à l'hostilité de la majorité des Napolitains, les Français furent pourtant bien accueillis par la noblesse et la bourgeoisie, dont une bonne partie avait adopté les idéaux républicains à la mode. C'est donc avec l'appui total des Français que les libéraux proclamèrent la République parthénopéenne le 23 janvier 1799.

Ce fut loin d'être un succès. Les nouveaux dirigeants étaient des idéalistes dénués d'esprit pratique, et ils eurent vite des problèmes financiers. Leurs efforts pour démocratiser la cité échouèrent et l'armée était considérablement affaiblie.

De l'autre côté de la mer, les exilés de Palerme ne restaient pas inactifs. Ils envoyèrent le cardinal Fabrizio Ruffo organiser un soulèvement en Calabre. Le cardinal rassembla vite une armée disparate de militaires, de paysans et de brigands, et commença à monter vers le nord. Le 13 juin, il entrait dans Naples. Ce fut un carnage. Mais les rebelles, enfermés dans les imprenables forteresses de la cité, arrivèrent à négocier un accord de paix leur permettant de sortir sains et saufs de la ville. Le retour du couple royal mit fin à l'épisode.

Le 8 juillet 1799, Ferdinand et Marie-Caroline revinrent de Sicile et ils entamèrent une campagne d'extermination systématique des sympathisants républicains qui se solda par plus de 200 exécutions sommaires.

LA DÉCENNIE FRANÇAISE

Après sa victoire sur les Autrichiens à Austerlitz en décembre 1805, Napoléon poursuivit l'expansion de son empire et envoya une armée vers le sud en direction de Naples. Commandées par son frère Joseph Bonaparte, les forces françaises entraient une fois encore dans Naples. Et de nouveau, Ferdinand IV et sa famille s'enfuyaient en Sicile. Bien qu'officiellement roi de Sicile, Ferdinand IV fut ignoré par l'ambassadeur britannique Lord William Bentinck, qui devint de facto le dirigeant de l'île. Il était plus difficile d'ignorer Marie-Caroline. Bentinck l'exila en Autriche, où elle mourut trois ans plus tard en 1814.

top 5
ŒUVRES D'ART HISTORIQUES

Frise dionysiaque (anonyme).
Villa des Mystères, Pompéi (p. 164)

Tavola Strozzi (anonyme).
Chartreuse San Martino (p. 91)

La Rivolta di Masaniello del 1647
(La Révolte de Masaniello, Micco Spadaro).
Chartreuse San Martino (p. 91)

Eruzione del Vesuvio dal Ponte Maddalena
(L'Éruption du Vésuve, Pierre-Jacques Volaire).
Palais royal de Capodimonte (p. 93)

Ritratto di Maria Carolina di Borbone
(Portrait de Marie-Caroline de Bourbon, **anonyme**). Chartreuse San Martino (p. 91)

À Naples, Joseph Bonaparte fut remplacé par Joachim Murat, beau-frère de Napoléon, qui devint roi en 1808. De sa résidence, le Palais royal de Capodimonte, Joachim Murat lança une série de mesures qui auraient dû être populaires. Il abolit le féodalisme, entama un programme de redistribution des terres, attira les investissements étrangers et aida à la création d'une industrie locale. Mais il était toujours détesté. Français et révolutionnaire, il ne pouvait trouver grâce aux yeux des masses royalistes. Quand le vent tourna contre son beau-frère Napoléon, Joachim Murat, voulant à tout prix garder le contrôle de Naples, signa un accord avec les Autrichiens et les Anglais lui permettant de conserver sa position. Malheureusement pour lui, ces derniers ne respectèrent pas cet accord. En 1815, Murat dut quitter Naples, et Ferdinand IV revint pour réclamer son trône. Joachim Murat tentera de reconquérir le royaume de Naples, mais sa tentative échouera et il sera fusillé.

GUERRE ET PAIX

La Deuxième Guerre mondiale provoque à Naples des dégâts considérables, ouvrant ainsi la voie au crime organisé.

La réalisation de l'unité fut un choc. D'ancienne capitale d'un royaume actif sur le plan international, Naples devint subitement une petite capitale régionale. Et le problème de l'intégration du Sud – pauvre et arriéré pour certains, mal soutenu par le gouvernement pour d'autres –, au Nord industrialisé se posa rapidement. Et Naples sombra dans la nostalgie.

La grande épidémie de choléra de 1884 fut suivie d'une des rares périodes d'optimisme. Se rendant compte de la nécessité d'un profond nettoyage de la ville, les autorités lancèrent de nombreux projets de rénovation urbaine. Elles rasèrent les taudis les plus misérables entourant le port, construisirent de nouveaux quartiers d'habitation et percèrent le Corso Umberto I à travers la ville. Les urbanistes bâtirent un nouveau quartier résidentiel en haut de la colline de Vomero, alors qu'en bas, la Galerie Umberto I et le Caffè Gambrinus devenaient les nouveaux lieux à la mode. Pourtant, si l'aspect de la ville changeait, les problèmes sous-jacents demeuraient : pauvreté, corruption et extension du crime organisé.

Benito Mussolini prit le contrôle du pays en 1925. Désireux de donner une crédibilité internationale à la nation, il s'engagea dans des guerres coloniales en Éthiopie et s'allia avec Hitler en Europe. Sur le front intérieur, il lança un grand programme national de construction. À Naples, cela aboutit à l'inauguration d'un aéroport en 1936, à la création de lignes de train et de métro, et à la fin des travaux du funiculaire de Vomero. La Foire d'outre-mer (Mostra d'Oltremare) fut inaugurée en 1937 pour célébrer les grandes victoires coloniales italiennes. Si les décisions de politique intérieure de Mussolini se traduisirent par l'émergence de nombreux et massifs monuments publics, celles concernant sa politique étrangère n'eurent que des effets destructeurs.

Durant la Seconde Guerre mondiale, Naples souffrit terriblement. Les bombardements aériens firent plus de 20 000 morts et détruisirent une bonne partie du centre-ville.

GARIBALDI ET LES CHEMISES ROUGES

Nationaliste fervent, Giuseppe Garibaldi joua un rôle crucial dans la réalisation de l'unité de l'Italie qui marqua la fin du royaume des Bourbons de Naples.

Galvanisés par leur victoire sur les troupes autrichiennes dans le Piémont, Garibaldi et ses mille volontaires, les Chemises rouges, prirent la mer en mai 1860 à destination de la Sicile. Là-bas les attendait une armée napolitaine forte de 25 000 hommes. En dépit de sa supériorité numérique, cette dernière combattit sans enthousiasme, la monarchie despotique refusant de céder une partie de ses prérogatives au Parlement napolitain (les Constitutions proclamées en 1820 et 1848 n'avaient pas duré plus d'un an), si bien que les nationalistes l'emportèrent.

À Naples, François II tenta à la hâte d'apaiser son peuple de plus en plus rebelle en acceptant de ressusciter la Constitution de 1848, mais il était trop tard car les Chemises rouges marchaient déjà sur Naples. À l'instar de ses ancêtres, le roi quitta la ville pour se réfugier avec 4 000 loyalistes derrière la rivière Volturno, à une trentaine de kilomètres. Le 7 septembre, Garibaldi pénétra facilement dans Naples et fut accueilli en héros.

Sans grande conviction, les partisans des Bourbons lancèrent encore quelques attaques de la dernière chance avant d'être vaincus à la bataille de Volturno au cours des deux premiers jours d'octobre. Désormais entièrement aux mains de Garibaldi, Naples vota massivement pour faire partie de l'Italie unifiée sous le règne des Savoie.

L'année 1943 fut la pire de toutes. Les bombardements atteignirent leur maximum en préparation du débarquement allié et les Allemands s'étaient emparés de la ville. Ils n'y restèrent pas longtemps, puisqu'ils en furent chassés par une série de soulèvements populaires entre le 26 et le 30 septembre. Appelées les *Quattro Giornate Napoletane* ("les quatre jours de Naples"), cette insurrection populaire prépara l'entrée dans la ville des troupes alliées le 1er octobre.

Accueillis en libérateurs, les Alliés installèrent à Naples leur gouvernement provisoire. À ce moment, la cité abritait une population hétéroclite composée de troupes alliées en augmentation constante, de prisonniers de guerre allemands et de bandes de fascistes italiens, en compétition avec la population affamée de la ville pour trouver de la nourriture. Pour tout arranger, le Vésuve entrait en éruption en 1944. Afin de faire face à la situation, les autorités alliées continuèrent à demander de l'aide au "milieu", tout prêt à offrir son assistance, à condition que les Alliés détournent les yeux de ses activités de marché noir, et c'est ainsi que les organisations criminelles commencèrent à se développer.

L'ÉPOQUE MODERNE

Décrite comme la Città Perduta, la "ville perdue", Naples poursuit sa lutte contre les clans de la Camorra.

Le maire Antonio Bassolino, un ancien communiste, a été le moteur de ce qui est considéré comme la "renaissance napolitaine" du milieu des années 1990. Ce qui est maintenant de l'histoire semblait pourtant irréalisable quand il prit les rênes du pouvoir en 1993. Naples était alors quelque peu chaotique…

En 1992, la campagne *Mani Pulite* (Mains propres) était lancée. Ce qui avait débuté comme une enquête sur les pots-de-vin dans une maison de retraite milanaise se transforma très vite en une croisade nationale contre la corruption. Les enquêteurs s'attaquèrent à des grands patrons de l'industrie et à des hommes politiques. Certains furent emprisonnés, et l'ancien Premier ministre Bettino Craxi dut fuir l'Italie pour éviter des procès. Les Napolitains manifestèrent aussi leur volonté de changement en élisant Antonio Bassolino, qui leur promettait justement ce qu'ils voulaient entendre : lutter contre la corruption, nettoyer et embellir la ville.

Les sept années suivantes, Naples commença à se transformer. La Piazza del Plebiscito, devenue depuis des années un gigantesque parking, fut rendue aux piétons. Un festival artistique naquit, le Maggio dei Monumenti, et les nouvelles stations de métro furent décorées avec des œuvres d'art contemporain. En 1994, les dirigeants des plus grands États de la planète se réunissaient à Naples lors du G7. Ce fut une heure de gloire pour la cité…

ENTENDU DANS LA RUE

- "Nous payons 250 € par an pour le ramassage des ordures et ils ne font toujours rien." (des tas de détritus continuent de joncher les rues.)
- "Ils disent que le métro sera achevé en 2008, mais il se moque de nous." (Peu de Napolitains croient à la nouvelle date fixée pour l'ouverture des nouvelles stations de métro.)
- "Ouais, tout bien considéré, elle fait plutôt du bon boulot." (Jervolino a été réélue à la mairie de Naples en mai 2006.)
- "L'année prochaine la première division, l'année d'après la Ligue des champions." (L'équipe de football de Naples est passée de la troisième à la deuxième division où elle se classe actuellement en milieu de tableau.)
- "L'été n'a jamais été aussi caniculaire." (Les Napolitains aiment se plaindre de la dégradation du temps.)

Après sa réélection en 1997, Antonio Bassolino ne réussit pas à tenir un rythme aussi rapide, et les changements se ralentirent. En 2000, il se fit élire président de la région de Campanie, ce que beaucoup interprétèrent comme une fuite pour échapper à la course quotidienne exigée par la gestion de la ville.

Les quatre années écoulées depuis que Rosa Russo Jervolino a succédé à Antonio Bassolino n'ont pas été faciles. En avril 2002, huit policiers ont été arrêtés pour actes de torture. Selon l'accusation, ils avaient commis des actes de violence sur 80 altermondialistes, arrêtés durant les manifestations de la conférence gouvernementale de 2001. En mai 2003, des images d'une fumée noire emplissant les rues de Naples ont fait la "une" des médias italiens. Les habitants, excédés par l'incapacité des services de ramassage des ordures à nettoyer les trottoirs de la ville, avaient décidé que *basta* (ça suffit !) et mis le feu aux piles d'immondices qui s'entassaient aux coins des rues. Les commentateurs évoquèrent à mi-voix des pratiques criminelles liées à la lucrative industrie des déchets. Les habitants proclamèrent qu'ils voulaient juste vivre dans des rues propres.

Pire que tout, cependant, fut le retour de la Camorra sur le devant de la scène. Fin 2004 et début 2005, un violent conflit territorial ensanglanta les rues de Scampia et Secondigliano, deux faubourgs durs du nord de la ville. En quatre mois, pas moins de 47 personnes furent abattues aux cours d'une guerre des gangs pour le contrôle du trafic de drogue napolitain.

En 2006 les journalistes italiens continuaient à mettre en avant le profil criminel de la ville. En septembre, l'hebdomadaire *L'Espresso* publiait, sous le titre de "Città Perduta", (la "ville perdue"), un article important sur la vie parmi les gangs de voleurs de Naples. Reste à savoir si cette embellie du crime organisé est un simple soubresaut dans l'histoire mouvementée de la cité, ou un retour plus durable dans le giron de ses vieux démons.

CULTURE ET SOCIÉTÉ

L'ESPRIT NAPOLITAIN

Comédiens dans l'âme et malins en diable, les Napolitains sont réputés, à juste titre, pour leur ingéniosité.

Il n'y a qu'à Naples qu'on vend dans la rue de vieux journaux pour que les amoureux puissent se cacher derrière les vitres de leur voiture, ou des T-shirts imprimés d'une ceinture de sécurité en trompe-l'œil pour feinter la police de la route. Les autorités locales elles-mêmes font preuve d'inventivité : elles ont lancé en 2006 une opération destinée à neutraliser les voleurs de Rolex, en distribuant des montres en plastique aux touristes. Naples est une ville où le marché noir prospère et où les articles de contrefaçon s'étalent partout.

LA CAMORRA

Si les grandes organisations criminelles du Sud (la Camorra napolitaine, la Mafia sicilienne...) ont vécu des temps difficiles sous le régime fasciste de Benito Mussolini, elles ne furent pas définitivement détruites. Affaiblies mais toujours là, elles ne mirent pas longtemps à saisir l'opportunité offerte par la Seconde Guerre mondiale. À la suite du débarquement allié de 1943, les commandements anglais et américains se tournèrent vers l'économie souterraine pour arriver à leurs fins. Le marché noir prospéra et la Camorra recommença à étendre ses tentacules. Elle fit de très bonnes affaires après guerre grâce à la reconstruction, le besoin de logements bon marché permettant de faire peu de cas de "détails" comme l'obtention de permis de construire.

Le séisme du 23 novembre 1980, qui fit plus de 2 700 morts dans la région marqua le début d'une période exceptionnelle. Alors rompue à l'art de siphonner les fonds gouvernementaux et européens, la Camorra gagna énormément d'argent – et l'afficha. Ses chefs Carmine et Luigi Giuliano, par exemple, devinrent célèbres pour leurs fêtes somptueuses.

Ces chefs préfèrent aujourd'hui garder profil bas, mais les coffres se remplissent toujours. À leur cœur de cible traditionnel – rackets, trafic de drogue et contrôle du marché des fruits et légumes de la ville –, les familles ont ajouté les secteurs très lucratifs de la contrefaçon (CD, vêtements griffés...) et des ordures. Le contrôle de décharges illégales peut en effet s'avérer très lucratif, surtout si on n'est pas trop regardant sur le type d'ordures enterrées. Selon certains chiffres, le marché de l'enfouissement illégal en 2002 avoisinait les 2 500 millions d'euros. Mais il arrive aussi de temps à autres que des bandes rivales règlent leurs comptes de façon sanglante, ce qui fut le cas à Naples et dans sa banlieue en 2006, où il y a eu au moins 80 assassinats en pleine rue.

DALLAS STRIBLEY

top 5 À FAIRE OU PAS

- Faites un effort pour parler la langue. Il suffit de quelques mots d'italien, même écorchés, pour se rendre sympathique.
- Couvrez-vous lorsque vous visitez une église ou un site religieux. Les débardeurs et les shorts sont interdits.
- Ne touchez pas les objets en vitrine car vous risquez de fâcher le commerçant…
- N'offrez pas de chrysanthèmes, réservés à la décoration des tombes.
- Mettez l'accent sur les aspects positifs de Naples. Les habitants sont les premiers à critiquer les défauts de leur ville, mais peuvent s'offusquer quand un étranger fait de même.
- Ne dites pas à un Napolitain que vous soutenez la Lega Nord, le parti séparatiste d'Italie du Nord, honni dans le Sud.

Les temps difficiles ont forgé les Napolitains tels qu'ils sont aujourd'hui. Tout au long de son histoire, la ville fut en effet disputée, envahie et occupée par des puissances étrangères uniquement soucieuses de leur intérêt et ne voyant dans la population qu'une source d'impôt. Celle-ci apprit donc très tôt à se débrouiller seule avec ce qu'elle avait. Et si l'art de l'*arrangiarsi* (la débrouille) n'est pas l'apanage de Naples, ses habitants y excellent. Malgré un revenu annuel par tête d'environ 14 500 €, soit bien en deçà de la moyenne italienne de 22 000 €, les Napolitains parviennent à consommer ferme, à jouer encore plus et à profiter de la *dolce vita*.

Ils savent que beaucoup des stéréotypes de l'Italien tel qu'il est perçu à l'étranger leur correspondent et ils s'en flattent. Il n'y a guère d'autre endroit d'Italie où les gens soient aussi conscients de leur rôle dans le théâtre du quotidien et aussi attachés à son intensité dramatique. Tout le monde a une opinion à exprimer, un conseil à donner ou un soupir à pousser. Connaître la vie des autres constitue un point d'honneur. Les Napolitains plaisantent en disant que si quelqu'un tombe dans la rue, le passant du cru voudra d'abord savoir ce qui s'est exactement passé avant d'appeler une ambulance. Dans une ville où la densité démographique atteint les 2 613 personnes au km² (près de 14 fois la moyenne nationale), la curiosité pour son prochain se conçoit. La vie se déroule en grande partie dans la rue et l'intimité constitue un luxe que beaucoup ne peuvent se permettre.

À cela s'ajoute une forte dose de méfiance vis-à-vis de l'autorité. L'État n'a pas réalisé grand-chose en faveur des Napolitains qui se sentent dans leur bon droit en se comportant de même. La fraude fiscale est très répandue et l'*abusivismo* (construction illégale) sévit. Là où l'État a manqué à ses devoirs, la Camorra (voir à gauche) a investi la place. Le crime organisé fait partie intégrante de la vie napolitaine. Il mène ses affaires lucratives de manière souterraine et silencieuse, apparaissant occasionnellement à la surface lors de violents règlements de compte entre gangs. S'ils déplorent cette situation, la plupart des Napolitains l'acceptent comme ils ont accepté dans le passé d'autres malheurs, avec un haussement d'épaule résigné et un hochement de tête mélancolique. Et la vie continue…

DALLAS STRIBLEY

SAINTS ET SUPERSTITIONS

Super héros célestes et mauvais œil : quand le catholicisme flirte avec l'occulte.

À Naples, les saints font figure de véritables vedettes. Des feux d'artifices éclatent en leur honneur, les fidèles baisent avec ferveur leurs pieds de marbre et de nombreux bébés reçoivent leur nom. Les Napolitains célèbrent fréquemment leur fête avec autant d'enthousiasme que leur anniversaire. D'ailleurs, oublier la fête d'un ami est considéré comme une faute plus grave que de manquer son anniversaire, car tout le monde est censé connaître les jours correspondants aux principaux saints.

Ces derniers jouent dans la vie spirituelle des croyants un rôle plus important que Dieu lui-même. Si le Tout-Puissant est perçu comme austère et distant, à l'image du *pater familias* italien d'autrefois, eux remplissent la fonction plus familière d'intercesseur et de confident. Les représentants de l'Église ne voient pas toujours cette préférence d'un œil bienveillant. Ainsi, un panneau dans la Santissima Annunziata (p. 77) demande aux visiteurs de rendre hommage au Christ avant de se glisser dans les chapelles latérales consacrées aux saints. Mais cette requête reste bien souvent ignorée.

Chaque saint a sa spécialité. Les couples infertiles se rendent dans l'ancien appartement de Santa Maria Francesca, Vico Tre Re a Toledo 13, dans les Quartiers espagnols (Quartieri Spagnoli). Ils s'assoient sur un siège ayant appartenu à la stigmatisée dont ils demandent l'intervention pour avoir un enfant. Dans l'église du Gesù Nuovo (p. 69), une chapelle est dédiée au Dr Giuseppe Moscati, un médecin très aimé canonisé en 1987. Sur les murs, des ex-voto argentés en forme de parties du corps attestent de l'efficacité de ce médecin.

Et l'on ne s'adresse pas aux saints uniquement pour résoudre des problèmes graves, mais aussi parfois pour gagner au Loto ou conclure un rendez-vous galant.

Pas étonnant donc que Gennaro soit le prénom masculin le plus répandu car saint Janvier est le patron de Naples et, en quelque sorte, son super héros. Chaque année, des milliers de Napolitains envahissent le **Duomo** (p. 75) pour assister à la liquéfaction miraculeuse du sang de San Gennaro contenu dans une fiole. Bien sûr, peu d'entre eux croient vraiment au miracle et le phénomène a une explication scientifique. Il s'agit apparemment de thixotrophie – propriété de certains composants à devenir liquides quand on les agite et à reprendre ensuite leur forme initiale. Il faudrait toutefois analyser le "sang" pour valider l'hypothèse, mais l'Église empêche cela en s'opposant à l'ouverture de la fiole.

Toujours est-il que la ville pousse un soupir de soulagement au moment où le sang se liquéfie, annonçant ainsi une nouvelle année exempte de catastrophes. Il manqua de le faire à deux reprises, ce qui coïncida curieusement avec l'éruption du Vésuve en 1944 et le tremblement de terre du 23 novembre 1980.

Cette histoire illustre combien religion et superstition s'entremêlent ici. Des autels votifs jouxtent des boutiques vendant des cornes rouges contre le mauvais sort et des tresses d'ail pendent aux balcons pour éloigner les vibrations néfastes. Le même homme qui se signe devant une église fait les cornes (les doigts pliés sauf le pouce et l'auriculaire) pour se garder du *mal'occhio* (mauvais œil). Jusqu'à l'église du Gesù Nuovo qui n'échappe pas à cet esprit superstitieux ; sa façade en pointes de diamants a été conçue pour déjouer la malchance. À Naples, le catholicisme fait bon ménage avec des croyances populaires.

Le culte des âmes du purgatoire compte parmi les exemples les plus macabres de cette association. Largement pratiqué jusque dans les années 1970, il impliquait l'adoption d'un crâne dans le cimetière des Fontanelle (p. 96), de sinistre mémoire, où des milliers de victimes de la peste avaient été enterrées à la hâte et oubliées. Le crâne recevait cadeaux et prières afin de libérer l'âme de son propriétaire du purgatoire et de s'attirer en retour la bonne fortune. Cette pratique était si populaire que, jusque dans les années 1950, un tramway desservait le cimetière vers lequel affluait une foule chargée de fleurs. En 1969, le cardinal Ursi interdit officiellement ce culte, le taxant de fétichisme. Certains disent pourtant qu'il est loin d'avoir disparu.

TOUS LES GAGNANTS EN ONT RÊVÉ

À priori, la loterie napolitaine ressemble exactement à n'importe quelle loterie : achat de billets, inscription des numéros et tirage du gagnant dans un chapeau bien gardé. Ce qui diffère, c'est la façon dont les joueurs choisissent leurs numéros. Ils les rêvent, ou plutôt interprètent leurs rêves à l'aide de *La Smorfia*. Selon ce "livre saint", rêver de Dieu ou de l'Italie implique de choisir le 1, d'un joueur de football le 42 (Maradona, le dieu du foot, est le 43). La danse correspond au 37, les pleurs au 21, la peur au 90 et les cheveux féminins au 55.

Certains joueurs laissent l'expert d'une boutique du Loto choisir leur numéro, après lui avoir murmuré à l'oreille la tenue de leur rêve (personne ne veut partager avec un autre une combinaison gagnante). Si l'on en croit les Napolitains, la boutique de Loto (*ricevitoria*) la plus célèbre en matière d'interprétation des rêves est celle située à Porta Capuana, gérée par la même famille depuis plus de 200 ans. La grand-mère de l'actuel propriétaire était considérée comme une experte en interprétation. Aujourd'hui, des gens venus notamment d'Espagne et de Suisse s'y rendent toujours, espérant gagner le gros lot.

GREG ELMS

JEAN-BERNARD CARILLET

NAPLES, TERRE D'ACCUEIL

Vendeurs à la sauvette polonais et pizzaioli chinois : bienvenue dans la Naples du troisième millénaire.

À l'image du reste de l'Italie, Naples devient rapidement multiethnique. La Camorra laisse le curry s'installer dans les Quartiers espagnols, les lanternes en papier chinoises se répandent dans le Mercato et des traiteurs polonais apparaissent sur la Piazza Garibaldi. La ville et sa province accueillent officiellement 45 000 résidents nés à l'étranger. Les Américains et les Canadiens, au nombre de 8 000, forment le groupe le plus important et travaillent pour beaucoup dans les bureaux napolitains de l'ONU. Viennent ensuite les Sri Lankais et les Philippins (7 500), suivis par les Maghrébins (4 000), ainsi que des communautés non négligeables d'Africains de l'Ouest, d'Européens de l'Est et de Dominicains. Mais les chiffres s'avèrent en réalité bien plus élevés à cause des milliers de clandestins qui vivent dans la région sans statut juridique ni social.

Si un nombre croissant de Chinois et de personnes des pays de l'Est montent de petits commerces, la majorité des émigrés restent employés dans l'industrie, le bâtiment et chez des particuliers. En fait, 70% d'entre eux travaillent à Naples comme hommes ou femmes de ménage, baby-sitters ou auxiliaires de vie pour personnes âgées. Dans les années 1970 et 1980, être employé de maison constituait une aubaine pour les nouveaux arrivants. Avoir un domestique étant alors un must pour les Napolitains aisés, beaucoup d'émigrés bénéficièrent de postes à long terme et de relations haut placées. Depuis les années 1990, toutefois, la demande vient de plus en plus d'une classe moyenne pressée par le temps qui ne peut offrir les mêmes conditions économiques et les mêmes droits. La sécurité a désormais fait place à la précarité.

Celle-ci touche en premier lieu les vendeurs de rue, parmi lesquels bon nombre de clandestins sénégalais surnommés "*vù cumprà*" ("tu veux acheter"), qui écoulent des articles de contrefaçon disposés sur une pièce de tissu à même le trottoir. Lorsque la police passe par là, ils s'empressent de remballer leur marchandise, de peur d'être arrêtés et expulsés du pays.

En dehors de la ville, la situation se révèle encore pire pour les sans-papiers, qui trouvent surtout des travaux agricoles saisonniers pénibles et mal rémunérés et sont à la merci d'employeurs profitant de leur vulnérabilité.

Le paradoxe de l'immigration à Naples est que les plus invisibles dans le système sont ceux qu'on remarque le plus. Pauvres et marginalisés, ils se font souvent prendre en train de mendier, de commettre des arnaques ou de voler, d'où la mauvaise réputation dont pâtissent les émigrés et l'idée, surtout véhiculée par la droite, que l'Italie accueille trop d'étrangers.

Parallèlement, Naples connaît une fuite des cerveaux. Confrontés à un taux de chômage de 20,9% et à des universités qui manquent de fonds, certains de ses jeunes diplômés les plus brillants partent pour l'Italie du Nord ou d'autres pays, en quête de meilleures perspectives de carrière dans leur domaine d'élection.

Par le passé, Naples a connu un phénomène d'émigration massive. Entre 1876 et 1976, quelque 2 700 000 habitants de la Campanie quittèrent en effet leur terre natale pour l'étranger. Cet épisode a marqué l'histoire de la ville au point d'être le thème de nombreuses chansons, la plus connue étant *Santa Lucia Luntana*. L'importante diaspora napolitaine a fait de son répertoire la forme de musique populaire italienne la plus connue hors de la Péninsule. Aussi, lorsque la partition de l'hymne national italien fut égarée lors des Jeux olympiques de 1920 à Anvers, l'orchestre se mit-il à jouer *O Sole Mio*.

LE BON, LA BRUTE ET L'ÉTRANGER

Les Napolitains se vantent d'être tolérants. Des siècles d'influence et de domination étrangères ont en effet doté la ville d'une faculté d'absorber et de s'approprier ce qui vient d'ailleurs. Pourtant, comme dans toute société, des préjugés demeurent. Certaines cultures fascinent tandis que d'autres suscitent la méfiance, voire un ressentiment pur et simple. Les Américains jouissent à ce titre d'une cote particulière. Malgré un soutien croissant au mouvement antimondialisation, la plupart des habitants parlent d'eux comme des *alleati* (les Alliés) et beaucoup de ceux qui ont vécu la Deuxième Guerre mondiale les appellent les *liberatori* (libérateurs). Parmi les émigrés moins privilégiés, les Sri Lankais et les Philippins ont la réputation d'être diligents, honnêtes et travailleurs. Les Sénégalais et les Ghanéens, plutôt appréciés, sont perçus comme des gens sympathiques et désireux de s'intégrer. D'ailleurs, les Napolitains font fièrement remarquer que nombre de leurs voisins d'Afrique de l'Ouest maîtrisent le dialecte local bien avant d'apprendre l'italien. Plus mystérieux aux yeux de la population, les Chinois forment, comme ailleurs, une communauté très soudée et relativement autosuffisante. Certains les voient cependant comme une menace économique en raison des produits bon marché importés de Chine qui saturent le marché italien. Mal considérés, les ressortissants des pays de l'Est sont fréquemment qualifiés, pour les femmes, d'"aventurières briseuses de ménages", pour les hommes, d'"ivrognes". Au bas du tableau se situent les Maghrébins et les Roms, marginalisés et accusés d'activités délictueuses qui leur valent peu d'amis à l'ombre du Vésuve.

JEAN-BERNARD CARILLET

STATUT DE LA FEMME

Entre travail et famille, les Napolitaines sont sur tous les fronts.

Dans le film de Vittorio de Sica *Hier, aujourd'hui et demain* (*Ieri, Oggi, Domani* ; 1963), Sophia Loren joue le rôle d'Adelina. Surprise en train de vendre des cigarettes de contrebande pour gagner sa vie et celle de son fainéant de mari (Marcello Mastroianni), elle est arrêtée et jetée en prison. Découvrant qu'en vertu de la loi italienne une femme ne peut être incarcérée moins de six mois après avoir accouché, le couple se met alors à procréer à la chaîne. Adelina incarne, sous bien des aspects, la femme napolitaine "idéale" : fertile, truculente, astucieuse et farouchement dévouée à son homme et à sa famille. Elle se définit à travers le mariage et la maternité.

Les familles napolitaines figurent toujours parmi les plus nombreuses d'Italie, avec une moyenne de 3,23 enfants par famille contre un taux de fécondité de 2,6 au niveau national. Il est normal de vivre chez ses parents jusqu'au mariage, et un tiers des hommes mariés continuent de voir leur mère tous les jours. Cependant, en dépit de ce tableau rétro, les habitudes changent. Il y a vingt ans, la plupart des Napolitains de sexe mâle ne savaient pas faire cuire un œuf. Aujourd'hui, beaucoup cuisinent pour leur femme qui travaille. Les Italiennes détenaient en 2004 25% des entreprises du pays (15% en 1993) et Naples a aujourd'hui pour maire Rosa Russo Jervolino. L'étroitesse du marché de l'emploi a rallongé le temps d'étude des femmes ; plus de filles que de garçons fréquentent la faculté de médecine, et 40% des jeunes filles de Naples suivent un cursus universitaire, alors que les garçons ne sont que 31%.

Mais malgré les avancées, des obstacles demeurent. S'il existe davantage de femmes diplômées que d'hommes, seules 53,7% d'entre elles trouvent un travail en l'espace de trois ans après la fin de leurs études, contre 69,2% de leurs collègues masculins. Par ailleurs, leur salaire restent inférieur d'environ 10%. Des lois contre la discrimination font peu à peu évoluer les choses, même si certains employeurs hésitent toujours à embaucher des femmes. De fait, la pénurie de structures pour accueillir les enfants en bas âge empêche souvent les Napolitaines de concilier sereinement vie professionnelle et vie familiale. De nos jours, Adelina porte peut-être un attaché-case, mais elle doit toujours jongler pour s'occuper de son foyer.

COMING-OUT NAPOLITAIN

Les îles au large de la côte napolitaine constituent depuis longtemps une destination-phare pour les gays en quête de plaisirs hédonistes. L'empereur Tibère entretenait à Capri une légion de gitons tandis que l'écrivain W. H. Auden régnait sur la colonie d'expatriés homosexuels d'Ischia. Sur le continent, plus conservateur, la sexualité reste plus ambiguë. Si les clubs gays sont remplis de clients, peu d'entre eux avouent à leur *mamma* qu'ils fréquentent ces lieux. Bien que les attitudes changent, la double vie prévaut souvent et il arrive assez couramment que gays et lesbiennes jouent ensemble les couples hétéros pour donner le change. L'Église catholique conserve un poids politique et social important. Et pourtant, Naples revêt une charge érotique rare. On croise dans la rue bien des regards insistants et des propositions peuvent survenir dans les endroits les plus incongrus...

top 5 LES LIEUX OÙ TOMBER AMOUREUX

Marechiaro (p. 99)

Borgo Marinaro (p. 83)

Lungomare (p. 88)

Piazza Bellini (p. 73)

Théâtre San Carlo (p. 87)

GREG ELMS

LES ARTS

Temple d'Apollon (p. 163), Pompéi MARTIN MOOS

top 5
LECTURES NAPOLITAINES

L'Énéide
Virgile (19 av. J.-C.)

La Vertu de Checchina
Matilde Serao (1884)

Le Livre de San Michele
Axel Munthe (1929)

L'Île d'Arturo
Elsa Morante (1957)

Porporino ou les Mystères de Naples
Dominique Fernandez (1974)

LES ANCIENS

Temples grecs, amphithéâtres romains et fresques érotiques témoignent du savoir-faire et de la créativité des artistes et architectes de l'Antiquité.

Naples et ses environs sont le produit de quelque 3 000 ans de construction humaine. Aux colons grecs succédèrent les Romains, qui firent de la région un lieu de villégiature prisé jusqu'à l'éruption du Vésuve, en 79 de notre ère. Sur le plan archéologique, Naples et la côte amalfitaine font preuve d'une étonnante richesse.

Considérés comme l'un des plus beaux exemples de l'architecture grecque classique en Italie, les temples de Paestum datent de l'époque de la Magna Grecia, colonie qui englobait la majeure partie du sud de la Péninsule jusqu'au IIIe siècle av. J.-C. Plus au nord, les ruines de Cumes témoignent d'une cité prospère où a été découverte la grotte de la sibylle (Antro della Sibilla Cumana ; p. 106). Il reste en revanche peu de chose des œuvres d'art qui décoraient jadis ces cités grecques. Parmi les exceptions notables figurent les fresques de la *Tombe du Plongeur* (*Tomba del Truffatore* ; Ve siècle av. J.-C), exposées au musée de Paestum (p. 168).

Les traces laissées par Rome sont plus nombreuses. À Naples même, le centre historique est bâti autour des trois *decumani* (rues principales) de la Neapolis romaine dont subsistent quantité de vestiges, notamment souterrains. Sous l'église San Lorenzo Maggiore (p. 70) s'étend par exemple une paisible voie romaine à l'ambiance inquiétante. Pareillement, le

Duomo (p. 75) s'élève sur une série de temples gréco-romains et la Piazza San Gaetano recouvre un réseau de tunnels antiques. Récemment, des ouvriers travaillant sur le chantier du nouveau métro ont mis au jour un établissement balnéaire romain du IIe siècle et les fragments d'un temple de la même époque près de la Piazza del Municipio (voir p. 86).

Les véritables joyaux archéologiques se trouvent toutefois disséminés autour de Naples. Au nord, on peut admirer à Pouzzoles le grand amphithéâtre (Anfiteatro Flavio ; p. 103), troisième par la taille en Italie. Au sud-est, Pompéi et Herculanum se passent de commentaires. Non loin, à Torre Annunziata, la villa de Poppée (Villa Poppaea) donne un aperçu des maisons de villégiature que la haute société romaine possédait à Oplonte (p. 157). Sur l'île de Capri, il reste assez d'éléments de la Villa Jovis (p. 176) pour imaginer le mode de vie fastueux de l'empereur Tibère.

Aussi impressionnantes soient-elles, Pompéi et Herculanum offriraient une vision autrement plus grandiose si elles n'avaient été systématiquement pillées depuis leur découverte au XVIIIe siècle. Bon nombre de leurs plus belles mosaïques figurent désormais au Musée archéologique national (p. 80), mais on peut encore contempler sur place l'une des plus grandes fresques du monde antique, la *Frise dionysiaque* de la Villa des Mystères (*Villa dei Misteri* ; p. 164). Les Romains utilisèrent la peinture murale et la mosaïque, héritées des Grecs et des Étrusques, pour décorer maisons et palais à partir du IIe siècle av. J.-C. Beaucoup de mosaïques pompéiennes remontent à cette période et furent réalisées par d'habiles artisans originaires d'Alexandrie. De même, les premières sculptures romaines furent souvent le travail d'artistes grecs ou des copies d'œuvres grecques, à l'image du *Taureau Farnèse* (*Toro Farnese* ; IIIe siècle) présenté au Musée archéologique national.

L'ÉGLISE N'APPRÉCIE PAS L'ÉROTISME ANTIQUE

Si l'Église a assurément joué un rôle essentiel dans l'histoire de l'art en Italie, notamment en tant que mécène, l'œil des autorités en soutane n'en a pas moins toujours été attentif au respect de ce qui constituait selon elle la "moralité"... Et c'est donc plutôt d'un mauvais œil que l'Église a observé l'ouverture au grand public en 2000 du **cabinet secret** *(gabinetto segreto)* **du Musée archéologique national** (voir p. 80).

La collection d'art érotique antique du musée compte 250 œuvres découvertes au XIXe siècle lors des fouilles de Pompéi et d'Herculanum : des peintures montrant des personnes en "flagrant délit", de nombreuses figurines de petits hommes au grand sexe et une petite statue montrant le dieu Pan (mi-homme mi-bouc) aux prises avec une chèvre. Pendant 170 ans, cette collection fut gardée sous clé – et le serait toujours s'il ne tenait qu'à l'Église.

En décembre 2001, des fresques érotiques découvertes dans les années 1950 dans les **thermes suburbains de Pompéi** (reportez-vous p. 160) furent également pour la première fois révélées au public. Dans cette série de sept panneaux (l'un d'entre eux est reproduit ci-contre) figure une scène qui serait, d'après de nombreux spécialistes, la seule représentation d'un couple de lesbiennes de l'art antique. Naturellement, ces fresques n'ont pas manqué de faire jaillir les foudres du clergé.

GREG ELMS

NAPLES VUE PAR LES PEINTRES

Rebelles, arrogants et fougueux, les artistes napolitains du XVIIe siècle innovèrent dans une cité en pleine reconstruction.

Naples connut aux XVIIe et XVIIIe siècles une période faste, devenant, sous la férule espagnole, la plus grande ville d'Europe. Cette situation prit fin avec l'épidémie de peste qui décima les trois quarts de sa population, la rébellion provoquée par le marasme économique et, pour couronner le tout, l'éruption destructrice du Vésuve. Plus tard, les Bourbons firent de Naples une métropole des lumières propice aux arts.

Le Caravage (1573-1610) fut le peintre qui exerça le plus d'influence sur la scène artistique napolitaine du XVIIe siècle. Originaire de Lombardie, il se réfugia à Naples en 1606, après avoir tué un homme à Rome. Il n'y resta qu'un an, mais son impact fut considérable. Son usage spectaculaire du clair-obscur, son talent de dessinateur hors pair et son style naturaliste firent l'effet d'un électrochoc sur sa corporation. Il suffit pour le comprendre de regarder la *Flagellation* (*Flagellazione* ; Palais royal de Capodimonte, p. 93) ou *Les Sept Œuvres de miséricorde* (*Le Sette Opere di Misericordia* ; Pio Monte della Misericordia, p. 74).

L'un des plus grands admirateurs du Caravage, Giuseppe Ribera, devint le fer de lance de la peinture napolitaine. Représentant du ténébrisme, il obtint auprès des riches et des puissants la reconnaissance qu'il souhaitait ardemment (voir ci-dessous). La *Pietà* de la chartreuse San Martino (p. 91) est considérée comme sa pièce maîtresse.

LO SPAGNOLETTO

Le phare de la peinture napolitaine du XVIIe siècle fut un Espagnol agressif, aussi connu pour son attitude brutale que pour son art. José de Ribera (Giuseppe Ribera en italien, 1591-1652) débarqua à Naples en 1616, sept ans après avoir quitté son pays pour Rome.

Une fois installé, sa carrière ne tarda pas à décoller, en partie grâce à son mariage avec la fille d'un important marchand d'art, Giovanni Battista Azzolini. La légende veut que ce dernier ait vendu le talent de son gendre au vice-roi d'Espagne en lui montrant, *Le Martyre de saint Barthélemy* (ci-contre), aujourd'hui au musée du Prado à Madrid. À partir de ce moment, les commandes affluèrent.

Mais le succès n'atténua pas le moins du monde le caractère immoral de Ribera. En compagnie de l'artiste grec Belisiano Crenzio et du peintre napolitain Giambattista Caracciolo, celui qu'on surnommait Lo Spagnoletto ("le petit Espagnol") en raison de sa taille modeste, forma une cabale pour évincer tout rival éventuel. D'un arrivisme extrême, les trois hommes ne reculèrent devant rien pour tracer leur route. Ribera aurait, par exemple, remporté une commande pour la chapelle du trésor de la cathédrale en empoisonnant Le Dominiquin (1581-1641) et en blessant l'assistant de Guido Reni (1575-1642). La cabale prit fin à la mort de Caracciolo en 1642.

Le mystère entoure les dernières années de Ribera. Certains disent qu'il quitta Naples en 1648 et disparut purement et simplement de la circulation, d'autres qu'il y mourut en paix, en 1652.

JUSEPE DE RIBERA / GETTY IMAGES

Éruption du Vésuve de Volaire GETTY IMAGES

Partant du naturalisme de Ribera, le Napolitain Luca Giordano (1632-1705) alla plus loin en y ajoutant sa propre touche. On peut voir des œuvres de cet artiste exceptionnellement prolifique dans nombre d'églises de la ville, notamment l'église du Gesù Nuovo et la chartreuse San Martino. Contemporain de Luca Giordano, Francesco Solimena (1657-1747) fut également influencé par Ribera, mais son utilisation des ombres témoigne plus encore de l'influence du Caravage.

Les artistes eurent aussi des opportunités après l'accession des Bourbons au trône de Naples en 1734. Charles III entreprit de construire un palais à Caserta (p. 101) et de remettre à neuf le Palais royal (p. 85), et son épouse, Marie-Amélie de Saxe, commença à décorer les propriétés familiales. Elle se tourna vers un groupe de peintres, dont faisaient partie Francesco de Mura (1696-1782), Domenico Antonio Vaccaro (1678-1775) et Giuseppe Bonito (1707-1789).

Le plus grand sculpteur de l'époque était Giuseppe Sanmartino (1720-17093), dont la maîtrise atteignit son apogée avec le superbe *Christ voilé* (*Cristo Velato* ; 1753 ; chapelle Sansevero, p. 68).

top 5 LIVRES D'ART

L'Art à Naples et Pompéi
Isabella Valente (éd. François Hazan, 2005)

Naples
Lucia Mannini et Isabella Valente (éd. François Hazan, 2004)

Pompéi
sous la dir. de Marisa Ranieri Panetta (éd. Gründ, 2004)

Pompéi : les visages de l'amour
Eva Cantarella (éd. Albin Michel, 2000)

Sous le soleil de Naples
Jean-Noël Schifano (éd. Gallimard, 2004)

MARTIN MOOS

DALLAS STRIBLEY

Majoliques de la basilique Santa Chiara JEAN-BERNARD CARILLET

top 5

MUSÉES

Chartreuse San Martino (p. 91)
MADRE Musée d'art contemporain Donnaregina (p. 76)
Musée archéologique national (p. 80)
Palais royal (p. 85)
Palais royal de Capodimonte (p. 93)

SPLENDEURS BAROQUES

L'extravagance naturelle des Napolitains trouva son expression artistique dans le baroque des XVIIe et XVIIIe siècles.

Synonyme d'excès, le baroque fit son apparition à Naples au milieu du XVIIe siècle. Ce style sensuel et exubérant permit de donner une unité décorative au remodelage esthétique de la ville sous les vice-rois d'Espagne puis, au siècle suivant, sous la monarchie des Bourbons. Mais davantage que le pouvoir espagnol, ce fut surtout l'Église qui permit le développement de ce courant.

Dans le cadre de la Contre-Réforme, les autorités catholiques utilisèrent en effet cette forme artistique pour reconquérir les masses. Il en résulta l' essor spectaculaire de la construction d'édifices religieux – quelque 900 églises virent le jour entre 1585 et 1650 – et un remaniement des lieux de culte de prestige. Exemple notoire, la chartreuse San Martino (p. 91) fut massivement rénovée par Cosimo Fanzago (1591-1678), maître incontesté du baroque napolitain, à grand renfort de marbre polychrome, de plafonds peints, de sombres tableaux naturalistes et de sculptures délicates, le tout inondé de lumière naturelle et conçu pour en imposer.

La chartreuse abrite aussi l'une des plus impressionnantes collections de crèches (*presepi*) qui constituent un trait distinctif du baroque local, au même titre que les majoliques. De superbes exemples de ces carreaux de faïence ornent le cloître de la basilique Santa Chiara (p. 67), dont le jardin fut aménagé par Domenico Antonio Vaccaro (1678-1745), un des grands architectes de son temps.

BAROQUE ET NÉOCLASSICISME BOURBONS

Au XVIIIe siècle, sous le règne des Bourbons, Naples devint l'une des capitales les plus séduisantes d'Europe, modèle de splendeur baroque. Les palais royaux, les places monumentales et les demeures aristocratiques y poussèrent alors comme des champignons.

Le fleuron architectural de cette époque fut toutefois construit dans la ville de Caserta, à quelque 25 km au nord de Naples. Conçu par Luigi Vanvitelli (1700-1773), l'immense palais royal, ou Reggia (voir p. 101), est généralement considéré comme l'une des plus belles réalisations du baroque italien. Sa construction, inspirée du château de Versailles, débuta en 1752. Parmi ses principaux trésors, citons le majestueux escalier de Vanvitelli qui regroupe beaucoup d'éléments caractéristiques du genre – en particulier une marqueterie de marbre, des statues allégoriques dans des niches, ainsi que des colonnes –, composant un ensemble très théâtral.

Le début du XVIIIe siècle se signala aussi par un regain d'intérêt pour l'Antiquité, largement alimenté par la découverte d'Herculanum en 1709 et de Pompéi en 1748. Ceci déboucha au tournant du XIXe siècle sur le style néoclassique. La Piazza del Plebiscito et l'église San Francesco di Paola (p. 86), hommage au Panthéon de Rome, illustrent la quintessence de ce style marqué par un retour aux lignes symétriques et aux colonnades que prisaient tant les Anciens.

CHARTREUSE SAN MARTINO

La chartreuse San Martino (Certosa di San Martino ; dont on peut voir ci-contre le foisonnant décor), monument le plus visible de Naples, trône sur la colline du Vomero depuis le début du XIVe siècle. Elle renferme un musée remarquable et présente un magnifique exemple de style composite.

Le monastère initial, œuvre de Francesco de Vito et Tino di Camaino, fut construit en 1325 à l'instigation de Charles d'Anjou, duc de Calabre et protecteur des chartreux, puis consacré en 1368 à saint Martin (316-397), l'évêque de Tours célèbre pour avoir partagé son manteau avec un pauvre. Bien que gothique à la base, il vaut surtout pour les ajouts réalisés à la fin du XVIe siècle par l'architecte maniériste Giovanni Antonio Dosio puis, un siècle plus tard, par le génie du baroque napolitain Cosimo Fanzago. Le premier modifia l'église, fermant deux des trois bas-côtés d'origine et ajoutant six chapelles latérales. Il dessina aussi le cloître des Procurateurs (Chiostro dei Procuratori) et le Grand Cloître (Chiostro Grande), splendide, enrichi plus tard par Fanzago qui plaça des statues au-dessus du portique, des portails ouvragés aux angles et une balustrade blanche autour du cimetière des moines.

Fanzago entama ses travaux en 1623 et les poursuivit pendant 33 ans. Son principal titre de gloire – et l'une des réussites majeures du baroque de Naples – est l'église somptueuse dont il dessina l'exubérante façade et dont l'intérieur opulent, tapissé de marbre, renferme des œuvres de la plupart des grands artistes napolitains des XVIIe et XVIIIe siècles.

Pour en savoir plus sur la chartreuse, reportez-vous p. 91.

JEAN-BERNARD CARILLET

THÉÂTRE NAPOLITAIN

Rien de plus théâtral que Naples, où chaque épisode du quotidien fait figure de mini-spectacle et où les embouteillages donnent lieu à des concerts de klaxons.

Hormis la comédie de la rue, Naples possède un héritage musical et théâtral remarquable : si la commedia dell'arte a vu le jour à Bergame, elle s'est épanouie sur les tréteaux napolitains. Par ailleurs, les dramaturges Eduardo de Filippo et Roberto de Simone ont acquis une reconnaissance internationale et les chansons napolitaines ont traversé les mers.

COMMEDIA DELL'ARTE

Apparue au XVIe siècle, la commedia dell'arte tire son origine du théâtre comique latin appelé *fabula atellana* (farce campanienne ou atellane). Comme lui, elle comprenait des personnages masqués jouant des rôles et des situations stéréotypés avec une part d'improvisation. Basés sur l'adultère, la jalousie, la vieillesse et l'amour, les spectacles reprenaient souvent sur le mode satirique des événements de l'actualité locale. Les troupes d'acteurs ambulants se produisaient sur des scènes de fortune installées dans la rue devant un public de petites gens. Sont ainsi apparues des figures légendaires comme Arlequin et Polichinelle.

L'actuel *Pulcinella* (littéralement "bec de poulet"), véritable emblème de Naples, présente de multiples facettes. Derrière son masque noir et blanc au nez busqué, il se montre exubérant et optimiste, cynique, paresseux et mélancolique. Philosophe à la petite semaine, il rejette l'autorité et on le voit souvent bastonner la maréchaussée (comme Guignol en France). Chez lui, en revanche, c'est sa femme qui le bat.

La grande tradition napolitaine du théâtre populaire vient de la commedia dell'arte dans laquelle était fortement ancré le dramaturge Raffaele Viviani (1888-1950). Son usage du dialecte et son sujet de prédilection – la classe ouvrière napolitaine – lui valurent le succès du public et l'hostilité de Mussolini.

top 5 NAPLES EN MUSIQUE

Facendo La Storia
99 Posse

Il Rock di Capitano Uncino
Edoardo Bennato

'Napul é
Pino Daniele

Salvamm'o munno
Enzo Avitabile

Sanacore
Almamegretta

GETTY IMAGES

THÉÂTRE MODERNE

Eduardo de Filippo (1900-1984) incarne la personnalité majeure du théâtre napolitain. Fils du célèbre acteur Eduardo Scarpetta (1853-1925), il débuta sur scène à l'âge de quatre ans et s'illustra comme comédien, impresario et dramaturge avec un immense succès. Son œuvre souvent aigre-douce inclut *Il Sindaco del Rione Sanità* (*Le Maire du quartier de la Sanità*) et *Sabato, Domenica e Lunedi* (*Samedi, dimanche et lundi*). Son fils Luca, né en 1948, est également un acteur de théâtre de renom.

LA CHANSON NAPOLITAINE

La liste des clichés qui s'attachent à l'Italie comprend invariablement les pâtes, la pizza, l'opéra et Ferrari. De même, lorsqu'on demande de citer une chanson italienne, les gens répondent neuf fois sur dix *"O Sole Mio"*, le tube interplanétaire créé par Giovanni Capurro en 1898. Ce classique napolitain n'est pourtant qu'un des nombreux airs que les immigrants italiens du début du XXe siècle emmenèrent avec eux à travers le monde.

"Te Voglio Bene Assaje" marqua en 1839 l'essor de la chanson napolitaine (*canzone napoletana*). Écrite par Raffaele Sacco sur une musique de Donizetti, elle fit immédiatement sensation. Plus de 180 000 exemplaires de ses paroles furent vendus, l'enthousiasme du public frisant l'hystérie collective. Vinrent ensuite d'autres succès, comme *"O Sole Mio"* et *"Funiculì Funiculà"*. Un tel engouement était largement fondé sur des mélodies et des textes faciles à mémoriser, généralement en dialecte, parlant d'amour, de mort, de passion et de nostalgie.

Le genre reste encore très vivace. Entretenu par des artistes comme Roberto Murolo (1912-2003) et Sergio Bruni (né en 1921), il a pris une tournure pop plus commerciale avec, entre autres, Nino D'Angelo et Gigi Alessio. En tant que simple visiteur, vous aurez surtout l'occasion d'entendre chanter les nombreux musiciens ambulants qui se produisent dans certains restaurants de la ville.

GREG ELMS

Autre grand dramaturge napolitain, Roberto de Simone (né en 1933) a eu moins d'impact à l'étranger car la plupart de ses pièces sont en dialecte et perdent beaucoup à la traduction. *La Gatta Cenerentola* (La Chatte Cendrillon), son chef-d'œuvre, a néanmoins été applaudie à Londres en 1999.

La scène contemporaine recouvre un peu tout et n'importe quoi. Enzo Moscato (né en 1948) représente actuellement la figure la plus en vue, avec des pièces physiques et vivantes mêlant habilement le dialecte et la musique. La plus connue, *Rasoi* (Rasoirs, 1991), a remporté plusieurs prix. Il fréquente souvent la Galleria Toledo (p. 134), principal théâtre expérimental de Naples.

OPÉRA

L'opéra a toujours été cher au cœur des Napolitains. Au XVIIIe siècle, la ville s'imposa d'ailleurs comme la capitale européenne de l'opéra. Érigé au centre de la brillante cité des Bourbons, le **théâtre San Carlo** (p. 87), inauguré en 1737, attira alors les plus grands compositeurs européens.

Considéré comme le plus grand compositeur napolitain, Alessandro Scarlatti (1660-1725) fut l'un des auteurs les plus prolifiques du début du XVIIIe siècle. Il écrivit 100 opéras et devint l'un des chefs de file de l'école de l'opéra napolitain, qui contribua à établir les conventions de l'*opera seria* (opéra "sérieux") classique. L'*opera seria* est généralement bâtie sur une intrigue empruntée à l'histoire ou à la mythologie. Elle commence par une ouverture instrumentale, puis trois actes se succèdent. Enfin, elle laisse une large place à la virtuosité des chanteurs à travers les *arie da capo.*

Parallèlement à l'*opera seria* se développa l'*opera buffa* (opéra-comique ou opéra bouffe). Dérivée de la *commedia dell'arte* napolitaine et souvent écrite en dialecte, elle met davantage l'emphase sur le burlesque et la comédie que sur l'amour, le devoir et l'honneur chers à l'*opera seria.*

CINÉMA

Passionné et pétri d'humour noir, le cinéma napolitain reflète les dures réalités d'une ville très photogénique.

Reconnu pour *Le Voleur de Bicyclettes* (*Ladri di Biciclette* ; 1948), chef-d'œuvre du néoréalisme, Vittorio de Sica (1901-1974) était passé maître dans l'art de dépeindre la lutte douce-amère souvent au cœur de l'humour napolitain. Ses deux classiques, *L'Or de Naples* (*L'Oro di Napoli* ; 1954) et *Hier, aujourd'hui, Demain* (*Ieri, Oggi, Domani* ; 1963) furent très appréciés du public, mais nulle part autant qu'à Naples, sa ville d'adoption, où les spectateurs vibrèrent à la vue d'une Sophia Loren au sommet de son talent.

C'est le comique Totò (Antonio de Curtis, 1898-1967) qui incarna le mieux à l'écran la malice attribuée aux Napolitains. Né dans un milieu ouvrier du quartier de la Sanità, il joua dans une centaine de films, généralement le rôle d'un petit arnaqueur à l'esprit vif. Ce personnage lui assura le statut d'acteur culte dans une ville où l'*arrangiarsi* (la débrouille) est un art de vivre.

Héritier de Totò, Massimo Troisi (1953-1994) est surtout connu à l'étranger pour son rôle dans *Le Facteur* (*Il Postino* ; 1994) de Michael Radford, mais les Italiens l'adoraient pour son inimitable humour absurde . *Je repars à trois* (*Ricomincio da Tre* ; 1980), son premier film en tant que réalisateur, traite avec drôlerie du problème des Napolitains obligés de partir chercher du travail dans le nord de l'Italie.

Ces derniers temps, une nouvelle vague de cinéastes napolitains, dont Antonio Capuano, Mario Martone et Pappi Corsicato, a braqué ses caméras sur les difficultés de Naples. Citons à cet égard *Les Napolitaines* (*Libera* ; 1994) de Corsicato (voir ci-dessous), ou encore *Luna Rossa* (2001), de Capuano, qui reçut d'excellentes critiques. Antonietta de Lillo (née en1960) a également fait parler d'elle avec sa vision personnelle et fort gracieuse de la ville (voir ci-dessous).

Pour les réalisateurs étrangers, Naples et ses environs ont souvent servi de décor cinématographique. En 1963, Jean-Luc Godard tourne *Le Mépris*, avec Brigitte Bardot et Michel Piccoli, dans le cadre enchanteur de la villa Malaparte, à Capri.

UN FILM POUR CHAQUE SAISON

L'Or de Naples (*L'Oro di Napoli*, 1954) de Vittorio de Sica.

Le Who's who des grands acteurs napolitains – Totò, Sophia Loren, Eduardo de Filippo et Vittorio de Sica – dans un film en six épisodes illustrant la vie à Naples.

Main basse sur la ville (*Le Mani Sulla Città*, 1963) de Francesco Rosi.

Cette satire politique virulente, avec Rod Steiger et des comédiens amateurs, dénonce la corruption immobilière dans la Naples de l'après-guerre.

Les Napolitaines (*Libera*, 1992) de Pappi Corsicato.

Souvent comparé à Pedro Almodóvar, Corsicato est un cinéaste flamboyant, bizarre et haut en couleur. Son premier film en trois parties met en scène des parents transsexuels, des vedettes du porno malgré elles et des chanteurs de noces et banquets.

Le Reste de rien (*Il Resto di Niente*, 2003) d'Antonietta de Lillo.

Naples au temps de la République parthénopéenne, à travers la complexité psychologique d'Eleonara Pimental de Fonseca, une de ses héroïnes tragiques.

Sophia Loren, juin 1965 GETTY IMAGES

CUISINE DE NAPLES

UNE TRADITION CULINAIRE SÉCULAIRE

Partie intégrante de la vie locale, plongeant ses racines dans une vénérable tradition, la cuisine napolitaine est une fête pour les papilles.

Dans le passé, Naples fut le joyau de bien des couronnes. Lieu de villégiature de la haute société romaine, centre artistique et culturel au Moyen Âge sous les Hohenstaufen, capitale culturelle européenne au siècle des Lumières sous les Bourbons... Les dynasties s'y sont succédé et ont laissé des traces de leur passage – pas seulement dans les rues de la ville et le dialecte, mais aussi dans des traditions culinaires qui combinent avec bonheur des influences aussi diverses que multiples.

Ce sont les Grecs qui, les premiers, ont introduit les oliviers, la vigne et le blé dur en Italie. Ensuite, les Byzantins et les Arabes venus de la Sicile voisine ont apporté les pignons, les amandes, les raisins secs et le miel qu'ils utilisaient pour farcir les légumes. On leur doit également la fameuse *pasta*, bien avant le voyage de Marco Polo en Chine. Apparues au XIIe siècle, les pâtes ne furent pas consommées de manière courante avant le XVIIe siècle, où elles devinrent la base de l'alimentation du pauvre. Ne nécessitant que peu d'ingrédients – de la farine et de l'eau pour leur forme la plus simple –, elles sauvèrent de la disette une population alors en pleine expansion. Plus tard, la mécanisation de la fabrication des pâtes permit une production accrue à moindre coût. Par ailleurs, les historiens considèrent que la noblesse continua de mépriser ce mets jusqu'à l'invention, par Gennaro Spadaccini, au début du XVIIIe siècle, de la fourchette à quatre dents, qui leur permettait en quelque sorte d'y goûter sans déroger aux bonnes manières.

Sous le règne des Bourbons (1734-1860), deux cultures gastronomiques se développèrent en parallèle : celle de la riche monarchie espagnole, lourde et élaborée, et celle de la rue, la *cucina povera*, simple et saine.

La cuisine du petit peuple, surnommé *mangiafoglie* ("mangeur de feuilles"), était préparée à partir des légumes qui poussent dans les plaines volcaniques fertiles des environs de Naples. Aubergines, artichauts, courgettes, tomates et poivrons figuraient – et figurent toujours – parmi les ingrédients de base. Lait de brebis, de vache et de chèvre servaient à fabriquer du fromage. Ancêtres probables de la pizza, les pains plats importés des pays grecs et arabes complétaient le menu. La viande et le poisson coûtaient cher et étaient alors réservés aux grandes occasions.

Dans les cuisines de la cour, en revanche, les grands chefs français se démenaient pour combler les appétits des monarques. On raconte également que Marie-Caroline, épouse du roi Ferdinand Ier, fut tellement impressionnée par Versailles et ses fastes qu'elle

JEAN-BERNARD CARILLET

emprunta à sa sœur Marie-Antoinette quelques maîtres queux. De toute évidence, les cuisiniers français s'adaptèrent aux coutumes napolitaines, et créèrent, entre autres, les *timbulli di pasta* (timbales de pâtes) et le *gattò di patate* (gâteau de pommes de terre).

CULTURE

Truculents, bruyants et succulents, les marchés d'alimentation de Naples offrent un témoignage en Technicolor de l'importance qu'accordent les Napolitains à la nourriture. Il suffit pour s'en convaincre de voir comment les clients obligent les marchands à leur vendre exactement ce qu'ils veulent. Parmi eux, ce sont les grands-mères et les femmes au foyer qui perpétuent la grande tradition culinaire napolitaine.

top 5
LA GASTRONOMIE NAPOLITAINE EN 5 LIVRES

Naples, balades secrètes et gourmandes en Campanie, d'Anna Bini, Gilles et Catherine de Chabaneix (éd. Minerva, 2005) – Un beau livre proposant recettes et itinéraires gourmands dans Naples et sa région.

Les Pâtes, histoire d'une culture universelle de Silvano Serventi et Françoise Sabban (éd. Actes Sud, 2001) – Pour ceux qui veulent vraiment savoir d'où vient la *pasta* !

Petite Anthologie culinaire de la pizza d'Anna-Maria Tribaudino (éd. Équinoxe, 2000) – Le plat napolitain le plus simple et le plus célèbre : son histoire et ses recettes.

Saveurs de Naples et de Sicile, souvenirs culinaires d'un Italien new-yorkais de David Ruggerio (éd. Könemann, 2000) – De mère napolitaine et de père sicilien, Ruggerio partage avec son lecteur les secrets et l'atmosphère d'une cuisine napolitaine.

Cuisine napolitaine et pizza, collectif (éd. Bonechi Casa Editrice, 2004) – Un beau livre avec des illustrations en couleur sur la tradition culinaire napolitaine.

Pour s'en faire une idée, l'idéal est de pouvoir assister à un repas dominical en famille. La *pasta al ragù* (pâtes à la sauce tomate et à la viande) devrait certainement figurer au menu, suivie d'un savoureux plat de résistance comme la *costata alla pizzaiola* (côtelette de veau servie avec une sauce tomate à l'origan). Pour les Napolitains, les repas sont l'occasion de se rencontrer et il n'est pas rare de voir trois générations d'une même famille assises ensemble autour d'une table.

La cuisine napolitaine se trouve aussi dans la rue. S'il n'existe plus guère d'étals de macaronis à la sauce tomate, de nombreux stands de vente à emporter proposent de la *focaccia* tout juste sortie du four, des pizzas, des *arancini* (grosses boules de riz farcies d'une sauce à la viande) et quantité d'autres en-cas appétissants.

Inutile d'espérer perdre du poids à Naples même si, pour beaucoup de gens, l'Italie du Sud rime avec régime méditerranéen – soit une saine combinaison de fruits, de légumes et d'huile d'olive. Certes, la variété et la qualité des produits végétaux est impressionnante, mais il faut souvent une volonté de fer pour choisir des courgettes à l'eau plutôt que frites ou bouder les desserts joliment présentés.

Les Napolitains n'ont pas l'habitude de se priver, ce qui se traduit, hélas ! par un taux d'obésité de 16% chez les enfants.

LA TRADITION DU CAFÉ

Noir et très serré, le café est à Naples une boisson culte vénérée par un million de fidèles.

Les Napolitains sont, à juste titre, fiers de leur café. Ils prétendent que c'est le meilleur d'Italie et il se peut qu'ils aient raison. Bien que la plupart des bars et des cafés utilisent les mêmes machines que dans le reste du pays, l'*espresso* qui s'écoule des modèles napolitains semble plus noir et corsé que partout ailleurs. On vous dira que c'est à cause de l'eau, ou bien de l'air.

Plus qu'une simple boisson, le café a une fonction sociale qui transcende les milieux et les classes. On invite quelqu'un à venir prendre un café comme ailleurs à boire une bière ou à déjeuner. Et votre hôte saura exactement où vous amener car tout véritable amateur possède son bar de prédilection. Curieusement, le rituel est bref. Le breuvage lui-même, à peine plus d'une gorgée dans une petite tasse, s'avale le plus souvent debout au comptoir, mais la rapidité avec laquelle on le consomme n'entame en rien l'importance de sa qualité.

Selon les experts, la préparation d'un bon café repose sur cinq critères aussi important les uns que les autres : le choix des grains, leur torréfaction (le café aura un goût de brûlé s'ils sont trop grillés et manquera de corps dans le cas contraire), la mouture (assez fine pour être parfaitement soluble), le percolateur et la tasse (assez grande pour absorber en partie la chaleur du liquide, mais pas trop). L'élément humain compte également : une main aguerrie obtiendra toujours un meilleur résultat qu'un novice.

Pourtant, les Napolitains ne furent pas les précurseurs en la matière. Le premier café d'Italie ouvrit en effet à Venise en 1640, quelque 70 ans après qu'un certain Prospero Alpino, originaire de Padoue, eut rapporté des grains d'Égypte. Il s'agissait alors d'un luxe onéreux qui resta l'apanage de la haute société durant la majeure partie du XVIIIe siècle. C'est seulement au milieu du XIXe siècle que l'habitude se répandit dans toute la population.

On sert aujourd'hui le café sous différentes formes, les plus courantes étant le *caffè* (un expresso très fort déjà sucré dans une tasse chaude), le *caffè macchiato* (café noisette, un expresso que l'on adoucit avec une goutte de lait) et le cappuccino (café nappé de lait sous pression et servi tiède plutôt que chaud). Si vous n'aimez pas le café serré, commandez un *caffè lungo* (allongé), ou *caffè americàno*. En été, un *caffé freddo* (café noir froid dans un grand verre) ou un *cappuccino freddo* (cappuccino froid) se révèlent agréablement rafraîchissants.

NAPLES GOURMAND

Quelques spécialités napolitaines incontournables :

Mozzarella di bufala. La mozzarella au lait de bufflonne qui garnit pizzas et salades ou se mange simplement telle quelle.

Pizza margherita. Les amateurs de pizzas ne jurent que par la traditionnelle garniture tomate-mozzarella-basilic.

Spaghetti alla puttanesca. Des spaghettis nappés d'une sauce tomate aux olives noires, câpres et anchois.

Sfogliatella. Un chausson en pâte feuilletée farci de ricotta parfumée à la cannelle et de fruits confits.

Espresso. Le café à l'état pur.

JEAN-BERNARD CARILLET

ALAN BENSON

JEAN-BERNARD CARILLET

top 5

CAFÉS ET PÂTISSERIES

Intra Moenia (p. 119)
Un café bohème du centre historique.

Caffè Mexico (p. 120)
Un lieu paisible pour boire du bon expresso.

Caffè Gambrinus (p. 120)
Le prince des cafés napolitains.

Moccia (p. 124)
Pâtisserie à la mode de Chiaia.

Pintauro (p. 121)
Le spécialiste de la *sfogliatella*.

DESSERTS ET PÂTISSERIES

Il est bien évidemment impossible d'envisager un repas de fête, qu'il s'agisse d'un anniversaire ou du déjeuner dominical, sans dessert.

La pâtisserie napolitaine la plus célèbre est la *sfogliatella*, un chausson feuilleté fourré à la ricotta, aux fruits confits et parfumé à la cannelle et à la fleur d'oranger. Le débat fait rage quant à son origine : certains en attribuent la paternité aux cuisiniers français du roi de Pologne au XVIIIe siècle, d'autres prétendent qu'elle fut inventée à cette même époque par des religieuses de Conca dei Marini, petit village de la côte amalfitaine. Elle se décline aujourd'hui sous trois formes : moelleuse, frite ou croustillante – la version la plus populaire.

Les gourmands goûteront aussi le baba au rhum importé par les cuisiniers français de Marie-Caroline d'Autriche.

À l'occasion de la San Giuseppe (saint Joseph), le 19 mars, les Napolitains dégustent des *zeppole*, des beignets remplis de crème anglaise.

Pour en savoir plus sur les gâteaux, pâtisseries et autres douceurs, reportez-vous p. 121.

LA CUISINE POPULAIRE

Pâtes et pizza incarnent la cuisine napolitaine dans sa délicieuse simplicité.

Si les modes culinaires vont et viennent, certaines choses se révèlent immuables. Naples restera ainsi toujours la capitale italienne des pâtes et de la pizza. Depuis qu'elle servit à nourrir, au XVIe siècle, une population en pleine expansion, la *pasta* forme en effet la base de la *cucina povera* qui fait la réputation gastronomique de la ville. La pizza, déjà populaire au XVIe siècle, n'a peut-être pas vu le jour à Naples, mais celle-ci la revendique depuis longtemps comme sienne et la prépare comme nulle part ailleurs.

Bien que les Napolitains affirment avoir inventé les spaghettis, personne ne sait qui fabriqua les premières pâtes. On considère communément qu'elles furent d'abord confectionnées pour leur usage par les caravaniers arabes du désert et qu'elles arrivèrent à Naples via la Sicile où ces marchands les avaient introduites. Le climat sec et venteux de la Campanie se révéla plus tard idéal pour leur séchage et elles connurent un succès fulgurant, notamment après l'ouverture, en 1840, de la première usine de pâtes d'Italie, à Torre Annunziata.

Les pâtes se divisent en deux groupes : la *pasta fresca* (pâtes fraîches), à base d'œufs et de farine, qu'il faut consommer rapidement, et la *pasta secca* (pâtes sèches), à base de *semolino* (farine de blé dur) et d'eau, qui se conserve très longtemps. Traditionnellement, les premières sont plutôt originaires du nord de l'Italie et cuisinées avec des sauces riches à base de crème. Spécialité du Sud, les secondes s'accompagnent souvent de sauces aux légumes. Naples est réputée pour sa *pasta secca*, servie *al dente*, en particulier les spaghettis, les *maccheroni* (macaronis), les *penne* (tubes biseautés) et les *rigatoni* (tubes cannelés).

Parmi les légumes dont les Napolitains font une consommation abondante, la tomate occupe une place de choix. Découverte par les colons espagnols du Nouveau Monde, elle arriva à Naples au XVIe siècle sous les vice-rois d'Espagne. Quelque cinq siècles plus tard, c'est l'ingrédient majeur de la cuisine locale en même temps que la principale source de revenu agricole de la région. L'espèce la plus fameuse et la plus cultivée en

top 5

MANGER EN ITALIE, MODE D'EMPLOI

Voici quelques petits "trucs" qui vous faciliteront la vie...

Les pâtes ne se mangent qu'à la fourchette.

Pas de pain avec, sauf pour saucer votre assiette.

Au restaurant, vous pouvez ne commander qu'un *primo* (pâtes ou riz), un *secondo* (plat principal) ou même juste des *antipasti*.

Ne vous étonnez pas qu'au restaurant votre addition soit majorée pour le *pane e coperto*, il s'agit d'une taxe généralement comprise entre 1 € et 3 € et que vous devrez payer...

Le service est normalement compris dans l'addition, donc laissez un pourboire si vous êtes content du service... exactement comme vous le feriez en France.

Dans les bars, si vous voulez consommer debout, au bar, vous devrez la plupart du temps d'abord régler votre consommation à la caisse, puis présenter le ticket au serveur.

ALAN BENSON

ALAN BENSON

Italie pousse sur les sols volcaniques du Vésuve, autour de la petite bourgade de San Marzano. La *conserva di pomodoro* est une sauce confectionnée à partir de tomates extra-mûres, coupées et séchées au soleil pendant au moins deux jours afin d'obtenir un concentré de saveurs. Elle agrémente les meilleures recettes de pâtes napolitaines.

Pour préparer les classiques *maccheroni al ragù* (macaronis à la tomate et à la viande), il faut faire mijoter la sauce pendant des heures. Autre spécialité locale, la *pasta al forno* : un mélange de macaronis, de sauce tomate, de mozzarella et, selon la recette, d'œuf dur, de boulettes de viande et de saucisse, le tout passé au four. Les *spaghetti alla puttanesca* (spaghettis "à la putain" !) sont accommodés d'une sauce tomate aux olives noires, câpres et anchois à laquelle certains ajoutent un peu du piment rouge. Les tomates entrent aussi dans la composition de la *parmigiana di melanzane* (aubergines frites recouvertes d'œuf dur, sauce tomate, oignon, basilic et mozzarella) à damner un saint.

Les fruits de mer constituent également un ingrédient souvent utilisé dans les pâtes, et il existe peu de restaurants dont la carte ne comporte pas de *spaghetti alla vongole* (spaghettis aux palourdes) ou *alle cozze* (aux moules). De même, les *acciughe* (anchois) se retrouvent dans de nombreux plats locaux.

Avant de quitter Naples, goûtez absolument la merveilleuse *mozzarella di bufala*. La forte contenance en graisse et en protéine du lait de bufflonne confère au fromage ce goût âcre caractéristique, si souvent absent des versions vendues à l'étranger. La mozzarella à base de lait de vache est appelée *fior di latte* ("fleur de lait").

LA REINE DE LA PIZZA

La plus célèbre contribution napolitaine à la cuisine mondiale s'avère d'une simplicité déconcertante. La pizza est pourtant devenue au fil des siècles un objet de légende, au point de se voir consacrer musées, manifestations et sites Internet. Les Italiens débattent de ses mérites, divisés entre partisans de la pâte fine à la mode romaine et adeptes de la version napolitaine plus épaisse. Quelle que soit votre préférence, vous constaterez que la pizza telle qu'on la prépare à Naples a un goût exquis.

Dérivée des pains plats de la Grèce et de l'Égypte antiques, elle faisait déjà partie des en-cas vendus dans la rue au XVIe siècle, époque à laquelle l'occupant espagnol introduisit la tomate en Italie. Ce fut précisément cet ajout qui lui valut son immense popularité. La première *pizzeria* ouvrit ses portes à Port'Alba (p. 119) en 1738 et les pizzaioli devinrent peu à peu de petites figures locales.

Au cours d'une visite à Naples en 1889, le roi Umberto Ier et son épouse la reine Margherita convoquèrent le meilleur *pizzaiolo* de la ville, Raffaelle Esposito. Afin d'impressionner le couple royal, celui-ci créa une garniture à base de tomate, mozzarella et basilic évoquant les couleurs du drapeau de l'Italie récemment unifiée. La pizza reçut l'approbation de la reine et fut baptisée de son nom.

Plus d'un siècle après, les tenants de la tradition affirment haut et fort que rien ne surpasse la recette d'Esposito réalisée par un authentique spécialiste napolitain. Pas même l'œuvre de Makoto Onishi, le cuisinier japonais de 31 ans élu meilleur *pizzaiolo* de Naples lors de la Pizzafest 2006.

VINS DE CAMPANIE

Prisés des Romains et loués par les auteurs de la Renaissance, les vins de Campanie, longtemps boudés, font leur grand retour.

Bien que la tradition vinicole de la Campanie date du IVe siècle av. J.-C., les vins de cette région ont longtemps été dédaignés par les spécialistes. Ce n'est plus le cas. Les viticulteurs locaux ont récemment fait un gros effort de qualité et produisent désormais des crus dignes d'intérêt.

Des producteurs tels que Feudi di San Gregorio, Mastroberardino, Terredora di Paolo et Mustilli sont retournés à leurs racines en cultivant des variétés de raisins qui poussaient déjà sur ces terres volcaniques à l'époque gréco-romaine : l'*aglianico*, sans doute le plus vieux cépage d'Italie, pour les rouges, le *falanghino*, le *fiano* et le *greco*, déjà exploités avant notre ère, pour les blancs. Mastroberardino a d'ailleurs présenté en 2003 le premier vin des anciens vignobles de Pompéi depuis 2000 ans, un rouge corsé produit en quantité limitée et baptisé Villa dei Misteri.

Les trois principales zones viticoles se concentrent autour d'Avellino, Bénévent et Caserta, et c'est des hautes collines à l'est d'Avellino que provient le meilleur rouge de Campanie. Le *taurasi*, un vin charpenté à base d'*aglianico*, parfois qualifié de *barolo* méridional, compte parmi les vins du Sud les plus connus et les trois de la région classés DOCG (*Denominazione di Origine Controllata e Garantita* ; dénomination d'origine contrôlée et garantie). Les deux autres à bénéficier de cette distinction suprême sont le *fiano di avellino* et le *greco di tufo*, des blancs du secteur d'Avellino.

La côte amalfitaine et Capri ont également leurs vins, mais sont plus réputées pour le *limoncello*, un digestif jaune sirupeux à base d'écorce de citron, d'eau, de sucre et d'alcool, servi dans un verre glacé. Ne vous laissez pas abuser par son goût sucré car il monte vite à la tête.

À CHACUN SA BOUTEILLE

Pour vous aider à vous repérer dans la liste croissante des vins de Campanie, voici quelques-uns des meilleurs crus :

Taurasi. Un rouge sec et intense, DOCG depuis 1991, qui se marie bien avec les viandes bouillies ou grillées.

Fiano di avellino. Idéal avec les fruits de mer, ce blanc frais et sec classé DOCG fait partie des vins historiques de Campanie.

Greco di tufo. Un autre blanc DOCG très ancien, sec ou pétillant.

Falerno del massico. Rouge ou blanc, il est issu des pentes volcaniques du mont Massico, dans le nord de la région.

Aglianico del taburno. Un bon vin rouge, blanc ou rosé, produit dans la province de Bénévent.

JEAN-BERNARD CARILLET

LES MOTS À LA BOUCHE

L'accent tonique est indiqué en italique. Reportez-vous aussi à la p. 267.

PHRASES UTILES

Je voudrais réserver une table.	Vorrei riservare un tavolo.	(*vo*-réi ri-zèr-*va*-ré oun *ta*-vo-lo)
Je voudrais la carte, s'il vous plaît.	Vorrei il menù, per favore.	(*vo*-réi il mé-*nou* pèr fa-*vo*-ré)
Avez-vous une carte en français ?	Avete un menù (scritto) in francese ?	(a-*vé*-té oun mé-*nou* (*scrit*-to) in fran-*tché*-sé)
Que recommandez-vous ?	Cosa mi consiglia ?	(*co*-za mi con-*si*-lia)
Je voudrais goûter à une spécialité locale.	Vorrei una specialità di questa regione.	(*vo*-réi *oun*-a spé-tcha-li-*ta* di *koués*-ta ré-*djo*-né)
Pouvez-vous m'apporter l'addition, s'il vous plaît ?	Mi porti il conto, per favore ?	(mi *por*-ti il *con*-to pèr fa-*vo*-ré)
Je suis végétarien/ne.	Sono vegetariano/a.	(*so*-no vé-djé-ta-*ria*-no/a)

POUR DÉCRYPTER LE MENU

Soupes et antipasti

antipasti misti (an-*ti*-pas-ti *mis* ti) – assortiment de hors-d'œuvres (entrées)
carpaccio (car-*pa*-tcho) – tranches de viande crue très fines
insalata caprese (in-sa-*la*-ta ka-*pré*-zé) – tomates en tranches accompagnées de mozzarella et de basilic
insalata di mare (in-sa-*la*-ta di *ma*-ré) – fruits de mer, en général des crustacés
minestrone (mi-*nes*-tro-ne) – soupe de légumes à base de haricots blancs (parfois avec de la viande)
olive ascolane (o-*li*-ve as-*ko*-la-ne) – olives farcies et frites
prosciutto e melone (pro-*chou*-to é mé-*lo*-ne) – jambon cru et melon
stracciatella (stra-tcha-*tè*-la) – consommé aux œufs, parfois avec du parmesan

Sauces pour les pâtes

aglio e olio (*a*-lio é *o*-lio) – huile chaude, ail et parfois piment
amatriciana (a-ma-tri-*tcha*-na) – salami (lard), tomate, piment doux et fromage
arrabbiata (ar-ra-*bia*-ta) – tomate et piment
bolognese (bo-lo-*gné*-sé) – sauce à la viande (veau ou porc haché) et aux légumes, avec un zeste de citron et de la noix de muscade
cacio e pepe (ca-*tcho* é pé-*pé*) – poivre noir et fromage de brebis
carbonara (car-bo-*na*-ra) – lard, beurre, fromage, œufs battus et fromage de brebis
partenopea (par-té-*no*-pé-a) – mozzarella, tomate, croûtons, câpres, olives, anchois, basilic, huile, piment et sel
pescatora (pés-ca-*to*-ra) – poisson, tomates et fines herbes
pommarola (pom-ma-*ro*-la) – sauce tomate toute simple
puttanesca (pou-ta-*nes*-ka) – ail, anchois, olives noires, câpres, sauce tomate, huile, piment et beurre
tartufo di Norcia (tar-*tou*-fo di *nor*-tcha) – truffe noire, ail, huile et anchois
vongole (*von*-go-lé) – tomate et palourdes

Pizzas

capricciosa (ca-prit-*tcho*-sa) – olives, jambon (prosciutto), champignons et artichauts
frutti di mare (*frout*-ti di ma-ré) – fruits de mer
funghi (*foun*-gui) – champignons
margherita (mar-*gué*-ri-ta) – origan
napoletana (na-po-*lé*-ta na) – anchois
pugliese (pou-li-*é*-sé) – tomate, mozzarella et oignons
quattro formaggi (*coua*-tro for-*mad*-dji) – quatre fromages
quattro stagioni (*coua*-tro sta-*djo* ni) – quatre saisons, comme une *capricciosa*, parfois avec un œuf
verdura (ver-*dou*-ra) – légumes variés ; en général courgettes et aubergines, parfois carottes et épinards

JEAN-BERNARD CARILLET

Glossaire français-italien

GÉNÉRALITÉS

addition	*conto*	*kon*-to
petit déjeuner	*prima colazione*	*pri*-ma ko-la-*tsyo*-ne
déjeuner	*pranzo*	*pran*-dzo
dîner	*cena*	*tché*-na
snack	*spuntino*	spoun-*ti*-no
cuillère	*cucchiaio*	kou-*kya*-yo
fourchette	*forchetta*	for-*ké*-ta
couteau	*coltello*	kol-*té*-lo
(non) fumeurs	*(non) fumatori*	(non) fou-ma-*to*-ri
serveur/serveuse	*cameriere/a*	ka-mer-*yie*-ré/a

MÉTHODES DE PRÉPARATION

bouilli/bouillie	*bollito/a*	bo-*li*-to/a
cuit/cuite	*cotto/a*	*ko*-to/a
frit/frite	*fritto/a*	*fri*-to/a
grillé/grillée	*alla griglia*	a-la *gri*-lyia
cru/crue	*crudo/a*	*krou*-do/a
rôti/rôtie	*arrosto/a*	a-*ro*-sto/a

INGRÉDIENTS DE BASE

ail	*aglio*	*a*-lyo
beurre	*burro*	*boo*-ro
citron	*limone*	li-*mo*-ne
confiture	*marmellata*	mar-mé-*la*-ta
crème	*panna*	*pan*-na
fromage	*formaggio*	for-*ma*-djo
huile	*olio*	*o*-lyio
lait	*latte*	*la*-té
miel	*miele*	*myié*-lé
œuf/œufs	*uovo/uova*	*wo*-vo/*wo*-va
olive	*oliva*	o-*li*-va
pain	*pane*	*pa*-ne
piment	*peperoncino*	pépé-ron-*tchi*-no
poivre	*pepe*	*pé*-pé
riz	*riso*	*ri*-zo
sel	*sale*	*sa*-le
sucre	*zucchero*	*tsou*-ké-ro
vinaigre	*aceto*	a-*tché*-to

VIANDE, POISSON, FRUITS DE MER

agneau	*agnello*	a-*nyie*-lo
anchois	*acciughe*	a-*chou*-ge
beuf	*manzo*	*man*-dzo
bifteck	*bistecca*	bis-*te*-ka
calmars	*calamari*	ka-la-*ma*-ri
chevreau	*capretto*	ka-*pre*-to
crabe	*granchio*	*gran*-kyio
crevettes	*gamberoni*	gam-be-*ro*-ni
escargots	*lumache*	lou-*ma*-ke
espadon	*pesce spada*	*pe*-she *spa*-da
foie	*fegato*	*fe*-ga-to
fruits de mer	*frutti di mare*	*frou*-ti di *ma*-re
langouste	*aragosta*	a-ra-*go*-sta
huîtres	*ostriche*	*os*-tri-ke
lapin	*coniglio*	ko-*ni*-lyo
maquereau	*sgombro*	*sgom*-bro
morue	*merluzzo*	mer-*lou*-tso
moules	*cozze*	*ko*-tse
poulet	*pollo*	*pol*-lo
poulpes (pieuvres)	*polpi*	*pol*-pi
coques, palourdes	*vongole*	*von*-go-le
sardines	*sarde*	*sar*-de
saucisse	*salsiccia*	sal-*si*-cha
sèche	*seppia*	*se*-pya
thon	*tonno*	*ton*-no
tripes	*trippa*	*tri*-pa
veau	*vitello*	vi-*te*-lo

FRUITS ET LÉGUMES

artichauts	*carciofi*	kar-*tcho*-fi
asperges	*asparagi*	as-*pa*-ra-ji
aubergines	*melanzane*	me-lan-*dza*-ne
carottes	*carote*	ka-*ro*-ta
cerises	*ciliegie*	chi-li-*e*-ja
champignons	*funghi*	*foun*-gi
chou	*cavolo*	*ka*-vo-lo
épinards	*spinaci*	spi-*na*-chi
fenouil	*finocchio*	fi-*no*-kyio
fraises	*fragole*	*fra*-go-le
haricots verts	*fagiolini*	fa-jo-*li*-ni
orange	*arancia*	a-*ran*-tcha
pêche	*pesca*	*pe*-ska
petits pois	*piselli*	pi-*ze*-li
poire	*pera*	*pe*-ra
poivron	*peperone*	pé-pé-*ro*-ni
pomme	*mela*	*me*-la
pommes de terre	*patate*	pa-*ta*-te
raisin	*uva*	*ou*-va
roquette (salade)	*rucola*	*rou*-ko-la
tomates	*pomodori*	po-mo-*do*-ri

BOISSONS

bière	*birra*	*bi*-ra
café	*(un) caffè*	ka-*fé*
eau	*acqua*	*a*-kwa
thé	*(un) tè*	té
vin (rouge/blanc)	*vino (rosso/bianco)*	*vi*-no (*ros*-so/*bian*-ko)

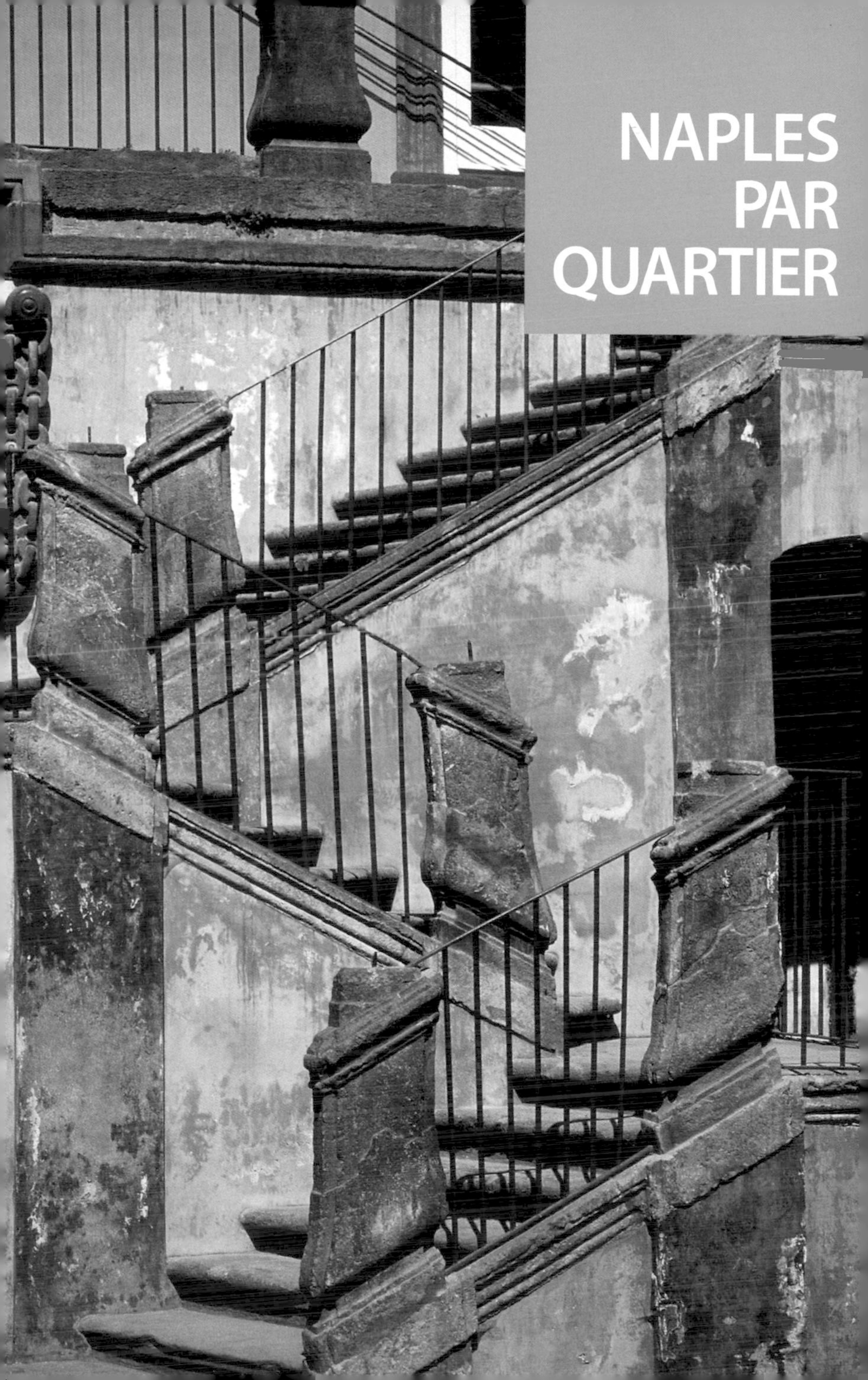

NAPLES PAR QUARTIER

JEAN-BERNARD CARILLET

NAPLES PAR QUARTIER

Coincée entre le Vésuve assoupi et les champs Phlégréens, Naples est une ville des plus paradoxales.

Le paysage urbain allie ici les extrêmes. Les rues crasseuses croisent des boulevards bordés de palmiers, les façades croulantes côtoient des palais baroques et les lieux de culte voisinent avec des boîtes de nuit branchées.

En arrivant sur la Piazza Garibaldi depuis la gare centrale, c'est plutôt la première impression qui domine. Et la circulation dantesque, les étals miteux et les vendeurs à la sauvette annoncent d'emblée la couleur. Au sud et au sud-ouest, le quartier pauvre du Mercato offre le spectacle frappant de ses marchés de fortune et de sa population multiethnique.

Quelques pâtés de maisons à l'ouest de la Piazza Garibaldi débute le centre historique (*centro storico*), dense, sombre et fascinant, avec ses rues héritées de l'époque gréco-romaine encombrées de touristes, de Vespa, d'autels et de merveilles architecturales dissimulées un peu partout.

À son extrémité ouest, la très commerçante Via Toledo va de la Piazza Trieste e Trento, au sud, jusqu'au parc de Capodimonte, au nord. Sa partie sud, sélecte, est la destination privilégiée des accros du shopping. Immédiatement à l'ouest s'étendent les rues peu reluisantes des Quartiers espagnols (*Quartieri Spagnoli*), pavoisées de linge qui sèche.

Au sud de la Via Toledo, l'élégant quartier de Santa Lucia regroupe l'imposante Piazza del Plebiscito, le Palais royal et le théâtre San Carlo, haut lieu de l'opéra. Non loin, le Castel Nuovo (Maschio Angioino), archétype du château fort, trône au-dessus de la Piazza del Municipio.

Surplombant tout cela, les hauteurs verdoyantes de Vomero, lieu de résidence des classes moyennes, abritent à la fois des villas Liberty, des immeubles d'habitation sans âme et le massif Castel Sant'Elmo.

À l'ouest de la Piazza del Plebiscito, on trouve le quartier huppé de Chiaia dont les boutiques chic et les bars se succèdent vers l'ouest jusqu'au port de Mergellina. De là, le secteur cossu du Pausilippe s'étage sur le promontoire qui sépare la baie de Naples de la baie de Pouzzoles. Au-delà, les champs Phlégréens (*Campi Flegrei*) forment une zone volcanique exhalant des vapeurs de soufre où les discothèques de plage le disputent l'été aux ruines antiques.

CAMPANIA ARTECARD

Il peut être intéressant d'investir dans une **Campania Artecard** (☎ 800 600 601 ; www.campaniartecard.it en italien) si vous comptez rester au moins trois jours à Naples. Pour plus de détails sur ce forfait transports et entrées de musées, voir p. 250.

CIRCUITS ORGANISÉS

Depuis Naples, **Cima Tours** (carte p. 280 ; ☎ 081 20 10 52 ; cimatour@tin.it ; Piazza Garibaldi 114) et **Tourcar** (carte p. 280 ; ☎ 081 552 19 38 ; Piazza G. Matteotti 1) organisent des excursions vers les îles de la baie de Naples, la côte amalfitaine, Herculanum et le Vésuve. Compter environ 50 € pour une demi-journée à Pompéi, entrée au site comprise.

CITY SIGHTSEEING NAPOLI

CARTE p. 280

☎ 081 551 72 79 ; www.napoli.city-sightseeing.it ; Via Parco del Castello, Piazza del Municipio ; adulte/enfant/famille 20/10/60 €

City Sightseeing Napoli est un service de bus pour touristes avec montée et descente à volonté. Trois itinéraires partent du Parco Castello de la Piazza del Municipio. La ligne A (*Luoghi dell'Arte*, Les lieux d'art) dessert les principaux sites touristiques de la ville : Piazza del Gesù Nuovo, Piazza Dante, Musée archéologique national, musée de Capodimonte, catacombes de San Gennaro, Piazza Bellini, Porta Capuana et Piazza Bovio. Départ toutes les 45 min, tous les jours entre 9h45 et 18h, durée du circuit :1 heure 15.

La ligne B (*Le Vedute del Golfo*, La baie de Naples) suit le front de mer vers l'ouest en passant par Santa Lucia, Piazza Vittoria, Villa Pignatelli, Mergellina et Posillipo. Départ tous les jours, toutes les 45 min, entre 9h30 et 18h30. Le circuit dure 1 heure 15.

La ligne C (*San Martino*) rejoint Vomero, avec des arrêts Via Santa Lucia, Piazza dei Martiri, Piazza Amedeo, Piazza Vanvitelli, Largo San Martino (pour la chartreuse San Martino), Via Salvator Rosa et Piazza Dante. Le circuit dure 1 heure 45 et il y a un départ toutes les 2 heures entre 10h et 18h les samedi et dimanche.

Sur ces trois lignes, les billets, valables 24 heures, s'achètent dans le bus. Commentaires en huit langues, dont le français.

NAPOLI SOTTERRANEA CARTE p. 280

Naples souterrain ; ☎ 081 29 69 44 ; www.napolisotterranea.org ; Piazza San Gaetano 68 ; visite de 2 heures 9,30 € ; ⏲ 12h, 14h et 16h lun-ven, visites suppl 10h et 18h sam-dim, 21h jeu

Cette agence organise des visites à 40 m sous la ville pour explorer le réseau de grottes et de souterrains antiques creusés par les Grecs afin d'extraire les pierres destinées à leurs constructions, puis agrandis et transformés en canalisations par les Romains. Peu à peu remplis de détritus au cours des siècles, ils servirent d'abris anti-aériens durant la Seconde Guerre mondiale.

SITES GRATUITS

La Villa Comunale (p. 89)
Le Duomo (p. 75)
L'église Sant'Anna dei Lombardi (p. 79)
La vue depuis le Largo San Martino au pied de la chartreuse San Martino (p. 49)
La galerie d'art PAN (p. 89)

LEGAMBIENTE CARTE p. 280

☎ 081 420 31 61 ; www.napolisworld.it en italien ; Vico della Quercia 7

Organisation nationale écologique proposant des visites sur mesure dans le centre historique et des zones moins connues comme le quartier de La Sanità.

NAPOLIJAMM CARTE p. 278

☎ 081 562 13 13 ; www.napolijamm.it ; Via Sannio 9 ; adulte/enfant 30 €/gratuit

Napolijamm organise quatre circuits pédestres couvrant le centre historique (circuit rouge) ; les châteaux et palais historiques (circuit vert) ; les sites de miracles et de mystères célèbres (circuit bleu) et le centre historique *by night* (circuit rose). À l'exception du rose, qui dure 3 heures, tous les circuits durent 4 heures et partent à 9h30 d'un des deux points de rendez-vous : Borgo Marinaro (devant le restaurant Zi Teresa) ou Piazza Trieste e Trento (devant le Caffè Gambrinus). Réserver au moins une journée à l'avance.

GREG ELMS

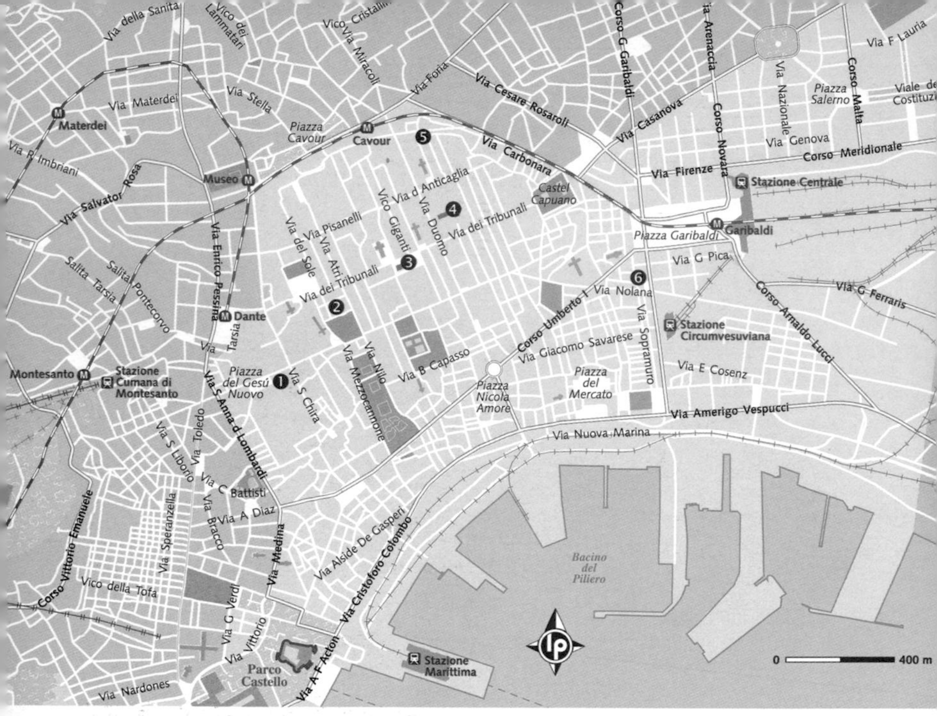

CENTRE HISTORIQUE ET MERCATO

Où se restaurer p. 118 ; Achats p. 139 ; Où se loger p. 148 ; Promenades p. 107

Cloîtres cachés, autels consacrés aux saints et petits bars de quartier hauts en couleur, le *centro storico* offre un fascinant mélange urbain.

Dans les rues étroites du centre historique, des scooters ignorant le code de la route esquivent de sémillants jeunes serveurs de bar portant leur plateau de cafés, des crânes en bronze gardent des chapelles poussiéreuses et des étudiants papotent sur le pavé une bière à la main.

Le tracé du vieux Naples correspond à celui de la Neapolis gréco-romaine : trois artères rectilignes alignées d'est en ouest, les *decumani* (rues principales), autour desquelles la cité s'est développée. La plus célèbre des trois est le *decumanus inferior*, plus connu sous le nom de Spaccanapoli (littéralement "fend Naples"), qui comprend la Via Benedetto Croce, la Via San Biagio dei Librai et la Via Vicaria Vecchia, et traverse de part en part le cœur de la vieille ville. L'ancien *decumanus maior*, la Via dei Tribunali, se trouve à un pâté de maisons au nord. La plupart des sites majeurs sont groupés autour de ces deux rues parallèles, de la macabre chapelle San Severo à la superbe basilique Santa Chiara, ornée de carreaux de faïence. La plus au nord des trois voies antiques, le *decumanus superior*, coïncide avec la Via Sapienza, la Via Anticaglia et la Via Santissimi Apostoli. Juste au nord de celle-ci se tient le MADRE, le tout nouveau musée d'art contemporain, de premier plan.

Au sud et à l'est du centre historique, le quartier du Mercato alterne hôtels borgnes, étals de fortune, épiceries chinoises et cinémas porno. À son extrémité est, la Piazza Garibaldi, bruyante et embouteillée, accueille les visiteurs qui sortent de la gare centrale . Des Ghanéens vendent des articles Dolce & Gabbana de contrefaçon, de jeunes Marocains écoulent des CD piratés et des beautés russes servent des oranges pressées – on se croirait à Barbès, les palmiers en plus. Un œil sur votre sac, pénétrez dans le marché par l'ouest.

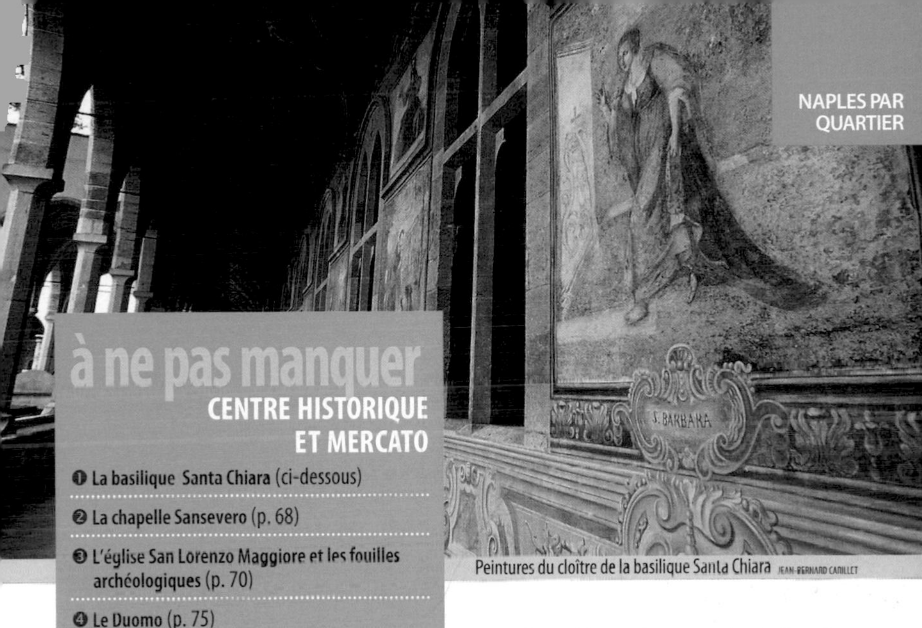

Peintures du cloître de la basilique Santa Chiara JEAN-BERNARD CARILLET

à ne pas manquer
CENTRE HISTORIQUE ET MERCATO

1. La basilique Santa Chiara (ci-dessous)
2. La chapelle Sansevero (p. 68)
3. L'église San Lorenzo Maggiore et les fouilles archéologiques (p. 70)
4. Le Duomo (p. 75)
5. Le MADRE, musée d'art contemporain La Porta Nolana (p. 76)

Au sud du Corso Umberto I, noyé sous les gaz d'échappements, sur la Piazza Nolana s'élève la Porta Nolana, porte de la ville du XVe siècle, qui donne accès à l'un des marchés les plus pittoresques de la ville. Plus à l'ouest, le Borgo degli Orefici, quartier médiéval des orfèvres, compte toujours de nombreuses bijouteries.

SPACCANAPOLI

Les principales artères du centre historique sont la Via San Biagio dei Librai (qui devient à l'ouest la Via Benedetto Croce et à l'est la Via Vicaria Vecchia) et la Via Tribunali, à un pâté de maisons au nord. Bordées d'églises et de palais, ces rues et leurs abords regroupent la plupart des sites majeurs.

BASILIQUE SANTA CHIARA

CARTE p. 280

☎ 081 195 759 15 ; Via Benedetto Croce ; cloîtres 4 € ; basilique 9h-13h et 16h30-19h30 lun-sam, 8h-13h et 17h30-19h30 dim, cloîtres 9h30-17h30 lun-sam, 9h30-14h dim ; R4 pour Via Monteoliveto

Sobre, vaste et sévère, la **Basilica di Santa Chiara** est un spectaculaire témoignage du talent des restaurateurs italiens. Son intérieur actuel, dans un style gothique très pur, est le résultat d'une restauration brillante de l'église, conçue au XIVe siècle par Gagliardo Primario. Commandé par Robert d'Anjou pour son épouse Sancia de Majorque, l'énorme bâtiment fut construit pour abriter 200 sœurs clarisses et les tombeaux de la famille royale angevine. Se conformant aux principes du gothique de l'époque, qui associait la hauteur à la proximité avec Dieu, le plan original reçut un accueil peu enthousiaste de certains – notamment du fils de Robert d'Anjou, Charles d'Anjou, qui compara l'église à une étable. Quatre siècles plus tard, elle fut somptueusement remaniée dans le style baroque par Domenico Antonio Vaccaro, Gaetano Buonocore et Giovanni Del Gaizo.

Le 4 août 1943, la basilique fut bombardée durant un raid aérien allié, et l'incendie qui fit rage détruisit la quasi-totalité de la décoration intérieure, baroque, ainsi que la toiture principale et certains tombeaux angevins. Grâce à l'adresse et au dévouement d'une petite armée d'experts, elle a retrouvé en grande partie son aspect originel. Dans les parties ayant échappé aux flammes, on notera, à gauche du portail principal, des fragments d'une fresque du XIVe siècle, et une chapelle abritant les tombes de la dynastie des Bourbons, de Ferdinand Ier à François II.

À gauche de l'église, le célèbre **cloître des Clarisses**, orné de majoliques (des carreaux de faïence), est un havre de paix, au milieu du chaos du centre-ville. S'il fut construit au XIVe siècle, son aspect actuel date du XVIIIe siècle, époque à laquelle Domenico Antonio Vaccaro fit œuvre de paysagiste. Les allées qui partagent le jardin central, ponctué de lavande et de citrus, sont bordées de 72 colonnes octogonales décorées de majoliques colorées et reliées par des bancs. Peints par Donato e Giuseppe Massa, ces carreaux vert, bleu et jaune représentent des scènes de chasse et de pêche. Les quatre murs intérieurs sont couverts de fresques du XVIIe siècle illustrant dans des teintes douces la légende de saint François.

Jouxtant le cloître, un petit **musée** expose divers objets ecclésiastiques, dont des tabernacles du XVIIe siècle, et quelques bustes du XIVe siècle.

CHAPELLE ET MUSÉE DU MONT-DE-PIÉTÉ CARTE p. 280

☎ 081 580 71 11 ; Via San Biagio dei Librai 114 ; église ⏲ 9h-14h tlj, musée ⏲ 9h-14h sam-dim ; 🚌 CS pour Via Duomo

Imposant ensemble de bâtiments du XVIe siècle, la **Cappella e Museo del Monte di Pietà** fut construite pour accueillir le mont-de-piété, où les pauvres venaient engager un objet contre un prêt sans intérêts. On peut y admirer aujourd'hui, exposée dans trois salles à droite de la cour, une partie de l'imposante collection d'art du Banco di Napoli, mélange de peintures, de somptueuses broderies et d'argenterie ancienne. La **chapelle** elle-même, et ses quatre pièces latérales richement décorées, sont encore plus intéressantes. Deux sculptures de Pietro Bernini flanquent l'entrée de la nef simple, surmontée d'une *Pietà* de Michelangelo Naccherino. À l'intérieur ce sont les fresques de Belisario Corenzio qui font la plus forte impression.

CHAPELLE SANSEVERO CARTE p. 280

☎ 081 551 84 70 ; Via de Sanctis 19 ; 6 € ; ⏲ 10h-17h40 mer-lun ; 🚌 R4 pour Via Monteoliveto

Dans la catégorie "Comment peut-on réussir à faire ça ?", la sculpture du **Christ voilé** *(Cristo Velato)* est inégalable. L'incroyable rendu de la fine étoffe recouvrant le Christ obtenu par Giuseppe Sammartino est d'un tel réalisme qu'il donne envie de soulever un coin du voile pour découvrir le corps en dessous. Cette magnifique statue, la plus remarquable de la **Cappella Sansevero**, partage la vedette avec deux autres œuvres aussi exceptionnelles. "Hyperréaliste", la *Désillusion (Disinganno)*, de Francesco Queirolo, représente un homme tentant de se dégager d'un filet, alors que la *Pudeur* (*Pudicizia*), d'Antonio Corradini, est un nu voilé délicieusement suggestif. Des fresques vivement colorées de Francesco Maria Russo dominent l'ensemble.

Érigé à la fin du XVIe siècle pour abriter les tombes de la famille de Sangro, ce temple d'inspiration maçonnique ne reçut sa décoration baroque actuelle que lorsque l'étrange prince Raimondo de Sangro décida de la mettre au goût du jour. Entre 1749 et 1766, il fit appel aux meilleurs artistes de l'époque pour la décorer, pendant qu'il poursuivait tranquillement ses travaux d'embaumement sur ses domestiques morts. Déterminé à maîtriser l'art de la naturalisation des corps humains, Raimondo donna à l'oratoire une sinistre réputation. Pour vous faire votre propre opinion, le mieux est de descendre au sous-sol et d'examiner les deux écorchés humains méticuleusement préservés qui y sont conservés.

CASTEL CAPUANO CARTE p. 280

☎ 081 223 72 44 ; Piazza Enrico De Nicola ; Ⓜ Garibaldi

Le désordre règne quotidiennement autour du Castel Capuano. Ce château normand est le siège de la cour de justice civile depuis 1540, et il y a en permanence une foule d'avocats, de familles bruyantes et de policiers menaçants autour de l'entrée principale. Le fort fut bâti en 1165 par Guillaume Ier pour défendre la toute proche Porta Capuana, entrée de la cité. Agrandi plus tard par le roi souabe Frédéric II et fortifié par Charles Ier d'Anjou, ce fut une résidence royale jusqu'au XVIe siècle. Don Pedro de Toledo en fit alors la cour de justice de la ville. Attention, le Castel Capuano n'est pas ouvert au public.

De l'autre côté de la place, l'imposante **Porta Capuana** (carte p. 278) était, au Moyen Âge, une des principales portes d'accès à la ville. Construites en 1484 à la demande de Ferdinand II d'Aragon, ses deux tours cylindriques, nommées "Honneur" et "Vertu", encadrent un arc de triomphe en marbre blanc dessiné par Giuliano da Maiano. Remarquez le blason de Charles V, au centre, qui fut ajouté en 1535.

MUSÉE DES SCIENCES NATURELLES CARTE p. 280

☎ 081 253 51 60 ; www.musei.unina.it ; Via Mezzocannone 8 ; 1,50 € par musée, 3 € les quatre ; ⏲ 9h-13h30 et 15h-17h lun et jeu, 9h-13h30 mar et ven, 9h-13h sam-dim ; 🚌 R2 pour Corso Umberto I

Installé dans les locaux de l'université, le **Centro Musei Scienze Naturali** est un lieu passionnant qui se compose de quatre entités. Le musée de la Minéralogie, un des plus importants du genre en Italie, rassemble quelque 30 000 minéraux, météorites et cristaux collectés dans des contrées aussi lointaines que Madagascar.

Apprécié des enfants, le musée de Zoologie donne à voir une collection bigarrée d'oiseaux, de papillons et d'insectes.

De l'autre côté de la cour, le musée d'Anthropologie contient un ensemble éclectique de vestiges préhistoriques, dont un squelette grimaçant du paléolithique découvert dans les Pouilles et une ravissante momie bolivienne. Enfin, des ossements de dinosaures vous attendent au musée de Paléontologie.

ÉGLISE DU GESÙ NUOVO CARTE p. 280

☎ 081 551 86 13 ; Piazza del Gesù Nuovo ; ⏲ 7h-13h et 16h-19h30 ; 🚌 R4 pour Via Monteoliveto

La **Chiesa del Gesù Nuovo**, au nord de la place éponyme, est un des plus beaux témoignages d'architecture Renaissance de la ville. Consacrée au XVIe siècle, elle est en fait le résultat d'une spectaculaire reconversion. On ignore si c'est la façade particulière de pierres grises taillées en pointes de diamant du Palazzo Sanseverino, bâti au XVe siècle, qui décida les jésuites à l'acheter. En tout cas, une fois le lieu en leur possession, ils entreprirent sérieusement de le transformer et de le décorer. À en croire la légende, les symboles ésotériques gravés sur les blocs de *piperno* (pierre volcanique) auraient été inversés, vouant l'édifice à un sort funeste (p. X).

L'architecte Giuseppe Valeriani dessina l'extérieur, alors qu'une pléiade de grands artistes baroques, dont Francesco Solimena, Luca Giordano et Cosimo Fanzago, s'employèrent à couvrir la voûte intérieure des étonnantes fresques qu'on y voit aujourd'hui.

Contrastant avec l'opulence du bâtiment principal, une petite **chapelle** est dédiée au très aimé saint local Giuseppe Moscati. Ses murs sont couverts d'ex-voto (dont des seringues en or) et on y découvre une reconstitution complète du cabinet de travail de Moscati, comportant même le fauteuil où il mourut. Canonisé en 1977, Giuseppe Moscati (1880-1927) était un médecin de quartier qui passa sa vie à aider les pauvres de la ville.

ÉGLISE DU GESÙ VECCHIO CARTE p. 280

☎ 081 552 66 39 ; Via Giovanni Paladino 38 ; ⏲ 7h30-12h et 15h45-18h lun-sam, 19h30-12h dim ; 🚌 R2 pour Corso Umberto I

L'intérieur on ne peut plus baroque de la **Chiesa del Gesù Vecchio** arbrite de somptueuses statues de Cosimo Fanzago, ainsi que des fresques de Francesco Solimena et de Battista Caracciolo. Bâtie en 1570 et entièrement

L'impressionnante église du Gesù Nuovo JEAN-BERNARD CARILLET

reconstruite au XVIIe siècle, c'est la plus ancienne église jésuite de la ville.

ÉGLISE SAN DOMENICO MAGGIORE CARTE p. 280

☎ 081 45 91 88 ; Piazza San Domenico Maggiore 8a ; 🚌 R4 pour Via Monteoliveto

La **Chiesa di San Domenico Maggiore**, gothique, fut achevée en 1324 à la demande de Charles d'Anjou. Reliée à la place par un grand escalier en marbre, cet édifice aux airs de forteresse fut bâti sur l'ancienne église Sant'Angelo a Morfisa. Église royale des Angevins, c'était aussi le siège local de l'ordre dominicain.

L'intérieur, composé de trois nefs, est un mélange de baroque et de néogothique du XIXe siècle ayant subi diverses rénovations, et il ne reste pas grand-chose du décor gothique d'origine du XIVe siècle. Parmi les rares vestiges de cette époque, les fresques de Pietro Cavallini de la **chapelle Brancaccio** sortent du lot. Le *Crocifisso tra La Vergine e San Giovanni* du XIIIe siècle, dans le **Cappellone del Crocifisso**, est réputé s'être adressé à saint Thomas d'Aquin.

Selon la légende, le saint homme était en prière devant la peinture quand il entendit une voix lui dire : "*Bene scripsisti di me, Thoma, quam recipies a me pro tu labore mercedem ?*" ("Tu as bien écrit sur moi, Thomas, que désires-tu en retour ?") – "*Domine non aliam nisi te*" ("Rien si ce n'est vous, Seigneur"), aurait-il répondu.

Baignée d'une lumière douce et tamisée, la sacristie abrite les cercueils de 45 princes aragonais et d'autres nobles. Les fresques au plafond sont l'œuvre de Francesco Solimena.

ÉGLISE SAN PAOLO MAGGIORE

CARTE p. 280

☎ 081 45 40 48 ; Piazza San Gaetano 76 ; 🕑 9h-17h30 lun-sam, 11h-12h dim ; 🚍 CS pour Via Duomo

La **Chiesa di San Paolo Maggiore** se trouve sur la petite Piazza San Gaetano. On y entre par un imposant double escalier baroque (1603), signé du maître Francesco Grimaldi. Implantée sur le site d'un temple romain dédié à Castor et Pollux, dont les seules traces visibles sont les deux colonnes flanquant l'entrée, l'église date du VIIIe siècle, mais elle fut pratiquement entièrement reconstruite à la fin du XVIe. L'intérieur, haut et typiquement baroque, est orné de peintures de Massimo Stanzione et de Paolo De Matteis. À droite de l'autel, dans la sacristie, les fresques de Francesco Solimena sont de toute beauté.

ÉGLISE SANT'ANGELO A NILO

CARTE p. 280

☎ 081 420 12 22 ; entrée Vico Donnaromita 15 ; 🕑 9h-13h et 16h-18h lun-sam, 9h-13h dim ; 🚍 R4 pour Via Monteoliveto

Placée sous la douce autorité de quatre chérubins dorés potelés, la modeste **Chiesa Sant'Angelo a Nilo**, du XIVe siècle, contient une des premières grandes œuvres de la Renaissance à Naples – le majestueux tombeau du cardinal Brancaccio, fondateur de l'église. Le grand cercueil, considéré comme faisant partie de l'héritage artistique de Naples, a en fait été réalisé à Pise par un groupe de maîtres sculpteurs. Donatello, Michelozzo et Pagno di Lapo Partigiani ont passé un an à tailler la pierre avant de l'envoyer à Naples par bateau en 1427.

ÉGLISE ET CLOÎTRE SAN GREGORIO ARMENO CARTE p. 280

☎ 081 420 63 85 ; Via San Gregorio Armeno 44 ; église 🕑 8h30-12h lun et mer-sam, 9h30-12h30 mar et dim ; 🚍 CS pour Via Duomo

Tenue par un petit groupe de religieuses dynamiques et zélées, la **Chiesa di San Gregorio Armeno** a été récemment restaurée. Cette église conventuelle du XVIe siècle éclipse toutes les autres. Son prodigieux décor baroque, conçu par Nicolò Tagliacozzi Canale, présente, entre autres pièces maîtresses, de magnifiques stalles en bois et papier mâché, un autel en marbre du XVIIe siècle signé Dionisio Lazzarn et des fresques fastueuses de Paolo de Matteis et de Luca Giordano. Le chef-d'œuvre de ce dernier illustre l'exil des nonnes de Constantinople, qui fondèrent le couvent au XIIIe siècle et le baptisèrent du nom de saint Grégoire, évêque d'Arménie, dont elles avaient emporté les reliques. Mais les nonnes sont davantage connues pour avoir conservé les restes et le sang séché de sainte Patricia qui, après avoir fui Constantinople, mourut à Naples à une date indéterminée, entre le IVe et le VIIIe siècle. Le sang solidifié de la sainte est censé se liquéfier chaque mardi, à la différence de celui du saint patron de la ville, saint Janvier, pour lequel ce phénomène se produit trois fois par an.

Le paisible cloître planté de citrus est accessible par une porte donnant sur le Vico G. Maffei voisin.

ÉGLISE SAN LORENZO MAGGIORE ET FOUILLES ARCHÉOLOGIQUES

CARTE p. 280

☎ 081 211 08 60 ; www.sanlorenzomaggiorenapoli.it ; Via dei Tribunali 316 ; fouilles et musée adulte/enfant 5/3 € ; 🕑 9h-17h30 lun-sam, 9h30-13h30 dim ; 🚍 CS pour Via Duomo

La construction de ce vaste chef-d'œuvre gothique inondé de lumière fut entamée en 1270 par des architectes français qui en achevèrent l'abside. Elle reprit un siècle plus tard sous la direction d'architectes locaux qui réemployèrent dans la nef des colonnes antiques. Victime de remaniements baroques aux XVIIe et XVIIIe siècles, la **Chiesa di San Lorenzo Maggiore** a retrouvé sa splendeur d'origine grâce à des restaurations effectuées au milieu du XXe siècle. La délicate façade baroque de Ferdinando Sanfelice a toutefois été maintenue en place.

Catherine d'Autriche, morte en 1323, y est enterrée dans un superbe tombeau couvert de mosaïques. Selon la légende, c'est ici que Boccace serait tombé amoureux de Marie d'Aquino, la fille naturelle de Robert d'Anjou, qui lui aurait servi de modèle pour son personnage de Fiammetta. On sait aussi que Pétrarque a vécu dans le couvent voisin en 1345.

L'église a été construite sur un site gréco-romain et une église paléochrétienne – aujourd'hui zone de fouilles souterraine, les **scavi**,

Sous les arcades de l'église San Lorenzo Maggiore JEAN-BERNARD CARILLET

que l'on peut visiter. À mesure que l'on y descend, on est gagné par le silence qui règne dans ces galeries mal éclairées. Il y a peu d'explications sur ce dédale de murs croulants, mais cela n'enlève pas grand-chose à l'expérience – il suffit de laisser libre cours à son imagination. On peut aussi acheter pour 1,50 € un fascicule en italien ou en anglais qui vous explique ces fouilles.

En surface, le **musée de l'œuvre de San Lorenzo Maggiore** (Museo dell'Opera di San Lorenzo Maggiore), ouvert depuis peu, contient une intéressante collection de pièces archéologiques mises au jour dans le secteur, notamment des sarcophages gréco-romains, des céramiques et de la vaisselle issus des fouilles sous l'église. À noter aussi, des céramiques colorées du IXe siècle, des fresques angevines, des peintures de Giuseppe Marullo et de Luigi Velpi, ainsi que des vêtements sacerdotaux du XVIe siècle.

ÉGLISE SANTA CATERINA A FORMIELLO CARTE p.278

☎ 081 44 42 97 ; Piazza Enrico de Nicola 65 ; 🕑 8h30-20h lun-sam, 8h30-13h dim ; Ⓜ Garibaldi

En dépit de sa couche de crasse, cette église Renaissance richement décorée se classe parmi les plus belles de Naples. La décoration est typiquement baroque, et l'on peut y admirer une série de fresques exceptionnelles de Luigi Garzi, ainsi que les reliques des martyrs d'Otrante. Ceux-ci trouvèrent la mort en 1480 lorsque les envahisseurs turcs entrèrent dans cette ville des Pouilles après un long siège et assouvirent leur furie en tuant 800 habitants.

Dédiée à sainte Catherine, une martyre d'Alexandrie, la **Chiesa di Santa Caterina a Formiello** fut terminée en 1593. Elle appartint aux dominicains durant 300 ans, qui la quittèrent au XIXe siècle. L'armée la récupéra alors pour en faire une filature de laine.

ÉGLISE SANTA MARIA DELLE ANIME DEL PURGATORIO CARTE p. 280

☎ 081 29 26 22 ; Via dei Tribunali 39 ; 🕑 9h-14h lun-sam ; 🚌 CS pour Via Duomo

Gardée par trois têtes de mort en bronze, cette église du XVIIe siècle est un lieu très curieux voué au culte des morts. À l'intérieur, crânes et ossements ponctuent la décoration. C'est ainsi que deux têtes de mort ailées semblent fixer les visiteurs de chaque côté de l'autel principal. Bâtie par une congrégation ayant pour objet de prier pour les âmes retenues au purgatoire, l'église devint le centre d'un culte des morts encore très présent aujourd'hui à Naples. Sous l'église, dans l'**hypogée** (actuellement fermé), on peut toujours voir des os et des crânes poussiéreux.

De belles œuvres peintes de Massimo Stanzione et de Luca Giordano apportent une note plus légère à la décoration de l'église.

ÉGLISE SANTA MARIA DONNAREGINA VECCHIA CARTE P. 286

☎ 081 29 91 01 ; Vico Donnaregina 25 ; 9h-12h30 sam sur rendez-vous uniquement ; CS pour Via Duomo
Siège du département de restauration de l'université d'architecture de Naples, cette splendide église du XIVe siècle fut érigée à la requête de Marie de Hongrie, épouse de Charles II d'Anjou. Dotée d'une lumineuse abside pentagonale, elle conserve sur ses murs et ses voûtes en éventail des traces de fresques à la manière de Giotto, portant les fleurs de lys d'Anjou et les bandes blanches de la maison de Hongrie. Au-dessus du chœur, le plafond à caissons est orné de superbes fresques de Pietro Cavallini. Contre le mur de gauche, l'impressionnant tombeau en marbre de Marie de Hongrie a été réalisé par Tino da Camaino entre 1326 et 1327.

ÉGLISE SANTA MARIA MAGGIORE

CARTE p. 280

Via dei Tribunali 16 ; lun-sam 9h-13h ; CS pour Via Duomo
Le nom complet de cette église, la **Chiesa di Santa Maria Maggiore alla Pietra santa**, fait référence à la pratique du XVIIe siècle qui consistait à embrasser sa *pietrasanta* (pierre sacrée) afin de gagner des indulgences (rémission par l'Église des peines que les péchés méritent). Elle fut construite au VIe siècle par San Pomponio, évêque de Naples, sur les ruines d'un édifice romain. D'après la légende, celui-ci aurait ainsi voulu apaiser l'inquiétude des habitants, dont certains affirmaient avoir vu dans les parages le diable sous la forme d'un porc. Cosimo Fanzago la modifia au XVIIe siècle et y adjoignit un dôme visible à des lieues à la ronde. Le **campanile** roman, construit entre les Xe et XIe siècles, est l'un des plus vieux de la ville. Jouxtant l'église, la **chapelle Pontano** (XVe siècle) est caractérisée par un superbe pavement en céramique.

ÉGLISE SAN PIETRO A MAIELLA

CARTE p. 280

☎ 081 45 90 08 ; Piazza Luigi Miraglia 25 ; 7h30-12h et 17h30-19h30 dim-ven, 17h-19h30 sam ; M Dante
Peu d'églises sont dédiées à des ermites. Mais peu d'ermites finissent papes, comme ce fut le cas de Pietro Angeleri da Monone, devenu Célestin V en 1294. L'intérieur gothique date du XIVe siècle, mais le plafond, complètement baroque, comporte dix peintures circulaires de Mattia Preti. Celles-ci furent découvertes sous des stucs lors de restaurations entreprises à la fin du XIXe siècle, en même temps que d'impressionnants plafonds en boiseries dorées. Des œuvres de Cosimo Fanzago et de Massimo Stanzione, dont la *Madone apparaissant à Célestin V* accrochée dans une des chapelles latérales de droite, ajoutent d'autres touches baroques.

Le conservatoire de la ville – une des plus prestigieuses écoles de musique d'Italie – est installé depuis 1826 dans le **couvent** jouxtant l'église.

FLÈCHE DE SAN GENNARO CARTE p. 280

Piazza Riario Sforza ; CS pour Via Duomo
Plus ancienne des trois flèches du centre historique, la **Guglia di San Gennaro** fut dédiée au saint patron de la cité en 1636. Comme celle de San Domenico, c'était un témoignage de gratitude à saint Janvier (San Gennaro), cette fois pour avoir protégé la ville lors de l'éruption du Vésuve de 1631. La flèche est de Cosimo Fanzago, la statue au sommet de Tommaso Montani.

LARGO SAN GIOVANNI MAGGIORE

CARTE p. 280

Largo San Giovanni Maggiore ; R2 pour Corso Umberto I
Cette ravissante placette est envahie d'étudiants qui viennent se détendre et boire un verre au Kestè (p. 130). Du côté ouest, l'imposant **palais Giusso**, conçu au XVIe siècle par Giovanni da Nola, abrite l'Istituto Universitario Orientale. On peut admirer face à lui l'**église San Giovanni Pappacoda** (carte p. 280), dont la structure originelle, du XVe siècle, n'a guère résisté aux rénovations du XVIIIe. Le portail gothique d'Antonio Baboccio subsiste néanmoins, de même qu'un clocher en tuf, marbre et *piperno*.

HÔPITAL DES POUPÉES CARTE p. 280

☎ 339 587 22 74 ; Via San Biagio dei Librai 81 ; M Dante
Même si votre "baigneur" n'a pas besoin de chirurgie esthétique, ce lieu mythique qu'est l'**Ospedale della Bambole** vaut le détour. Têtes de poupées suspendues, saints blessés et mannequins en pièces détachées composent un bric-à-brac surréaliste où ne manque que Pinocchio.

PALAIS SPINELLI DI LAURINO

CARTE p. 280

Via dei Tribunali 362 ; CS pour Via Duomo
En se faufilant derrière le portier qui patrouille à l'entrée de ce palais Renaissance, on découvre

JEAN-BERNARD CARILLET

une inhabituelle cour de forme ovale qui sert de parking. Elle est l'œuvre de l'architecte Ferdinando Sanfelice, tout comme l'imposant escalier ouvert à double révolution au dessin particulier, qui fit fureur chez la noblesse napolitaine du XVIIIe siècle.

Au 1er étage, la Parisienne Nathalie de Saint-Phalle présente les œuvres d'avant-garde de ses artistes en résidence, au cours d'expositions d'une semaine débutant le 23 mars, le 23 juin et le 23 septembre.

PIAZZA BELLINI CARTE p. 280

Ⓜ **Dante**

À l'extrémité ouest de la Via dei Tribunali, la Piazza Bellini est une des places les plus animées du centre historique, et la préférée des amateurs de jazz, tendance gauche un peu décalée. Ses bars animés aux murs couverts de lierre bruissent jusque tard dans la nuit. Au centre de la place, pratiquement cachée par les arbres et les feuillages, on peut apercevoir des pans de **murs** de la **cité grecque**.

PIAZZA DEL GESÙ NUOVO CARTE p. 280

Ⓜ **Dante**

Flanquée d'un côté par l'**église du Gesù Nuovo** (p. 69) et de l'autre par la **basilique Santa Chiara** (p. 67), cette place animée – un des plus séduisants espaces de Spaccanapoli –, fut durant des siècles le principal accès ouest de la ville. Mais ce n'est qu'après deux modifications importantes au XVIe siècle qu'elle acquit ses proportions actuelles. En premier lieu, Ferrante Sanseverino décida de raser les maisons qui empêchaient de voir son magnifique palais du XVe siècle (qui deviendra ensuite l'église du Gesù Nuovo), dégageant ainsi d'un coup le côté nord de la place. Des années plus tard, afin de s'ouvrir un chemin jusqu'à ses Quartiers espagnols tout neufs, le vice-roi d'Espagne, don Pedro de Toledo, démolit la Porte angevine de la cité et repoussa une fois de plus les murs de la ville vers l'ouest.

Au centre de la place se dresse la **Guglia dell'Immacolata** (carte p. 280), baroque, que Giuseppe Genuino réalisa entre 1747 et 1750. Le 8 décembre, jour de la fête de l'Immaculée Conception, des pompiers grimpent au sommet pour placer une gerbe de fleurs au pied de la Vierge.

PIAZZA SAN DOMENICO MAGGIORE CARTE p. 280

Ⓜ **Dante**

Tous les soirs, cette place vivante déborde d'animation lorsque des personnes de tous âges s'y rassemblent pour boire une bière ou fumer une cigarette entre amis. Bordée à une extrémité par l'**église San Domenico Maggiore** (p. 69) et sur un côté par d'imposants **palais**, la *piazza* ne prit toute son importance qu'au XVe siècle. Jusque-là, elle était surtout recouverte de jardins, rasés lorsque les Aragonais décidèrent de faire de San Domenico l'église royale. Au XVIIe siècle, plusieurs aristocrates firent construire leur résidence autour de la place. La très baroque **Guglia di San Domenico** (carte p. 280), décorée par Cosimo Fanzago et achevée en 1737 par Domenico Antonio Vaccaro, fut érigée au centre pour remercier saint Dominique d'avoir débarrassé la ville de la peste en 1656.

PIO MONTE DELLA MISERICORDIA

CARTE p. 280

☎ 081 44 69 44 ; Via dei Tribunali 253 ; musée 5 € ; église 🕑 9h-14h tlj, musée 🕑 8h30-14h jeu-mar ; 🚌 CS pour Via Duomo

C'est au-dessus du maître autel de cette petite **église** de plan octogonal qu'on peut admirer *Le Sette Opere di Misericordia* (*Les Sept Œuvres de la Miséricorde*). Considéré par beaucoup comme la toile la plus prestigieuse de Naples, ce chef-d'œuvre du Caravage incarne magnifiquement le style unique de l'artiste dont l'impact fut si fondamental dans la ville (voir p. 46 pour plus d'informations). Ce tableau montre des personnes s'acquittant de gestes de charité, notamment une femme donnant le sein à un vieillard.

AUTEL À MARADONA

En face de la Statua del Nilo se trouve un autel à une divinité nettement plus profane. Le footballeur argentin Diego Armando Maradona est révéré dans toute la cité, qui lui a donc "érigé" son propre lieu de culte. Installé sur le mur à l'extérieur du bar Nilo, l'**autel à Maradona** (carte p. 280), une petite boîte de verre, contient différents objets en relation avec le dieu du stade. Collé à un poème épique écrit en son honneur, un cheveu brun frisé est accompagné d'un carton indiquant : "kapel original of Maradona", en "napoliglais" dans le texte, traduction toute personnelle de l'italien *Capello originale di Maradona*. Vous y admirerez aussi un petit récipient empli de larmes authentiques du héros. Et honte à celui qui suggérerait qu'il s'agit juste d'eau !

GREG ELMS

Au 1er étage de l'église du XVIIe siècle, un petit **musée d'art** renferme une jolie collection de peintures Renaissance et baroques d'artistes comme Francesco de Mura, Giuseppe Ribera et Paul van Somer.

PORT'ALBA CARTE p. 280

Via Port'Alba ; Ⓜ Dante

Les alentours de cette porte de la ville sont particulièrement pittoresques. La Via Port'Alba est surtout connue pour les librairies et les bouquinistes d'occasion qui la bordent, et qui vendent tout, des grands classiques de la littérature aux obscures nouvelles de science-fiction des années 1950. La porte, qui donne sur la Piazza Dante, fut ouverte en 1625 par Antonio Alvárez, le vice-roi espagnol de Naples. À l'extrémité est de la Via Port'Alba, la Via San Sebastiano, qui court au sud, compte un grand nombre de magasins d'instrument de musique.

STATUA DEL NILO CARTE p. 280

Piazzetta Nilo, Via Nilo ; 🚌 R4 pour Via Monteoliveto

Cette peu avenante **statue** de l'ancien dieu égyptien du Nil fut érigée par la communauté de marchands venue d'Alexandrie à l'époque romaine. La statue disparut toutefois lorsqu'ils quittèrent la ville. Elle finit par réapparaître, décapitée, au XVe siècle. Rebaptisée *Il Corpo di Napoli* (*Le Corps de Naples*), elle resta sans tête jusqu'au XVIIIe siècle, où elle se vit affublée d'une grosse trogne barbue.

VIA SAN GREGORIO ARMENO

CARTE p. 280

🚌 CS pour Via Duomo

Naples est réputée pour ses *presepi* (crèches) traditionnelles, et la Via San Gregorio Armeno est la rue où les gens viennent de tout le pays pour les acheter. Partant de Spaccanapoli vers le nord, elle est bordée de boutiques pleines à craquer de milliers de figurines allant des personnages religieux traditionnels aux caricatures de vedettes du cinéma et de la politique. Après la défaite de Berlusconi aux élections, la figurine qui le représentait portant sa tête et ses testicules sur un plateau a eu beaucoup de succès.

VIA DUOMO

Réalisée dans le cadre du *Risanamento* (un programme de suppression des taudis) à la fin du XIXe siècle, la Via Duomo relie le Corso Umberto I à la Via Foria. Elle court plus ou moins parallèlement à la Via Toledo.

BASILIQUE SAN GIORGIO MAGGIORE

CARTE p. 280

☎ 081 28 79 32 ; Via Duomo 237 ; 🕓 8h15-12h et 17h-19h30 lun-sam, 8h30-13h30 dim ; 🚌 CS pour Via Duomo

La **Basilica di San Giorgio Maggiore**, une des plus vieilles églises de Naples, fut construite au IVe siècle par saint Severo. Elle fut presque entièrement détruite par un incendie en 1640 et ne prit sa forme actuelle qu'au milieu du XVIIe siècle, quand Cosimo Fanzago supervisa sa rénovation. Deux siècles plus tard, son aile droite fut supprimée pour favoriser le percement de la Via Duomo. La troisième chapelle comporte des fresques de Francesco Solimena.

ÉGLISE ET PINACOTHÈQUE DEI GIROLAMINI

CARTE p. 280

☎ 081 44 91 39 ; Via Duomo 142 ; 🕓 variables pour l'église ; cloître et pinacothèque 9h30-12h30 lun-sam ; 🚌 CS pour Via Duomo

La **Chiesa dei Girolamini**, aussi appelée San Filippo Neri, est un somptueux édifice baroque à deux façades, dont l'entrée se trouve en face du Duomo. La seconde façade, plus imposante, date du XVIIIe siècle (actuellement fermée pour restauration). Le couvent du XVIIe siècle attenant possède un cloître avec des majoliques passées et des citronniers qui poussent en tous sens. Au 1er étage du couvent, une petite **galerie** conserve des œuvres d'art locales, dont celles d'artistes tels Luca Giordano et Battista Caracciolo.

DUOMO

CARTE p. 280

☎ 081 44 90 97 ; www.duomodinapoli.com ; Via Duomo 147 ; 🕓 8h-12h30 et 16h30-19h lun-sam, 8h30-13h et 17h-19h dim ; 🚌 CS pour Via Duomo

Tous les ans en mai, en septembre et en décembre, des milliers de fidèles se rassemblent dans le Duomo pour prier, afin que le miracle – la liquéfaction triannuelle du sang de saint Janvier – protège la ville d'éventuelles catastrophes. Quand le phénomène ne se produit pas, les habitants redoutent le pire.

La construction de cette **cathédrale** voulue par le roi Charles Ier d'Anjou commença en 1272. Bâtie sur le site d'églises antérieures, elles-mêmes précédées par un temple à Neptune, elle fut consacrée en 1315. En partie détruite par un séisme en 1456, elle a subi de nombreuses altérations. La façade néogothique est le résultat d'un remaniement de la fin du XIXe siècle.

L'immense nef centrale est surmontée d'un plafond à caissons richement décoré. La décoration des parties supérieures de la nef et du transept est l'œuvre de Luca Giordano.

Vue du Duomo JEAN-BERNARD CARILLET

La **chapelle de saint Janvier** (Cappella di San Gennaro, aussi appelée Cappella del Tesoro, la "chapelle du trésor"), de style baroque, est au cœur de la vie religieuse (ou superstitieuse pour certains) de Naples. Dessinée par Giovanni Cola di Franco, elle fut terminée en 1637, afin d'accueillir le crâne et le sang de saint Janvier, patron de la ville. On peut y admirer des fresques de Giovanni Lanfranco, une peinture de Giuseppe de Ribera, ainsi qu'une collection de bustes en argent et de statues en bronze des saints de toutes les églises de Naples. Un coffre-fort dissimule le buste reliquaire en argent, du XIVe siècle, contenant le crâne et deux fioles du sang de San Gennaro.

La chapelle suivante contient une urne où reposent les os du saint, des tiroirs pleins de fémurs, tibias et autres reliques. Sous l'autel, la **chapelle Carafa** (crypte de San Gennaro), de style Renaissance, fut construite pour renfermer encore d'autres souvenirs terrestres du saint.

Dans l'aile nord, la **chapelle Santa Restituta**, édifiée sur les vestiges de la première basilique chrétienne de la ville (IVe siècle), dut être presque entièrement refaite, suite à un séisme en 1688. Le baptistère San Giovanni in Fonte, datant du IVe siècle, est orné de mosaïques bien conservées. Sous la chapelle se trouve la **zone archéologique** (3 € ; 🕓 9h-12h et 16h30-19h lun-sam, 9h-12h30 dim). Les souterrains mènent dans les vestiges des anciens bâtiments grecs et romains.

MADRE (MUSÉE D'ART CONTEMPORAIN DONNAREGINA)

CARTE p. 286

☎ 081 562 45 61 ; www.museomadre.it ; Via Settembrini 79 ; 7 € ; 🕑 10h-21h lun-jeu et dim, 10h-24h ven-sam ; Ⓜ Cavour

Le MADRE (**Museo d'Arte Contemporanea Donnaregina**) est à Naples ce que le MoMA est à Manhattan. Installé dans le palais historique de Donnaregina, ce musée d'envergure internationale, dessiné par l'architecte portugais Alvaro Siza y Vieira, rassemble, au 1er étage, la plus belle collection d'art contemporain de la ville. Le rez-de-chaussée et le 2e étage accueillent, quant à eux, des expositions temporaires. Citons, parmi les pièces-phares, l'ultra-kitsch *Wild Boy and Puppy* de Jeff Koons, *Spirits* de Rebecca Horn (des crânes et des miroirs mobiles synchronisés), ainsi qu'une installation en perspective faussée de l'artiste d'origine indienne Amish Kapoor.

MUSÉE DU TRÉSOR DE SAINT JANVIER CARTE p. 280

☎ 081 29 49 80 ; Via Duomo 149 ; 5,50 € ; 🕑 9h-18h30 lun-sam, 10h-17h dim ; 🚌 CS pour Via Duomo

Sis du côté sud du Duomo, le **Museo del Tesoro di San Gennaro** illustre bien l'attachement de Naples à saint Janvier. Y sont exposés, sur deux étages, sept siècles de dons – une collection précieuse de bustes en bronze, peintures et ampoules en argent, ainsi qu'une chaise à porteurs dorée du XVIIIe siècle utilisée pour protéger le buste-reliquaire de la pluie les jours de procession. Audioguide multilingue compris dans le prix du billet.

MERCATO

À l'est de la Via Pietro Colletta et au sud du Corso Umberto I s'étendent les rues de Mercato, pauvres et animées, lieu des marchés de fortune, des vêtements de contrefaçon, des échoppes de kebab et des façades baroques noircies par les ans.

ÉGLISE SAN PIETRO MARTIRE

CARTE p. 280

☎ 081 552 68 55 ; Piazzetta Bonghi 1 ; 🕑 7h-13h et 17h-19h ; 🚌 R2 pour Corso Umberto I

Construite dans le cadre d'un projet destiné à assainir le quartier du port, très mal fréquenté au XIIIe siècle, la **Chiesa di San Pietro Martire**, doublée d'un monastère dominicain, se vit adjoindre un joli cloître, au XVIe siècle, par Giovanni Francesco di Palma. Durant la décennie où les Français étaient au pouvoir (1806-1815), les moines furent expulsés et le monastère reconverti en manufacture de tabac, en activité jusqu'en 1978. Après d'importants travaux de transformation, elle devint – et demeure encore – le siège de la faculté des lettres et de philosophie de l'université de Naples.

NAPLES AVEC DES ENFANTS

Le musée des Sciences naturelles (p. 68)
Edenlandia (p. 106)
La Cité de la science (p. 106)
La Station zoologique (p. 89)
Les catacombes de San Gennaro (p. 93)
L'amphithéâtre Flavio, à Pouzzoles (p. 103)
Le cratère de La Solfatara, à Pouzzoles (p. 104)

ÉGLISE SANTA MARIA DEL CARMINE CARTE p. 280

☎ 081 20 11 96 ; Piazza del Carmine ; 🕑 6h30-12h30 lun-sam, 6h30-14h dim ; 🚌 152 pour Via Nuova Marina

Parmi les plus vieilles églises de Naples, la **Chiesa di Santa Maria del Carmine** joue un rôle important dans le folklore local. Datant du XIIe siècle, elle fut reconstruite au XIIIe siècle, grâce aux dons d'Élisabeth de Bavière, mère de Conradin de Souabe. Celle-ci avait à l'origine réuni les fonds pour payer à Charles Ier d'Anjou la rançon qui devait sauver la vie de son fils, dont la tentative de déposer le roi avait échoué. Mais l'argent arriva trop tard. En 1268, Conradin fut décapité pour trahison. De chagrin, Élisabeth offrit la rançon à l'église, à la condition que les frères carmélites disent une messe chaque jour à la mémoire de son fils. On peut aujourd'hui voir dans le transept un monument à Conradin.

C'est cependant l'icône byzantine du XIIIe siècle placée derrière le maître-autel, la *Madonna della Bruna*, qui assure la popularité de l'église. Tous les 16 juillet, une grande foule s'y rassemble pour fêter la *Madonna*, supposée dotée de pouvoirs miraculeux, à grands coups de feux d'artifice. Le spectacle pyrotechnique illumine les 75 m de l'impressionnant **campanile**, plus haut clocher de Naples. Dessiné par Giacomo di Conforto et Giovanni Donzelli (aussi appelé Fra Nuvolo), il fut terminé en 1631.

Un crucifix en bois est accroché dans un tabernacle sous l'arche principale de l'église. Selon les croyants un boulet de canon, tiré contre l'église durant la guerre opposant Alphonse d'Aragon à Robert d'Anjou, entra à l'intérieur et se dirigea droit sur le crucifix. En une fraction de seconde, l'effigie du Christ se serait baissée et le boulet serait passé sans la toucher.

Le marché de Porta Nolana

GREG ELMS

À l'extrémité sud de la place, du côté opposé à la Via Nuova Marina, très animée, se trouvent les vestiges du **Castello del Carmine** (XIVe siècle), la forteresse médiévale de la ville.

PIAZZA DEL MERCATO CARTE p. 280

C55 pour Corso G. Garibaldi

Cette grande place animée fut, durant des siècles, le siège d'exécutions publiques.

La place occupe le point le plus à l'est des anciens remparts médiévaux. Au nord brille le dôme carrelé de vert de l'église Santa Croce al Mercato, fermée, alors qu'au sud-ouest vous verrez une curieuse pyramide portée par quatre étranges créatures au corps de lion et au visage de jeune fille aux joues rebondies.

À un pâté de maison à l'ouest sur la Via Sant'Eligio, la **Chiesa di Sant'Eligio** (carte p. 280, 081 553 84 29 Via Sant'Eligio ; lun-ven 8h-12h30, sam 8h-12h30 et 17h-18h30, dim 10h-13h), de style gothique, fut la première église angevine de Naples, bâtie en 1270. L'arche du clocher extérieur date du XVe siècle.

LA PORTA NOLANA ET LE MARCHÉ

Carte p. 280

Via Sopramuro ; R2 pour Corso Umberto I

Le début de la Via Sopramuro passe sous la Porta Nolana, une des portes médiévales de la cité, datant du XVe siècle. Ses deux tours cylindriques, appelées avec optimismes Foi et Espoir, supportent une arche décorée d'un bas-relief de Ferdinand Ier d'Aragon à cheval. Mais les Napolitains viennent ici pour le marché, le plus vivant et le plus coloré de la ville (voir l'encadré p. 140).

SANTISSIMA ANNUNZIATA CARTE p. 280

081 254 26 08 ; Via dell'Annunziata 34 ; lun-sam 7h30-12h et 16h30-19h30, dim 7h30-13h ; R2 pour Corso Umberto I

Cet ensemble religieux du XIVe siècle est aussi bien connu pour son ancien orphelinat que pour sa grande et brillante basilique. Conçue et réalisée par le fils de Luigi Vanvitelli, Carlo, à la fin du XVIIIe siècle, cette église à l'intérieur gris clair, dont le dôme culmine à 67 m, est immense : La troisième chapelle sur la gauche contient la statue en bois de la Vierge, l'un des rares vestiges de l'église originelle du XIVe siècle. Surnommée affectueusement *mamma chiatta* (maman joufflue), elle était autrefois reproduite sur les médailles en plomb portées par les enfants de l'orphelinat, situé à gauche de la basilique (081 28 90 32 ; 9h-18h lun-sam).

On peut encore voir, dans le mur de l'orphelinat, la **roue** (*ruota*), dans laquelle des parents désespérés plaçaient leur bébé pour l'abandonner aux bons soins de l'institution. De l'autre côté de la cavité, une religieuse le réceptionnait, le lavait dans une cuvette et enregistrait la date de son arrivée. Ce système fut utilisé jusque dans les années 1980.

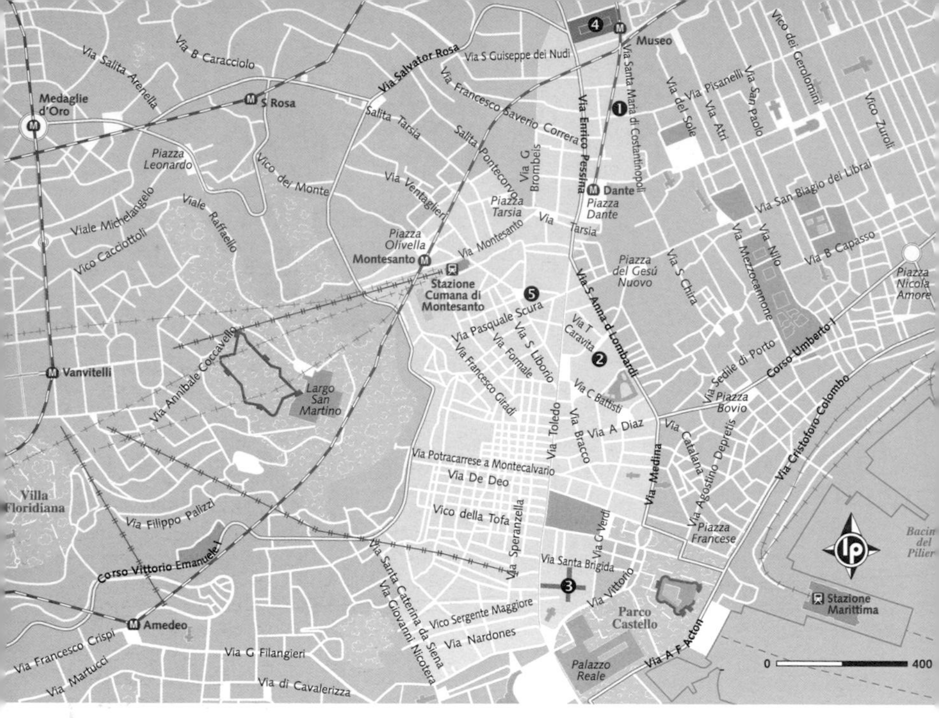

VIA TOLEDO ET QUARTIERS ESPAGNOLS

Où se restaurer p. 120 ; Achats p. 141 ; Où se loger p. 150

Au XIXe siècle, les voyageurs s'émerveillaient devant l'urbanisme grandiose de la Via Toledo. Aujourd'hui, les Napolitains s'adonnent en masse au shopping et à la promenade dans cette grande artère commerçante.

Le soir où l'Italie remporta la Coupe du monde de football 2006, des centaines de milliers de *tifosi* (supporteurs) enveloppés du drapeau national se déversèrent dans la Via Toledo, pour jouer du klaxon, allumer des pétards et se gausser de l'équipe de France. Depuis sa construction par le vice-roi d'Espagne Don Pedro de Tolède au XVIe siècle, la Via Toledo (ou Via Roma) attire les foules. Son extrémité sud, piétonnière, accueille les boutiques à la mode, les magasins plus kitsch et vieillots se concentrant près de la Piazza Dante. Au-delà de celle-ci, l'artère prend le nom de Via Enrico Pessina en continuant au nord vers le riche Musée archéologique national. À l'est de la Via Toledo, dans la Via A. Diaz, la ville revêt une allure toute différente, avec des constructions fascistes monumentales comme le Palazzo delle Poste.

Immédiatement à l'ouest de la Via Toledo se croisent les étroites rues en damier des Quartiers espagnols. Aménagé à l'origine pour héberger les troupes ibériques de Don Pedro, ce secteur a la réputation d'être un foyer de criminalité et de malaise urbain. Les sinistres *bassi* (anciennes boutiques d'une pièce en rez-de-chaussée) ont été transformés en logements où s'entassent encore des familles entières. Les rues pauvres constituent un terrain propice à l'extension de la Camorra, la Mafia napolitaine. Si vous avez peu de chance de croiser un parrain en visitant le coin, gardez en revanche un œil sur votre sac à cause des pickpockets. En l'absence de monuments, c'est l'atmosphère pittoresque du quartier – *trattorie* traditionnelles, échoppes séculaires d'artisans, linge suspendu dehors et marché de la Pignasecca – qui fait son attrait.

à ne pas manquer
VIA TOLEDO ET QUARTIERS ESPAGNOLS

1. L'Académie des Beaux-Arts (ci dessous)
2. L'église Santa Anna dei Lombardi (ci-contre)
3. La galerie Umberto I (ci-dessous)
4. Le Musée archéologique national (p. 80)
5. Le marché de la Pignasecca (p. 140)

La galerie Umberto I GREG ELMS

ACADÉMIE DES BEAUX-ARTS
CARTE p. 280

☎ 081 44 42 45 ; Via Santa Maria di Costantinopoli 107 ; 5 € ; 🕑 10h-14h lun-jeu, 14h-18h ven, 10h-14h sam ; Ⓜ Dante

Résonnant des voix des étudiants en art, l'**Accademia di Belle Arti** fut autrefois le couvent San Giovanni Battista delle Monache. Construit au XVIIe siècle, ce couvent fut entièrement remanié en 1864 par l'architecte Enrico Alvino, qui le dota d'une façade néoclassique et d'un escalier monumental flanqué de deux lions gardant l'entrée principale. Le musée au 1er étage renferme une importante collection d'œuvres napolitaines, essentiellement du XIXe siècle, dont beaucoup réalisées par d'anciens élèves, tels l'aquarelliste Giacinto Gigante et le sculpteur Vincenzo Gemito. Ce n'est pas une coïncidence si ce dernier produisit autant de bustes en 1874 : il travailla en effet d'arrache-pied pour financer son exemption du service militaire.

ÉGLISE SANT'ANNA DEI LOMBARDI CARTE p. 280

☎ 081 551 33 33 ; Piazza Monteoliveto ; 🕑 8h30-12h30 lun-ven ; 🚌 R4 pour Via Monteoliveto

La **Chiesa di Sant'Anna dei Lombardi** est une merveille d'art religieux. On la considère d'ailleurs davantage comme un musée de l'art Renaissance que comme une église. Les rois aragonais commandèrent en effet chapelles et tombeaux aux principaux artistes italiens de l'époque.

Parmi les nombreuses œuvres dignes d'intérêt, la principale est sans doute la spectaculaire *Pietà* de Guido Mazzoni. Achevée en 1492, c'est un ensemble en terre cuite constitué de huit personnages grandeur nature entourant le corps sans vie du Christ. La peinture dont ils étaient recouverts à l'origine a pâli au cours du temps, mais l'ensemble reste toujours aussi impressionnant.

La **sacristie** est une œuvre d'art en soi. Ses murs sont décorés de luxueux panneaux de marqueterie de Giovanni da Verona, et le plafond est entièrement orné de fresques du XVIe siècle de Giorgo Vasari, allégories et symboles de la foi.

De l'autre côté de la Via Monteoliveto, le **palais Gravina** (carte p. 280), du XVIe siècle, est maintenant le siège de la faculté d'architecture.

GALERIE PRINCIPE DI NAPOLI
CARTE p. 280

☎ 081 44 42 45 ; Piazza Museo Nazionale ; Ⓜ Museo

Assez dégradée et inutilisée aujourd'hui, la **Galleria Principe di Napoli** est une galerie commerçante couverte, typique de l'architecture de verre et d'acier du XIXe siècle. Construite entre 1876 et 1883, elle est moins connue que sa sœur jumelle la Galleria Umberto I, située en bas de la Via Toledo.

GALERIE UMBERTO I CARTE p. 280

Via San Carlo ; 🚌 R2 pour Via San Carlo

Quasi jumelle de la galerie Vittorio Emanuele II de Milan, cette immense structure de verre et d'acier comporte, en son centre, une majestueuse coupole à 56 mètres au-dessus du sol. Les mystérieuses étoiles de David incrustées dans la verrière évoqueraient, dit-on, la part du financement israélite. Tard le soir, des parties de football impromptues se déroulent sur son somptueux pavement en marbre.

La *Bataille d'Alexandre contre Darius*, mosaïque de Pompéi aujourd'hui au Musée archéologique national JEAN-BERNARD CARILLET

MUSÉE ARCHÉOLOGIQUE NATIONAL

CARTE p. 286

☎ 081 44 01 66 ; www.cib.na.cnr.it/mann/museo1/mann.html en italien ; Piazza Museo Nazionale 19 ; entrée 6,50 € ; 🕑 mer- lun 9h-19h30 ; Ⓜ Museo

Même si la simple idée d'un musée d'archéologie vous fait bâiller, le **Museo Archeologico Nazionale** vous émerveillera ! Il abrite en effet une collection de sculptures, peintures et mosaïques antiques qui n'a d'équivalent nulle part ailleurs. Nombre des plus belles pièces trouvées à Pompéi et Herculanum y sont exposées, ainsi que des centaines de sculptures classiques et un véritable trésor d'œuvres érotiques romaines. La collection d'objets gréco-romains du musée est réputée l'une des plus complètes au monde.

Construit au départ pour héberger la cavalerie, puis siège de l'université de la ville (Palazzo dei Regi Studi), le bâtiment fut transformé en musée à la fin du XVIIIe siècle par le roi Charles VII de Bourbon, afin d'accueillir l'importante collection d'antiquités que lui avait léguée sa mère, Élisabeth Farnèse. Le roi ne vécut pas assez longtemps pour voir l'achèvement des travaux puisqu'il mourut en 1788. Vingt-huit ans plus tard, son successeur, Ferdinand IV, inaugura le Reale Museo Borbonico (Musée royal Bourbon) qui, 44 ans après, en 1860, devint propriété du nouvel État italien.

Les collections occupent cinq étages Avant de vous aventurer dans les galeries – numérotées en chiffres romains – il est conseillé de s'équiper : un petit guide est en vente à l'entrée au prix de 7,50 €, et l'audioguide (4 €) présente les plus belles pièces.

Les départements étrusque et égyptien de la collection Borgia occupent le sous-sol. Le rez-de-chaussée est consacré aux superbes sculptures grecques et romaines de la collection Farnèse. Ne manquez pas les deux pièces majeures : le *Taureau Farnèse* et le gigantesque *Hercule (Ercole)*. Sculpté au début du IIIe siècle et figurant dans les écrits de Pline l'Ancien, l'ensemble du *Taureau Farnèse* est probablement une copie romaine d'un original grec. Il représente la mort de Dircé, reine de Thèbes. Selon la mythologie grecque, elle fut attachée à un taureau sauvage par Zéthos et Amphion pour la punir de la manière dont elle avait traité leur mère, Antiope, première épouse de Lykos, roi de Thèbes. Taillée dans un seul bloc de marbre, cette sculpture fut découverte en 1545 dans les termes de Caracalla, à Rome. Restaurée par Michel-Ange, elle fut transportée par bateau à Naples en 1787.

L'*Hercule* (salle XI), également découvert dans l'aire des bains de Caracalla, resta aussi à Rome jusqu'en 1787. Comme il avait perdu ses jambes, Guglielmo della Porta lui en sculpta une nouvelle paire. Les Farnèse auraient été si admiratifs du travail de della Porta qu'ils refusèrent de réinstaller les jambes d'origine lorsqu'elles furent retrouvées. Les Bourbons n'eurent pas ce scrupule… et rendirent plus tard à Hercule ce qui était à Hercule. Les jambes de rechange sont aujourd'hui présentées sur le mur derrière la statue.

L'escalier monumental débouche sur l'étage intermédiaire qui réunit des mosaïques de Pompéi exceptionnelles et la collection érotique antique du cabinet secret (Gabinetto Segreto). Une des plus impressionnantes mosaïques retrouvées dans la maison du Faune de Pompéi est *La Bataille d'Alexandre contre Darius* (salle LXI). Portrait le plus connu d'Alexandre le Grand, cette mosaïque de 20 m² fut probablement réalisée par des artisans venus d'Alexandrie vers la fin du IIe siècle av. J.-C. Parmi les autres mosaïques de la collection, ne manquez pas celle du chat tuant une perdrix (salle LX), d'un réalisme saisissant, ou celle représentant des animaux du Nil (salle LXIII), véritable étude zoologique.

Après les mosaïques, on arrive au **cabinet secret** (Gabinetto Segreto) et à sa petite, mais très regardée, collection érotique antique. La salle, pendant longtemps accessible aux seuls érudits, fut ouverte au public en 2000. Il faut toutefois réserver au guichet pour la voir. L'entrée est gardée par la statue en marbre d'un Pan extrêmement lascif, s'enroulant autour d'une Daphné aux airs de sainte-nitouche. La plus célèbre pièce de la collection, une petite statue d'une étonnante finesse trouvée dans la villa des Papyrus à Herculanum, est une autre effigie du dieu Pan, mi-homme mi bouc, cette fois en pleine action avec une chèvre. Le cabinet secret renferme aussi neuf peintures de figures érotiques qui servaient de menu pour les clients d'un bordel.

Au 1er étage, le **Grand Salon du cadran solaire** (Sala Meridiana), ancienne bibliothèque royale, est gigantesque. Long de 54 m et haut de 20 m, il contient une statue connue sous le nom d'*Atlas (Atlante) Farnèse*, représentant Atlas portant un globe sur ses épaules, ainsi que diverses toiles de la collection Farnèse. Le reste du 1er étage est principalement consacré aux divers trésors récupérés à Pompéi, Herculanum, Stabie (Stabiae) et Cumes (Cuma) : grandes fresques et peintures murales, casques de gladiateurs, objets domestiques, céramiques et verrerie – il y a même des coquetiers ! Dans les salles LXXXVI et LXXXVII, on peut admirer une extraordinaire collection de vases de diverses provenances, dont beaucoup ont été soigneusement reconstitués à partir de fragments.

Enfin, terminez la visite au 2e étage, où sont présentés divers objets en cuivre gravés et des vases grecs.

VERRUES URBAINES

Connue pour ses politiciens véreux et ses promoteurs sans scrupule, Naples regroupe bon nombre d'aberrations esthétiques. En matière d'architecture, la ville allie résolument le meilleur et le pire.

Centro Direzionale (carte p. 278 ; Corso Meridionale). Conçue par l'architecte japonais Kenzo Tange dans les années 1980, cette petite ville nouvelle sans âme, avec des tours en verre et de violents courants d'air, comporte une église discutable qui ressemble à un chapeau de cotillon.

Jolly Hotel (carte p. 280 ; Via Medina 70). Un immeuble de 30 étages que les Napolitains adorent détester. Évoquant un accordéon tout en hauteur, ce kyste défigure l'horizon depuis 1960. On ne s'étonne guère que le conseil municipal qui approuva le projet ait été discrédité depuis.

Cinema di Santa Lucia (carte p. 284 ; Via Generale Orsini 37). Sous le plafond Art déco de cette ancienne salle célèbre du grand écran, des voitures haut de gamme stationnent moyennant 3€ l'heure. Lors de nos recherches, il était question de convertir l'avant du cinéma en supermarché discount.

PALAZZO DELLE POSTE CARTE p.280

☎ 081 551 14 56 ; Piazza G Matteotti 3 ; 8h15-18h30 lun-ven, 8h-12h sam ; R4 pour Via Monteoliveto

La **poste principale** de Naples est installée dans un des bâtiments les plus typiques de l'architecture fasciste. Faisant partie d'un ensemble dessiné en 1935 par Giuseppe Vaccaro afin de moderniser les alentours de la Piazza G. Matteotti, il est conforme à nombre des canons du style, surtout par ses dimensions écrasantes et ses colonnes en marbre noir évoquant les brassards portés par Mussolini et ses sbires. Les escaliers devant le bâtiment constituent le lieu de rendez vous des jeunes néofascistes.

PIAZZA DANTE CARTE p. 280

Dante

Par les chaudes soirées d'été, des familles entières prennent possession de la Piazza Dante pour marcher, jouer aux cartes, taper dans des ballons, nourrir les pigeons, manger, boire ou simplement s'installer et regarder les autres.

L'énorme façade rose du **Convitto Nazionale** occupe le côté est de la place. Hébergeant aujourd'hui une école, des boutiques et des cafés, cet imposant bâtiment était la pièce maîtresse de la spectaculaire place conçue au XVIIIe siècle par Luigi Vanvitelli. Dédiée au roi Charles VII de Bourbon, elle porta le nom de Foro Carolino jusqu'à la réalisation de l'Unité italienne de 1860, et fut alors rebaptisée Piazza Dante. Au centre, une statue en marbre du poète regarde vers la Via Toledo.

Sous terre, la **station de métro Dante** fait également office d'espace d'exposition, où sont présentées des installations d'artistes contemporains de renom. En descendant l'escalator, levez les yeux pour apercevoir, au-dessus de vous, *Queste Cose Visibili* ("Ces choses visibles") de Joseph Kosuth – d'immenses néons aveuglants éclairant des vers de Dante. Le long du mur au pied de l'escalator, des rails de chemin de fer rebelles enjambent des chaussures abandonnées (on a déjà vu des Napolitains ajouter leurs baskets à l'œuvre de Jannis Kounellis). Juste derrière vous, au-dessus de la deuxième rampe d'escalier mécanique, l'*Intermediterraneo* de Michelangelo Pistoletto est une gigantesque carte de la Méditerranée en miroir.

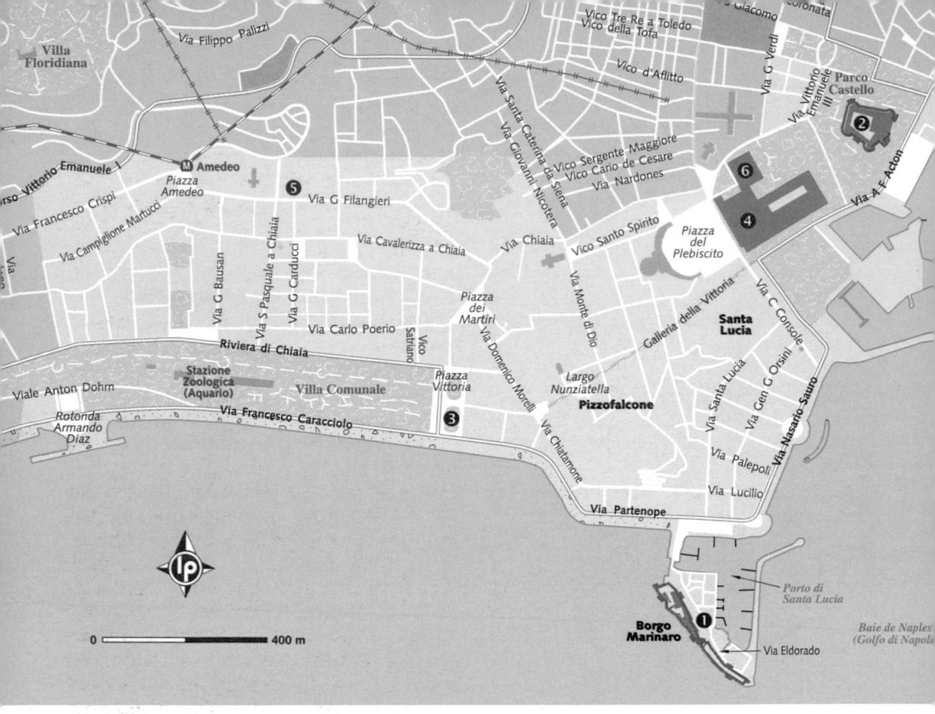

SANTA LUCIA ET CHIAIA

Où se restaurer p. 122 ; Achats p. 141 ; Où se loger p. 151 ; Promenades p. 110

Santa Lucia est un quartier d'immeubles luxueux et de grandes places, Chiaia un lieu de sortie sélect à l'architecture néoclassique.

Au cœur de Santa Lucia, la vaste Piazza del Plebiscito, pavée et à colonnades, est flanquée à l'est par le fastueux Palais royal, croulant sous les ors. Derrière se dressent le célèbre théâtre San Carlo et l'imposant Castel Nuovo (Maschio Angioino), qui fut jadis le château des monarques angevins.

Juste au sud, les ferries accostent à la gare maritime (*Stazione Marittima*) et les dîneurs dégustent des fruits de mer aux chandelles dans l'ancien port du Borgo Marinaro, un peu plus au sud-ouest. La Via Santa Lucia, l'artère principale du quartier, bordée de palais, de pizzérias et de bars, devint au milieu du XXe siècle le centre de la *dolce vita* napolitaine. Les habitants âgés se souviennent du prince Rainier de Monaco se promenant au bras de Grace Kelly et du chef mafieux Lucky Luciano arrivant pour manger un morceau. Jusqu'au XIXe siècle, la mer atteignait les maisons de pêcheurs construites derrière, du côté ouest. Dominant leurs façades écaillées, le quartier méconnu de Pizzofalcone, habité depuis le VIIe siècle av. J.-C., forme, sur les pentes du mont Echia, un lacis de rues sombres émaillées de macabres autels votifs. Il offre par ailleurs une vue imprenable sur la ville et la baie.

Plus à l'ouest et d'un tout autre genre, Chiaia alterne boutiques de créateurs, restaurants de sushis, bars et clubs sélects. Après une halte chez Prada dans la Via Calabritto, faites le plein de magazines de mode sur la Piazza dei Martiri, puis une pause cocktail dans le Vico Belledonne. C'est là que se trouvent la nouvelle galerie d'art PAN, ancienne Villa Pignatelli ayant appartenu à la famille Rothschild (aujourd'hui un musée), et le plus vieil aquarium d'Europe, sis dans le parc de la Villa Comunale, en bordure de mer.

SANTA LUCIA ET CHIAIA

1. Le Borgo Marinaro et le Castel dell'Ovo (ci-dessous)
2. Le Castel Nuovo (ci-dessous)
3. Le Lungomare (p. 88)
4. Le Palais royal (p. 85)
5. La galerie d'art PAN (p. 89)
6. Le théâtre San Carlo (p. 135)

Le Castel dell'Ovo du XIIe siècle DALLAS STRIBLEY

SANTA LUCIA

Ici, pas de linge qui sèche au dessus des têtes, mais Naples dans ce qu'elle a de plus aristocratique : appartements royaux, places élégantes et cafés chic.

AQUEDUC CARTE p. 284

☎ 081 40 02 56 ; www.lanapolisotterranea.it ; Piazza Trieste e Trento ; 10 € ; visite guidée de 1 heure 30 10h, 12h, 18h sam, 10h, 11h, 12h, 18h dim, 21h jeu ; R2 pour Piazza Trieste e Trento

Faisant partie du système de l'**acquedotto** qui approvisionnait autrefois la cité en eau, un dédale de souterrains gréco-romains creusés dans le tuf est caché sous la Via Chiaia. Ces souterrains furent utilisés comme abris durant les bombardements de la Seconde Guerre mondiale.

Des visites guidées en italien, organisées par Napoli Sotterranea, partent du Caffè Gambrinus aux heures indiquées plus haut.

BORGO MARINARO CARTE p. 284

C25 pour Via Partenope

D'après le mythe, c'est sur cet îlot de roche volcanique que la sirène Parthenopê, désespérée, aurait échoué après avoir tenté en vain de séduire Ulysse par son chant. Historiquement, l'endroit correspond au site de Megaris, où les premiers colons grecs fondèrent la ville au VIIe siècle av. J.-C. Humble port de pêche au XIXe et au début du XXe siècle, Borgo Marinaro compte surtout aujourd'hui des bars et des restaurants animés le soir, à l'ombre du Castel dell'Ovo.

CASTEL DELL'OVO CARTE p. 284

☎ 081 240 00 55 ; Borgo Marinaro ; 9h-18h lun-ven, 9h-13h sam et dim ; C25 pour Via Partenope

Le Castel dell'Ovo fait l'objet d'une légende selon laquelle il devrait à Virgile son nom de "château de l'œuf". Le poète romain aurait enterré un œuf sur l'emplacement où est construit le monument, annonçant que le château s'écroulerait le jour où l'œuf se briserait. Les plus prosaïques soutiennent que c'est sa forme ovale qui a donné son nom au château.

Érigé au XIIe siècle par les Normands, le Castel dell'Ovo est le plus vieux château de Naples. Le site où il fut implanté était apprécié depuis fort longtemps – le général romain Lucullus y avait une villa. Vu sa position stratégique, il fut occupé successivement par les Souabes, les Angevins et Alphonse d'Aragon, qui le modifia à des fins militaires.

Aujourd'hui envahi de touristes, le château, sur fond de mer, sert fréquemment de cadre aux photos de mariage.

Dans ses murs, le **musée d'Ethnopréhistoire** (Museo di Etnopreistoria ; carte p. 284 ; ☎ 081 764 53 43 ; 10h-13h lun-ven) abrite une collection d'outils, de fossiles et objets en terre cuite préhistoriques.

CASTEL NUOVO (MASCHIO ANGIOINO) CARTE p. 280

Piazza Municipio ☎ 081 795 58 77 ; 5 € ; 9h-19h lun-sam ; R2 pour Piazza del Municipio

Connu sous le nom de Maschio Angioino (donjon angevin) par les Napolitains, et de Castel Nuovo par tous les autres, ce **château fort** du XIIIe siècle est un des bâtiments les plus impressionnants de la ville.

Lorsque Charles Ier d'Anjou s'empara du royaume de Sicile et prit le pouvoir à Naples, il possédait non seulement de nouvelles terres du sud de l'Italie, mais aussi d'autres en Toscane, en Italie du Nord et en Provence. Il était donc logique qu'il installe la capitale de son royaume à Naples, plutôt qu'à Palerme en Sicile. Afin d'agrandir le port et la ville, le monarque lança un ambitieux programme de construction, qui comprenait la transformation d'un couvent franciscain en forteresse – l'actuel château de la Piazza del Municipio.

Baptisé Castrum Novum (Castel Nuovo, "château neuf"), pour le distinguer du Castel dell'Ovo, plus ancien, et du Castel Capuano, sa construction débuta en 1279 et fut achevée en trois ans. Résidence favorite de la royauté, il était fréquenté par les plus éminents penseurs et artistes du moment. Pétrarque, Boccace et Giotto y vécurent, ce dernier payant son séjour en exécutant une grande partie des peintures intérieures. Il ne reste pourtant de la structure originale que la **chapelle Palatine** (Cappella Palatina). Tout le reste fut l'objet de rénovations effectuées par les Aragonais deux siècles plus tard, puis d'un méticuleux effort de restauration avant la Seconde Guerre mondiale. Les pierres grises ayant servi à la construction de l'ouvrage viennent de Majorque. L'arc de triomphe (Torre della Guardia) à deux étages qui marque l'entrée au chateau, commémore l'arrivée triomphale d'Alphonse Ier d'Aragon à Naples en 1443.

Le nom de la **salle des Barons** (Sala dei Baroni) du XVe siècle, qui accueille aujourd'hui les réunions du conseil municipal, rappelle que des barons y furent exécutés en 1486, pour avoir comploté contre le roi Ferdinand Ier d'Aragon. Ses superbes voûtes nervurées mêlent style romain et gothique espagnol tardif.

Les murs de la **chapelle Palatine** (Cappella Palatina) étaient autrefois ornés de fresques de Giotto, dont seuls quelques fragments subsistent dans l'embrasure des fenêtres gothiques. Une belle rosace de style catalan surmonte la gracieuse porte Renaissance.

La chapelle fait partie du **musée**, qui occupe plusieurs salles, sur trois niveaux. Les fresques des XIVe et XVe siècles et les sculptures du rez-de-chaussée sont du plus grand intérêt. Aux deux autres niveaux sont exposés des tableaux (XVIIe-début XXe) réalisés par des artistes napolitains ou ayant pour sujet Naples ou la Campanie. La porte de bronze du XVe siècle de Guglielmo Monaco, dans laquelle est enchâssé un canon, mérite un coup d'œil. La salle Carlo V est destinée aux expositions temporaires d'art contemporain.

Durant les mois d'été, la cour du château accueille souvent des concerts, et certaines productions du théâtre San Carlo, tout proche.

ÉGLISE DELLA PIETÀ DEI TURCHINI

CARTE p. 280

081 552 04 57 ; Via Medina 19 ; variable ; R2 pour Via Medina

Plus connue comme conservatoire consacré à la musique ancienne que comme lieu de culte, cette modeste église de la fin du XVIe siècle fut à l'origine une maison pour les pauvres. Elle doit son nom au *turchino* (bleu turquoise) des uniformes autrefois portés par les enfants. Parmi les anciens élèves les plus célèbres du conservatoire, citons le compositeur napolitain Alessandro Scarlatti (1660-1725). L'endroit est aussi à l'origine de la naissance d'un des groupes musicaux baroques les plus connus de Naples, la Pietà dei Turchini (voir p. 133).

ÉGLISE SANTA MARIA INCORONATA

CARTE p.280

Via Medina 60 ; 9h-17h lun-sam ; R2 pour Via Medina

Les superbes arcs gothiques de la **Chiesa Santa Maria Incoronata** datent du milieu du XIVe siècle. Située sur le site que Charles Ier d'Anjou destinait à son futur Castel Nuovo, l'église fut bâtie sur ordre de la reine Jeanne Ire d'Anjou pour commémorer son couronnement.

Désormais utilisée comme espace d'exposition, elle mérite que l'on s'y arrête pour admirer la série de fresques du XIVe siècle de Roberto Ode Risi.

FONTAINE DELL'IMMACOLATELLA

CARTE p. 284

Via Partenope ; C25 pour Via Partenope

Placée à l'endroit où la Via Partenope devient la Via Nazario Sauro, la **Fontana dell' Immacolatella**

LE CROCO DU CASTEL NUOVO

Tout château offre un terrain propice au mythe. Le Castel dell'Ovo a ses œufs cachés (p. 83), le **Castel Nuovo** (p. 83) son crocodile vorace. L'écrivain et philosophe Benedetto Croce raconte l'épisode dans *Storie e Leggende Napoletane* (*Histoires et légendes napolitaines* ; 1919). Il nous conduit dans le cul-de-basse-fosse sombre et humide de la forteresse angevine où le roi enfermait ses ennemis, dont les conspirateurs du tristement célèbre complot des barons en 1486. Dans ce donjon d'apparence inexpugnable, on vit avec stupéfaction les prisonniers disparaître mystérieusement sans laisser de traces. En renforçant la sécurité, les gardes firent alors une découverte sidérante : pénétrant à travers un trou discret, un crocodile attrapait les malheureux et les entraînait vers la mer. On pense que la bête était arrivée d'Égypte à bord d'un bateau. Elle travailla ainsi efficacement pour le souverain pendant quelque temps. Mais ses jours étaient comptés : attiré dans une fosse avec un morceau de viande de cheval, le saurien fut embroché, empaillé et accroché au-dessus de la seconde entrée du château. Selon Croce, il y demeura jusqu'au milieu du XIXe siècle et l'on perdit ensuite sa trace. Quel crédit accorder à cette légende, c'est là tout le mystère.

est un monument spectaculaire, composé de trois arches. Aussi appelée Fontana del Gigante (fontaine du Géant), elle fut conçue par Michelangelo Naccherino et Pietro Bernini en 1601. Deux petites arches, sous lesquelles sont érigées des statues de dieux des eaux, flanquent une majestueuse arche centrale décorée de chérubins et d'armoiries.

FONTAINE DE NEPTUNE CARTE p. 280

Via Medina ; 🚌 R2 pour Via Medina

Surmontant un ensemble baroque de lions et de créatures diverses crachant de l'eau, la fontaine du dieu Neptune (**Fontana di Nettuno**) est due à trois artistes : Cosimo Fanzago, Michelangelo Naccherino et Pietro Bernini, père du plus célèbre Gian Lorenzo Bernini (Le Bernin). Très aimée des Napolitains, la fontaine a occupé divers emplacements depuis sa création en 1601. Son dernier voyage date des travaux du métro qui ont nécessité son transfert de la Piazza Bovio à son actuel lieu de résidence. Quant à savoir si elle y restera…

PALAIS ROYAL CARTE p. 284

☎ 081 40 04 54 ; entrée sur la Piazza Trieste e Trento ; 4 €, audioguide 4 € ; 🕒 9h-19h jeu-mar ; 🚌 CS pour Piazza Trieste e Trento

Le magnifique **Palazzo Reale**, qui fait face à l'immense Piazza del Plebiscito, fut construit aux alentours de 1600. Monument à la gloire de l'Espagne (Naples était alors sous la domination espagnole), conçu par l'architecte napolitain Domenico Fontana, il ne fut achevé que deux longs siècles plus tard, en 1841.

De la cour, un imposant escalier à double révolution mène aux appartements royaux, qui hébergent le **musée du Palais royal**. On peut y voir une belle collection de mobilier, porcelaines, tapisseries, statues et tableaux baroques ou néoclassiques.

En haut des escaliers, arrêtez-vous d'abord au somptueux petit théâtre de cour (*Teatrino di corte*), réalisé en 1768 par Ferdinando Fuga pour le mariage de Ferdinand IV et de Marie-Caroline d'Autriche. Chose curieuse, les statues d'Angelo Viva représentant Apollon et les Muses sont en papier mâché.

Dans la salle XII, la tapisserie du XVIe siècle *Gli Esattori delle imposte (Les Collecteurs d'impôt)*, de l'artiste flamand Marinus Claesz Van Roymerswaele, prouve que l'attitude envers les agents du trésor n'a guère évolué en 500 ans.

La salle suivante, la n°XIII, servit de bureau à Joachim Murat lorsqu'il fut roi de Naples au XIXe siècle, puis de cantine aux troupes alliées

La façade monumental du Palais royal JEAN-BERNARD CARILLET

durant la Seconde Guerre mondiale. Dans la salle XXIII, on peut admirer le bureau à support tournant réalisé au XVIIIe siècle par Giovanni Uldrich pour la reine Marie-Caroline.

La Chapelle royale (*Cappella Reale*) contient un grand *presepe* (crèche) du XVIIIe siècle, impressionnant de détails. Les figurines sont l'œuvre d'artistes napolitains de renom, dont Giuseppe Sanmartino, auteur du célèbre *Cristo Velato* de la chapelle Sansevero (voir p. 68).

Le palais s'enorgueillissait autrefois de superbes jardins suspendus. Donnant sur la salle IX, ils sont encore officiellement fermés pour restauration, mais avec un gentil sourire aux employés assis près de la porte-fenêtre, on a la permission d'y jeter un coup d'œil. Il y a aussi un petit jardin très bien dessiné dont l'entrée est gratuite, à gauche de la principale porte d'entrée, au rez-de-chaussée du palais.

Le palais héberge aussi la **Bibliothèque nationale** (Biblioteca Nazionale ; ☎ 081 781 92 31 ; 🕒 9h-19h30 lun-ven, 9h-13h sam). Elle comprend plus de 2 000 papyrus découverts à Herculanum et des fragments d'une bible copte du Ve siècle. Pièce d'identité demandée à l'entrée, pour des raisons de sécurité.

PIAZZA DEL PLEBISCITO CARTE p. 284

🚌 CS pour Piazza Trieste e Trento

Jusqu'à ce que les membres du G7 décident de se réunir à Naples en 1994, la place était un gigantesque parking. On circule désormais à pied sur ce vaste espace pavé où les habitants fêtent le Jour de l'An et les victoires au football.

Dominant la place, la massive **église San Francesco di Paola** (carte p. 284 ; ☎ 081 74 51 33 ; 🕑 8h-12h et 15h30-18h lun-sam, 8h-13h dim) fut ajoutée plus tard aux colonnades qui constituaient la principale décoration de la place originale (1809) de Joachim Murat. Copie néoclassique du Panthéon de Rome, l'église vaut plus par ses dimensions que par sa qualité artistique, avec son dôme de 34 m de diamètre et de 53 m de haut. Dessiné par l'architecte Pietro Banchini, il fut commandé par Ferdinand Ier en 1817 afin de célébrer la restauration de son royaume après l'interlude napoléonien.

L'église fait face au Palais royal (p. 85) et à ses huit statues d'anciens souverains. Un thème également décliné au centre de la place avec deux statues équestres : l'une de Charles VII de Bourbon, due à Antonio Canova, et l'autre de son fils, Ferdinand Ier, sculptée par Antonio Calí.

La Piazza del Plebiscito MARTIN MOOS

PIAZZA DEL MUNICIPIO CARTE P. 280

🚌 **R2 pour Piazza del Municipio**

À l'ombre du monument le plus emblématique de la ville, le Castel Nuovo (Maschio Angioino), la Piazza Municipio fait actuellement piètre figure à cause des travaux du nouveau métro (voir l'encadré ci-dessous). Au bout de la place, le **palais San Giacomo** (XIXe siècle) jouxte l'**église San Giacomo degli Spagnoli** (☎ 081 552 37 59 ; Piazza Municipio 27 ; 🕑 7h30-11h lun-ven, 10h30-13h dim), bâtie au XVIe siècle, où reposent le vice-roi d'Espagne Don Pedro de Tolède (p. 29) et son épouse Maria. Le théâtre Mercadante (p. 134), véritable institution, est situé sur le côté nord.

PIAZZA TRIESTE E TRENTO CARTE P. 284

🚌 **CS pour Piazza Trieste e Trento**

Cette place constitue le lieu de rendez-vous incontournable des m'as-tu-vu napolitains frimant devant leurs cocktails et des adolescents qui flirtent. Commandez une *granita* au citron dans la minuscule échoppe de l'*acquaiolo* (buvette) et sirotez-la en contemplant les grands monuments du lieu, dont le Palais royal, le théâtre San Carlo et le légendaire Caffè Gambrinus.

Dans l'angle nord-est, l'**église San Ferdinando** (☎ 081 41 81 18, 🕑 8h-12h lun-sam, 9h30-13h dim) fut construite d'après les plans de Giovan Giacomo di Conforto au début du XVIIe siècle, puis

DES RUINES SOUS LE MÉTRO

En janvier 2004, des ouvriers découvrirent sur la **Piazza del Municipio** (ci-dessus) un véritable trésor archéologique. Travaillant au prolongement de la ligne 1 du métro, ils tombèrent accidentellement sur trois pièces de vaisselle romaine en parfait état de conservation. Dans la Via Armando Diaz voisine, les travaux d'excavation sur le site de la nouvelle station Toledo mirent au jour des thermes romains du IIe siècle, avec des plafonds à caissons décorés de fresques. Plus à l'est, sur la Piazza Nicola Amore, des fragments détaillés d'un temple romain du IIe siècle furent exhumés, ainsi que des statues de la famille impériale.

Pour les historiens et les archéologues, l'extension de la ligne 1 a été une véritable aubaine qui a permis de révéler des parties de l'antique Neapolis qu'ils n'auraient jamais atteintes autrement. De fait, en raison de la topographie vallonnée, le réseau métropolitain de Naples est l'un des plus profonds du monde et offre l'occasion de fouilles dignes de ce nom.

Du point de vue des usagers, toutefois, ces trouvailles n'ont fait que retarder un peu plus l'échéance déjà dépassée du chantier devant relier la Piazza Dante et la Via Toledo à la gare centrale. Pourtant, en dépit des contretemps, la plupart pensent que cette attente supplémentaire se justifie. Les stations standard du projet vont en effet être transformées en lieux d'expositions archéologiques. Et quand pourra-t-on les voir ? En 2008 selon la municipalité, *l'anno mai, il mese poi* (aux calendes grecques) selon les Napolitains.

modifiée plus tard par Cosimo Fanzago. On peut y admirer, au plafond, des fresques représentant les jésuites et, dans le transept, le tombeau en marbre de Lucia Migliaccio, duchesse de Floridia et épouse du roi Ferdinand Ier, dû à Tito Angelini.

RACCOLTA DE MURA CARTE P. 284

☎ 081 795 77 36 ; Piazza Trieste e Trento ; entrée libre ; 9h-13h30 lun-ven ; CS pour Piazza Trieste e Trento

Cachée parmi les chaises du Bar del Professore (à côté du Caffè Gambrinus), une entrée conduit à travers un passage jusqu'à l'un des secrets les mieux gardés de Naples : un petit musée consacré à la chanson et à la danse napolitaines. Une collection de vieux programmes et affiches de music-hall, des photos rétro de la fête de Piedigrotta et divers modèles de *Pulcinella* tapissent les murs carrelés de rose, le tout sur fond de roucoulades de chanteurs de charme.

THÉÂTRE SAN CARLO CARTE p. 284

☎ 081 797 21 11, réservation de la visite guidée ☎ 081 66 45 45 ; www.teatrosancarlo.it ; Piazza Trieste e Trento, Via San Carlo 98 ; visite guidée 5 € ; R2 pour Via San Carlo

Inauguré le 4 novembre 1737 par le roi Charles VII, le somptueux théâtre San Carlo est le plus grand et le plus ancien opéra d'Italie. Il fut gravement endommagé par un incendie en 1816, puis reconstruit et amélioré par Antonio Niccolini, l'architecte qui lui avait ajouté sa façade néoclassique quelques années plus tôt. Rien n'indique de l'extérieur l'opulence de l'intérieur rouge et or sur six niveaux. L'acoustique y est parfaite.

Des visites guidées de 20 minutes en différentes langues partent de l'entrée principale du théâtre, tous les jours de 9h à 18h, sauf en août. Réservez entre 9h et 14h au numéro indiqué plus haut.

MONT ECHIA

Plus vieille partie de Naples, le quartier du **Monte Echia** s'élève derrière la Piazza del Plebiscito. Il correspond à l'ancienne cité de Parthenopê, habitée au VIIe siècle av. J.-C. par les marchands grecs. Pauvre en monuments, il offre en revanche des points de vue remarquables. Pour les apprécier, rien ne vaut le jardin un peu sauvage situé au sommet de la Via Egiziaca a Pizzofalcone : de la Piazza Carolina (derrière les colonnes sur le côté nord de la Piazza del Plebiscito), dirigez-vous vers la colline escarpée pour rejoindre la Via Egiziaca a Pizzofalcone, la prendre sur la gauche et monter. Quand vous y serez, vous le saurez !

La Piazza Trieste e Trento illuminée MARTIN MOOS

ÉGLISE SANTA MARIA DEGLI ANGELI CARTE p. 284

☎ 081 764 49 74 ; Piazza Santa Maria degli Angeli ; lun-sam 7h30-11h30 et 17h30-19h, dim 8h30-13h30 et 18h-19h30 ; C22 pour Via Monte di Dio

La **Chiesa Santa Maria degli Angeli**, identifiable à sa couleur jaune et son style baroque, fut financée par Costanza Doria del Carretto, aristocrate au cœur pieux et à la bourse bien garnie, et offerte aux prêtres de l'ordre des teatini.

On peut y voir des œuvres des Napolitains Massimo Stanzione et Luca Giordano, mais elle vaut surtout pour son immense coupole due à Francesco Grimaldi.

LA NUNZIATELLA CARTE p. 284

☎ 081 764 15 20 ; Via Generali Parisi 16 ; C22 pour Via Nunziatella

Amas de pierre rouge perché bien au-dessus de Chiaia, le couvent de la Nunziatella est le siège de l'une des plus prestigieuses écoles militaires d'Italie : l'école militaire royale de la Nunziatella. Construit en 1588, ce couvent avait été offert aux jésuites par leur bienfaitrice, l'aristocrate Anna Mendoza Marchesana della Valle. Il fut utilisé comme centre de noviciat jusqu'à ce que les jésuites soient chassés de la ville, au milieu du XVIIIe siècle.

L'église mitoyenne appartient aussi à l'école militaire. Célèbre pour son superbe intérieur baroque du XVIIe siècle – fresques de Francesco de Mura, autel de Sanmartino, sols de Ferdinando Sanfelice –, elle se visite uniquement sur rendez-vous.

CHIAIA

Chiaia est le terrain de jeu de prédilection des gens à la mode, des vedettes de feuilletons et de *bella gente* en vêtements chic cravate. Le soir, les Napolitains prennent d'assaut les restaurants, les bars et les clubs branchés des rues pavées à l'ouest de la Piazza dei Martiri, pour goûter la *dolce vita*.

ÉGLISE SANTA MARIA IN PORTICO

CARTE p. 284

081 66 92 94 ; Via Santa Maria in Portico 17 ; 8h-11h et 16h30-19h ; C25 pour Riviera di Chiaia

L'intérieur de cette église du XVIIe siècle est une véritable galerie d'art baroque. On peut y admirer de fresques de Fabrizio Santafede ("Saintefoi", nom prédestiné pour un peintre religieux), Paolo De Matteis, Giovan Battista et Fedele Fischetti. La sacristie abrite une crèche du XVIIe siècle grandeur nature ; les stucs sont de Domenico Antonio Vaccaro. Quant à la façade en pierre volcanique (*piperno*), elle est d'Arcangelo ("Archange", autre prénom lourd de sens) Guglielminelli, et non de Cosimo Fanzago, comme on l'a cru pendant très longtemps.

LUNGOMARE CARTE p. 284

C25 pour Via Partenope

Constitué de la Via Partenope et de la Via Francesco Carrociolo, le Lungomare, ou **front de mer**, est un des lieux de balade favoris de Naples. Cette promenade de 2,5 km qui relie Santa Lucia à l'est à Mergellina à l'ouest, est particulièrement belle dans la lumière orangée du soleil se couchant sur la mer – avec l'île de Capri dessinant sa silhouette sur l'horizon et la masse du Vésuve au sud. Le dimanche matin, la Via Francesco Carraciolo, fermée à la circulation, devient une parade multicolore de promeneurs, patineurs ou joggeurs. On y déguste et des *gelati*.

MUSÉE PIGNATELLI CARTE p. 284

081 761 23 56 ; Riviera di Chiaia 200 ; 2 € ; 8h30-13h30 mer-lun ; C25 pour Riviera di Chiaia

Commandée par Ferdinand Acton, ministre à la cour du roi Ferdinand IV (1759-1825), la Villa

Trempette sur le front de mer DALLAS STRIBLEY

Pignatelli est un bel exemple du style gréco-romain très en vogue au début du XIXe siècle. L'architecte Pietro Valente s'inspira, pour son plan grandiose, des maisons patriciennes de Pompéi. Terminée en 1826 et agrémentée d'un splendide jardin anglais, la villa fut achetée par la famille Rothschild en 1841 puis, en 1867, par le duc de Monteleone, Diego Aragona Pignatelli Cortes, qui lui laissa son nom. En 1952, Rosina Pignatelli la donna à l'État, qui l'ouvrit au public.

Le musée regroupe un mélange hétéroclite de mobilier, de céramiques, d'accessoires de chasse divers (dont une collection de fouets royaux) et d'œuvres d'art. À noter, les porcelaines viennoises et de Meissen dans le Salotto verde (Salon vert).

Au 1er étage sont exposés principalement des peintures et des bustes napolitains allant du XVIIIe au XXe siècle, faisant partie de l'importante collection du Banco di Napoli, notamment un *Saint Georges* (*San Giorgio*) de Francesco Guarino, au magnifique clair-obscur (le fameux *chiaroscuro* italien).

Le **musée des Carrosses**, mitoyen, renferme une collection de voitures à chevaux des XIXe et XXe siècles. Il est actuellement fermé pour restauration.

PAN (PALAZZO DELLE ARTI NAPOLI)

CARTE P. 284

☎ 081 795 86 05 ; www.palazzoartinapoli.net, en italien ; Via dei Mille 60 ; entrée libre ; 🕐 9h30-19h30 lun et mer-sam, 9h30-14h30 dim ; Ⓜ Amedeo

Un des deux foyers de l'art contemporain à Naples avec le MADRE (p. 76), le PAN a été conçu par le conservateur et critique d'art Lóránd Hegyi. Les trois étages de cet espace blanc minimaliste accueillent, chaque année, trois expositions innovantes de peinture, sculpture, photographie, multimédia, design ou architecture. Le décorateur de cinéma Dean Tavoularis *(Rumble Fish, Peggy Sue Got Married)*, ainsi que de grands noms comme Anselm Kiefer, Katerina Vincourova et Jiri Černičký, ont été à l'honneur par le passé. Hébergé dans un palais du XVIe siècle ayant appartenu à Francesco di Sangro, l'endroit comprend aussi un laboratoire d'art expérimental, une bibliothèque multimédia, des archives, un café élégant et une librairie.

PIAZZA DEI MARTIRI CARTE p. 284

🚌 C25 pour Piazza dei Martiri

Si Chiaia fait figure de salon de réception de Naples, la Piazza dei Martiri en est la chaise longue chic où prendre une pose alanguie. Les Napolitains et les Napolitaines, cachés derrière leurs lunettes Gucci, viennent y paresser en terrasse, autour d'un café – notamment à **La Caffettiera** (p. 124), qui en occupe un des côtés.

Le monument aux martyrs napolitains, œuvre du XIXe siècle de l'architecte Enrico Alvino, occupe le centre de la place. Ses quatre lions incarnent les soulèvements contre les Bourbons de 1799, 1820, 1848 et 1860.

Sur le côté ouest de la place, au n°58, le **palais Partanna** (carte p. 284) est la réinterprétation néoclassique d'un édifice original du XVIIIe siècle. Au n° 30, le **palais Calabritto** (carte p. 284) est de Luigi Vanvitelli.

Dans l'angle nord-est de la place, **Feltrinelli**, est la meilleure librairie de Naples.

STATION ZOOLOGIQUE (AQUARIUM)

CARTE P. 284

☎ 081 583 32 63 ; www.szn.it ; Viale Aquario 1 ; adulte/enfant 1,50/1 € ; 🕐 9h-17h30 lun-ven, 9h-18h sam, 9h-19h30 dim ; 🚌 C25 pour Riviera di Chiaia

Plus rétro que high-tech, le vétéran des aquariums européens (Stazione Zoologica, Aquario) occupe un bâtiment néoclassique d'Adolf von Hildebrandt. Ses 23 aquariums contiennent 200 espèces de la faune et de la flore marines endémiques de la baie de Naples, et sa bibliothèque spécialisée en biologie est une des plus importantes au monde dans sa catégorie. Fondé en 1872 par le naturaliste allemand Anton Dohrn, l'aquarium abrite aussi un centre de recherches de réputation internationale qui joue un rôle vital dans la préservation des tortues de mer blessées par des bateaux dans la baie.

VIA CHIAIA CARTE p. 284

🚌 CS pour Piazza Trieste e Trento, 🚌 C25 pour Piazza dei Martiri

Reliant la Piazza Trieste e Trento à la Piazza dei Martiri (et le quartier de Santa Lucia à celui de Chiaia), la Via Chiaia est une rue désormais piétonne, jalonnée de boutiques mode et célèbre aussi pour son imposant palais. Construite au XVIe siècle, elle suit le val séparant les collines de Pizzofalcone et de Mortella. Près de son extrémité ouest, elle passe sous ce qui vu de dessous ressemble à un arc de triomphe, mais est en fait un pont bâti en 1636 pour relier les deux collines.

Son monument le plus connu, le **palais Cellamare** (Via Chiaia 149), fut édifié au XVIe siècle pour servir de résidence d'été à Giovan Francesco Carafa, proche du vice-roi d'Espagne Don Pedro de Tolède. Il hébergea ensuite les invités des monarques bourbons, dont Goethe et Casanova.

VILLA COMUNALE CARTE p. 284

☎ 081 761 11 31 ; Piazza Vittoria ; 🕐 7h-24h ; 🚌 C25 pour Riviera di Chiaia

Agrémentée d'un kiosque à musique, d'un aquarium, de nombreuses statues, d'au moins huit fontaines et d'un club de tennis, la Villa Comunale est le plus célèbre parc de Naples – et une oasis en pleine ville. Séparant la Riviera di Chiaia et la Via Francesco Caracciolo (front de mer), il fut conçu par Carlo Vanvitelli comme jardin pour la famille royale des Bourbons dans les années 1780. À l'époque, ce *Passeggio Reale* (promenade royale) n'était pas accessible au petit peuple, excepté le 8 septembre, jour de la **Festa di Piedigrotta** (voir p. 19). Le fait pour un homme d'emmener une femme se promener dans le parc ce jour-là était pratiquement considéré comme un contrat de mariage. En 1869, le parc devint public

La *fontana* delle Paperelle, qui tient son nom des canards qui avaient l'habitude d'y barboter, remplace l'ensemble du *Taureau Farnèse*, transféré en 1825 au Musée archéologique national (p. 80).

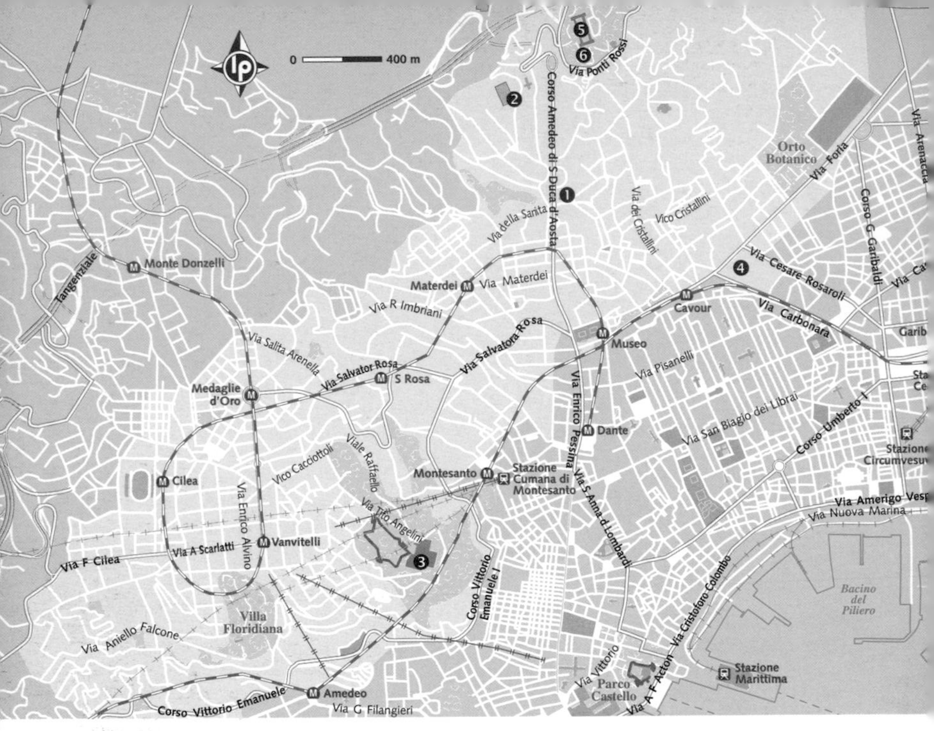

VOMERO, CAPODIMONTE ET LA SANITÀ

Où se restaurer p. 125 ; Achats p. 144 ; Où se loger p. 153 ; Promenades p. 113

Quartier résidentiel de la classe moyenne supérieure et point le plus élevé de la ville, Vomero contraste avec La Sanità, en contrebas, où survit l'âme populaire de Naples.

Situées à quelque 250 m au-dessus du centre-ville, les avenues bordées d'arbres, les villas Liberty (Art nouveau) et les boutiques chic de Vomero forment le cadre de la vie bourgeoise napolitaine. De disgracieux immeubles d'habitations bon marché construits à flanc de colline sont hélas venus s'y ajouter après la Seconde Guerre mondiale. La Piazza Vanvitelli, entourée de cafés et de palais, est le centre névralgique du quartier. Elle est aussi célèbre pour sa station de métro décorée d'œuvres d'art. S'il ne s'agit pas à proprement parler d'un haut lieu touristique, le secteur rassemble néanmoins des monuments majeurs, comme l'imposant Castel Sant'Elmo, l'incontournable chartreuse San Martino et le musée national de la céramique Duca di Martina, dans l'enceinte de la Villa Floridiana.

Au nord-est, Capodimonte doit son aspect actuel à Charles VII de Bourbon. Son projet de créer une réserve de chasse – le parc de Capodimonte – transforma une colline sans intérêt en un somptueux espace boisé parsemé d'allées et de plans d'eau. À son extrémité est, le palais royal de Capodimonte, l'extravagant pavillon de chasse du roi, renferme l'une des plus belles et des plus importantes collections artistiques du pays, avec des tableaux de maîtres comme le Caravage, Bellini, Botticelli et même Andy Warhol.

Immédiatement au sud, coincées entre la Via Foria et la Via Santa Teresa degli Scalzi, les rues pauvres de La Sanità, tendues de cordes à linge, offrent une succession de façades en tuf croulantes et d'étals de marché criards. C'est là que naquit le grand comique Totò (au 109 de la Via Santa Maria Antesaecula) et que Vittorio de Sica tourna en partie *Hier, aujourd'hui, demain*. Un réseau de catacombes médiévales s'étend sous le quartier.

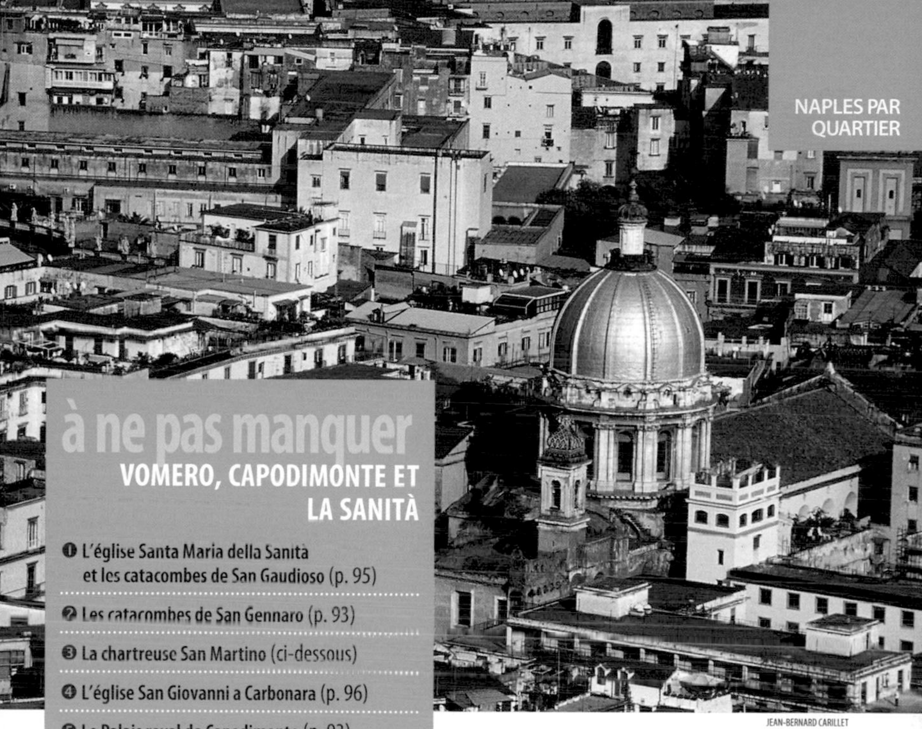

JEAN-BERNARD CARILLET

à ne pas manquer
VOMERO, CAPODIMONTE ET LA SANITÀ

VOMERO

Si toutes les routes mènent à Rome, tous les funiculaires de Naples montent à Vomero, qui offre un panorama imprenable et des sites de choix, le tout dans une sereine atmosphère très comme-il-faut.

CASTEL SANT'ELMO CARTE p. 283

☎ 081 578 40 30 ; Via Tito Angelini 22 ; 3 € ; 🕒 8h30-19h30 jeu-mar, 9h-18h30 dim ; Ⓜ Vanvitelli, funiculaire Montesanto pour Morghen

Bien qu'impressionnant, cet austère château fort en forme d'étoile ne vit guère d'action militaire. Ses plus gros dommages lui furent infligés par la foudre, qui vint frapper la réserve de poudre à canon en 1587 et tua 150 personnes. Ses donjons, qui servirent de prison politique et militaire jusque dans les années 1970, ont surtout vu passer beaucoup de prisonniers.

Quoi qu'il en soit, ce n'était à l'origine ni un château ni une forteresse qui dominait le haut de la colline de Vomero, mais une église. Dédiée à saint Érasme (d'où Eramo, Ermo et Elmo), elle occupa le sommet rocheux durant 400 ans, jusqu'à ce que Robert d'Anjou décide, en 1349, de la transformer en château. Celui-ci prit son aspect actuel en 1538, lorsque le vice-roi d'Espagne don Pedro de Toledo le fit fortifier.

L'endroit est aujourd'hui un centre de congrès et d'expositions. On peut toujours accéder aux toits, qui offrent la plus belle vue sur la ville, mais la plus grande partie du château est fermée, sauf quand il accueille une exposition. Horaires et prix d'entrée variables selon le programme.

CHARTREUSE SAN MARTINO CARTE P. 283

☎ 081 578 17 69 ; Largo San Martino 5 ; 6 € ; 🕒 8h30-19h30 jeu-mer ; Ⓜ Vanvitelli, funiculaire Montesanto pour Morghen

Ne manquez pour rien au monde cet ancien monastère chartreux (*certosa*) qui héberge le **musée national San Martino**. À 100 m à peine du château, il présente une très riche collection consacrée à l'histoire et à l'art napolitains, réunie par les moines. Celle-ci comprend aussi bien des fresques et des sculptures que des crèches et des voitures à chevaux qui vous font pénétrer la culture et l'âme de la ville.

Le parc de la Villa Floridiana GREG ELMS

Bâtie par Charles d'Anjou en 1325, la chartreuse fut décorée et remaniée par de grands noms de l'architecture italienne, en particulier Giovanni Antonio Dosio au XVIe siècle et le maître du baroque Cosimo Fanzago au siècle suivant.

L'église et les chambres du monastère abritent quantité de fresques et de tableaux, dont certains de la main des plus grands peintres napolitains du XVIIe siècle. Dans le *pronaos* (petite pièce constituée de trois murs et d'une rangée de colonnes), les fresques de Micco Spadaro montrant les persécutions des chartreux, avec leurs personnages apparemment assis sur le vide, semblent défier la perspective. Ailleurs dans la chapelle sont accrochées des œuvres de Francesco Solimena, Massimo Stanzione, Giuseppe de Ribera, Luca Giordano et Battista Caracciolo.

Le **cloître des Procurateurs** (Chiostro dei Procuratori), mitoyen de l'église, est le plus petit des deux cloîtres du monastère. De là, un grand couloir sur la gauche mène au **Grand Cloître** (Chiostro Grande). Dessiné par Giovanni Antonio Dosio à la fin du XVIe siècle, puis enrichi par Fanzago, le Grand Cloître est un superbe ensemble de jardins très soignés, de statues en marbre et de portiques immaculés. Une série de crânes sculptés ornant la balustrade apporte une touche macabre.

Une des parties les plus intéressantes du musée est la Sezione Presepiale. Cette suite de salles est dévolue à une collection de *presepi* napolitains sculptés des XVIIIe et XIXe siècles. La crèche la plus célèbre, de Cuciniello, recouvre un mur de ce qui fut la cuisine du monastère. Des anges y volent vers un paysage de maisons en pierre et de bergers fait de bois, de liège, de papier mâché et de terre cuite.

L'essentiel de la collection de tableaux, dont la célèbre *Vierge à l'enfant et saint Jean-Baptiste (Vergine col Bambino e San Giovannino)*, de Pietro Bernini, se trouve dans l'aile sud, dans le Quarto del Priore (quartier du Prieur).

La section *Immagini e memoria dell città* (Images et mémoire de la ville) est consacrée à une histoire de Naples en images. On peut y voir des portraits de personnages historiques (don Pedro de Toledo, salle 33, Marie-Caroline de Bourbon, salle 43) ; des cartes anciennes, dont une en cuivre composée de 35 panneaux (salle 45), et des salles dédiées à des événements historiques importants, telles la révolte de Masaniello (salle 36) et la peste (salle 37). Dans la salle 32 est exposée la remarquable Tavola Strozzi, vue maritime de Naples au XVe siècle qui compte parmi les témoignages historiques majeurs concernant la ville à cette époque.

VILLA FLORIDIANA ET MUSÉE NATIONAL DE LA CÉRAMIQUE DUCA DI MARTINA CARTE P. 283

☎ 081 578 84 18 ; Via Domenico Cimarosa 77 ; parc 8h30 à 1 heure avant le coucher du soleil, musée 8h30-14h mer-lun ; musée 2,50 €, parc en accès libre ; Ⓜ Vanvitelli

L'élégante Villa Floridiana et ses majestueux jardins furent construits par le roi Ferdinand Ier pour sa seconde épouse, la duchesse de Floridia. Acquis par l'État italien en 1919, ce parc a été ouvert au public, et la villa transformée en musée de la céramique. Surplombant la ville et la mer, cet espace vert en terrasse planté de chênes et de palmiers repose agréablement de la densité urbaine.

Au pied du parc, le Museo Nazionale della Ceramica Duca di Martina rassemble 6 000 céramiques, ivoires et émaux d'Europe et d'Extrême-Orient.

La collection orientale, qui comprend des porcelaines chinoises Ming (1368-1644) et des vases japonais de l'époque Edo (1615-1867), occupe le sous-sol. Le rez-de-chaussée est consacré aux faïences italiennes de la Renaissance et le 1er étage aux productions européennes, avec notamment de somptueux objets en porcelaine de Saxe.

CAPODIMONTE

À l'extrémité nord de la Via Toledo (qui prend à cet endroit le nom de Corso Amedeo di Savoia Duca d'Aosta), la colline de Capodimonte englobe le parc et le Palais royal éponyme, doté d'une riche collection d'art. En contrebas du versant sud se trouvent les catacombes de San Gennaro, ancien lieu de sépulture et de culte réputé pour ses fresques paléochrétiennes.

CATACOMBES DE SAN GENNARO

CARTE p. 286

☎ 081 741 10 71 ; Via Capodimonte 16 ; adulte/enfant 5/3 € ; visite guidée 9h, 10h, 11h, 12h, 14h, 15h mar-dim ; 24 pour Via Capodimonte

Les catacombes de San Gennaro (IIe siècle) sont à la fois les plus anciennes et les plus célèbres de la ville. Creusées à l'origine par une famille noble, elles devinrent un important lieu de pèlerinage après le Ve siècle, lorsque le corps de saint Janvier y fut déposé. Les évêques de la ville y furent inhumés jusqu'au XIe siècle.

On y découvre un mélange de tombes, de couloirs souterrains et de grands vestibules répartis sur deux niveaux, soutenus par des colonnes et des arches. Les parois croulantes comportent des fresques paléochrétiennes du IIe siècle et des mosaïques du Ve siècle, parmi lesquelles la plus ancienne représentation de saint Janvier.

L'entrée est située derrière les portes à gauche de l'église Madre di Buon Consiglio ; un petit bâtiment recouvert de lierre fait office de guichet de vente des billets. La visite (en italien) dure environ 45 minutes et ne commence qu'avec deux personnes au minimum.

ÉGLISE MADRE DI BUON CONSIGLIO

CARTE p. 286

☎ 081 741 49 45 ; Via Capodimonte 13 ; 8h-12h30 et 16h30-19h30 lun-sam, 8h-13h et 17h-19h30 dim ; 24 pour Via Capodimonte

Cette imposante église surplombe la Via Capodimonte. Terminée en 1960 après 40 ans de travaux, cette réplique de la basilique Saint-Pierre-de-Rome, dessinée par Vincenzo Veccia, est un des plus récents monuments de la ville. Elle abrite diverses œuvres d'art d'un intérêt limité qui y furent transférées après le séisme de 1980.

OBSERVATOIRE DE CAPODIMONTE

CARTE p. 286

☎ 081 557 51 11 ; www.na.astro.it ; Salita Moiariello 16 ; 9h-13h30 sur rendez-vous ; 24 pour Via Capodimonte

Dissimulé sur une petite voie faisant face à l'entrée principale du parc de Capodimonte, l'**Osservatorio di Capodimonte** est le plus ancien d'Italie. Commandé par le roi Ferdinand Ier de Bourbon en 1819 et bâti selon les plans des astronomes Giuseppe Piazzai et Federico Zuccari, c'est un bon exemple d'architecture néoclassique. Son musée regroupe une intéressante collection d'instruments astronomiques, et son emplacement exceptionnel en fait un lieu de rêve pour des concerts occasionnels tout au long de l'année. Consultez le site Web pour connaître le programme.

PALAIS ROYAL DE CAPODIMONTE

CARTE p. 286

☎ 081 749 91 11 ; Parco di Capodimonte ; adulte/enfant 7,50/entrée libre, adulte 14h-17h 6,50 € ; 8h30-19h30 jeu-mar ; 24 pour Via Capodimonte

Il fallut plus d'un siècle pour édifier cet immense **Pallazzo Reale**. Les plans originaux étaient ceux d'un pavillon de chasse pour Charles VII de Bourbon mais, alors que la construction commençait en 1738, ils ne cessèrent d'évoluer, aboutissant à un édifice de plus en plus monumental. Il en résulta cet imposant palais qui contient, depuis 1759, la collection d'œuvres d'art dont Charles hérita de sa mère Élisabeth Farnèse. Artistes et voyageurs venaient de toute l'Europe au XVIIe siècle admirer cette magnifique collection, exposée au *piano nobile* (étage noble).

Les visites s'interrompirent durant les dix ans de domination française (1806-1815), lorsque le lieu devint la résidence officielle de Joseph Bonaparte et de Joachim Murat. Le musée lui-même reprit vie en 1860, quand une Galerie d'art moderne y fut installée. Le palais sert aujourd'hui d'écrin à l'une des plus belles et des plus riches collections d'art d'Italie.

Le musée compte 160 salles réparties sur trois niveaux. Le 1er étage comprend la galerie Farnèse et les appartements royaux, le second la Galleria delle Arti a Napoli, et l'étage supérieur est consacré à l'art moderne. Avant d'entreprendre la visite, il peut être utile d'investir 4 € dans l'audioguide dont les commentaires sont intéressants.

Voir l'intégralité du musée en une journée tient de la gageure, il en faut au moins deux

Le Palais royal de Capodimonte
JEAN-BERNARD CARILLET

pour commencer à se familiariser avec les lieux. La plupart des visiteurs seront néanmoins rassasiés avec la visite abrégée, qui prend une bonne matinée et présente les principaux chefs-d'œuvre.

Ceux-ci sont nombreux au premier étage. Dans la salle 2 sont accrochés des portraits de membres de la famille Farnèse par Raphaël et Titien. Ceux du cardinal Alexandre Farnèse, futur pape Paul III, montrent un homme frêle au visage émacié. La salle 3 est celle de la *Crucifixion* (*Crocifissione* ; 1426) de Masaccio, une des œuvres les plus célèbres du musée. Tout aussi importantes sont la *Vierge à l'enfant avec des Anges* de Botticelli (salle 6), la *Transfiguration* de Bellini (salle 8), la *Danaé* de Titien (salle 11) et les étranges toiles du XVIe siècle de Pieter Bruegel qui donnent à la salle 17 une atmosphère surnaturelle. Dans la salle 20, la fresque *Hercule à la croisée des chemins (Ercole al bivio)* d'Annibale Carracci (1560-1609) montre le héros perplexe, car il doit choisir entre une morne Vertu et un Vice beaucoup plus séduisant.

La **Galerie des objets rares** (Galleria delle Cose Rare) permet d'imaginer l'aspect que devait avoir la table du dîner du cardinal Alexandre Farnèse. Toutes les pièces de son service de table en majolique bleue portent ses armoiries en relief doré. Le décor central représente une Diane chasseresse avec un cerf, dont la tête amovible peut servir de récipient.

Les **appartements royaux** (Appartamento Reale) occupent les salles 31 à 60. Les pièces en sont richement décorées de belles céramiques de Capodimonte, de lourdes tentures et d'incrustations de marbre. Le **salon de porcelaine** (Salottino di Porcellana) de la reine Marie-Amélie (salle 52) mérite une visite. Il fut réalisé entre 1757 et 1759 pour le Palais royal de Portici, puis transféré à Capodimonte en 1866. Les appartements royaux du 1er étage renferment aussi l'*Éruption du Vésuve* de Pierre-Jacques Volaire (1727-1802).

Le 2e étage, tout aussi somptueux, est rempli jusqu'aux combles d'objets réalisés dans la ville entre le XIIIe et le XVIIIe siècle, à l'exception de la première salle, consacrée à une série de gigantesques tapisseries belges du XVIe siècle illustrant divers épisodes de la bataille de Pavie.

L'œuvre de Simone Martini, *Saint Louis de Toulouse couronnant son frère roi de Naples* (1317), est présentée dans la salle 66. Considérée comme la plus belle pièce du XIVe siècle du musée, elle représente le couronnement de Robert d'Anjou et la canonisation de son frère, Louis.

Nombreux sont ceux qui viennent à Capodimonte pour admirer la *Flagellation du Christ* 1607-1610), qui occupe seule la salle 78, au bout d'un long couloir. Cette toile du Caravage montrant Jésus avant sa flagellation fut peinte à la demande de la famille De Franchis pour la

Un des étroits passages du Naples souterrain JEAN-BERNARD CARILLET

chapelle de l'église San Domenico Maggiore. Comme pour son autre célèbre toile napolitaine *Les Sept Œuvres de la Miséricorde* (voir p. 73), son intensité et le rendu révolutionnaire de la lumière auront une influence énorme sur les peintres contemporains.

En continuant dans les 28 autres salles de l'étage, on peut admirer des œuvres de Ribera, Giordano, Solimena et Stanzione. Pour ceux qui ont encore un peu d'énergie, la petite **galerie d'art moderne** du 3ᵉ étage mérite un rapide coup d'œil, ne serait-ce que pour l'interprétation colorée par Andy Warhol de l'éruption du Vésuve.

Mais ce n'est pas tout. Au niveau de la rue, la **salle des dessins et des estampes** (*Gabinetto Disegni e Stampe*) contient encore 27 000 pièces, dont des esquisses de Michel-Ange et de Raphaël. Et, une fois votre périple terminé, vous pourrez aussi acheter quelques livres d'art dans la boutique du musée.

PARC DE CAPODIMONTE CARTE p. 286

9h-1h avant le coucher du soleil ; 24 pour Via Capodimonte

Couvrant 130 ha, le **Parco di Capodimonte** a été dessiné en 1742 par Ferdinando Sanfelice, en tant que réserve de chasse pour le roi Charles VII. Afin de procurer un environnement favorable aux proies qu'il comptait chasser, le souverain fit transformer le terrain en véritable paradis botanique entouré de murs. Aujourd'hui, ce sont les Napolitains qui viennent en profiter le week-end. L'enceinte englobe cinq lacs, un bois et divers édifices du XVIIIᵉ siècle, dont le **Palazzo delle Porcellane**, un ancien atelier de céramique. Si vous recherchez le calme, préférez la partie nord du parc, facilement accessible par la Porta Grande, dans la Via Capodimonte.

LA SANITÀ

Située hors les murs de Naples jusqu'au XVIIIᵉ siècle, La Sanità (malgré son nom signifiant "santé") fut, pendant des siècles, le lieu où l'on enterrait les morts de la ville – d'où le réseau de catacombes enfoui sous ses rues sales. Rugueux et authentique, le quartier n'est pas toujours sûr ; mieux vaut ne pas trop s'y aventurer le soir.

ALBERGO DEI POVERI CARTE p. 278

Piazza Carlo III ; M Cavour

Dominant la Piazza Carlo III, l'Albergo dei Poveri (hôtel des Pauvres) devait être encore plus grand selon les plans de son architecte, Ferdinando Fuga, qui prévoyaient une façade longue de 600 m et cinq cours intérieures. Quand la construction s'interrompit en 1829, il se contenta de la version réduite actuelle. La façade fait "seulement" 349 m de long, il n'y a "que" trois cours intérieures et la surface totale est de 103 000 m². Réalisé en 1751 à la demande de Charles VII de Bourbon afin d'héberger les pauvres de la ville, le bâtiment fait l'objet d'importants travaux de restauration. Il loge actuellement 85 familles descendant de nécessiteux hébergés après la Seconde Guerre mondiale. Au dire des habitants, ces familles partagent l'espace avec un certain nombre de fantômes lumineux.

ÉGLISE SANTA MARIA DELLA SANITÀ ET CATACOMBES DE SAN GAUDIOSO

CARTE p. 286

081 544 13 05 ; www.santamariadellasanita.it ; Via della Sanità 124 ; catacombes adulte/enfant 5/3 € ; église 8h30-12h30 et 17h-20h lun-sam, 8h30-13h30 dim, visite guidée des catacombes 9h30, 10h15, 11h, 11h45, 12h30 ; M Cavour

Surmontée d'une coupole couverte de céramiques jaunes et vertes, la **Chiesa Santa Maria della Sanità** agrémente, depuis le XVIIᵉ siècle, la Piazza Della Sanità. Également connue sous le nom d'église San Vincenzo, en l'honneur de

San Vincenzo Ferreri, elle est chère au cœur des Napolitains. Son escalier à double révolution semi-circulaire menant à l'autel surélevé est remarquable. En dessous, la **chapelle San Gaudioso**, du Ve siècle, marque l'entrée des catacombes.

Lieu de sépulture de San Gaudioso, évêque d'Afrique du Nord qui mourut à Naples en 452, les catacombes renferment des traces de mosaïques et de fresques de différentes époques, allant du Ve siècle pour les plus anciennes jusqu'aux XVIIe et XVIIIe siècles. Ce ne sont pourtant pas les réalisations artistiques qui frappent le plus, mais l'histoire morbide du lieu.

Ses murs humides révèlent deux techniques d'inhumation médiévales différentes. La première consistait à enterrer le corps en position fœtale afin qu'il quitte le monde dans la position où il y était arrivé. Dans la seconde, celle de la noblesse, on plaçait le corps dans un mur orné d'une fresque représentant ses contours.

La visite des catacombes, commentée en italien, dure environ une heure. Celle de nuit, avec des acteurs en costume, inclut un repas de spécialités locales (25 €). Réservez à l'avance pour bénéficier d'un guide anglophone.

ÉGLISE SAN GIOVANNI A CARBONARA CARTE p. 278

☎ 081 29 58 73 ; Via Carbonara 5 ; 9h-18h lun-sam ; Ⓜ Cavour

Ce superbe ensemble gothique est constitué d'une église, d'une chapelle et d'un cloître. Si la chapelle est malheureusement fermée pour restauration, l'église rassemble un superbe ensemble de sculptures qui forment une des plus intéressantes collections Renaissance de la ville.

L'imposant tombeau du roi Ladislas (1428), haut de 18 m, est une des œuvres les plus marquantes, mais il faut aussi citer la *Crucifixion* (1545) de Giorgio Vasari, ainsi que le tombeau dei Miroballo de Tommaso Malvito et Jacopo della Pila (début du XVIe siècle). La magnifique chapelle Caracciolo del Sole, au sol de majoliques, décorée de fresques du XVe siècle très colorées, abrite le tombeau de Gianni Caracciolo, réalisé par Leonardo da Besozzo en 1433. Poignardé en 1432, Caracciolo était l'ambitieux amant de la reine Jeanne II, sœur du roi Ladislas,

CIMETIÈRE DELLE FONTANELLE CARTE p. 283

☎ 081 29 69 44 ; Piazza Fontanella alla Sanità 154 ; actuellement fermé ; Ⓜ Museo

Creusé dans la roche tendre de la colline Materdei, le vaste **Cimitero delle Fontanelle**, souterrain, contient les squelettes de quelque 40 000 Napolitains. D'abord utilisé durant la peste de 1656, il devint ensuite le principal lieu d'inhumation, durant les épidémies de choléra de 1835 et 1974.

À la fin du XIXe siècle, le site devint un lieu de culte des morts. Les fidèles adoptaient un crâne et lui offraient des présents afin qu'il leur porte chance. Si se produisait un phénomène de condensation sur les crânes, c'était considéré comme de bon augure, contrairement aux ossements qui restaient secs. Les personnes particulièrement attachées à leur crâne le protégeaient même en le plaçant sous verre.

Ce culte était devenu si populaire que, jusque dans les années 1950, une ligne de tramway desservait le cimetière, permettant à une foule de fidèles chargés de présents de s'y rendre. En 1969, le cardinal Ursi finit par interdire ce qu'il qualifiait de pratique fétichiste contraire à la doctrine catholique.

Si l'endroit n'ouvre actuellement que durant le **Maggio dei Monumenti** (Mai des monuments, p. 18), il était question, lors de notre enquête, de pérenniser son accès public. Contactez Napoli Sotterranea (☎ 081 29 69 44) pour des informations à jour.

JARDIN BOTANIQUE CARTE p. 278

☎ 081 44 97 59 ; Via Foria 223 ; 9h-14h lun-ven uniquement sur rendez-vous ; Ⓜ Cavour

L'**Orto Botanico** est une oasis au milieu de la circulation infernale. Malgré les gaz d'échappement dégagés par les véhicules immobilisés sur la Via Foria, la flore et la végétation y sont florissantes.

Créés à l'initiative de Joseph Bonaparte entre 1807 et 1819, ces jardins dépendent de l'université et ne sont ouverts au public que sur réservation. Cela vaut la peine de faire la démarche, même si c'est simplement pour se promener à l'ombre des frondaisons des palmiers et échapper au chaos extérieur. Les amateurs de botanique y trouveront une collection impressionnante de plantes des grands déserts d'Amérique, d'Afrique, d'Asie et d'Australie, une section consacrée aux fougères arborescentes et un verger d'anciennes variétés d'agrumes.

PALAIS SANFELICE CARTE p. 286

Via della Sanità 2 ; Ⓜ Cavour

Il est difficile d'imaginer l'impact architectural que provoqua cet immeuble dans la Naples

Coupole ornementée de l'église San Giovanni a Carbonara

JEAN-BERNARD CARILLET

du XVIIIe siècle. S'il ressemble aujourd'hui à n'importe quel immeuble des rues déshéritées du quartier de La Sanità, lorsque Ferdinando Sanfelice le construisit pour sa famille en 1726, il fut considéré comme un modèle d'architecture d'avant-garde. Le principal sujet de conversation en était l'escalier ouvert à double révolution de la seconde cour intérieure. Sanfelice continua à perfectionner le dessin de son escalier emblématique dans divers palais de la ville. Le **palais dello Spagnolo** (carte p 286, Via Vergini 19) en montre un exemple célèbre.

Aucun de ces deux édifices n'est ouvert au public, mais quand on demande gentiment aux gardiens l'autorisation de jeter un rapide coup d'œil, ils acceptent généralement. Mieux vaut tenir compte de leurs horaires de travail et donc éviter le début d'après-midi si vous voulez trouver quelqu'un.

PORTA SAN GENNARO CARTE p. 286

Via Foria ; Ⓜ Cavour

Cette porte de la ville fut rebâtie à son emplacement actuel lorsque furent repoussés, au XVe siècle, les murs de la cité. Ouvrant sur la route menant aux catacombes de San Gennaro, d'où son nom, elle conserve des fragments d'une fresque du XVIIe siècle, de Mattia Preti. L'artiste décora toutes les principales portes de la cité, en remerciement pour la fin de l'épidémie de peste en 1656.

NAPLES "ALLA NAPOLETANA"

Pickpockets habiles, chauffards en Vespa, escrocs malins : la réputation d'une Naples sans foi ni loi occulte trop souvent les nombreuses qualités de la ville. Si petits vols et arnaques en tout genre se produisent au quotidien, il suffit pourtant de suivre quelques règles simples pour ne pas en être victime :

- Habillez-vous sans ostentation et laissez votre Rolex dans le coffre de l'hôtel. Évitez aussi de transporter de grosses sommes d'argent, surtout dans des poches faciles d'accès.
- Portez votre sac à main ou à dos sous le bras plutôt qu'à l'épaule et ne le laissez jamais sans surveillance.
- Ne vous aventurez pas dans les secteurs louches. Si la majeure partie du centre-ville est généralement sûre dans la journée, des coins comme les Quartiers espagnols, La Sanità, Mercato et la Piazza Garibaldi peuvent être dangereux la nuit. Soyez prudent et restez dans les endroits fréquentés et correctement éclairés.
- Renseignez-vous sur votre environnement. Les hôtels et leur personnel constituent une source d'information fiable. Demandez conseil sur la façon de vous déplacer en toute sécurité, portez les coordonnées de l'établissement sur vous et étudiez l'itinéraire pour rentrer sans encombre.
- Méfiez-vous des arnaques. Attention en particulier aux joueurs de bonneteau de la Piazza Garibaldi car vous perdrez à tous les coups. À la gare centrale, ne suivez pas des inconnus qui proposent de vous conduire jusqu'au train. Une fois sur le quai, ils risquent en effet de vous demander 10 € de "pourboire".

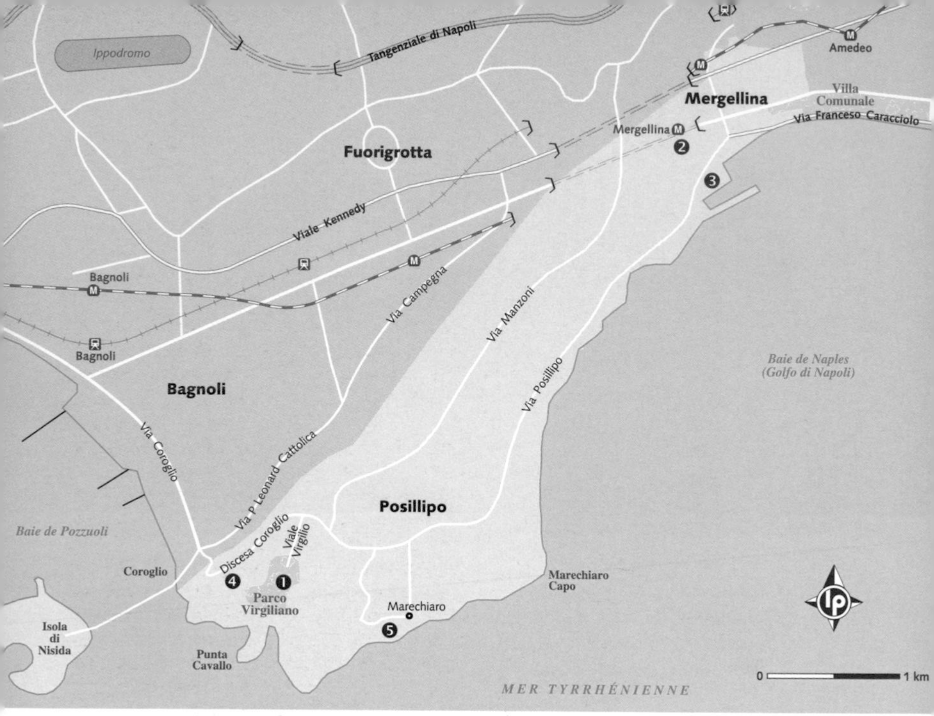

MERGELLINA ET LE PAUSILIPPE

Où se restaurer p. 126 ; Où se loger p. 154

Si Mergellina, joliment anarchique, a perdu de sa splendeur passée, le quartier huppé du Pausilippe revêt des allures de Beverly Hills napolitain.

Des villas Art nouveau de couleur jaune bordent le front de mer un brin négligé, des palmiers ondoient sous la brise du sud et d'élégantes vieilles dames promènent leur chien miniature au soleil de l'après-midi.

Avant la construction de la Riviera di Chiaia au XVIIe siècle, Mergellina n'était qu'un village de pêcheurs typique en marge de la ville. Il s'agit désormais du second port de Naples et d'un carrefour de transports important. Dominant la Piazza Piedigrotta, sa gare ferroviaire de style Art nouveau accueille à la fois le métro et les lignes régionales. Des milliers de passagers embarquent chaque jour vers les îles depuis le terminal des hydroglisseurs, tandis que la circulation se déchaîne dans le tunnel enfumé de la Piazza Sannazzaro voisine, reliant le centre à Fuorigrotta. La place elle-même porte le nom du poète de la Renaissance Jacopo Sannazzaro, natif de Mergellina, qui fut qualifié de Virgile chrétien. Le véritable Virgile repose non loin, dans le parc Virgiliano.

La partie la plus intéressante de Mergellina reste toutefois le front de mer. Par beau temps, ses bars et ses glaciers à l'ancienne, appelés "chalets" (carte p. 284), attirent le soir des foules denses.

Promontoire séparant la baie de Naples de la baie de Pouzzoles, le Pausilippe (Posillipo) conjugue rues verdoyantes, villas cossues, petites criques propices à la baignade et restaurants sélect fréquentés par des célébrités comme Sophia Loren. Du Parc Virgiliano, à l'extrémité ouest de la péninsule, le panorama exceptionnel embrasse la baie, le Vésuve et l'îlot de Nisida, où Brutus aurait conspiré contre Jules César.

à ne pas manquer
MERGELLINA ET LE PAUSILIPPE

Le Porticciolo à Mergellina (p. 101) JEAN-BERNARD CARILLET

ÉGLISE SANTA MARIA DEL PARTO

CARTE p. 284

☎ 081 66 46 27 ; Via Mergellina 21 ; 🕑 8h-12h30 et 16h-19h ; Ⓜ Mergellina

De style Renaissance, la **Chiesa Santa Maria del Parto** doit sa célébrité au poète napolitain Jacopo Sannazzaro : il y fut enterré après l'avoir fondée. Sa construction, sur une terre offerte en 1497 par le roi Frédéric d'Aragon au poète, fut achevée en 1530, peu avant sa mort. Derrière l'autel, sa tombe décorée de dieux antiques, Apollon, Minerve, Pan et Mars entre autres, et d'une représentation de l'Arcadie, fut réalisée en 1537 par Giovanni Angelo Montorsoli, Bartolomeo Ammannati et Francesco del Taddain.

La peinture de Leonardo da Pistoia, *Saint Michel terrassant le démon*, aussi appelée *Le Diable de Mergellina*, est également remarquable. Selon certaines croyances, le diable en question aurait été une jeune fille ayant tenté de séduire l'inflexible évêque Diomède Carafa.

ÉGLISE SANTA MARIA DI PIEDIGROTTA

CARTE p. 284

☎ 081 66 97 61 ; Piazza Piedigrotta 24 ; 🕑 lun-sam 7h-12h et 17h30-20h, dim 7h-13h30 et 17h30-20h ; Ⓜ Mergellina

Les familles de pêcheurs de Mergellina avaient déjà bâti une église sur ce site lorsque la Vierge Marie apparut en 1353 à un moine bénédictin, à une nonne et à Pietro l'ermite (qui deviendra plus tard le pape Célestin V ; voir église San Pietro a Maiella, p. 72) et leur demanda de lui construire une église. Elle fut prise au mot et l'église consacrée dans l'année. Depuis, et en dépit de nombreuses transformations, l'église est restée au centre de la **Festa di Piedigrotta** (p. 19), célébrée tous les 8 septembre.

À l'origine, la façade faisait face à la grotte qui a donné son nom au monument (*piedigrotta* signifie "pied de la grotte"). Elle fut déplacée à l'autre extrémité de l'église, où elle se trouve aujourd'hui, pour s'ouvrir sur la cité. En 1853, Enrico Alvino la modifia pour lui donner son aspect néoclassique actuel.

À l'intérieur, les fidèles viennent se recueillir devant la *Madonna con Bambino (Vierge à l'enfant)*, statue en bois du XIIIe siècle.

GROTTE DI SEIANO HORS CARTE p. 287

☎ 081 230 10 30 ; Discesa Coroglio 36 ; 🚌 140 pour Via Posillipo

En bas de la Discesa Coroglio, long raidillon épuisant, la **Grotta di Seiano** n'est en fait pas une grotte, mais un tunnel creusé dans le tuf au Ier siècle pour relier la Villa Pausilypon à Pouzzoles. L'ouvrage fut réalisé par Cocceius, ingénieur romain qui construisit la Crypta Neapolitana du parc Vergiliano (p. 100). À sa mort, en 15 av. J.-C., son propriétaire, Publio Vedio Pollione, la légua à son ami l'empereur Auguste.

La villa comme le tunnel sont fermés pour restauration.

MARECHIARO CARTE p. 287

Via Marechiaro ; 🚌 140 pour Via Posillipo

"Marechiaro" (mer transparente), immortalisé au XIXe siècle dans la chanson napolitaine du même nom par Salvatore di Giacomo et Francesco Paolo Tosti, est un minuscule village de pêcheurs agrémenté d'une petite église, la Chiesa di Santa Maria del Faro. Il offre un cadre idéal pour un dîner romantique au bord de l'eau.

Pour y arriver, sortir du bus Via Posillipo, puis descendre la Via Marechiaro sur la gauche. Prévoir environ 30 minutes à pied.

PALAIS DONN'ANNA CARTE p. 287

Largo Donn'Anna 9 ; 🚌 140 pour Via Posillipo

Le **Palazzo Donn'Anna** ne fut jamais terminé. Il doit son nom à Anna Carafa, pour qui sa construction fut entreprise. Commandé par le vice-roi espagnol de Naples, Ramiro Guzman, comme cadeau de mariage à sa future épouse Anna, il devait rester inachevé. Guzman décida subitement de rentrer en Espagne en 1644, abandonnant sa femme à Naples. Le cœur brisé, elle mourut peu après et Cosimo Fanzago renonça au projet. À moitié en ruine, le palais n'est pas ouvert au public.

Non loin de là, on arrive à ce qui reste de la Villa Hamilton, ancienne résidence de Sir William Hamilton, ambassadeur britannique près du royaume de Naples. Sa femme Emma ayant été très longtemps la maîtresse de l'amiral Nelson, c'est plus en tant que mari trompé que de diplomate qu'il a laissé un souvenir.

PARC VERGILIANO CARTE p. 284

☎ 081 66 93 90 ; Salita dell Grotta 20 ; 🕑 mar-dim 9h-1h avant le coucher du soleil ; Ⓜ Mergellina

Enchâssé entre un pont de chemin de fer et les falaises de la colline du Pausilippe, l'agréable **Parco Vergiliano** est surtout connu pour être le lieu de sépulture de Virgile.

Objet de nombreuses spéculations, l'emplacement réel du corps du poète latin reste un mystère. Il mourut à Brindisi en 19 av. J.-C. Selon la légende, sa dépouille aurait été ramenée à Naples. Sa tombe se trouve dans un caveau de l'époque d'Auguste, en haut d'un escalier raide, au-dessus de l'entrée de la **Crypta Neapolitana**, un tunnel creusé au Ier siècle pour relier Naples à Pouzzoles. Avec ses 700 m, c'est le plus long tunnel romain connu.

La dépouille de Giacomo Leopardi, poète italien du XIXe siècle, repose aussi dans le parc.

PARC VIRGILIANO CARTE p. 287

Viale Virgilio ; 🕑 9h30-23h30 ; 🚌 140 pour Via Posillipo

Situé à l'extrémité ouest du Pausilippe, le **Parco Virgiliano**, de 9 600 m², est un balcon ouvrant sur certains des plus beaux panoramas de la ville. Par temps clair, il est possible de voir jusqu'à Capri au sud et Nisida, Procida et Ischia au sud-ouest, d'admirer la baie de Pouzzoles et Bagnoli à l'ouest, et à l'est la baie de Naples, la péninsule de Sorrente et, bien sûr, le Vésuve. Ouvert 14 heures par jour, le parc, superbe, permet de prendre ses distances avec la pollution de la cité en dessous. Il y a des

DE LA BUÉE SUR LES VITRES

Rejoignez n'importe quel point de vue de la ville après 22h et vous y remarquerez un petit groupe de voitures garées oscillant doucement. Les vitres masquées par des feuilles de journaux, elles dissimulent des amoureux en plein ébat. À Naples, les banquettes arrière ont souvent des histoires coquines à raconter. D'ailleurs, vous aurez du mal à trouver un Italien de moins de 60 ans qui ne se souvienne avec émotion d'avoir lutiné à l'arrière d'une Fiat selon une tradition nationale aussi ancrée que la pizza. À la mort en 2003 de Gianni Agnelli, le directeur général de Fiat, le Premier ministre d'alors, Silvio Berlusconi, rappela combien de ses compatriotes avaient connu leur premier baiser à bord d'un véhicule de la marque turinoise.

La raison de cette pratique relève pourtant davantage de la nécessité que de l'érotisme. Une étude récente menée par l'UE a en effet montré que 64% des Italiens entre 18 et 35 ans vivaient encore chez leurs parents, comparés à 21% en Allemagne et 12% en Finlande. Hors de la Péninsule, on a vite fait d'y voir le phénomène des *mammoni* ("fils ou filles à maman"). Cependant, ce chiffre s'explique plus par la situation économique que par une quelconque immaturité. Le chômage chronique qui sévit en Italie et le haut niveau d'imposition empêchent de nombreux jeunes adultes de s'installer hors du domicile familial. À Naples où le chômage des jeunes dépasse les 60%, le problème se manifeste avec une acuité accrue. Par conséquent, les amoureux n'ont souvent que l'arrière de leur voiture pour profiter d'un peu d'intimité.

Malgré la popularité dont il bénéficie, l'acte reste théoriquement puni par la loi et, en 1999, un couple pris sur le fait a été inculpé d'attentat à la pudeur. Depuis lors, la parade consiste à masquer les vitres avec des journaux.

Si l'envie vous prend d'imiter les Napolitains, voici quelques endroits où vous garer :

Largo San Martino (carte p. 278). Panorama splendide sur la ville et patrouilles de police occasionnelles ; n'oubliez pas votre journal.

Parco Virgiliano (carte p. 287). Ce parking qui accueille dans la journée le respectable petit marché du Pausilippe (voir l'encadré p. 140) devient, le soir, le refuge numéro un des amants.

Via Coroglio (carte p. 287). Proche de la discothèque de plage L'Arenile di Bagnoli (voir l'encadré p. 132), c'est le haut lieu des amours estivales.

Via Manzoni (carte p. 287). La vue sur Bagnoli et la baie de Pouzzoles depuis les hauteurs du Pausilippe constitue un arrière-fond de rêve.

MARTIN MOOS

balançoires et des toboggans pour les enfants, des chemins bien entretenus, des bancs et quelques buvettes. Le marché branché du Pausilippe se tient devant la grille principale le jeudi (p. 140).

PORTICCIOLO CARTE p. 284

Via Francesco Caracciolo ; 140 pour Via Francesco Caracciolo

Jadis port d'attache de la flotte de pêche, la marina de Mergellina accueille aujourd'hui des yachts. Les soirs d'été, familles, adolescents énamourés et touristes se garent en double file le temps d'acheter un cornet de glace ou un cocktail dans les **chalets** du front de mer, ces bars et glaciers napolitains clinquants de néons.

GARE DE MERGELLINA CARTE p. 284

081 761 21 02 ; Piazza Piedigrotta ; M Mergellina

La gare (*stazione*) de Mergellina, dessinée en 1925 par Gaetano Costa, est un bel exemple de style néoclassique. Sa structure en verre et acier s'agrémente d'éléments décoratifs, dont une série de colonnes massives et, au-dessus de l'entrée, une horloge flanquée de deux Mercure alanguis. Actuellement en travaux, la gare devrait bientôt faire parler à nouveau d'elle.

VILLA ROSEBERY CARTE p. 287

Via Ferdinando Russo ; 140 pour Via Posillipo

Construite au XVIIIe siècle, la Villa Rosebery a toujours accueilli des personnages illustres… Aujourd'hui résidence officielle napolitaine du président de la République italienne, elle servit à Louis de Bourbon au début du XIXe siècle pour ses rendez-vous galants avec la danseuse Amina Boschetti, et c'est également de là que le roi Victor-Emmanuel III quitta l'Italie en 1946 après l'abolition de la monarchie.

La villa Rosebery est un ensemble de trois bâtiments – Palazzina Borbonica, Piccola Foresteria et Cabina a Mare – entourés d'un grand parc.

Le domaine ouvre parfois au public, à l'occasion du Maggio dei Monumenti (p. 18).

DÉTOUR ROYAL

La modeste ville de Caserta (carte p. 171) et son gigantesque **Palais royal** (Palazzo Reale ; 0823 44 80 84 ; Via Douhet 22, Caserta ; 6 € ; 8h30-19h mer-lun) vous attendent à 25 km au nord de Naples. Plus communément appelé Reggia di Caserta, ce monument classé au patrimoine mondial de l'Unesco est considéré comme la plus somptueuse et l'ultime réalisation de l'architecture baroque italienne. Des scènes de *Mission impossible 3* y ont été tournées et George Lucas a fait de son intérieur la résidence de la reine Amidala dans deux épisodes de la *Guerre des étoiles* (*La Menace fantôme* et *L'Attaque des clônes*).

La construction débuta en 1752, à l'instigation de Charles VII de Bourbon, roi de Naples, qui souhaitait un palais capable de rivaliser avec le château de Versailles. L'architecte napolitain Luigi Vanvitelli dépassa ses espérances en dessinant un bâtiment encore plus vaste, comptant 1 200 pièces, 1 790 fenêtres, 34 escaliers et une façade longue de 250 m. L'immense escalier d'honneur conçu par Vanvitelli conduit aux appartements royaux, richement décorés de tapisseries, de meubles, de tableaux et de lustres en cristal d'époque. Après la bibliothèque, une salle renferme une vaste collection de crèches napolitaines composées de centaines de figurines sculptées.

Pour vous détendre après la visite, accordez-vous une promenade dans le **parc paysager** (8h30-2 heures avant le coucher du soleil, dernière admission 1 heure avant la fermeture mer-lun) qui dessine une élégante perspective longue de quelque 3 km. Au fond, la grande cascade se déverse dans la fontaine de Diane et le célèbre **jardin anglais** (*giardino inglese* ; visite ttes les heures mer-lun) offre un lacis d'allées bordées de plantes exotiques, de bassins et de fausses ruines romaines. On peut parcourir le parc dans une carriole tirée par un poney (à partir de 5 €) ou avec son propre vélo moyennant 1 €. L'endroit convient aussi parfaitement pour pique-niquer. Dans le palais même, l'**exposition Terrea Motus** (entrée incluse dans le billet d'entrée au palais ; 9h-18h mer-min) évoque le tremblement de terre de 1980 qui dévasta la région. Enfin, une cafétéria et un restaurant permettent de reprendre des forces en rêvant à l'agrandissement de sa maison.

Des bus CPTC partent de la Piazza Garibaldi, à Naples (2,80 €), environ toutes les 30 minutes de 8h à 20h. Certains services à destination de Bénévent (Benevento) s'arrêtent aussi à Caserta. Naples et Caserta sont également reliées par le train (2,80 €). La gare routière et la gare ferroviaire jouxtent l'entrée du Palais royal, bien indiquée. En voiture, suivez les panneaux marqués "Reggia".

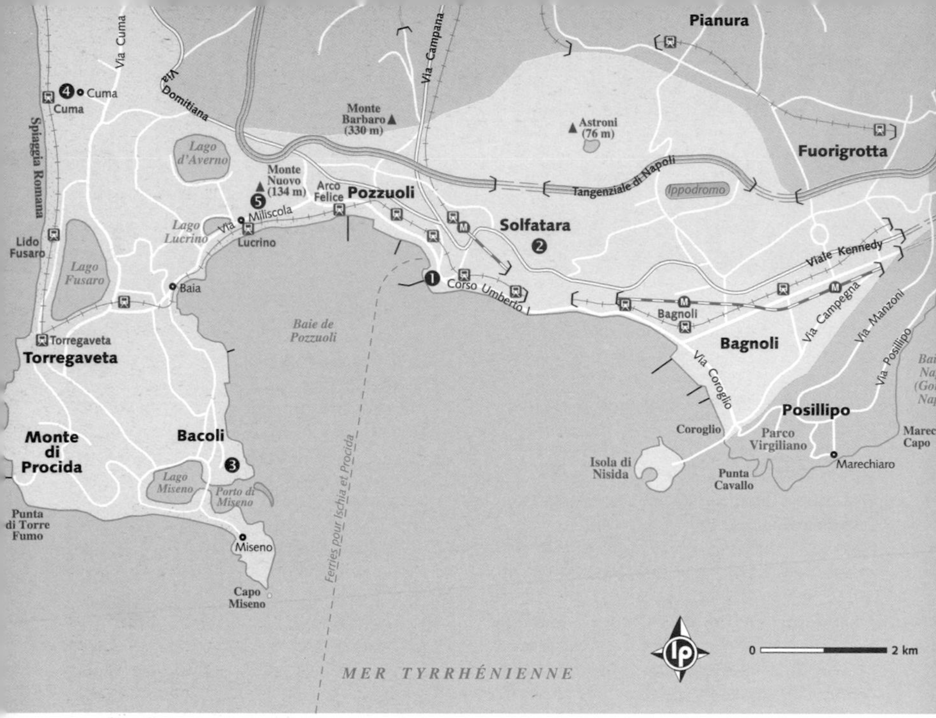

LES CHAMPS PHLÉGRÉENS (CAMPI FLEGREI)

Où se loger p. 154

Secteur à l'activité volcanique intense depuis l'Antiquité, les champs Phlégréens restent assez méconnus et peu visités, malgré leurs multiples attraits.

S'étendant à l'ouest de la colline du Pausilippe jusqu'à la mer Tyrrhénienne, cette région émaillée de lacs et de cratères fumants renvoie à une multitude de mythes antiques. C'est en effet là que les ailes d'Icare fondirent au soleil, qu'Énée chercha conseil auprès de la sibylle et que les empereurs romains venaient en villégiature. Des thermes sont bâtis à flanc de colline, des villas englouties gisent sous la mer et de remarquables sites archéologiques surgissent au détour d'une rue banale.

Antérieures à Naples, les implantations grecques des champs Phlégréens sont les plus anciennes d'Italie. La cité de Cumes (Cuma), premier bastion hellène sur la terre ferme, prospérait déjà lors de la fondation de Parthénope (l'actuel secteur de Pizzofalcone à Naples), en 680 av. J.-C. Pouzzoles (Pozzuoli), le grand pôle régional, et Neapolis (le centre historique de Naples) furent édifiées respectivement en 530 et 470 avant notre ère. On peut d'ailleurs arpenter, sous la ville de Pouzzoles, les ruelles et les tavernes du port antique. Non loin se trouvent le Monte Nuovo, plus jeune montagne d'Europe, le cratère actif de la Solfatara et le paisible lac d'Averne (Lago d'Averno), où Virgile situait l'entrée des Enfers.

Avant d'explorer la région, passez à l'**office du tourisme** (☎ 081 526 66 39 ; Piazza G. Matteotti 1a ; 🕑 9h-14h et 14h30-15h40 lun-ven oct-mai, 9h-13h et 16h-19h30 tlj juin-sep) de Pouzzoles pour y prendre la très utile brochure sur les champs Phlégréens et acheter le billet groupé (4 €) couvrant le temple de Sérapis ainsi que les sites archéologiques de Cumes et de Baies.

Cratère de la Solfatara (p. 104), Pouzzoles JEAN-BERNARD CARILLET

à ne pas manquer
LES CHAMPS PHLÉGRÉENS

1. Rione Terra (p. 104)
2. Le cratère de la Solfatara (p. 104)
3. La Piscina Mirabilis (p. 105)
4. L'Acropole de Cumes (p. 106)
5. Le Monte Nuovo (voir l'encadré p. 104)

POUZZOLES (POZZUOLI)

Pouzzoles fut fondée par des réfugiés politiques de l'île égéenne de Samos. Contrôlée initialement par Cumes, elle accéda à l'autonomie en 194 av. J.-C., après avoir été colonisée par les Romains et rebaptisée par eux Puteoli ("petits puits"). Port important à l'époque, c'est là que saint Paul aurait accosté en 61, et que saint Janvier fut décapité. L'actrice Sophia Loren y passa son enfance.

La ville a connu des hauts et des bas, au sens propre du terme. Le bradyséisme (mouvement lent de montée et de descente de la croûte terrestre) fit remonter le fond marin de 1,85 m entre 1982 et 1984, rendant le port trop peu profond pour les gros navires. En octobre 1983, un tremblement de terre se solda par l'évacuation de 40 000 habitants, pour beaucoup de manière définitive.

Aujourd'hui, l'avenir de Pouzzoles semble à nouveau prometteur. Les grues sont à l'œuvre, les prix de l'immobilier augmentent et les Napolitains stressés s'installent ici pour goûter une vie plus tranquille. Bref, cette ville agréable riche en vestiges antiques, à 13 km de Naples, mérite amplement le détour.

L'office du tourisme (à gauche) se situe à 5 minutes à pied en aval de la station de métro.

LE GRAND AMPHITHÉÂTRE CARTE P. 288

081 526 60 07 ; Via Terracciano 75 ; 4 € ;
9h- 1 heure avant le coucher du soleil mer-lun ;
Cumana pour Pozzuoli ; M Pozzuoli

Troisième plus grand amphithéâtre d'Italie, l'**Anfiteatro Flavio** pouvait accueillir jusqu'à 20 000 spectateurs. Voulu par Néron et terminé par Vespasien (69-79), il a subi l'usure du temps. Les parties les plus intéressantes et les mieux préservées sont les souterrains, sous l'arène principale. En se promenant entre les colonnes écroulées, on imagine les mécanismes complexes qui permettaient de faire entrer les fauves dans les arènes. En 305, sept martyrs chrétiens furent jetés aux bêtes par l'empereur Dioclétien. Ils ne survécurent que pour être ensuite décapités. Saint Janvier, le saint patron de Naples, était l'un d'eux.

L'amphithéâtre accueille l'été des pièces de théâtre et des concerts ; contactez l'office du tourisme (à gauche) pour plus de détails.

Le Grand amphithéâtre de Pouzzoles GREG ELMS

RIONE TERRA CARTE P. 288

848 80 02 88 ; Largo Sedile di Porto ; 3 € ; 9h-18h sam et dim ; Cumana pour Pozzuoli, M Pozzuoli

À 33 m au-dessus de l'extrémité ouest du front de mer, Rione Terra correspond à la partie la plus ancienne de Pouzzoles, l'acropole de Puteoli. À l'époque d'Auguste, le *Capitolium* existant fut somptueusement remanié en marbre blanc par l'architecte Lucius Cocceius Auctus. Rebaptisé temple d'Auguste, il rivalisait alors avec les sanctuaires de Rome.

À nouveau restructuré entre la fin du Ve siècle et le début du VIe siècle, le temple devint la cathédrale de Pouzzoles. En 1632, ce Duomo fut consacré à San Procolo et mis au goût baroque par Bartolomeo Picchiatti et Cosimo Fanzago. L'incendie de 1964 eut pour effet de dévoiler le temple, et les deux édifices imbriqués subissent actuellement d'ambitieux travaux de restauration qui devraient s'achever en 2008.

Le chantier s'intègre dans un projet plus vaste de réhabilitation du quartier, abandonné en masse dans les années 1970 à cause des effets du bradyséisme. Cette désertion fut paradoxalement une aubaine pour les archéologues qui exhumèrent ainsi de d'intéressants vestiges du port antique.

On peut désormais visiter sous terre un ensemble de rues, dont le *decumanus maximus*, jalonnées d'échoppes, de tavernes, de boutiques de meuniers avec leurs meules intactes, et même d'un lupanar. À noter aussi, dans une cellule destinée aux esclaves, un graffiti du poète Catulle.

CRATÈRE DE LA SOLFATARA CARTE P. 288

081 526 23 41 ; Via Solfatara 161 ; 5,50 € ; 8h30-19h ; M Pozzuoli

Étrange cratère volcanique blanc, bouillonnant et inquiétant, le cratère de la Solfatara rappelle, s'il en était besoin, combien les éléments sont actifs ici. Les Romains l'appelaient déjà Foro Vulcani ("la demeure de Vulcain"), et les bienfaits médicaux de ses vapeurs âcres, de ses eaux sulfureuses et de ses riches boues minérales sont renommés depuis des millénaires. D'un côté du cratère, une construction en brique contient deux **stufe**, grottes creusées à la fin du XIXe siècle pour servir de *sudatoria* (sauna). Elles sont éloquemment appelées "purgatoire" et "enfer", et la température peut y atteindre 90°C.

Pour vous y rendre, prenez n'importe quel bus urbain qui se dirige vers la colline depuis la station de métro et demandez au chauffeur de vous déposer à Solfatara.

LA PLUS JEUNE MONTAGNE D'EUROPE

Ce n'est pas tous les jours qu'une montagne se forme. C'est pourtant exactement ce qui se produisit juste à l'ouest de Pouzzoles en 1538. Tout commença au début des années 1530, quand le secteur se mit à connaître un niveau d'activité sismique inhabituel. Les habitants remarquèrent alors une élévation spectaculaire du terrain entre le lac d'Averne, le mont Barbaro et la mer, qui déplaça la côte de plusieurs centaines de mètres. Ils ignoraient à l'époque que le futur **Monte Nuovo** (carte p. 287 ; 081 804 14 62 ; Via Virgilio ; 9h-1 heure avant le coucher du soleil ; Cumana pour Arco Felice) couvait sous leurs pieds. Le 29 septembre 1538 à 20h, une fissure apparut dans le sol près de l'ancienne cité romaine de Tripergole, crachant violemment six jours durant un mélange de pierres ponces, de feu et de fumée. À la fin de la semaine, une éminence de 134 m de haut s'élevait au voisinage de Pouzzoles. La montagne la plus jeune d'Europe est aujourd'hui une réserve naturelle paisible et verdoyante. À l'écart des itinéraires touristiques, ses pentes ombragées surplombant la mer constituent un lieu de promenade et de pique-nique parfait pour se détendre.

TEMPLE DE SÉRAPIS CARTE P. 288

Via Serapide ; Cumana pour Pozzuoli, M Pozzuoli

À l'est du port, le **Tempio di Serapide** fut nommé ainsi, à tort, après la découverte dans ses ruines, en 1750, d'une statue du dieu égyptien Sérapis. En fait, c'était le marché (*macellum*) de la ville. Des deux côtés de l'abside est, les archéologues pensent voir les restes d'un système de toilettes très bien conçu. Gravement endommagé au cours des siècles par le bradyséisme, le monument est aussi périodiquement envahi par l'eau de mer.

BAIES (BAIA)

Située à quelque 7 km à l'ouest de Pouzzoles, Baies doit son nom à Baios, un marin compagnon d'Ulysse, qui y mourut et y fut enterré. Station balnéaire pour les riches romains , elle acquit une réputation de lieu de débauche et de dépravation. Une grande part de la cité antique est maintenant submergée (encore le bradyséisme) et l'intéressante et artificielle route côtière a été laissée en l'état. Il y a quand même un château spectaculaire qui abrite un remarquable musée archéologique.

À 4 km au sud, la bourgade de pêcheurs de Bacoli est le site de la Piscina Mirabilis (voir plus loin).

LAC D'AVERNE CARTE P. 287

Via Lucrino Averno ; Cumana pour Lucrino, Sepsa pour Lucrino

Si quelqu'un vous dit d'aller au diable, filez au **lago d'Averno**, où Virgile place l'entrée des Enfers dans l'*Énéide*.

En 37 av. J.-C., le général romain Marcus Vipsanius Agrippa relia ce lac de cratère au lac de Lucrino voisin, puis à la mer, le transformant en chantier naval stratégique.

S'il n'y a plus de vaisseaux de guerre, les ruines du **temple d'Apollon** (Tempio di Apollo) demeurent. Édifié au IIe siècle sous le règne d'Hadrien, cet ensemble architectural thermal comportait à l'origine une coupole d'une dimension presque comparable à celle du Panthéon de Rome. Ne subsistent aujourd'hui que quatre belles fenêtres à arcature.

Aisément accessible, ce lac paisible bordé de vignes n'est qu'à 1 km de marche au nord de la gare ferroviaire de Lucrino.

MUSÉE ARCHÉOLOGIQUE DES CHAMPS PHLÉGRÉENS CARTE P. 287

081 523 37 97 ; Via Castello ; 4 € ; 9h-19h mar-sam, 9h 1 heure avant le coucher du soleil ; Cumana pour Lucrino ; Sepsa pour Baia

Le **Museo Archeologico dei Campi Flegrei** est rempli de trésors antiques découverts dans la région. Il renferme en particulier l'étonnant nymphée (*Nymphaeum*, fontaine dédiée aux nymphes) retiré des eaux de Baies et soigneusement rebâti. Signalons aussi une statue équestre en bronze de l'empereur Domitien (modifiée pour qu'il ressemble à son successeur Nerva) et les trouvailles récentes faites à Rione Terra (à gauche).

Le château de Baies, dans lequel est hébergé le musée, fut construit à la fin du XVe siècle par les Aragonais pour se défendre de possibles invasions françaises. Agrandi par la suite par le vice-roi de Naples don Pedro de Toledo, il servit d'orphelinat militaire durant la majeure partie du XXe siècle.

PARC ARCHÉOLOGIQUE DE BAIES CARTE P. 287

081 868 75 92 ; Via Sella di Baia 22, Bacoli ; 4 € ; 9h-17h mar-dim ; Cumana pour Lucrino et then ; Sepsa pour Baia

À l'époque romaine, ce palais et ensemble thermal du Ier siècle av. J.-C. accueillait les empereurs et leurs hôtes de marque dans une série de salles somptueusement décorées qui descendaient jusqu'à la mer. On peut encore y admirer de jolis sols en mosaïque et un superbe *balneum* (salle de bains), un théâtre en plein air et des thermes impressionnants (baptisés à tort temple de Mercure), dont la piscine est coiffée d'une coupole ornée d'énormes poissons rouges. L'été, le San Carlo (p. 135) programme à l'occasion des spectacles d'opéra dans le théâtre.

PISCINA MIRABILIS CARTE P. 287

081 523 31 99 ; Via Piscina Mirabilis ; variable ; Sepsa pour Bacoli

Vestige archéologique d'importance, la Piscina Mirabilis ("piscine merveilleuse") se cache à l'écart dans une petite rue de Bacoli. Pour y accéder, contactez Mme Filomena au n°9. Il s'agit de la plus vaste citerne romaine au monde (12 600 m^3) qui, avec sa voûte en berceau soutenue par 48 piliers, ressemble à une sombre cathédrale souterraine éclairée par des puits de lumière. Construite à l'époque d'Auguste, elle approvisionnait en eau douce la flotte militaire basée non loin, à Misène. L'aqueduc d'Auguste acheminait l'eau du Serino dans le réservoir où elle était soulevée à l'aide d'engins hydrauliques sur la terrasse de l'ouvrage, sortant par des portes percées dans la nef centrale. La sophistication du système laisse les ingénieurs pantois et l'on imite aujourd'hui encore le mortier (*opus signinum*)

L'ATLANTIDE ITALIENNE

Sous les eaux littorales de Baia (Baies) gisent les ruines de la cité antique du même nom (Baiae), ancien lieu de villégiature balnéaire du patriciat romain. Victime du bradyséisme, la ville fut engloutie par les flots et oubliée pendant plusieurs centaines de siècles avant sa redécouverte, en 1956, par le célèbre plongeur Raimondo Bucher. Si nombre de vestiges sont désormais exposés au musée archéologique des champs Phlégréens (ci-contre), ce trésor sous-marin conserve encore in situ de superbes mosaïques et monuments, dont la villa d'été de l'empereur Claude. Depuis le port de Baies, CYMBA organise des visites de la **Città Sommersa** (cité submergée) à bord d'un bateau à fond vitré (349 497 41 83 ; prenotazioni@baiasommersa.it ; mar-dim ; visite 10/7 €). Téléphonez d'abord pour connaître les horaires du moment.

JEAN-BERNARD CARILLET

UNE PLAGE DE RÊVE

En dessous du château de Baies, la fabuleuse **Spiaggia del Castello** (plage du château ; carte p. 287), accessible uniquement en bateau depuis la jetée voisine, occupe une langue de sable cernée par la mer. Pour rejoindre la jetée, prenez un bus SEPSA à destination de Baies et descendez devant l'usine FIART, juste au sud de la ville. Parcourez ensuite 200 m à pied vers le sud, tournez à gauche à hauteur de la grille verte et suivez l'allée jusqu'au bout. L'aller simple coûte 3 € et l'on peut louer sur place une chaise longue (5 €) ou un parasol (4 €) pour passer un moment au bord de l'eau. Évitez la foule du week-end en venant en semaine.

utilisé pour étanchéifier le sol et les parois. L'entrée est libre, mais prévoyez un don (1 € devrait suffire) pour la gardienne.

CUMES (CUMA)

Terre de légende, Cumes joua un rôle important dans l'imaginaire antique : son soleil fit fondre les ailes d'Icare et son rivage vit débarquer le héros troyen Énée.

Première colonie grecque sur la péninsule italienne, elle fut établie au VIIIe siècle av. J.-C. par des colons originaires de l'île d'Eubée. Les Romains prirent le contrôle de la cité au IIIe siècle av. J.-C. et construisirent l'impressionnante grotte de Cocceio (fermée au public), tunnel rectiligne reliant Cumes au port du lac d'Averne, dans l'intérieur des terres.

L'ACROPOLE CARTE P. 287

☎ 081 854 30 60 ; Via Montecuma ; 4 € ; 🕑 9h-2 heures avant le coucher du soleil ; 🚌 12 depuis Pozzuoli (Pouzzoles)

Le cœur de l'ancienne colonie de Cumes était l'**Acropoli**. À ses pieds, le **temple d'Apollon** (Tempio di Apollo) fut construit sur le site d'où Dédale se serait envolé pour l'Italie. Selon la mythologie grecque, Dédale et son fils Icare auraient fui la Crète par la voie des airs pour échapper au roi Minos. Icare s'étant trop approché du soleil, la cire qui maintenait les plumes de ses ailes aurait fondu, provoquant sa chute.

Le **temple de Jupiter** (Tempio di Giove) occupe le haut de l'acropole. Datant du Ve siècle av. J.-C., il fut plus tard converti en basilique chrétienne, dont quelques vestiges sont encore visibles.

Mais c'est pour la **grotte de la sibylle** (Antro della Sibilla Cumana) que se déplacent la plupart des visiteurs. Un tunnel en forme de trapèze de 130 m de long, taillé dans la pierre, mène à une salle voûtée dans laquelle la sibylle aurait transmis des messages d'Apollon. Virgile, probablement inspiré par sa propre descente dans le tunnel, décrivit la descente d'Énée aux Enfers (par le lac d'Averne, tout proche) après une visite à la sibylle. Des études récentes, plus prosaïques, soutiennent que le tunnel faisait en fait partie du système de défense de Cumes.

Si vous venez en bus, prenez le P12R de la CTP (www.ctpn.it en Italien). Pensez à demander au chauffeur les horaires du retour pour Pouzzoles afin d'éviter une attente pénible sur le bord de la route.

AUTRES SITES

La banlieue de Fuorigrotta, au nord-est de Naples, est célèbre pour deux réalisations modernes : le **parc Edenlandia** et le **stade San Paolo** (p. 134). Non loin de là, la **Mostra d'Oltremare** (Foire d'outre-mer ; carte p. 287 ; ☎ 081 725 80 00 ; Piazzale Tecchio 52 ; 🚌 152), espace qui accueille des expositions, fut construite par Mussolini entre 1937 et 1940.

Pour des informations sur le Vésuve, Pompéi et la côte amalfitaine, reportez-vous aux chapitres *Côte amalfitaine* et *Sites antiques*.

CITÉ DE LA SCIENCE CARTE P. 287

☎ 081 735 21 11 ; www.cittadellascienza.it ; Via Coroglio 104, Bagnoli ; adulte/enfant 7/5 € ; 🕑 9h-17h mar-sam, 10h-19h dim, horaires prolongés juil ; Ⓜ Bagnoli, 🚌 C9/C10

Les anciennes aciéries de Bagnoli ont repris vie sous la forme de la **Città della Scienza**. À l'intérieur de ce grand musée scientifique, quantité de vidéos, de jeux et d'ordinateurs high-tech guident les visiteurs dans une exploration interactive du monde qui nous entoure. Parmi les nombreux thèmes abordés, citons les phénomènes naturels, la science des communications modernes et, dans le planétarium (2 €), le ciel nocturne.

EDENLANDIA CARTE p. 287

☎ 081 239 40 90 ; Viale Kennedy 76 ; adulte/enfant - de 1,10 m 2 €/gratuit ; 🕑 variables, téléphoner à l'avance ; 🚌 de Cumana à Edenlandia

Parc de loisirs historique de Naples, Edenlandia compte plus de 200 attractions, allant des classiques grandes roues et auto-tamponneuses, aux cinémas 3D et simulateurs de vol high-tech. Le billet d'entrée (2 €) comprend le cinéma, un spectacle de variétés et un théâtre pour enfants.

BALADES

BALADES DANS NAPLES

S'il faut éviter une chose à Naples, c'est de circuler en voiture. Sauf la nuit, et encore...

N'importe quel Italien vous donnera ce conseil, mais les Napolitains vous assureront (avec une légère pointe d'arrogance) qu'il suffit de s'habituer aux conditions de circulation, ce qui prend des années. Le plus simple est donc de se déplacer à pied.

La marche n'est d'ailleurs pas non plus totalement sans risques. Les scooters passent vite et vous frôlent au passage, les voitures garées encombrent les rues, et inutile d'espérer que celles qui roulent s'arrêtent aux passages pour piétons, à moins d'y être contraintes par un obstacle. L'idéal est de traverser en même temps que des Napolitains, pour faire bloc et inciter ainsi les voitures à s'arrêter.

Naples est une ville très facile à découvrir à pied car elle se découpe aisément en quartiers. Avec les itinéraires suivants, vous pourrez prendre le pouls de la cité.

SPACCANAPOLI ET LE CENTRE HISTORIQUE

Ce circuit se concentre sur le centre historique (*centro storico*) et ses deux rues principales, la Via San Biagio dei Librai et la Via dei Tribunali..

En partant de la **Piazza Garibaldi**, descendez un peu le Corso Umberto I avant de tourner à droite dans la Via Ranieri, puis à gauche dans la Via dell'Annunziata. Peu après, remarquez à gauche la basilique **Santissima Annunziata** 1 (p. 77) et son célèbre orphelinat, dont le mur comporte toujours la triste et émouvante *ruota*, un tambour de bois dans lequel étaient déposés autrefois les bébés abandonnés. Descendez la rue et tournez à droite dans la Via Forcella. Traversez la Via Pietro Colletta et continuez dans la rue qui oblique vers la gauche et rejoint la Via Vicaria Vecchia. Au carrefour avec la très animée Via Duomo, on tombe sur la **basilique San Giorgio Maggiore** 2 (p. 75). En poursuivant sur la gauche la Via Duomo, vous arriverez au **Duomo** 3 (p. 75). C'est là que des milliers de croyants se rassemblent chaque année en mai, septembre et décembre, pour assister à la liquéfaction miraculeuse du sang solidifié de saint Janvier. L'entrée de l'**église et pinacothèque dei Girolamini** 4 (p. 75) fait face au Duomo.

L'étape suivante consiste à redescendre la Via Duomo jusqu'à la Via dei Tribunali, appelée *decumanus major* à l'époque romaine, et parallèle à la Via San Biagio dei Librai, c'est-à-dire Spaccanapoli, l'ancien *decumanus inferior*. Avant de partir à droite vers le cœur du centre historique, faites un petit détour sur la gauche pour admirer le chef-d'œuvre du Caravage, *Les Sept Œuvres de la Miséricorde* (*Le Sette Opere di Misericordia*), au **Pio Monte della Misericordia** 5 (p. 74). Profitez-en pour jeter un œil à la baroque **flèche San Gennaro** 6 (p. 74), située sur la petite place en face de l'église. Puis reprenez le chemin de la Via dei Tribunali.

Une fois la Via Duomo traversée, on arrive à la Piazza San Gaetano, 150 m plus loin sur la droite. Cette placette, qui correspond à l'ancien forum romain, est aujourd'hui dominée par l'imposante **église San Paolo Maggiore** 7 (p. 70). C'est aussi là, sur le côté, que se situe l'entrée de **Napoli Sotterranea** 8 (p. 65), la ville souterraine. Cet immense réseau, creusé par les Grecs à 30 m ou 40 m sous terre pour extraire le tuf, servit d'abri anti-aérien durant la Seconde Guerre mondiale. En surface, l'**église San Lorenzo Maggiore** 9 (p. 70) occupe l'autre extrémité de la place. Cette magnifique et austère église gothique, construite sur des ruines romaines est un des plus beaux monuments du centre historique.

Quittez la Via dei Tribunali et engagez-vous dans la **Via San Gregorio Armeno** 10 (p. 74). En décembre, les Italiens viennent de tout le pays faire leurs emplettes dans les boutiques de cette rue, spécialisées dans les crèches (*presepi*), dont absolument aucune famille italienne ne saurait se passer à Noël. Visitez au passage l'**église San Gregorio Armeno** 11 (p. 70), célèbre pour son extravagante décoration baroque et son miracle hebdomadaire : le sang de sainte Patricia est supposé s'y liquéfier tous les mardis.

La rue se termine dans la Via San Biagio dei Librai. Tournez alors à droite, à environ 250 m plus loin, sur la droite, se trouve la **Statua del Nilo** 12 (p. 74). Elle fait face au mur

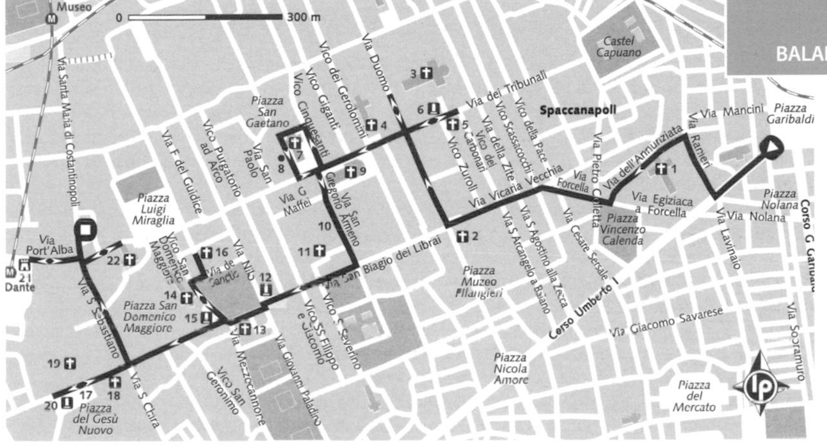

DONNÉES PRATIQUES

Départ Piazza Garibaldi
Arrivée Piazza Bellini
Distance 3 km
Durée 4 heures
Transports Ⓜ Garibaldi

Église San Paolo Maggiore (p. 70) JEAN-BERNARD CARILLET

sur lequel est fixé l'autel au footballeur Maradona, beaucoup moins imposant ! L'**église Sant'Angelo a Nilo** 13 (p. 70), dont l'entrée donne dans le Vico Donnaromita, une petite rue latérale, est un peu plus loin sur la gauche.

L'arrière de l'imposante **église San Domenico Maggiore** 14 (p. 69) donne sur la **place piétonne** (p. 73) du même nom, entourée de cafés. Au centre, la **flèche de San Domenico** 15 (p. 73) est surmontée d'une statue de saint Dominique. La **chapelle Sansevero** 16 (p. 68), à ne pas rater, est dans une ruelle au-delà de l'église, juste à côté de la place. Cette merveilleuse chapelle sert d'écrin à l'étonnant Christ voilé (*Cristo Velato*), une sculpture de Giuseppe Sammartino et un des chefs-d'œuvre de Naples.

Dans le prolongement de la Via San Biagio dei Librai, suivre la Via Benedetto Croce jusqu'à la **Piazza del Gesù Nuovo** 17 (p. 73), lieu de multiples dévotions nocturnes. Elle est flanquée de la **basilique Santa Chiara** 18 (p. 67) et de l'**église du Gesù Nuovo** 19 (p. 69). En son centre, la **flèche dell'Immacolata** 20 (p. 73) est une bonne illustration des excès du baroque. Le cloître de Santa Chiara, décoré de majoliques, offre une des rares oasis de calme du centre historique, et l'église attenante, presque entièrement détruite par les bombardements de 1943 et restaurée dans son style gothique originel est une pure merveille.

Revenez sur vos pas jusqu'à la première intersection et tournez à gauche dans la Via San Sebastiano. Au carrefour suivant, sur la gauche, une courte rue vous mènera à une porte de la ville, bâtie en 1625, la **Port'Alba** 21 (p. 74).

Vous avez maintenant plusieurs possibilités. Si vous tournez à gauche, vous déboucherez sur la Piazza Dante. En prenant à droite, vous découvrirez la Piazza Luigi Miraglia, bordée par le conservatoire de Naples et l'**église San Pietro a Maiella** 22 (p. 72). En allant tout droit, vous arriverez **Piazza Bellini** (p. 73) où les bars sont parfaits pour vous accorder un répit plus que mérité. Quand on est aussi près, il serait toutefois dommage de passer à côté des restes des murs grecs, au sous-sol de la place, sans les voir…

DU CASTEL NUOVO À LA CHARTREUSE SAN MARTINO

Ce circuit mène d'un monument à un autre, d'un quartier à l'autre : du Castel Nuovo, sur le front de mer, dans le quartier de Santa Lucia, à la chartreuse San Martino, 250 mètres plus haut, sur la colline de Vomero. Pas d'inquiétude, il n'est pas nécessaire de faire toute l'ascension à pied (même s'il existe un escalier long et raide qui rejoint la chartreuse), le funiculaire vous amènera à Vomero en environ deux minutes. Et vous découvrirez un panorama exceptionnel.

La grande **Piazza del Municipio** (p. 86) est un véritable condensé de Naples : une circulation bruyante et frénétique, des nuages de gaz d'échappement noirâtres, des trottoirs envahis par une foule mangeant des glaces et fumant tout en criant dans des portables, et des touristes déambulant jusqu'à la gare maritime pour embarquer dans un ferry. Le tout surveillé d'en haut par le **Castel Nuovo** 1 (p. 83), forteresse imposante du XIIIe siècle, appelée également *"Maschio Angioino"* ("donjon angevin") par les Napolitains. Il abrite aujourd'hui un musée. Du château, traversez la place et prenez à gauche en direction de la Via Medina où se trouve la baroque **fontaine de Neptune** 2 (p. 85), une des plus belles de Naples. Le vice-roi espagnol don Pedro di Toledo (XVIe siècle), enterré au bout de la place dans l'**église San Giacomo degli Spagnoli** 3 (p. 86), a pour plus proche voisine madame le maire, qui a ses bureaux dans le **palais San Giacomo** 4 (p. 86).

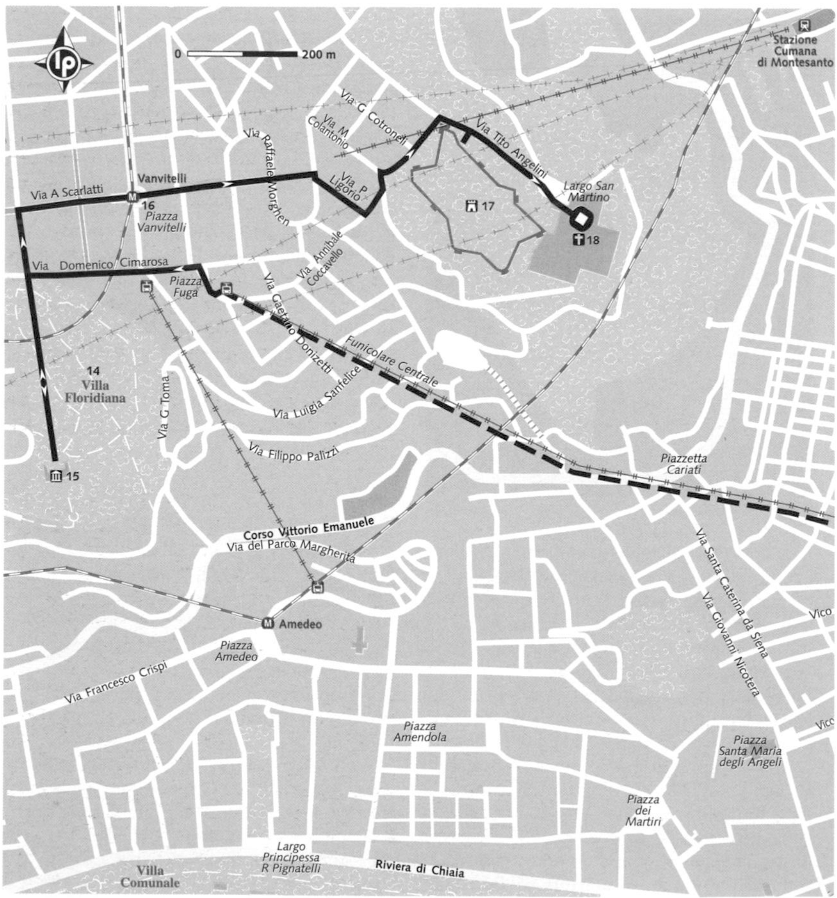

En longeant la Via Giuseppe Verdi vers le sud, on arrive à la Via San Carlo et au **théâtre San Carlo** 5 (p. 87), un des plus grands opéras d'Italie, bâti 41 ans avant la Scala de Milan. Il fait face à l'une des quatre entrées de la **Galleria Umberto I** 6 (p. 79), une galerie commerçante du XIXe siècle qui, comme le théâtre San Carlo, peut être comparée à un édifice milanais très proche, la galerie Victor Emmanuel II. La Via San Carlo vous mènera ensuite à l'énorme **Palais royal** 7 (p. 85), qui abrite la bibliothèque nationale et les appartements royaux, richement meublés. L'entrée du palais se fait sur la **Piazza Trieste e Trento** 8 (p. 86), pôle d'attraction des touristes désireux de goûter l'expresso du **Caffè Gambrinus** 9 (p. 120). Sur le trottoir, à côté du café, un escalier mène à une galerie en sous-sol originale et surprenante, **Napoli nella Raccolta de Mura** 10 (p. 87), consacrée à la musique et au théâtre traditionnels napolitains.

Après cette petite pause café, traversez allégrement la grande **Piazza del Plebiscito** 11 (p. 86) où est installée la version locale du Panthéon romain, l'**église San Francesco di Paola** 12 (p. 86). Pour revenir Piazza Trieste e Trento, poursuivez votre chemin en passant devant l'**église San Ferdinando** 13 (p. 87) et remontez la Via Toledo sur 150 m pour arriver à la gare du funiculaire, sur la gauche. Il ne reste qu'à sauter dans un wagon pour grimper jusqu'à Vomero.

Une fois en haut de la colline, suivez la Via Domenico Cimarosa en direction de la **Villa Floridiana** 14 (p. 92), un des rares espaces verts de la ville, recommandé pour les pique-niques. Le **musée national de la Céramique Duca di Martina** 15 (voir p. 92) est en bas du parc. Ensuite, ressortez du parc et prenez la Via Giovanni Merliani jusqu'au premier carrefour. Tournez à droite dans la Via Alessandro Scarlatti, principale artère de Vomero, et suivez-la sur toute sa longueur. Traversez la **Piazza Vanvitelli** 16 et continuez jusqu'aux escaliers proches de la station de funiculaire Morghen, puis tournez à gauche dans la Via Colantonio et de nouveau à gauche dans la Via Annibale Caccavello. La Via Tito Angelini se trouve au bout. Elle regroupe le **Castel Sant'Elmo** 17 (p. 91) sur la gauche et la **chartreuse San Martino** 18 (p. 91), environ 100 m plus loin. Ce monastère du XIVe siècle abrite un musée et une galerie d'art admirables. Et comme si cela ne suffisait pas, le panorama sur la ville est fabuleux.

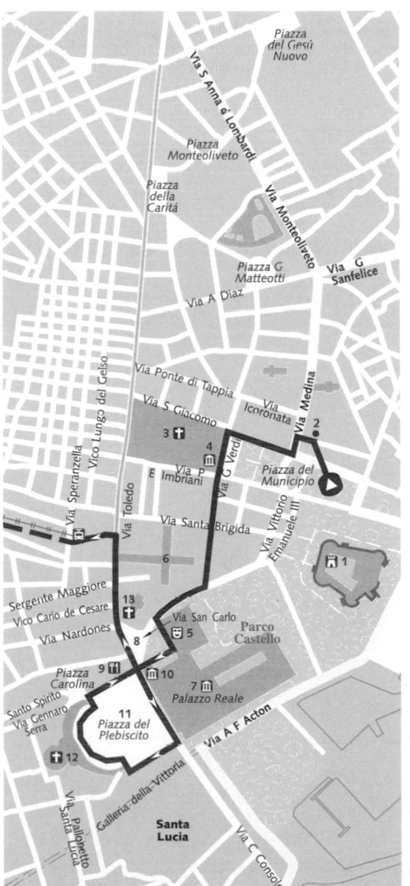

DONNÉES PRATIQUES

Départ Piazza del Municipio
Arrivée Chartreuse San Martino
Distance 4 km (sans le funiculaire)
Durée 4 heures
Transports R2 pour la Piazza del Municipio et le funiculaire Centrale Via Toledo pour Fuga

Piazza Trieste e Trento (p. 86) MARTIN MOOS

BALADE SUR LE FRONT DE MER

Ce circuit part du Borgo Marinaro et rejoint la Piazza del Plebiscito, puis la Piazza dei Martiri par la Via Chiaia. De là, il faut retourner vers la mer et suivre la courbe de la baie par la Villa Comunale et le *lungomare* (front de mer) jusqu'à Mergellina. C'est par une belle soirée d'été que la balade du front de mer est la plus agréable.

Éloignez-vous de l'île de pierre volcanique connue des Grecs anciens sous le nom de Megaris, et appelée **Borgo Marinaro** (p. 83) par les Napolitains. Le **Castel dell'Ovo** 1 (p. 83), le plus ancien château fort de la ville, y fut érigé au XIIe siècle. En revenant sur la terre ferme, vous tomberez sur la Via Partenope et son alignement d'hôtels de luxe, le long du front de mer. À quelques mètres sur la droite, la spectaculaire **fontaine dell Immacolatella** 2 (p. 85) mérite un coup d'œil.

Traversez la Via Partenope au niveau de la fontaine, revenez vers la gauche et prenez la deuxième à droite, la Via Santa Lucia. Après l'avoir tranquillement parcourue, prenez à gauche afin d'aboutir environ 200 m plus loin **Piazza del Plebiscito** 3 (p. 86). Traversez la place en diagonale pour rejoindre la Via Chiaia, sur la gauche. Cette rue pavée très chic rejoint la Via S. Caterina. Elle débouche sur la **Piazza dei Martiri** 4 (p. 89), centre du quartier huppé de Chiaia, dominée par un obélisque du XIXe siècle. Poursuivez votre balade par la Via Calabritto, en en profitant pour rêver devant les créations exposées dans les boutiques des grands couturiers. Rejoignez la Piazza Vittoria et l'entrée de la **Villa Comunale** 5 (p. 89). Ce parc empli de palmiers, de statues et de balançoires, abrite aussi le plus vieil aquarium d'Europe, la **Station zoologique** 6 (p. 89). Si vous préférez les céramiques à la verdure, explorez le **musée Pignatelli** 7 (p. 88), situé dans la partie du parc la plus éloignée de la mer.

Pour retourner au front de mer, retraversez la Riviera di Chiaia et la Villa Comunale afin d'arriver à la Via Francesco Caracciolo. Elle prolonge la Via Partenope et rejoint le quartier de Mergellina en longeant la baie. Cette promenade agréable ne passe devant aucun monument, mais elle offre une belle vue sur la mer et Capri au loin. Mergellina commence à la marina de **Porticciolo** 8 (p. 101). En y arrivant, piquez droit sur les bars et les *gelaterie* (glaciers) surnommés les **chalets** 9 (p. 101). Il fait bon s'y reposer un moment.

Les plus énergiques traverseront la rue principale pour rejoindre la Via Mergellina qui part vers le nord, après la Piazza Sannazzaro, et poursuivront dans la Salita

DONNÉES PRATIQUES

Départ Borgo Marinaro
Arrivée Parc Vergiliano
Distance 5 km
Durée 4 heures
Transports C25 pour la Via Partenope

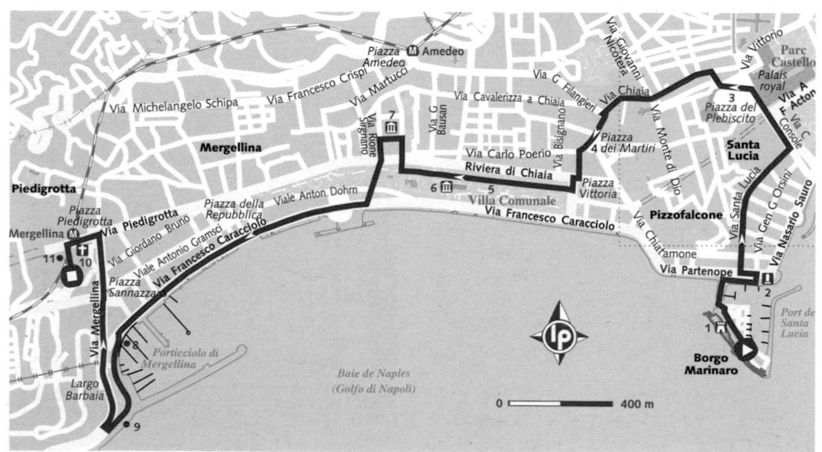

Piedigrotta. En haut de la courte montée apparaîtront sur votre gauche l'**église Santa Maria di Piedigrotta** 10 (p. 99) et, de l'autre côté de la rue, la gare et la station de métro Mergellina. À l'église, prenez à gauche et passez sous le pont de chemin de fer (en apnée) pour arriver au **parc Vergiliano** 11 (p. 100), sur votre gauche. C'est dans ce petit parc bien entretenu que serait enterré Virgile.

DU MUSÉE ARCHÉOLOGIQUE NATIONAL À CAPODIMONTE

Ce circuit, dont le point de départ est le Musée archéologique national, traverse le quartier populaire de la Sanità avant d'arriver au Palais royal de Capodimonte et aux catacombes de San Gennaro. En chemin, vous découvrirez d'autres catacombes et quelques églises.

Inutile d'être archéologue pour apprécier les collections du **Musée archéologique national** 1 (p. 80). Il compte, entre autres chefs-d'œuvre, le *Taureau Farnèse* et des mosaïques, qui pour beaucoup décoraient les murs des maisons nobles de Pompéi.

De la Piazza Museo Nazionale, prenez la Via Foria dans le sens de la circulation et traversez la Piazza Cavour. Juste après la station de métro Cavour, tournez à gauche dans la Via Vergini qui mène tout droit dans le quartier de la Sanità. Les habitants de la Sanità ("la santé") sont pauvres et les immeubles délabrés. Durant des siècles, la Sanità a été le lieu où la ville enterrait ses morts. Parcourir ce quartier, c'est découvrir la Naples populaire, et vous pouvez aussi visiter des catacombes.

DONNÉES PRATIQUES

Départ Piazza Museo Nazionale
Arrivée Catacombes de San Gennaro
Distance 3 km
Durée 4 heures
Transports Ⓜ Cavour

La Via Vergini se termine par une fourche. Suivez alors la Via Arena della Sanità, qui part sur la gauche. Prenez légèrement à droite la Via della Sanità qui conduit à la Piazza della Sanità. Sur la place, l'**église Santa Maria della Sanità** 2 (p. 95) donne accès aux sombres et humides **catacombes de San Gaudioso.** Vous y verrez des mosaïques et des fresques du Ve siècle et apprendrez les secrets des inhumations médiévales.

En sortant, tournez le dos à l'église et prenez à gauche la Via San Severo a Capodimonte en direction de l'église San Severo. Le premier évêque de Naples est enterré depuis l'an 410 sous ce monument du XVIe siècle dans les **catacombes de San Severo** 3.

La rue s'incurve ensuite vers le nord. La Salita Capodimonte s'élève sur la gauche de la Piazzetta San Severo. En haut des marches, prenez à gauche et suivez les lacets de la rue jusqu'à la Via San Antonio a Capodimonte. Au bout de la rue, le **parc de Capodimonte** 4 (p. 95) est en face de vous. Une fois passée la grille du parc, suivez la courbe de l'allée qui mène au **Palais royal de Capodimonte** 5 (p. 93). Ce palais du XVIIIe siècle renferme une magnifique collection. Ses trois étages comptent 160 salles dans lesquelles sont accrochés des tableaux allant du Caravage à Andy Warhol.

Après, deux solutions sont possibles pour rejoindre la dernière escale, les **catacombes de San Gennaro** 6 (p. 93) : redescendre la Via San

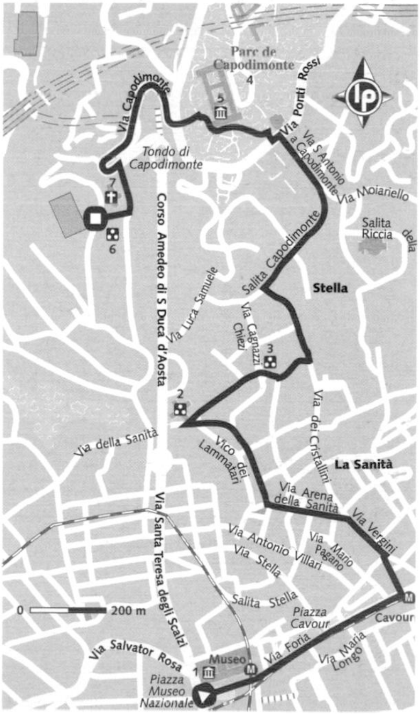

Antonio a Capodimonte à pied, ou sauter dans un des bus s'arrêtant en face de la grille d'entrée du parc et descendant la colline. Sortez du bus au niveau de l'**église Madre di Buon Consiglio** 7 (p. 93), sur votre droite, impossible à manquer. Ultime lieu de repos de saint Janvier, les catacombes méritent une visite pour leurs fresques et leurs mosaïques paléochrétiennes.

À L'ASSAUT DU MONT ECHIA

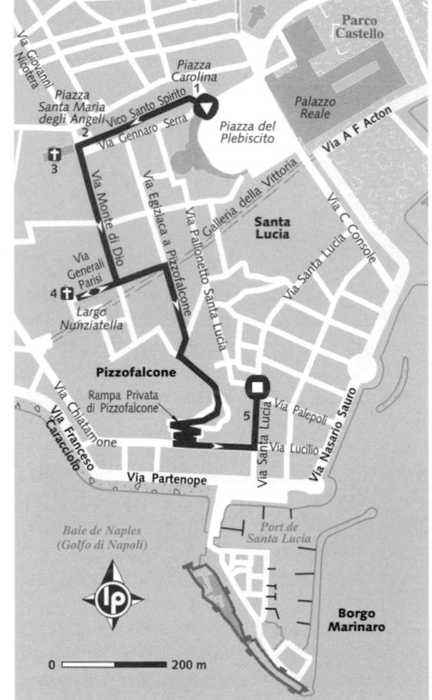

C'est sur la colline du mont Echia que les Grecs fondèrent au VIIe siècle av. J.-C. la cité de Parthenopê, 300 ans avant Neapolis ("nouvelle ville"). Ce quartier, situé derrière la Piazza del Plebiscito, est une des plus anciennes parties de la ville. Ce circuit, qui ne comporte pas beaucoup de monuments "à voir absolument", est une promenade courte et tranquille, ponctuée de superbes points de vue. Attention quand même, la grimpette est raide et la descente en épingle à cheveux.

Le départ de la balade se trouve derrière les colonnes de la Piazza del Plebiscito : votre ascension du mont Echia débute sur la **Piazza Carolina** 1. Deux rues étroites, le Vico Santo Spirito di Palazzo et la Via Gennaro Sorra, permettent de monter la colline. Elles se rejoignent sur la **Piazza Santa Maria degli Angeli** 2. Cette petite place doit son nom à l'**église Santa Maria degli Angeli** 3 (p. 87), monument baroque à la façade jaune identifiable à son immense coupole.

DONNÉES PRATIQUES

Départ Piazza Carolina
Arrivée Via Santa Lucia
Distance 1,5 km
Durée 2 heures
Transports CS pour la Piazza Trieste e Trento

Quittez la place par la Via Monte di Dio, que vous suivrez jusqu'à la Via Generali Parisi, courte, que vous prendrez sur la droite. Au bout se trouve la **Nunziatella** 4 (p. 87), une prestigieuse école militaire.

Retournez Via Monte di Dio et poursuivez votre balade dans la Via Nunziatella jusqu'au premier carrefour. Tournez à droite dans la Via Egiziaca Pizzofalcone et entamez la montée vers le sommet par cette charmante rue. Une fois au bout, continuez à monter tout droit par la Salita Echia. En arrivant au jardin, le panorama sera votre récompense.

Il y a deux manières de redescendre : repartir par le même itinéraire qu'à l'aller ou suivre le chemin qui descend sur la droite de la terrasse du jardin. La Rampa Privata di Pizzofalcone descend en lacets raides le long du roc escarpé et redevient horizontale au niveau de la Via Chiatamone. Remarquez au passage les petites habitations populaires construites à flanc de colline. Une fois en bas, tournez à gauche, vous rejoindrez quelques mètres plus loin la **Via Santa Lucia** 5, un endroit parfait pour s'installer autour d'une table sur le trottoir et commander une pizza.

OÙ SE RESTAURER

GREG ELMS

OÙ SE RESTAURER

Si beaucoup de chefs des grandes métropoles occidentales ne jurent que par la cuisine "fusion", les cuisiniers napolitains mettent en pratique ce que leur a appris la *mamma* : des recettes simples, fraîches et de saison.

Voir Naples et se régaler... Les rues de la ville sont en effet une véritable terre promise pour les amateurs de bonne chère. Les marchés regorgent de voluptueux poivrons et de homards gigotant dans des baignoires en plastique, les charcuteries croulent sous les saucissons pimentés et une odeur de poisson frais envahit l'atmosphère. Partout, des stands vendent les en-cas les meilleurs et les moins chers d'Italie, qu'il s'agisse d'*arancini* (grosses boules de riz farcies d'une sauce à la viande) dorés, de *crocchè* (boulettes de pomme de terre remplies de mozzarella et frites), de *pizza fritta* (pizza frite fourrée de jambon, de mozzarella ou d'algues) ou de *frittatine di pasta* (boules de pâtes garnies de porc émincé, de béchamel et de petits pois, passées dans la friture).

COMBIEN ?

Généralement moins cher qu'à Venise ou à Rome, les restaurants napolitains s'adressent à la population locale. Si vous disposez d'un budget serré, choisissez plutôt les en-cas vendus dans la rue, les pizzas et les plats de pâtes simples. Faites aussi attention au prix des boissons ; une bière revient facilement à 3-4 € dans les restaurants plus chic. De même, méfiez-vous de l'addition pour un poisson facturé au poids... Le mieux est de demander son prix avant qu'il soit cuit. La plupart des établissements ajoutent à la note le prix du *coperto* (pain et couvert), soit 1,50-3 € par personne.

Les adresses figurant dans ce chapitre sont classées selon les catégories suivantes : € (1-15 €), €€ (15-30 €) ou €€€ (30 € et plus). Sauf mention contraire, le terme "repas" correspond à une entrée, un plat et un dessert, sans vin ni couvert.

LES MEILLEURS…

Sfogliatelle Pintauro (p. 121)
Cafés Caffè Mexico (p. 120)
Pizzas Da Michele (p. 118)
Pâtes Donna Teresa (p. 125)
Glaces Scimmia (p. 122)
Fruits de mer Dora (p. 123)
Ambiance Nennella (p. 121)
Plats bon marché Di Girolamo Giuseppe (p. 126)

Sfogliatelle JEAN-BERNARD CARILLET

La cuisine maison règne en maître, en particulier dans les *trattorie* et *osterie* (petits restaurants sans prétention) familiales, qui servent de grands classiques comme la *pasta e fagioli* (pâtes aux haricots) ou les *spaghetti alla vongole* (spaghettis aux palourdes), à la fois délicieux, nourrissants et très abordables. Certains de ces établissements, parmi les plus anciens et les meilleurs, se cachent dans les rues sombres du centre historique et des Quartiers espagnols. Ne vous laissez pas refroidir par la médiocrité du cadre car, dans ce genre d'endroit, la nourriture prime largement sur le décor. Il existe bien sûr des adresses plus chic, la plupart dans le vieux quartier de pêche de Santa Lucia, où l'on déguste de la *zuppa di pesce* (soupe de poisson) avec les bateaux en toile de fond.

La pizza, spécialité napolitaine par excellence, est la grande affaire ; on la prépare ici fine et moelleuse au centre, plus épaisse sur les bords. La simplissime margherita (tomate, mozzarella de bufflonne, huile d'olive et basilic) est, sans conteste, la version la plus populaire. Contrairement à son nom, la pizza *marinara* ne contient pas de fruits de mer : son appellation lui vient de son succès auprès des pêcheurs. Choisissez toujours les enseignes mentionnant "Vera Pizza" – un label reconnaissable au personnage de *Pulcinella*, attribué aux établissements qui confectionnent leur pizza à la manière traditionnelle.

Lorsqu'ils ne dévorent pas les mets dont nous venons de parler, les Napolitains se retrouvent aux comptoirs des bars et aux tables des cafés devant des pâtisseries, comme la *sfogliatella* (chausson de pâte feuilletée fourré à la ricotta, aux fruits confits et parfumé à la cannelle) ou le baba au rhum. Le *cornetto* (croissant fourré au Nutella, à la crème ou à la confiture) se mange souvent le matin au petit déjeuner ou à la sortie des discothèques – les noctambules se pressant alors dans les bars de nuit. Enfin, les glaces napolitaines fabriquées sur place sont absolument exquises.

Les restaurants ouvrent d'ordinaire de 12h à 15h et de 19h à 23h. Ceux du centre historique ferment souvent le dimanche, les autres le lundi. Environ la moitié des tables de la ville cessent leur activité au mois d'août.

Sauf mention contraire, les adresses citées dans ce chapitre appliquent les horaires standard.

Il n'est généralement pas possible de réserver dans une simple trattoria ou pizzeria. En revanche, nous vous conseillons de le faire dans les restaurants de catégories moyenne et supérieure, surtout le week-end.

Vérifiez toujours attentivement l'addition : si elle inclut un service de 10-15%, ne vous sentez pas obligé de laisser un pourboire. Sinon, 5-10% seront bienvenus.

Il est désormais interdit de fumer dans les restaurants en Italie. Les Napolitains, pourtant réputés pour leur indiscipline, se plient dans l'ensemble à cette loi.

À la pizzeria Da Michele (p. 118) GREG ELMS

CENTRE HISTORIQUE ET MERCATO

Débutez votre parcours culinaire au carrefour de la Via dei Tribunali et de la Via San Paolo, qui accueille tous les jours des étals de fruits et légumes. Ensuite, si vous longez la Via dei Tribunali dans l'un ou l'autre sens, vous passerez obligatoirement devant une multitude de petites pizzérias, stands de rue, pâtisseries et charcuteries aux odeurs alléchantes. Dans le quartier de Mercato, ne manquez pas le marché de Porta Nolana (voir l'encadré p. 140), débordant de poissons, de pâtes fraîches et de petites choses à manger sur le pouce.

ANTICA GASTRONOMIA FERRIERI

CARTE P. 280 SNACK-BAR €

081 554 01 65 ; Piazza Garibaldi 82-88 ; en-cas à partir de 2 € ; tlj ; M Garibaldi

En face de la gare centrale, l'endroit attire toutes sortes de gens, des domestiques russes aux routards américains, qui mangent côte à côte des en-cas, tels la focaccia aux herbes ou le *pagniottello*, hybride entre la pizza et le sandwich, garni d'aubergines, de tomates et de ricotta. Self-service à l'étage.

ANTICA TRATTORIA DA CARMINE

CARTE P. 280 TRATTORIA €€

081 29 43 83 ; Via dei Tribunali 330 ; repas 17 € ; déj et dîner mer-sam, déj mar et dim, fermé lun ; M Dante

Un petit paradis simple et chaleureux où trouver une espèce rare : le serveur patient. Sous des photos rétro de Naples, il guide le client indécis à travers une carte de classiques éprouvés, tels les calamars grillés et les *penne alla sorrentina* (penne, tomate et mozzarella). Mention spéciale pour le vin de la maison, à prix raisonnable.

top 5

CENTRE HISTORIQUE ET MERCATO

Bellini (ci-contre)

Campagnola (ci-contre)

Da Michele (ci-contre)

Europa Mattozzi (ci-contre)

La Sfogliatella (à droite)

AVELLINESE CARTE P. 280 TRATTORIA €

081 28 91 64 ; Via Silvio Spaventa 31-35 ; repas 15 € ; tlj ; M Garibaldi

Des plats de pâtes et de viande, mais surtout de poisson (sauf le lundi) car un marché au poisson se tient à l'angle de la rue. Service rapide et professionnel, en salle ou en terrasse. Attention à vos objets de valeur en rentrant le soir car le quartier n'est pas sûr.

BELLINI CARTE P. 280 RESTAURANT €€€

081 45 97 74 ; Via Santa Maria di Costantinopoli 79-80 ; repas 30 € ; déj tlj, 19h30-1h lun-sam ; M Dante

Terrasse éclairée aux chandelles dans une rue pavée et serveurs à l'ancienne en ceinture de smoking : un cadre des plus romantiques pour se régaler de poisson frais ou d'assiettes de pâtes pantagruéliques. Les *linguine ai frutti di mare* (pâtes aux fruits de mer) sont divines.

CAMPAGNOLA CARTE P. 280 TRATTORIA €€

081 45 90 34 ; Via dei Tribunali 47 ; repas 16 € ; déj ; M Dante

Dissimulée au fond d'une boutique de caviste, la salle sombre où le vieux propriétaire joue aux cartes avec ses copains entre deux clients fait plutôt penser à un tripot. Si le cadre et le service laissent à désirer, pas la cuisine. Essayez notamment les *spaghetti alla maccheronata* (tomates fraîches, basilic et *pecorino*). Longue file d'attente le week-end.

DA MICHELE CARTE P. 280 PIZZÉRIA €

081 553 92 04 ; Via Cesare Sersale 1 ; pizzas à partir de 3,50 € ; lun-sam 11h-23h, fermé dim ; R2 pour Corso Umberto

Une institution, fondée en 1870, où goûter seulement deux types de pizzas : la margherita et la marinara, plus succulentes l'une que l'autre, servies avec diligence sur des tables en marbre. Vous deviendrez ensuite très difficile en la matière. Pas de réservation : prenez un ticket et attendez votre tour.

EUROPA MATTOZZI

CARTE P. 280 RESTAURANT €€

081 552 13 23; Via Campodisola Marchese 4 ; repas 29 € ; R2 pour Corso Umberto I

Un lieu discret, réputé depuis plus d'un siècle. Dans un décor d'assiettes colorées et d'estampes, le personnel élégant et qualifié apporte sur les tables des délices comme la mozzarella de bufflonne avec poulpe mariné et courgettes frites, ou des pâtes aux pois chiches et au persil.

IL CAFFÈ ARABO CARTE P. 280 CAFÉ €

☎ 081 442 06 07 ; Piazza Bellini ; en-cas à partir de 3 € ; ⏲ tlj ; Ⓜ Dante

Ce petit café à la mode prépare, comme son nom l'indique, des spécialités orientales d'un bon rapport qualité/prix, notamment falafels, houmous, *foul* (purée de haricots) et kebabs. Plats plus roboratifs, dont un couscous végétarien et une courageuse tentative de curry (une sorte de potée de légumes peu épicée). Le vin est le moins cher du quartier.

INTRA MOENIA CARTE P. 280 CAFÉ €€

☎ 081 29 07 20 ; Piazza Bellini 70 ; en-cas à partir de 8 € ; ⏲ tlj ; Ⓜ Dante

Ce café/librairie/maison d'édition artistique, littéraire et plutôt à gauche, accueille une clientèle idoine qui se nourrit l'esprit devant un *misto di formaggi* (plateau de fromages) et une salade de fruits au miel et muesli. Le vin de la maison coûte 4 € le verre.

LA CANTINA DELLA SAPIENZA

CARTE P. 280 TRATTORIA €€

☎ 081 45 90 78 ; Via della Sapienza 40 ; repas 17 € ; ⏲ lun-sam, déj ; Ⓜ Cavour

Une adresse pour ceux qui préfèrent la simplicité aux acrobaties culinaires. Rien que des classiques à petits prix, à l'image de la *parmigiana di melanzane* (tranches d'aubergines, tomates et parmesan) et de la *pizza bianca*, uniquement garnie d'un filet d'huile d'olive extra-vierge et de gros sel croquant. Pour les amateurs de baba au rhum, la trattoria confectionne chaque jour une variété différente.

LA SFOGLIATELLA

CARTE P. 280 PÂTISSERIE €

☎ 081 28 56 85 ; Corso Novara 1 ; ⏲ tlj ; Ⓜ Garibaldi

Au diable le régime ! Il est bon de se laisser tenter dans cette pâtisserie renommée pour sa *sfogliatella* et ses spécialités maison : le *zeffiro all'arancia* (délice à l'orange), les gâteaux au chocolat et au rhum et la *riccia* (mille feuille).

LOMBARDI A SANTA CHIARA

CARTE P. 280 RESTAURANT €€

☎ 081 552 07 80 ; Via Benedetto Croce 59 ; repas 29 € ; ⏲ mar-dim ; Ⓜ Dante

Des clones de Jennifer Lopez aux mémés acariâtres, tout Naples joue des coudes pour pénétrer dans cette institution à la grandeur

Spaghettis aux palourdes JEAN-BERNARD CARILLET

fanée, où l'on se régale de pizzas classiques, de pâtes copieuses et de fruits de mer. Les végétariens trouveront leur bonheur parmi le choix de salades et les assortiments d'*antipasti* (courgettes, artichauts et mozzarella au lait de bufflonne). Réservez pour éviter la longue file d'attente le week-end.

PORT'ALBA CARTE P. 280 PIZZÉRIA €

☎ 081 45 97 13 ; Via Port'Alba 18 ; pizzas à partir de 5 €, repas 15 € ; ⏲ jeu-mar ; Ⓜ Dante

Fondée en 1738, c'est sans doute la plus vieille pizzeria du monde, dans une rue pavée pleine de librairies d'occasion. On peut s'asseoir sous la Port'Alba même et profiter d'une carte très étendue de pizzas et de pâtes. Une fois rassasié, il suffit de pousser la porte de l'Intra Moenia (ci-contre) voisin, pour prendre son café et un bain de culture.

TRIANON CARTE P. 280 PIZZÉRIA €

☎ 081 553 94 26 ; Via Pietro Colletta 42-46 ; pizzas à partir de 3 € ; ⏲ tlj ; 🚌 R2 pour Corso Umberto I

Une autre institution napolitaine sans chichis, ouverte depuis 1923, où le metteur en scène Vittorio de Sica et l'acteur comique Totò étaient des habitués. Aujourd'hui, ouvriers costauds, familles bruyantes et jeunes touristes japonaises mastiquent en chœur avec un même bonheur.

VIA TOLEDO ET QUARTIERS ESPAGNOLS

L'extrémité sud de la Via Toledo regroupe des cafés et des restaurants fin de siècle où l'on peut croiser, parmi les convives, des vedettes du San Carlo voisin. À l'ouest, les Quartiers espagnols restent authentiques, avec des kiosques pour manger sur le pouce et des *trattorie* de cuisine à l'ancienne.

ANTICA TRATTORIA DON PEPPINO

CARTE P. 284 TRATTORIA €€

☎ 081 551 28 54 ; Vico 1 Gravina 7-10 ; repas 25 € ; 🚌 R1 pour Via Monteoliveto

Chapelets d'ail et de piments, épis de maïs et pots en cuivre suspendus au plafond… La décoration est rustique, et la carte, tout aussi avenante, comprend des plats copieux, tel le risotto aux fruits de mer et la *carne al ragù* (bœuf longuement mijoté dans une épaisse sauce tomate).

BRANDI CARTE P. 284 PIZZÉRIA €€

☎ 081 41 69 28 ; Salita S Anna di Palazzo 1 ; pizzas à partir de 5 € ; 🕒 mer-lun ; 🚌 R2 pour Piazza Trieste e Trento

Chez Brandi, tout semble promettre une pizza supérieure à la moyenne, depuis les roses sur les tables jusqu'aux prospectus multilingues revendiquant l'invention de la margherita en 1889. Si ce titre de gloire est sujet à caution, les pizzas gigantesques frisent effectivement la perfection. Sinon, choisissez à la carte un plat de pâtes, de poisson ou de viande, de qualité élevée, à un prix en rapport.

CAFFÈ GAMBRINUS CARTE P. 284 CAFÉ €

☎ 081 41 75 82 ; Via Chiaia 1-2 ; 🕒 tlj ; 🚌 R2 pour Piazza Trieste e Trento

L'illustre Gambrinus est le café le plus ancien et le plus chic de Naples. Oscar Wilde y vida quelques verres et Mussolini fit fermer plusieurs salles pour tenir à l'écart les intellectuels de gauche. Dans le décor de marbre, d'ors et de fausses statues antiques, un personnel hautain sert cafés, cocktails et en-cas onéreux à des m'as-tu-vu bronzés et à des amoureux.

CAFFÈ MEXICO CARTE P. 284 CAFÉ €

☎ 081 549 93 30 ; Piazza Dante 86 ; 🕒 7h-20h30 lun-sam ; Ⓜ Dante

C'est dans un cadre de petit restaurant, sur fond de percolateur orange vif, que vous boirez le meilleur café de la ville. Et vous pourrez acheter un paquet de café en grains dans un emballage rétro des années 1950. Autre enseigne au 70 Piazza Garibaldi.

top 5 VIA TOLEDO ET QUARTIERS ESPAGNOLS

Brandi (ci-contre)
Ciro a Santa Brigida (ci-dessous)
Kukai (ci-dessous)
Nennella (à droite)
Scimmia (p. 122)

ALAN BENSON

CIRO A SANTA BRIGIDA

CARTE P. 280 RESTAURANT €€€

☎ 081 552 40 72 ; Via Santa Brigida 71-74 ; repas 35 € ; 🕒 lun-sam ; 🚌 R2 pour Piazza Trieste e Trento

Après une soirée au Teatro Augusteo voisin, les amateurs de théâtre investissent cet établissement à la cuisine et au service traditionnels, pour discuter de la pièce, devant un plat de *pasta e fagioli* (pâtes accommodées d'une sauce aux haricots blancs) ou une *pizza ai frutti di mare* (pizza aux fruits de mer).

FRIGGITORIA FIORENZANO

CARTE P. 280 SNACK-BAR €

☎ 081 551 27 88 ; Piazza Montesanto ; en-cas à partir de 1 € ; 🕒 8h-23h lun-sam ; Ⓜ Montesanto

En plein marché, cette vénérable table décorée de faïence est célèbre pour ses croustillants beignets d'aubergines et d'artichauts (en saison), et ses croquettes fourrées au jambon et mozzarella… À déguster au comptoir ou à emporter.

KUKAI CARTE P. 284 BAR À SUSHIS €€

☎ 081 41 19 05 ; Via Carlo de Cesare 55-56 ; repas 19 € ; 🕒 13h-15h et 19h-24h tlj ; 🚌 R2 pour Piazza Trieste e Trento

Si vous en avez assez des spaghettis, venez rejoindre ici les citadins avertis pour vous régaler, à peu de frais, de sushis et de *temaki*. Même le Nippon le plus pointilleux ne trouvera rien à redire à la carte et au thé vert. Service de livraison (rapide) et de vente à emporter.

LA SFOGLIATELLA MARY

CARTE P. 280 KIOSQUE €

081 40 22 18 ; Galleria Umberto 1, Via Toledo 66 ; mar-sam 8h-20h30, fermé lun ; CS pour Via Toledo

Toujours prit d'assaut, ce kiosque minuscule propose l'une des *sfogliatelle* les meilleures et les plus crémeuses de la ville. Commencez par la version miniature (0,60 €) avant de vous attaquer au morceau. Les gourmands continueront avec un mini *moretto* (0,60 €) ou un divin baba fourré de crème de cacao.

MA TU VULIVE'A PIZZA

CARTE P. 280 PIZZÉRIA €

081 551 44 90 ; Via S Maria la Nova 46 ; pizzas à partir de 3,50 € ; CS pour Via Toledo

Vivant et plein à craquer, l'endroit vaut pour ses pizzas énormes et ses *calzoni*, dont le *calzone Terra Mia* rempli de légumes, de fromage *provola*, d'olives noires et de câpres (4,70 €). Écoutez d'une oreille discrète les conversations de la clientèle étudiante et profitez-en pour prendre le frais le soir tard, dans l'ambiance branchée de la Piazza Santa Maria la Nova.

NENNELLA

CARTE P. 280 TRATTORIA €

081 41 43 38 ; Vico Lungo Teatro 103-105 ; repas 10 € ; lun-sam ; M Montesanto

Un lieu mythique et agité, à ne pas manquer. Il faut inscrire son nom et le nombre de convives sur la liste à l'entrée et attendre que le patron vous appelle à la manière militaire. Les serveurs malicieux crient les commandes au milieu des patriarches qui trinquent, des tombeurs à Rolex et des maîtresses de mafieux. Les sardines frites, les *spaghetti con lupine* (spaghettis aux lupins) ou l'*insalatona nennella* (salade de roquette, bresaola – viande de bœuf séchée – et radis) n'ont pas leur pareil.

PINTAURO CARTE P. 280 PÂTISSERIE €

081 41 73 39 ; Via Toledo 275 ; lun-sam sep-juil ; CS pour Via Toledo

Fiez-vous à votre odorat et faites la queue avec les autres pour avoir droit à la meilleure *sfogliatella* de Naples. Autrement, cette pâtisserie légendaire confectionne aussi un excellent baba et des *biscotti di mandorla* (biscuits aux amandes) fondants.

DOUCEURS NAPOLITAINES

Sfogliatella crémeuse ou baba bien imbibé, les *pasticcerie* (pâtisseries) napolitaines donnent un sens gourmand à la *dolce vita*. Il existe en effet une douceur pour chaque occasion ou jour de fête, et pas un déjeuner dominical sans un plateau de gâteaux frais sur la table de la salle à manger. Pour savoir par où commencer, voici les spécialités les plus courantes :

Baba
Le célèbre baba au rhum, qui existe aussi en version fourré de crème chocolatée. La recette aurait été inventée au XVIIIe siècle par le cuisinier français du roi de Pologne Stanislas Leszczynski.

Cassatina
Version napolitaine de la cassata sicilienne, il s'agit d'un petit gâteau à base de *pandispagna* (génoise), de ricotta et de fruits confits, recouvert de sucre glacé.

Paste Reali
Des fruits et des légumes miniatures en massepain (*marzapane*) que l'on mange à Noël.

Pastiera
Une tarte en pâte brisée recouverte de croisillons avec une garniture de ricotta, crème, fruits confits et céréales, aromatisée à la fleur d'oranger. C'est le dessert traditionnel de Pâques.

Rafioli et roccocò
Il s'agit de biscuits préparés à Noël. Les *rafioli* sont durs et aux amandes, tandis que les *roccocò*, plus mous et sucrés, se composent de génoise et de massepain saupoudrés de sucre glace.

Sfogliatella
La pâtisserie la plus typique de Naples se fabrique selon deux recettes : avec de la pâte brisée (*pasta frolla*) ou feuilletée (*riccia*), la seconde étant la plus classique. Elle se présente toujours sous la forme d'une coquille dorée au four, farcie de ricotta et de fruits confits.

Torta di ricotta e pera
Le gâteau du moment est un mélange léger de ricotta et de poire dangereusement bon. Pire encore, on en trouve toute l'année.

Zeppole
Des beignets remplis de crème anglaise et recouverts de griottes que l'on sert en mars, à l'occasion de la Saint-Joseph.

SCIMMIA CARTE P. 280 GLACIER €

081 552 02 72 ; Piazza Carità 4 ; 10h-24h avr-oct et déc, 10h-22h jan-mars et nov, fermé mer jan-fév ; Montesanto

La meilleure adresse de cette enseigne très prisée. Les Napolitains viennent ici par tous les temps se régaler de glaces crémeuses fabriquées maison. Goûtez en particulier le *zabaglione* (jaune d'œuf et Marsala) ou le sorbet à l'orange avant d'aller danser la samba sur la place aux accents latinos.

TRIPPERIA FIORENZANO

CARTE P. 280 SNACK-BAR/TRATTORIA €

349 781 01 46 ; Via Pignasecca 14 ; 8h30-20h30 lun-sam ; en-cas à partir de 1 € ; Montesanto

Sous des guirlandes de tripes, Antonio, représentant de la cinquième génération des Fiorenzano, et son fils, préparent les commandes à emporter. Pour ceux qui veulent consommer sur place, cinq tables et un autel bleu fluo dédié au Christ composent le décor derrière le comptoir. Goûtez la *zuppa di carne cotta* (soupe de tripes à la tomate et au basilic, 4 €), spécialité on ne peut plus napolitaine – vous pourriez être agréablement surpris.

SANTA LUCIA ET CHIAIA

Santa Lucia est le quartier des hôtels de luxe, des limousines… et des restaurants qui vont avec. Jetez un coup d'œil aux yachts amarrés dans le port et vous aurez une idée de la clientèle. Si les tables de poisson du Borgo Marinaro, l'ancien quartier de pêcheurs, pratiquent des prix élevés, il faut reconnaître qu'elles proposent une cuisine haut de gamme et de belles vues sur la mer. À l'ouest, Chiaia présente une forte densité de cafés et de bar à sushis huppés, mais aussi des *trattorie* familiales traditionnelles.

ANTICA OSTERIA DA TONINO

CARTE P. 284 OSTERIA €€

081 42 15 33 ; Via Santa Teresa a Chiaia 47 ; plats 18 € ; déj tlj, dîner ven et sam ; Amedeo

Vous avez dit populaire ? Des dames pressées emportent leur commande assortie d'une bouteille de vin rouge, tandis que des vieux messieurs en costume Borrelli mangent des plats roboratifs comme la *pasta ragù e ricotta* sur les quelques tables à l'arrière. On a même vu un jour le Prix Nobel de littérature Dario Fo.

LA BERSAGLIERA

CARTE P. 284 RESTAURANT €€€

081 764 60 16 ; www.labersagliera.it ; Borgo Marinaro 10-11 ; repas 45 € ; 12h-15h30, 19h30-24h mer-lun, fermé 2 semaines en jan ; C25 pour Via Partenope

Un restaurant célèbre fréquenté par des célébrités, dont les photos tapissent les murs de la salle, magnifique. Vous reconnaîtrez, entre autres, Salvador Dali et Sophia Loren. La vue fabuleuse sur le front de mer va de pair avec la qualité de la cuisine. Mettez-vous en bouche avec la soupe de moules et de palourdes ou les *taglierini* (pâtes en forme de fin ruban) accommodés de petits poulpes, d'olives noires et de tomates.

CASTELLO CARTE P. 284 OSTERIA €€

081 40 04 86 ; Via Santa Teresa a Chiaia 38 ; menus déj 12 €, repas 26 € ; lun-sam ; Amedeo

Les bouteilles de vin le long des murs, les piles de livres de cuisine et Norah Jones en fond sonore donnent le sentiment d'être chez soi. Régalez-vous d'une assiette fumante de *pappardelle* (pâtes en forme de large ruban) aux fleurs de courgette et aux moules, ou d'un *filetto al castello* (veau dans une sauce aux courgettes crémeuses). La *zeppola* maison – un beignet fourré de crème anglaise et de baies fraîches – est à damner un saint.

CIRO CARTE P. 284 RESTAURANT €€€

081 764 60 06 ; Borgo Marinaro 29-30 ; repas 35 € ; jeu-mar ; C25 pour Via Partenope

La terrasse avec vue sur les bateaux et les musiciens roumains est habituellement bondée de propriétaires de yachts et de touristes, aussi vaut-il mieux arriver tôt. Le Ciro est un bastion de la tradition, qu'il s'agisse de la cuisine ou du service. Au menu, des pizzas qui ont remporté des prix dans la région et des plats de fruits de mer, dont les *linguine* aux seiches et crustacés, chères (18 €) mais proches de la perfection.

DA PIETRO CARTE P. 284 TRATTORIA €€

☎ 081 807 10 82 ; Via Lucilliana 27 ; repas 19 € ; mar-dim ; C25 pour Via Partenope

Encadré de voisins plus chic, mais partageant la même splendide vue sur le port, Da Pietro est un restaurant simple et sans prétention – nappes en plastique, menu écrit tous les jours à la craie et personnel un peu fatigué. Les mets y sont authentiques (spaghettis à la tomate et au basilic, assiette de moules fraîches), les prix compétitifs (c'est l'un des rares établissements bon marché du quartier) et le nombre de tables restreint. Votre attente sera récompensée.

DI BRUNO CARTE P. 284 RESTAURANT €€€

☎ 081 251 24 11 ; Riviera di Chiaia 213-14 ; repas 36 € ; mar-dim ; C25 pour Riviera di Chiaia

Une table bien connue des gourmets napolitains, caractérisée par un choix de 200 vins et un service irréprochable. La carte fait la part belle aux produits de la mer, avec notamment des *carpacci tagliati di pesce crudo* (tranches de poisson cru recouvert d'un filet d'huile d'olive et de parmesan) qui satisfont à coup sûr les palais délicats. Les pâtes sont préparées sur place de A à Z, de même que les desserts, comme la divine *torta di ricotta et pera* (gâteau à la ricotta et aux poires).

DORA CARTE P. 284 RESTAURANT €€€

☎ 081 68 05 19 ; Via Ferdinando Palasciano 30 ; repas 45 € ; C25 pour Riviera di Chiaia

Le meilleur restaurant de poisson de la ville, caché derrière une devanture défraîchie, dans une rue déserte. Il n'empêche qu'on y trouve rarement de la place. Sous une belle lumière, les serveurs, adorables, apportent sur les tables des mets tels que crevettes grillées au feu de bois et *linguine* aux crustacés. Le patron a la réputation de pousser la chansonnette. Réservation impérative.

JAP-ONE

CARTE P. 284 RESTAURANT JAPONAIS €€€

☎ 081 764 66 67 ; Vico Santa Maria a Cappella Vecchia 30l/l ; repas 45 € ; fermé dim ; C25 pour Piazza dei Martiri

Sérieux concurrent de **Kukai** (p. 120) dans l'art du sushi, ce petit établissement ultra-tendance se dissimule au milieu d'un lacis de ruelles où il est facile de se perdre. La clientèle branchée aux goûts raffinés déguste sashimis, *nigori* et *tempura* impeccables dans un décor minimaliste de béton lissé, d'acier et de meubles couleur chocolat.

APÉRITIFS DÎNATOIRES

Savez-vous qu'il est possible de se sustenter pour le prix d'un cocktail ? Il suffit pour cela de se rendre dans les bars entre 18h30 et 21h30, à l'heure de l'apéritif. Plus raffinée, la version italienne de l'*happy hour* attire, autour d'un buffet à volonté, une foule de Napolitains bien habillés qui discutent affaires, un Campari à la main. L'offre va du plat de risotto à la citrouille aux mini-*crostini*, en passant par les friands aux olives, le saucisson et les sushis. Les meilleures adresses se concentrent dans le secteur du Vico Belledonne a Chiaia et de la Via Bisignano, à Chiaia. Commandez un verre (6-12 €), prenez une assiette et servez-vous. Soyez juste un peu discret pour éviter de passer pour un goinfre radin. Voici quelques suggestions :

Chandelier (p. 129)
S'Move (p. 130)
Grand Hotel Parker's (p. 153)
Enoteca Belledonne (p. 129)
Farinella (p. 130)

GREG ELMS

GREG ELMS

LA CAFFETTIERA CARTE P. 284 CAFÉ €

☎ 081 764 42 43 ; Piazza dei Martiri 30 ; 🕒 tlj ; 🚌 C25 pour Piazza dei Martiri

Hommes d'affaires et accros du shopping commandent aux serveurs en gilet des expressos corsés et des Campari frais. Affichez-vous en terrasse, devant une tranche de *torta di mandorla* (gâteau aux amandes), et observez les gens qui passent avec leurs gros sacs d'emplettes.

LA CANTINELLA

CARTE P. 284 RESTAURANT €€€

☎ 081 764 86 84 ; Via Cuma 42 ; repas 51 € ; 🕒 lun-sam ; 🚌 C25 pour Via Partenope

Les gastronomes apprécient la manière sophistiquée dont on revisite ici les classiques – filet de bœuf sauce Marsala, foie de porc et son flanc au sarrasin (28 €), porc en croûte aux pommes et jambon de Parme nappé d'une sauce à l'Armagnac (24 €). Les desserts sont du même acabit, et la carte des vins, longue et intéressante, comprend quelques excellents crus.

LA FOCACCIA CARTE P. 284 SNACK-BAR €

☎ 081 41 22 77 ; Vico Belledonne a Chiaia 31 ; *focaccie* à partir de 1,60 € ; 🕒 11h-15h mar-dim ; 🚌 C25 pour Piazza dei Martiri

On se presse dans cet établissement de couleur rouge pour se délecter de gros carrés de *focaccia* garnis d'aubergines, de *pecorino* et de jambon fumé.

L.U.I.S.E. CARTE P. 284 TRAITEUR €

☎ 081 41 77 35 ; Piazza dei Martiri 68 ; en-cas à partir de 1,20 €, repas 10 € ; 🕒 7h30-20h30 lun-sam ; 🚌 C25 pour Piazza dei Martiri

Un petit traiteur chic, dont les fromages, la charcuterie, les bons vins et les plats font la joie des gourmets. Dans la salle à l'arrière, les gens s'attablent devant un osso bucco ou des gnocchis maison, qu'on peut également emporter. Nous avons aimé la *pizza fritta* (pizza frite), les *arancini* croustillants et les *pasticcini crema amarena* (petits gâteaux fourrés d'une crème aux griottes) saupoudrés de sucre.

MAKTUB CARTE P. 284 RESTAURANT €€

☎ 081 764 73 37 ; Vico Satriano 8C ; repas 26 €, menus déj lun-ven 7,50 € ; 🕒 lun-sam ; 🚌 C25 pour Riviera di Chiaia

Lanternes en papier jaune, plafond voûté, éclairage aux chandelles, DJ et clientèle décontractée : voilà pour le cadre. Côté papilles, rien n'égale les *scialatelli con pomodorino, zucchini e pancetta* (pâtes aux tomates, courgettes et poitrine fumée), le *filetto di manzo in salsa di grana padana* (filet de bœuf à la sauce au parmesan) et la *sbriciolona di Nutella* (saucisson de Nutella).

MOCCIA CARTE P. 284 PÂTISSERIE €

☎ 081 41 13 48 ; Via San Pasquale a Chiaia 21-22 ; 🕒 mer-lun ; 🚌 C25 pour Riviera di Chiaia

Des mamies permanentées aux jeunes élégantes filiformes de Chiaia, tout Naples succombe devant les mini-tartelettes aux fraises, les babas gorgés de rhum et les glaces (goûtez le mélange melon-pêche). Le *caprese* (gâteau au chocolat et aux amandes) est un régal.

UMBERTO CARTE P. 284 RESTAURANT €€

☎ 081 41 85 55 ; Via Alabardieri 30-31 ; repas 25 € ; 🕒 10h30-15h30 et 19h30-24h ; 🚌 C25 pour Piazza dei Martiri

Ici on ne prépare que des mets simples et bons, telle la rafraîchissante salade d'oranges, amandes et fenouil, ou l'espadon grillé à la poêle aux tomates cerises, olives et câpres. Parmi les pizzas, plus économiques, figure celle, délicieuse, garnie de *prosciutto crudo* (jambon cru), roquette, mozzarella et parmesan.

VOMERO, CAPODIMONTE ET LA SANITÀ

Ne vous laissez pas rebuter par les blocs d'immeubles de Vomero ; les rues autour de la Piazza Vanvitelli abritent en effet des restaurants, des *trattorie* et des snack-bars qui ont une âme. La Sanità offre un choix plus restreint, mais son dédale de ruelles cache une ou deux perles. Si vous vous rendez à Capodimonte, apportez votre pique-nique ou rabattez-vous sur une des options de notre liste.

ACUNZO CARTE P. 283 TRATTORIA €€

☎ 081 578 53 62 ; Via Domenico Cimarosa 64 ; repas 18 € ; lun-sam ; funiculaire central pour Fuga

Le décor rétro et cuisine à l'ancienne et les odeurs alléchantes comblent la clientèle. La carte affiche des classiques simples et réussis, tels que gnocchis maison, pizzas ultra-fines garnies de tomates cerises, mozzarella et feuilles de roquette, et copieux *calzoni* fourrés aux haricots.

top 5

VOMERO, CAPODIMONTE ET LA SANITÀ

- Acunzo (ci-dessus)
- Angolo de Paradiso (ci-contre)
- Donna Teresa (ci-contre)
- Antica Cantina de Sica (ci-contre)
- Starita (p. 126)

Fritures variées à la Friggitoria Vomero JEAN BERNARD CARILLET

ANGOLO DE PARADISO

CARTE P. 283 PIZZÉRIA €

☎ 081 556 71 46 ; Via Michele Kerbaker 152 ; mar-dim ; pizzas à partir de 3 € ; Ⓜ Vanvitelli

Photos jaunies et clientèle de quartier pour cette bonne pizzéria. Les indécis choisiront la Paradiso (5 €), 5 grosses parts avec saucisse napolitaine, salami, aubergines, épinards...

ANTICA CANTINA DI SICA

CARTE P. 283 RESTAURANT €€

☎ 081 556 75 20 ; Via Bernini 17, repas 29 € ; mer-lun ; Ⓜ Vanvitelli

Rustique et chic à la fois, cette *cantina* sert une cuisine napolitaine traditionnelle, soucieuse du détail. La *pasta patata e provola* (pâtes aux pommes de terre et au fromage) et les *ziti alla genovese* (pâtes nappées d'une épaisse sauce à la viande et aux oignons) sortent du lot. Le *vino locale* est souvent plus cher qu'une bouteille.

DONNA TERESA CARTE P. 283 OSTERIA €

☎ 081 556 70 70 ; Via Michele Kerbaker 58 ; repas 14 € ; lun-sam ; Ⓜ Vanvitelli

Attention, cette minuscule *osteria* ne compte que huit tables et sa cuisine familiale a du succès. Du haut de sa photo, Mamma Teresa regarde avec bienveillance les convives en train de dévorer des *spezzatini al ragù* (ragoût de viande) ou des *salsicce al sugo* (saucisses à la sauce tomate). La carte, limitée, change chaque jour. Point de salut sans réservation.

FRIGGITORIA VOMERO

CARTE P. 283 SNACK-BAR €

☎ 081 578 31 30 ; Via Domenico Cimarosa 44 ; en-cas à partir de 1 € ; lun-sam ; funiculaire central pour Fuga

Un snack-bar vieillot spécialisé dans les fritures d'aubergines, de pommes de terre et autres, ainsi que les *zeppole* (beignets frits en forme de couronne). Juste en face du funiculaire, c'est l'adresse idéale pour s'approvisionner avant une petite marche jusqu'au Castel Sant' Elmo.

I GIARDINI DI CAPODIMONTE

CARTE P. 286 RESTAURANT €€

☎ 081 744 51 36 ; Via Capodimonte 19 ; repas 25 € ; tlj ; 24 pour Via Capodimonte

Avec sa terrasse ombragée, ce restaurant vous attend au sommet de l'escalier abrupt qui monte du Tondo di Capodimonte. Faites vous plaisir avec les *gnocchetti al limone* (petits gnocchis au citron, 7 €) ou le succulent *risotto al champagne* (risotto au champagne). Une petite fontaine et complète le décor, apaisant.

top 5

LES RUES OÙ LES RESTAURANTS SONT NOMBREUX

Borgo Marinaro (carte p. 284). Évitez de porter des jeans et des baskets si vous souhaitez dîner dans l'un des célèbres restaurants huppés de ce quartier de bord de mer.

Via Santa Teresa a Chiaia (carte p. 284). Vous aurez du mal à repérer cette rue sur une carte. Ne vous découragez pas, car elle compte certains des meilleurs restaurants et trattorias de la ville.

Via dei Tribunali (carte p. 280). Cette rue vivante et pittoresque de la vieille ville est jalonnée de cafés, pâtisseries, épiceries fines, pizzérias et restaurants.

Piazza Bellini (carte p. 280). D'accord, ce n'est pas une rue... Mais cette place à la mode est une destination de choix pour prendre un verre, dîner et rencontrer du monde jusque tard le soir.

Via Toledo (carte p. 280). Cette artère commerçante ravira les amateurs de lèche-vitrine et de sucreries.

STARITA CARTE P. 286 PIZZÉRIA €

☎ 081 557 46 82 ; Via Materdei 28 ; pizzas à partir de 4 € ; ⏲ mar-dim ; Ⓜ Materdei

Difficile de faire plus typiquement napolitain que cette pizzéria installée dans une rue tendue de linge qui sèche. La fourchette et la louche géantes accrochées au mur furent utilisées par Sophia Loren dans *L'Or de Naples* et les *pizze fritte* (pizzas frites) sont celles que l'actrice vendaient dans le film. Il y a 53 sortes de pizzas, dont la spécialité du patron, la *fiorilli e zucchini* (5,50 €), à base de courgettes, fleurs de courgettes et *provola*.

MERGELLINA ET LE PAUSILIPPE

Dans ces deux quartiers en bordure de mer, les tables accueillent le week-end des familles nombreuses bruyantes, en particulier le dimanche, en été. Outre les restaurants mentionnés ci-dessous, Mergellina est le paradis des amateurs de glaces. Repérez les meilleures enseignes à la longueur de la file d'attente. Pour manger du poisson et des fruits de mer, la qualité de la cuisine est identique mais les prix moins élevés au Pausilippe, qui vous donnera un avant-goût de la côte amalfitaine.

A LAMPARA CARTE P. 287 RESTAURANT €€€

☎ 081 575 64 92 ; Via Discesa Coroglio 79 ; repas 30 € ; ⏲ jeu-mar ; 🚌 140 pour Via Posillipo

À deux doigts d'en vanter les mérites sur la voie publique, une foule de Napolitains au bronzage perpétuel fait allégeance à ce haut lieu de la cuisine familiale. Les *ravioli alla bolognese* constituent une délicieuses introduction à la "vraie" sauce bolognaise. La carte comporte des vins locaux corrects et le buffet proposé les dimanches d'été draine une clientèle d'habitués ; arrivez de bonne heure.

CIBI COTTI CARTE P. 284 TAVOLA CALDA €

☎ PHONE ; Via F Galliani 30 ; repas 7 € ; ⏲ 12h-16h tlj ; Ⓜ Mergellina

Dans une galerie un peu louche du marché, le petit établissement de Vittorio, carrelé de blanc, est connu des seuls initiés. Des conversations animées s'élèvent des tables recouvertes de nappes en plastique, où les abonnés du lieu se régalent de *sardine fritte* (sardines frites) et de riz au poulpe, roquette et tomates cerises à des prix défiant toute concurrence.

DI GIROLAMO GIUSEPPE CARTE P. 284 SNACK-BAR €

☎ 081 66 44 98 ; Via Mergellina 55E ; pâtes à partir de 1 € ; ⏲ 8h-15h et 17h-23h tlj ; Ⓜ Mergellina

Tenue par de charmants papys coiffés d'un couvre-chef comme dans les petits restaus d'autrefois, cette table sympathique est prisée pour ses plats savoureux vraiment pas chers. La *pizza al taglio* (pizza à la coupe) existe en version mozzarella-épinards et citrouille-tomates-basilic-olives. On peut aussi commander de la *pizza fritta*, de la *focaccia* ou des pâtes toutes prêtes. Asseyez-vous sur un tabouret au comptoir et reprenez des forces, bercé par la musique d'ambiance.

SALVATORE CARTE P. 284 RESTAURANT €€€

☎ 081 68 18 17 ; Via Mergellina 4A ; repas 35 € ; ⏲ jeu-mar ; Ⓜ Mergellina

Douce nuit, vue sur la baie de Naples et fruits de mer extra-frais, voilà peut-être la clé du bonheur. Vous êtes au moins assuré des deux derniers dans ce restaurant doté d'une agréable terrasse et d'une salle ornée de lustres. Parmi les valeurs sûres de la carte figurent les *cecinelle* (poissons frits), la *minestra in brodo* (soupe aux nouilles), roborative, et les *calamaretti con uva passa* (petits calamars aux raisins secs et pignons). Tonino, le patron, s'y connaît vraiment en vins.

OÙ SORTIR

NAPLES BY NIGHT

Ville insomniaque et turbulente, Naples offre aux noctambules un vivant cocktail de places bourdonnantes, de spectacles lyriques et de boîtes de nuit sexy.

Sordide ou fabuleuse, Naples se voit attribuer les qualificatifs les plus variés. Quoi qu'il en soit, personne ne la trouve jamais ennuyeuse. Réputés pour leurs penchants épicuriens, les Napolitains font en effet du divertissement une priorité. Pour beaucoup, cela se résume souvent à la sacro-sainte *passeggiata* (promenade) du soir, à laquelle la population sacrifie en masse, et qui consiste simplement à déambuler dans la rue en bavardant, une cigarette ou une glace à la main. Pour d'autres, il s'agit de dîner ou de prendre un verre entre amis sur une des places pavées de la ville. Les agréables placettes du centre historique, repaires d'étudiants, de punks et d'amateurs de jazz, se révèlent à ce titre particulièrement animées.

Ceux qui préfèrent la sérénité du bord de mer se rendent à l'ouest, dans les cafés et les restaurants du Borgo Marinaro, où les propriétaires de yacht, les romantiques invétérés et les adolescents à Vespa passent un moment de détente en observant leurs semblables. Le *lungomare* (front de mer) proprement dit est un lieu de promenade très couru. Au bout, à Mergellina, les glaciers des chalets servent des coupes spectaculaires à des familles bruyantes et des jeunes qui flirtent.

Les Napolitains branchés préfèrent le quartier huppé de Chiaia, tout indiqué à l'heure de l'apéritif (voir l'encadré p. 123). Le cœur de l'action se concentre surtout à l'ouest de la Piazza dei Martiri, où les bars au décor minimaliste côtoient les restaurants chic, les *enoteche* (bars à vin) et des clubs sélects fréquentés par une clientèle en Prada. Moins connu des visiteurs, Vomero compte un petit chapelet de bars tendance dans la Via Aniello Falcone. C'est là qu'au printemps et en été, la population privilégiée du quartier vient se délasser devant une bière en contemplant le panorama sur la ville et sa baie.

Durant les mois d'été, les discothèques se déplacent vers l'ouest, sur les plages de Bagnoli et des champs Phlégréens. Cabines de plage, événements haut de gamme, bars et pistes de danse au bord de l'eau participent alors d'une vie nocturne grisante.

Naples a heureusement bien plus à offrir pour se distraire que bars et boîtes où passer ses soirées en compagnie de la jeunesse dorée. L'agenda culturel de la ville inclut le plus grand festival de rock du sud de l'Italie, une nuit blanche dédiée à l'art et au shopping, et les prestigieuses représentations d'opéra du mythique théâtre San Carlo. En mai, la cité organise le Maggio dei Monumenti (voir p. 18), un mois de concerts et de manifestations culturelles dans les musées et les monuments, gratuits pour la plupart. L'été, les festivals abondent sur la côte amalfitaine et les îles de la baie de Naples, le plus célèbre étant le *Festivale musicale di Ravello* (voir p. 238). Les dates des autres festivals sont indiquées p. 18. Le mensuel *Qui Napoli* (en anglais) et la presse locale sont de bonnes sources d'informations.

GREG ELMS

top 5 BARS

Kestè (p. 130). Un lieu de rendez-vous estudiantin, avec DJ et œuvres pop art, sur une place animée.

Enoteca Belledonne (ci-contre). Le bar à vin préféré des Napolitains aisés.

S'Move (p. 130). Déco tendance, acid jazz et clientèle très soignée.

White Bar (p. 131). Musique lounge et ambiance détendue dans un cadre moderne, minimaliste et… blanc.

Al Barcadero (ci-contre). Bar sans prétention où se désaltérer face à la mer.

OÙ PRENDRE UN VERRE

Buveurs modérés, les Napolitains ne passent pas leurs soirées dans des bars ou des pubs sans charme, préférant se détendre et profiter d'un moment agréable à l'extérieur. Dans le centre historique, la plupart d'entre eux achèteront simplement une bière au comptoir du bar le plus proche pour la siroter tranquillement dans la rue.

Là, la plus forte densité de bars est concentrée autour de la Via Cisterno dell'Olio, de la Piazza Bellini, de la Piazza del Gesù Nuovo et de la Piazza San Domenico Maggiore. La proximité de l'université garantit une ambiance vivante et décontractée.

Dans le quartier chic de Chiaia, le secteur de la Via Ferrigni et du Vicoletto Belledonne regroupe les établissements les plus élégants de la ville. Sur la colline de Vomero, les petits bars qui jalonnent la Via Aniello Falcone allient clientèle BCBG et vue magnifique.

Les cafés sont ouverts approximativement de 7h à 1h. Les bars de nuit ouvrent vers 18h pour l'apéritif, ou le soir à partir de 22h, et ferment rarement avant 2 ou 3h. Notez aussi que nombre d'établissements du centre cessent leur activité l'été, un mois durant.

AL BARCADERO CARTE P. 284

☎ 333 222 70 23 ; Banchina Santa Lucia 2 ; 🚌 C25 pour Via Partenope

Tournez à gauche en bas des escaliers en allant vers le Borgo Marinaro pour rallier ce bar sans prétention, sur le front de mer. Devant une bière, vous pourrez contempler à loisir le va-et-vient des barques de pêcheurs et la masse menaçante du Vésuve.

ARET'A'PALM CARTE P. 280

☎ 339 848 69 49 ; Piazza Santa Maria La Nova 14 ; 🕑 18h-2h30 lun-dim ; 🚌 CS pour Via Diaz

Une clientèle détendue d'artistes, d'acteurs et d'universitaires fréquente ce lieu, autant pour le jazz et le blues que pour sa carte des vins tentante. Les soirs d'été, un vieil homme vend des bières sur la place, où trône le gros palmier qui a donné son nom au bar.

CHANDELIER CARTE P. 284

☎ 333 252 81 77 ; Vico Belledonne a Chiaia 34/5 ; 🕑 18h30-2h tlj ; 🚌 C25 pour Piazza dei Martiri

Le sol blanc brillant, les murs noirs et la moto jaune vif à côté du comptoir composent un décor élégant. En fin de journée, des Napolitains au bronzage perpétuel affluent pour prendre l'apéritif sur fond de house, de pop et de R&B.

ENOTECA BELLEDONNE CARTE P. 284

☎ 081 40 31 62 ; Vico Belledonne a Chiaia 18 ; 🕑 16h30-2h lun, 10h-14h et 16h30-2h mar-sam ; 🚌 C25 pour Riviera di Chiaia

Le bar à vin le plus apprécié de Naples. La carte des vins est superbe, l'éclairage tamisé et la salle aux murs en brique tapissée de bouteilles. Que du bonheur !

Le bar S'Move, à Chiaia

GREG ELMS

FARINELLA CARTE P. 284

☎ 081 423 84 55 ; Via Alabardieri 10 ; 🕑 12h-tard tlj ; 🚌 C25 pour Piazza dei Martiri

Passez outre le restaurant et rendez-vous directement au bar couleur chocolat où des gens soucieux de leur apparence grignotent à l'apéritif de savoureux en-cas avec leur Martini.

FUSION BAR 66 CARTE P. 284

☎ 081 41 50 24 ; Via Bisignano ; 🕑 18h-3h tlj ; 🚌 C25 pour Riviera di Chiaia

Les lanternes turques rétro et les chaises dorées et argentées donnent à ce bar un côté ethnique très tendance. La clientèle de trentenaires déborde sur la rue, sur fond de musique de jazz et de concerts occasionnels de bossa nova.

GROOMING CARTE P. 278

☎ 081 193 607 00 ; Via Aniello Falcone 346 ; 🕑 21h-2h tlj ; 🚌 C28 pour Parco Lamaro

Parmi toute une rangée de bars excentriques, le Grooming connaît un grand succès auprès de la jeunesse dorée de Vomero. Elle vient ici siroter des apéritifs en grignotant paninis et autres en-cas, tout en profitant de la vue sur la ville et la mer. Arrivez tôt si vous voulez avoir de quoi vous sustenter.

KESTÈ CARTE P. 280

☎ 081 551 39 84 ; Largo San Giovanni Maggiore 26/7 ; 🕑 8h30-19h30 lun et mar, 8h30-15h et 20h30-3h sam-dim ; 🚌 R2 pour Corso Umberto I

Haut lieu estudiantin dont les tables débordent sur la place. La platine du DJ est surmontée d'un portrait pop art de San Gennaro. Pop, électro et world résonnent du lundi au samedi ; blues, folk et jazz *live*, le dimanche.

KINKY BAR CARTE P. 280

☎ 081 552 15 71 ; Via Cisterna dell'Olio 21 ; 🕑 22h30-3h tlj oct à mi-juin ; Ⓜ Dante

Ici, pas de chaînes ni de fouets ("Kinky" veut pourtant dire "coquin"), mais une cave enfumée spécialisée dans le dub et le reggae. L'adresse a la faveur des étudiants, qui se déversent dans la rue jalonnée de bars.

LONTANO DA DOVE CARTE P.280

☎ 081 549 43 04 ; Via Bellini 3 ; 🕑 17h-tard mar-dim sept-juil ; Ⓜ Dante

Le lieu rêvé pour discuter de Baudelaire devant un expresso en écoutant Chet Baker. Proche de la Piazza Bellini, ce café littéraire accueille également des lectures de poésie. Col roulé optionnel.

S'MOVE CARTE P. 284

☎ 081 764 58 13 ; Vico dei Sospiri 10a ; 🕑 12h-2h lun-sam, 19h-3h dim sept-juil ; 🚌 C25 pour Riviera di Chiaia

Un des bars favoris de la clientèle sélecte et glamour de Chiaia, qui aime ses lounges bordeaux éclairés par d'élégantes lampes anciennes. On y sert l'apéritif de 19h à 21h, et les DJ concoctent un programme de nu jazz, acid jazz, funk et electro.

ST TROPEZ CARTE P. 278

☎ 081 64 44 37 ; Via Aniello Falcone 336B ; 🕑 10h-2h, fermé lun ; 🚌 C28 pour Parco Lamaro

Avec ses lanternes en papier rouge et ses tabourets zébrés, ce petit établissement aux allures de Buddha Bar offre une atmosphère intime et relaxante, sur fond de musique rétro, lounge et house. Attaquez l'apéritif (à partir de 19h) par un cocktail rhum-poire.

TRINITY BAR CARTE P. 280

☎ 081 551 45 69 ; Calata Trinità Maggiore 5 ; 7h-16h tlj ; R1 pour Via Monteoliveto

Le Trinity Bar n'est rien d'autre qu'un troquet ordinaire, mais il attire beaucoup plus de clients que tous les autres cafés de la Piazza del Gesù Nuovo. Alors faites comme tout le monde, prenez une bière et mêlez-vous à la foule.

WHITE BAR CARTE P. 284

☎ 081 64 45 82 ; Vico Satriano 3B ; 22h-4h jeu-dim ; C25 pour Riviera di Chiaia

Approuvé et fréquenté par ceux qui font la mode à Naples, ce bar au décor austère et dépouillé est toujours bondé à l'heure de l'apéritif – il propose l'un des meilleurs buffets de la ville, agrémenté de musique lounge.

YACHTING BAR CARTE P. 284

☎ 328 944 67 53 ; Via Mergellina 2B ; 10h-tard mar-dim ; 140 pour Via Mergellina

Jeunes playboys bodybuildés et lesbiennes viennent y prendre un verre ou un en-cas dans une atmosphère langoureuse et décontractée. Le week-end, des DJ assurent l'ambiance avec de la house commerciale.

CLUBS ET DISCOTHÈQUES

La plupart des grands clubs, situés en dehors de la ville, sont inaccessibles sans voiture. Les plus centraux ont tendance à être des lieux de taille modeste, souvent creusés dans la roche du sous-sol, d'où leur allure de cave ou de labyrinthe.

La majorité des discothèque ouvrent à 22h30 ou 23h, mais ne commencent vraiment à se remplir qu'après minuit. Beaucoup ferment l'été (de juillet à septembre) ou se transportent sur une plage en périphérie (voir l'encadré p. 132).

Les tarifs varient. Comptez entre 5 et 25 €, consommation comprise ou non.

Le centre historique, peuplé d'étudiants, et le quartier huppé de Chiaia constituent les points chauds du clubbing napolitain. Procurez-vous un exemplaire du magazine gratuit *Zero*, disponible dans les bars, pour connaître les adresses.

DEPOT CRUISING BAR

☎ 081 780 95 78 ; www.depotmilano.com ; 22h-3h mar-jeu, 22h-6h ven-sam, 20h-3h dim ; Via della Veterinaria 72 ; 10 € ; C55 pour Albergo dei Poveri

Ce repaire gay attire des hommes avec une seule idée en tête, comme en témoignent ses films porno, ses recoins propices à la drague et ses sombres cabines privées. Consultez le site Web pour savoir quand se déroulent les soirées à thème "nu", "cuir" et "uniforme". Mieux vaut rentrer en taxi car le club se situe dans le secteur louche de la Piazza Carlo III.

FREELOVERS@EDENLANDIA CARTE P. 287

☎ 328 307 11 05 ; www.freelovers.it ; Viale Kennedy 76 ; 00h30-tard sam juin-sept ; 12 € ; Cumana pour Edenlandia

Installée dans un parc à thème façon Disneyland, cette discothèque homo a beaucoup de succès l'été. Elle est parfaite pour s'amuser sous les étoiles, à l'ombre d'un château de contes de fée, ou faire des rencontres affriolantes à bord des autos tamponneuses. Musique plutôt pop et ambiance festive. Vous devrez rentrer en taxi.

FREEZER CARTE P. 278

☎ 081 750 24 37 ; www.freezerstereobar.it ; Via F Lauria 6, Centro Direzionale, Isola G6 ; 23h-3h sam-dim sept-juil ; 13 € ; M Garibaldi

Les néons bleus et les murs vert acide évoquent le décor postmoderne des clubs de Berlin. Dans des tenues recherchées en latex et plastique, une faune extravagante bouge aux rythmes survoltés de la house et de l'electronica.

LA MELA CARTE P. 284

☎ 081 41 02 70 ; Via dei Mille 40/bis ; jeu-sam ; C25 pour Riviera di Chiaia

Les trentenaires de Chiaia se rendent dans cette boîte, après un verre au Farinella (p. 130),

top 5 CLUBS

Velvet Zone (p. 132). Le point chaud à la mode du centre historique.

La Mela (ci-dessus). Discothèque élégante pour gens distingués.

Rising South (p. 132). Vidéos expérimentales, drum 'n' bass et branchitude.

Free Lovers@Edenlandia (ci-dessus). Soirées gays dans un décor de contes de fées.

L'Arenile di Bagnoli (voir l'encadré p. 132). Concerts, DJ et caipirinhas sur la plage.

DANSER SUR LA PLAGE

Il n'y a pas si longtemps, Naples était un désert en matière de clubbing estival. Les discothèques fermaient alors en juin et les oiseaux de nuit devaient ronger leur frein jusqu'en octobre. Mais les temps changent et un nombre croissant de clubs transforment désormais la côte à l'ouest de la ville en Ibiza miniature. En voici quatre des plus courus :

L'Arenile di Bagnoli (carte p. 287 ; ☎ 081 570 60 35 ; www.larenile.it en italien ; Via Coroglio 14B, Bagnoli ; 🚌 C9). Le vétéran et le plus grand du lot. On peut tout à la fois bronzer sur le sable, commander une pizza, se détendre au bar, écoutez un groupe (BB King a joué ici) ou se trémousser au son de la house sur la piste qui borde la plage.

Lido L'Altro (carte p. 287 ; ☎ 335 879 04 28 ; www.altro-lab.com en italien ; Via Coroglio, Bagnoli ; 🚌 C9). Des chaises longues pour prendre le soleil, des lounges douillets et un bar dont on peut faire le tour. La faune est marrante et mélangée, la musique rétro, commerciale et dansante.

Vibes on the Beach (carte p. 287 ; ☎ 081 523 28 28 ; Via Miseno 52, Capo Miseno, Bacoli ; 🚌 SEPSA pour Bacoli). Les DJ passent du lounge langoureux à l'intention d'une clientèle plus âgée. Daiquiris glacés légendaires et brunch sur la plage le dimanche.

Nabilah (carte p. 287 ; ☎ 335 527 81 89 ; www.nabilah.it en italien ; Via Spiaggia Romana 15, Cumes ; 🚆 Cumana pour Torregaveta). L'éclairage aux chandelles et les canapés sur le sable contribuent au décor stylé (et aux tarifs du bar). Des DJ connus, comme Moloko et DJ Ravin du Buddha Bar de Paris, s'y produisent.

Ces discothèques situées en périphérie étant mal desservies par les transports en commun, mieux vaut s'y rendre et rentrer en taxi. Comptez respectivement 35 € et 55 € pour l'aller simple Naples-Bagnoli ou Bacoli.

pour passer une soirée "civilisée" entre gens très chic et danser sur la musique commerciale du moment. Habillez-vous en conséquence sous peine d'être refoulé à l'entrée.

MUTINY REPUBLIC CARTE P. 280

☎ 335 732 10 34 ; Via Bellini 45 ; 🕒 mar-dim ; Ⓜ Dante

Un nouveau bar très mode dans le centre historique. Là, une sympathique foule branchée se relaxe sur les canapés en soie, s'intéresse aux œuvres d'art d'avant-garde et s'éclate sur la musique (jazz, electro-soul et disco funk) des DJ, ou lors des concerts à tendance world.

LE GAY NAPLES

Si l'on voit peu de drapeaux arc-en-ciel sur le terrain, la modeste scène gay napolitaine se distingue par son éclectisme et une absence de prétention rafraîchissante.

Dans ce chapitre, nous avons indiqué les bars et discothèques homos dans la même rubrique que les autres. Pour connaître les manifestations ponctuelles, contactez **ArciGay** (☎ 081 552 88 15 ; www.arcigaynapoli.org ; Via San Geronimo alle Monarche 19 ; 🕒 17h30-20h mer, 17h-21h ven ; Ⓜ Dante) ou procurez-vous le mensuel gratuit Pride, disponible dans les établissements gays. Certains clubs et saunas exigent à l'entrée une carte de membre ArciGay (14 €), qu'on peut acheter sur place.

Freelovers (☎ 328 307 11 05 ; www.freelovers.it) organise de grandes soirées dans des endroits comme les parcs d'attractions et les piscines. Consultez le site Web pour plus de détails.

Pour ceux qui veulent transpirer en chœur avec les Napolitains, **Blu Angels** (carte p. 278 ; ☎ 081 562 52 98 ; Centro Direzionale Isola A7 ; 12 € ; 🕒 13h30-24h, tlj), le seul sauna gay de la ville, comporte deux saunas finlandais, un bain turc, une salle de gym et une backroom.

OFFICINA 99

☎ 081 552 23 99 ; www.officina99.org en italien ; Via Gianturco 101 ; Ⓜ Gianturco

Pas de luminaires Philippe Starck dans cette usine désaffectée, mais des punks et des activistes d'extrême gauche qui écoutent de la musique *live* rugueuse, allant du rap napolitain au reggae contestataire. Concerts occasionnels, renseignez-vous par téléphone ou sur le site Web.

RISING SOUTH CARTE P. 280

☎ 081 333 653 42 73 ; www.risingsouth.it ; Via San Sebastiano 19 ; 🕒 lun-sam mi-oct à mai ; 10 € ; Ⓜ Dante

Ce club connaît une telle popularité qu'il fonctionne uniquement sur liste d'invités du jeudi au samedi ; téléphonez un jour à l'avance pour y figurer. À l'intérieur, les piercings côtoient les looks bohème et les tenus cool, devant les vidéos expérimentales. La programmation musicale mêle house, electronica et drum 'n' bass.

VELVET ZONE CARTE P. 280

☎ 347 810 73 28 ; Via Cisterna dell'Olio 11 ; 10 € ; 🕒 23h-4h mer, jeu et dim, 23h-6h ven-sam mi-oct à mai ; Ⓜ Dante

Chaque soirée a un son particulier, mix éclectique de hip-hop, de rock, de techno et autres. Quelques concerts de groupes locaux à l'occasion et un dance floor très chaud.

MUSIQUE

La musique à Naples ne se résume pas aux airs de mandoline et d'opéra. Il existe en effet une scène jazz en plein essor, des ensembles classiques et un courant hip-hop local revendicateur. La ville accueille aussi en juillet le **Neapolis Rock Festival** (www.neapolis.it), le plus important du genre dans le sud de l'Italie, qui attire les plus grands noms et les foules.

Le prix des billets va de 5 à 12 € pour un concert de jazz dans un club, à 25 € pour une star internationale dans un stade. Dans les petites salles, on achète généralement son billet à l'entrée et, pour les plus grands événements, les places sont en vente à la billetterie de la librairie **Feltrinelli** (carte p. 284 ; ☎ 081 240 54 11 ; Piazza dei Martiri) ou dans des agences comme **Box Office** (carte p. 280 ; ☎ 081 551 91 88 ; www.boxofficeclub.it en italien ; Galleria Umberto I 17).

La principale organisation s'occupant de musique classique, l'**Associazione Scarlatti** (carte p. 284 ; ☎ 081 40 60 11 ; www.associazionescarlatti.it en italien ; Piazza dei Martiri 58 ; 🚌 C25 pour Riviera di Chiaia), affiche un programme annuel de musique de chambre.

AROUND MIDNIGHT CARTE P. 283

☎ 081 558 28 34 ; www.aroundmidnight.it ; Via Bonito 32A ; 🕒 21h-4h mar-dim, musique *live* 23h-1h, fermé en août ; Ⓜ Vanvitelli

Ce club de jazz parmi les plus célèbres de la ville propose des concerts six soirs par semaine, généralement de jazz, mais aussi parfois de blues.

BOURBON STREET CARTE P. 280

☎ 328 068 72 21 ; Via Bellini 52 ; 🕒 21h30-3h sept-juin ; Ⓜ Dante

Un petit coin de La Nouvelle-Orléans en plein centre de Naples. Des jazzmen italiens ou américains se produisent dans la salle en brique rouge presque chaque soir, devant un public d'amateurs éclairés de 7 à 77 ans.

CAPPELLA DELLA PIETÀ DEI TURCHINI CARTE P. 283

☎ 081 40 23 95 ; www.turchini.it ; Via Santa Caterina da Siena 38 ; funiculaire central pour Corso Vittorio Emanuele

Lieu de résidence de la formation baroque Cappella della Pietà dei Turchini, cette église désaffectée offre un cadre superbe pour des concerts classiques qui font la part belle au répertoire napolitain des XVIIe et XVIIIe siècles. Le prix d'entrée tourne autour de 15 €.

OTTO JAZZ CLUB CARTE P. 283

☎ 081 551 37 65 ; Piazzetta Cariati 23 ; 🕒 22h-tard ven-dim sept-juin ; 8-10 € ; funiculaire central pour Corso Vittorio Emanuele

Situé sur la colline en montant vers Vomero, Otto est considéré par beaucoup comme le meilleur club de jazz de Naples. Il a toujours accueilli les sommités du genre et continue de recevoir de grands musiciens italiens et, parfois, étrangers.

PALAPARTENOPE CARTE P. 287

☎ 081 570 00 08 ; www.palapartenope.it en italien ; Via Barbagallo 115, Fuorigrotta ; 🚌 152

Dans le faubourg de Fuorigrotta, à l'ouest du centre-ville, cette salle de spectacle à l'architecture banale est la plus vaste de

NAPLES ET LA MUSIQUE

Le journaliste Francesco Calazzo nous parle du paysage musical métissé de la ville :

"En tant que port, Naples a toujours absorbé les influences étrangères. Musicalement, il en résulte une fusion de styles allant des mélodies italiennes classiques aux percussions africaines, en passant par le blues américain.

La fin des années 1970 a représenté un moment crucial pour la scène musicale, avec des pionniers de la nouvelle chanson napolitaine, tels Eugenio Bennato, Pino Daniele et Enzo Avitabile, qui ont su mélanger au folklore local des sons rock et des rythmes afro hypnotiques. Enzo Avitabile travaille aujourd'hui avec le légendaire ensemble Bottari di Portico, dont le nom vient des tonneaux (*bottari*) qu'il utilise dans sa musique.

Apparu plus récemment, le hip-hop napolitain se sert d'instruments comme les tablas et les djembés pour produire des sonorités nord-africaines. Les exemples les plus fameux ont été 99Posse et Almamegretta. Bien que ces deux groupes n'existent plus, leurs membres se produisent encore à l'occasion dans des clubs comme Officina 99 (à gauche), où 99Posse s'était formé.

Pendant la Seconde Guerre mondiale, les soldats américains introduisirent le jazz et le blues à Naples. À ce propos, ne manquez pas Blue Stuff (www.bluestuff.it), qui chante du blues de Chicago en dialecte.

Pour entendre des groupes napolitains underground, fréquentez le Velvet Zone (à gauche) et consultez les quotidiens – *Il Corriere del Mezzogiorno* ou *La Repubblica* (édition napolitaine) en priorité – car certains concerts indé ne sont annoncés que le jour même. Sinon, rendez-vous dans les magasins de disques de la Via San Sebastiano, dans le centre historique."

Naples, avec une capacité dépassant les 6 000 spectateurs assis. Sa programmation mélange artistes italiens et internationaux connus, comme le crooner napolitain Pino Daniele, Lou Reed ou le groupe Spandau Ballet.

STADIO SAN PAOLO CARTE P. 287

☎ 081 239 56 23 ; Piazzale Vincenzo Tecchio, Fuorigrotta ; 🚌 152

C'est là que Diego Maradona fut expulsé du terrain lors de la demi-finale de la Coupe du monde 1990 entre l'Italie et l'Argentine, pour avoir demandé aux supporters de l'équipe de Naples d'encourager son pays. En dehors des matchs de football, l'immense stade sert parfois à accueillir des grands noms de la musique italienne.

THÉÂTRE

Si la scène théâtrale de Naples n'est peut-être plus aussi palpitante que du temps d'Eduardo De Filippo, elle réserve encore quelques belles surprises. Des auteurs tels que Roberto De Simone, Luca de Filippo et Enzo Moscato attirent aujourd'hui un large public avec leurs réinterprétations modernes des traditions napolitaines. Et les petites salles encouragent l'expression de jeunes créateurs de tous les pays.

Opulence classique, théâtre San Carlo RIPANI MASSIMO / SIME / 4CORNERS IMAGES

Le prix des places varie de 8 € dans les théâtres d'avant-garde, à 30 € et plus pour les grosses productions dans les lieux prestigieux. Les réservations se font soit directement aux théâtres soit, quand c'est possible, sur leurs sites web, ou encore dans des billetteries comme **Box Office** (carte p. 280 ; ☎ 081 551 91 88 ; www.boxoffice-club.it en italien ; Galleria Umberto I 17). Beaucoup d'hôtels proposent un service de réservation.

BELLINI CARTE P. 280

☎ 081 549 96 88 ; www.teatrobellini.it en italien ; Via Conte di Ruvo ; billets à partir de 15 € ; 🕒 billetterie 10h30-13h et 17h-20h lun-ven, 10h30-14h sam ; Ⓜ Museo

Construit au XIXe siècle, le théâtre Bellini est l'incarnation en rouge et or du classicisme, avec un répertoire en rapport (Shakespeare, Manzoni, Oscar Wilde…).

GALLERIA TOLEDO CARTE P. 283

☎ 081 42 50 37 ; www.galleriatoledo.net en italien ; Via Concezione a Montecalvario 34 ; billets 13 € ; 🕒 billetterie 10h-13h30 et 15h-18h tlj ; Ⓜ Montesanto

Excentré, dans les Quartiers espagnols, ce lieu d'avant-garde accueille surtout des pièces contemporaines expérimentales d'auteurs italiens et étrangers. On y projette aussi parfois des films d'art et d'essai. Consultez son site web pour connaître le programme.

MERCADANTE CARTE P. 280

☎ 081 551 33 96 ; www.teatrostabilenapoli.it en italien ; Piazza del Municipio 1 ; billets à partir de 13 € ; 🕒 billetterie 10h30-13h et 17h30-19h30 lun-ven, 10h30-13h sam sept-avr ; 🚌 R2 pour Piazza del Municipio

Fondé au XVIIIe siècle et récemment restauré, le Mercandante abrite le Teatro Stabile, principale compagnie théâtrale de Naples. Ses productions de grande qualité incluent des pièces classiques et modernes d'auteurs italiens et étrangers, notamment des œuvres des gloires locales Luca de Filippo et Roberto de Simone.

TEATRO NUOVO CARTE P. 280

☎ 081 40 60 62 ; www.nuovoteatronuovo.it en italien ; Via Montecalvario 16 ; billets 8 € environ ; 🕒 billetterie 10h30-13h et 17h-19h mar-ven, 10h30-13h sam oct-mai ; Ⓜ Montesanto

Parmi les noms les plus célèbres à l'affiche du Teatro Nuovo figurent des auteurs comme Samuel Beckett et Pier Paolo Pasolini. La programmation laisse une large place aux

MORT À NAPLES

Si vous aimez les pièces assaisonnées d'un ou de deux meurtres, sachez que la compagnie théâtrale **Il Pozzo e il Pendolo Teatro** (☎ 081 542 20 88 ; www.ilpozzoeilpendolo.it en italien ; Piazza San Domenico Maggiore 3) joue des polars à énigme dans des lieux pittoresques comme le Jardin botanique (p. 96). Elle organise aussi des dîners et des week-ends "Cluedo", ainsi que des visites nocturnes de Naples à vous glacer le sang. Si les premiers sont en italien, les secondes peuvent se dérouler en anglais à condition de réserver à l'avance.

créations de jeunes dramaturges européens contemporains souvent peu consensuels.

TRIANON CARTE P. 280

☎ 081 225 82 85 ; www.teatrotrianon.it ; Piazza Vincenzo Calenda 9 ; billets 10-22 € ; billetterie 10h-13h30 et 16h-20h tlj ; R2 pour Corso Umberto I

Délicieusement kitsch, l'orchestre du Trianon dévide un répertoire de vieilles chansons napolitaines ouvertement sentimentales, que les spectateurs nostalgiques reprennent en chœur. Le petit musée à la gloire du célèbre chanteur d'opéra Caruso est ouvert avant le spectacle.

OPÉRA

Naples et l'opéra sont indissociables. Le théâtre San Carlo, considéré comme la salle la plus importante d'Italie après la Scala de Milan, programme régulièrement des représentations de premier ordre. Le public napolitain a d'ailleurs la réputation d'être très exigeant.

Assister à un spectacle au San Carlo est une expérience d'autant plus mémorable que les places s'avèrent difficiles à obtenir. La plupart sont en effet vendues à l'avance, sur abonnement, à des aficionados qui payeront jusqu'à 800 € par an pour satisfaire leur passion.

La saison d'opéra au San Carlo va de janvier à décembre, avec une interruption en juillet et août. Comptez 40 € pour une place au 6e niveau et 90 € pour un siège dans une loge. Les moins de 30 ans peuvent acheter des billets à 15 € une heure avant la représentation.

Pour réserver, contactez la **billetterie du théâtre San Carlo** (carte p. 284 ; ☎ 081 797 23 31, 081 797 24 12 ; www.teatrosancarlo.it ; Via San Carlo 98) ou essayez sur Internet. L'été, des spectacles se déroulent dans la cour du Castel Nuovo et au parc archéologique de Baies (Parco Archeologico di Baia ; p. 105). Consultez la presse locale pour connaître les opéras à l'affiche.

Pour des informations sur les ballets programmés par le théâtre, voir plus bas la rubrique *Danse*.

THÉÂTRE SAN CARLO CARTE P. 284

☎ 081 797 23 31 ; www.teatrosancarlo.it ; Via San Carlo 98 ; billetterie 10h-18h30 mar-sam ; R2 pour Via San Carlo

Le magnifique théâtre San Carlo, dont les six balcons rouge et or peuvent accueillir un millier de spectateurs, figure parmi les plus illustres salles d'opéra au monde. Son programme annuel, très classique, fait la part belle aux œuvres les plus populaires de Wagner, de Tchaïkovski et de Verdi. On y propose aussi des spectacles de danse (voir ci-après).

LA NOTTE BIANCA

Chaque année en septembre, la **Notte Bianca** ("nuit blanche") met à l'honneur l'art, la culture et le commerce : pièces de théâtre sur les places, concerts dans les cloîtres et cours de tango dans les gares ferroviaires. Les transports circulent gratuitement jusqu'au matin. Pour en savoir plus, connectez-vous sur www.nottebiancanapoli.it (en italien) ou consultez la presse locale le jour qui précède l'événement.

DANSE

Bien que célèbre surtout comme foyer de l'opéra napolitain, le théâtre San Carlo héberge aussi la plus vieille académie de danse d'Italie, la Compagnie San Carlo, qui présente tout au long de l'année un répertoire d'œuvres traditionnelles et modernes.

Les voyageurs en quête du nec plus ultra de la danse mondiale devront monter jusqu'à Rome ou Milan.

THÉÂTRE SAN CARLO CARTE P. 284

☎ 081 797 21 11 ; www.teatrosancarlo.it ; billets 20-90 € ; billetterie 10h-15h mar-dim oct-mai, 10h-16h30 lun-ven juin-sept ; Via San Carlo 98 ; R2 pour Via San Carlo

La compagnie attachée au théâtre donne des spectacles de très bon niveau. Le prix des billets s'échelonne de 25 à 60 €. Les moins

FESTIVALS DE CINÉMA

Napoli Film Festival (www.napolifilmfestival.com en italien). Une semaine de juin dédiée au cinéma international.

Estate a Napoli (www.napolioggi.it en italien). Des projections de films en plein air ont lieu de juin à septembre dans le cadre de cette manifestation culturelle qui dure tout l'été.

Artecinema (www.artecinema.com en italien). Un festival international consacré aux documentaires d'art contemporain, qui se déroule en octobre.

de 30 ans (munis d'une pièce d'identité) bénéficient d'un tarif à 15 € – billet à acheter une heure avant la représentation. Des ballets ont lieu l'été dans la cour du Castel Nuovo.

CINÉMA

Les Napolitains vont surtout au cinéma l'hiver, c'est pourquoi nombre de petites salles ferment durant l'été. Les familles et les plus âgés assistent à la séance de 20h, les jeunes à celle de 22h30.

En Italie, presque tous les films sont doublés, ce qui limite considérablement votre choix si vous ne parlez pas la langue. La mention *versione originale* ou VO figure après le titre sur les programmes.

Un billet coûte entre 4,50 et 8 €. Les séances se succèdent en principe toutes les 2 heures, entre 16h30 et 22h30. Les tarifs des séances de l'après-midi et du début de soirée sont en général inférieurs à ceux du soir. La presse quotidienne publie la liste des films avec leurs horaires et tarifs.

CINEMA MODERNISSIMO CARTE P. 280

☎ 081 580 02 54 ; www.modernissimo.it en italien ; Via Cisterna dell'Olio ; billets 7 € ; Ⓜ Dante

Ce lieu prisé des bobos napolitains présente à la fois des films d'art et d'essai, des classiques et des productions plus commerciales doublés en italien. Installé au milieu des nombreux bars de la Via Cisterno dell'Olio, ce complexe comprend aussi une petite bibliothèque consacrée au cinéma.

CINEMA PLAZA CARTE P. 283

☎ 081 556 35 55 ; Via M Kerbaker 85 ; billets 7 € ; Ⓜ Vanvitelli

Deux salles appréciées de la population aisée du quartier, avec une programmation de films à succès, principalement.

POUR LES AMATEURS DE CALCIO

L'équipe de football de Naples est la troisième d'Italie en termes de supporters, après la Juventus de Turin et le Milan AC. Les grands matchs drainent jusqu'à 80 000 spectateurs au stade San Paolo, où les joueurs en bleu pâle se produisent un dimanche sur deux.

La saison du ballon rond dure de septembre à mai, avec une courte interruption vers Noël. Le prix des billets varie selon l'adversaire, mais coûte généralement de 14 € environ pour une place derrière les buts à 40 € dans les tribunes sur le côté. On peut les acheter au **Stadio San Paolo** (renseignements sur la billetterie ☎ 081 239 56 23 ; Piazzale Vincenzo Tecchio ; 🚌 152) ou au guichet officiel **Azzurro Service** (☎ 081 593 40 01 ; Via Galeota 17 ; 🚌 152), tous deux dans le faubourg de Fuorigrotta, à l'ouest de Mergellina.

JEAN-BERNARD CARILLET

ACHATS

ACHATS

Du bazar religieux aux bagues en touche de clavier d'ordinateur, le shopping napolitain réserve bien des surprises.

Oubliez les galeries marchandes identiques aux quatre coins du monde et les rues commerçantes aseptisées : à Naples, le shopping a autant de couleur locale que la ville elle-même. Les succursales de chaînes existent bien, mais elles occupent une place secondaire par rapport aux magasins spécialisés tenus par des commerçants entreprenants, de la vieille épicerie remplie de produits locaux au salon d'artiste garni d'un stock de sculptures dérangeantes.

Les Napolitains sont des consommateurs avertis et le samedi matin est leur moment de prédilection pour partir à la chasse aux bonnes affaires. Plus animés encore que les samedis matins (mais à ne pas manquer, même au prix de sévères contusions), les soldes sont deux temps forts qui rythment l'année, de janvier à mi-mars et de début juillet à début septembre. Les stocks diminuent alors de 75% et les meilleures affaires se font chez les petits commerçants.

Chaque quartier a son style. Pour être à la pointe de la mode, c'est Chiaia qu'il faut viser, où les Via Calabritto, Via dei Mille et Via G. Filangieri se parcourent comme on feuillette le magazine *Vogue*. C'est ici que se sont installés Armani, Zegna et les tailleurs locaux de renom, tels Finamore et Borrelli (voir p. 143). Chiaia est également intéressant pour la vaisselle design et la bijouterie dernier cri. Juste à côté de la Piazza dei Martiri, la Via Domenico Morelli est un nid d'antiquaires. Quant aux chaînes de mode moyenne gamme, elles se concentrent dans la Via Chiaia.

À son extrémité est, celle-ci débouche sur la Via Toledo, la grande artère de Naples, meilleur endroit pour flâner et lécher les vitrines. On y trouve de tout, du grand magasin élégant à la boutique de *bomboniere* (souvenirs de baptême).

Vous pouvez prendre le funiculaire et monter à Vomero pour faire des achats BCBG, ou préférer le négligé du *centro storico* pour dénicher des objets dans le genre kitsch, traditionnel ou déjanté. Les rues spécialisées sont la Via Port'Alba pour les livres d'occasion, la Via San Sebastiano pour les instruments de musique et la Via San Gregorio Armeno pour trouver des *presepi* (crèches) d'une belle facture artisanale.

Au sud du quartier historique, le frénétique Corso Umberto I est le rendez-vous des jeunes adolescents friands de vêtements cool et bon marché et de chaussures de sport décoiffantes. Plus au sud, autour de la Piazzetta Orefici (la place des Orfèvres), le Borgo degli Orefici est le quartier traditionnel de l'or.

Mais c'est sur les légendaires marchés de Naples, une des plus grosses plaques tournantes de la contrefaçon au monde, que vous ferez l'expérience la plus originale. Tout y est là aussi, mais dans un autre genre – enregistrements pirates, sous-vêtements farfelus ou faux Gucci très convaincants – à des prix défiant toute concurrence. Gardez cependant à l'esprit que la législation sur l'achat de contrefaçon est variable d'un pays à l'autre, et que les amendes peuvent être importantes. Par ailleurs, attentions aux pickpockets !

En général, les magasins sont ouverts du lundi au samedi, de 9h30 à 13h30 et de 16h30 à 20h (en hiver) ou de 16h à 20h30 (en été). Ils sont fermés le lundi matin en hiver et le samedi après-midi en été. Parfois, les petites boutiques ou les magasins spécialisés n'ouvrent qu'à 10h, et les horaires de l'après-midi peuvent être réduits. Les grands magasins et les succursales de chaînes vous accueillent, quant à eux, de 9h30 à 20h30. Beaucoup de magasins ferment en août. Si les horaires d'ouverture des magasins mentionnés ci-après sont indiqués, c'est qu'ils se distinguent de la norme.

Presque tous les achats sont soumis à une TVA de 20% (Imposta de Valore Aggiunto, IVA). Si vous n'êtes pas citoyen de l'Union européenne et que vous dépensez plus de 180 € dans un même magasin, vous avez droit au remboursement de la TVA en quittant le pays (détails complémentaires p. 249). Quand vous réglez votre achat, conservez soigneusement le ticket de caisse. La *guardia di finanza* (police financière) est légalement autorisée à faire des contrôles impromptus hors des magasins, et si vous ne pouvez pas produire le ticket de caisse, vous pouvez être contraint de payer une amende.

CENTRE HISTORIQUE ET MERCATO

BERISIO CARTE P. 280 LIVRES

☎ 081 549 90 90 ; Via Port'Alba 28-29 ; Ⓜ Dante

Dans une rue de bouquinistes. Vieille boutique remplie du sol au plafond de titres délaissés : catalogue de l'exposition Caravage, livre de design napolitain ou script de pièce de théâtre aux pages cornées, en italien pour la plupart. Quelques jolis puzzles pour les enfants.

BLUE CHIARA LUCE CARTE P. 280 ARTISANAT

☎ 081 29 94 57 ; Via Tribunali 340 ; Ⓜ Dante

Vos *pastori* (santons) n'ont plus rien à se mettre ? Lucia Azzurro fabrique de magnifiques costumes baroques pour figurines de crèche et statuettes religieuses.

CARPISA CARTE P. 280 SACS ET BAGAGES

☎ 081 563 57 77 ; Corso Umberto I 342 ; 🚌 R2 Corso Umberto I

Fini les bagages tristes. Avec une valise Carpisa, vous êtes sûr de ne pas passer inaperçu. Gamme sympa, amusante et bon marché, dans des coloris qui vont du jaune strident au vert fluo. À compléter par un fourre-tout à imprimé tropical, ou un petit sac à bandoulière à 10 €.

CHARCUTERIE CARTE P. 280 ALIMENTATION

☎ 081 551 69 81 ; Via Benedetto Croce 43 ; Ⓜ Dante

Même les portes de cette petite épicerie fine croulent sous les mets gastronomiques : pâtes, macarons, grappa (eau-de-vie de raisin), huile d'olive parfumée au citron et figues enrobées de chocolat.

CRYPTON

CARTE P. 280 MODE HOMME

Corso Umberto I 105 ; 🚌 R2 Corso Umberto I

Deux étages de streetwear sexy, de T-shirts pour pectoraux gonflés et de jeans skaters, avec une petite collection de chaussures de sport, de marques Lee, Tiger, Asics et Lonsdale.

GAY-ODIN CARTE P. 280 CHOCOLATS

☎ 081 40 00 63 ; Via Toledo 427 ; 🕐 9h30-20h lun-sam, 10h-14h dim ; Ⓜ Dante

Non, il ne s'agit pas d'un bar gay, mais du chocolatier le plus couru de Naples. On s'arrache ses grains de café enrobés de chocolat, ou son *peperoncino-cioccolato*, un mélange torride de chocolat et de piment. Parmi ses 8 succursales à Naples, celle-ci est la plus centrale.

GIUSEPPE FERRIGNO

CARTE P. 280 ARTISANAT

☎ 081 552 31 48 ; Via San Gregorio Armeno 8 ; Ⓜ Dante

Les santons en terre cuite de Ferrigno, le roi de la crèche, sont réputés dans le monde entier. Mi-atelier mi-boutique, l'espace est tapissé d'étagères peuplées de Vierges Marie au regard aimant, de paysans plantureux et de scènes de marché sophistiquées qui mettront de l'ambiance dans votre crèche.

LIMONÉ CARTE P. 280 CADEAUX

☎ 081 29 94 29 ; Piazza San Gaetano 72 ; Ⓜ Cavour

Son limoncello bio fait courir tous les amateurs de citron. Si vous savez y faire, on vous fera peut-être goûter… Laissez-vous aussi tenter par la

LE MEILLEUR DU KITSCH NAPOLITAIN

Auréoles clignotantes, bijoux dorés pour mafieux et figurines de crèche plus vraies que nature, Naples est un des hauts lieux du kitsch. Voici quelques adresses surprenantes :

Arte in Movimento (carte p. 280 ; ☎ 081 420 10 94 ; Via San Biagio dei Librai 33 ; Ⓜ Dante). Santons à moteur et clichés napolitains peints à la main. Mention spéciale pour le pizzaiolo qui se penche sur son four crachant des flammes.

La Galleria delle Bomboniere (carte p. 280 ☎ 081 551 80 95 ; Via Enrico Pessina 76 ; Ⓜ Dante). Le comble du kitsch italien méridional, avec des cadres de photo à thème de première communion, des boîtes à bijoux en faux baroque, des calèches citrouille en verre et des écureuils en céramique à la mine enjouée.

Napolimania (carte p. 280 ; ☎ 081 41 41 20 ; Via Toledo 312 ; 🚌 CS Via Toledo). Vulgaire et fier de l'être, ce sanctuaire de la culture populaire locale regorge de statues de Totò en plastique, de "trousses de survie" napolitaines et de gars effrontés qui débitent des paillardises en dialecte local.

Via Francesco Caracciolo (carte p. 284 ; 🚌 C25 Riviera di Chiaia). Les étals de la Via Caracciolo, en bord de mer, croulent sous les souvenirs en coquillages et les madones en plastique.

Via Mezzocannone (carte p. 280 ; 🚌 E1 Via Mezzocannone). Autre foyer intraitable du kitsch catholique, avec ses Vierges à couronne clignotante et ses Jésus qui brillent dans l'obscurité.

JOUR DE MARCHÉ

Les marchés de Naples sont réputés hauts en couleur et tentateurs, mais un rien risqués. Faites simplement attention à votre portefeuille et méfiez-vous de l'arnaque au Caméscope/appareil photo numérique qui vous laissera avec une boîte vide. Insistez toujours pour avoir le modèle de démonstration et non le modèle emballé. La plupart des articles de marques sont des copies (même parfaites) et les vendeurs seront prêts à marchander, sauf dans les cas mentionnés. Les marchés suivants sont les plus intéressants :

Bancarelle a San Pasquale (carte p. 284 ; Via San Pasquale, Via Imbriani et Via Carducci ; 8h-14h lun-mer, ven et sam, fermé août ; C25 Riviera di Chiaia). Via Imbriani, vous trouverez des vêtements mode, des sarongs et des bijoux d'avant-garde. Entre la Via Carducci et la Via San Pasquale : poisson, épices, fruits et légumes. Pas de marchandage.

Fiera Antiquaria Napoletana (carte p. 284 ; Villa Comunale ; 8h-14h dernier dim du mois, fermé en août ; C25 Riviera di Chiaia). Sur le front de mer, lieu agréable pour chiner tranquillement de l'argenterie, des bijoux, des meubles, des peintures et des gravures, ainsi que de la splendide brocante hors de prix.

La Duchessa (carte p. 280 ; Via S G Calasanzio et rues adjacentes ; 8h-14h lun-sam, fermé août ; R2 Piazza Garibaldi). Noir de monde, rude et incroyablement peu cher, ce marché multiethnique regorge de contrefaçons, de la copie pirate de film à la fausse ceinture D&G ou faux sac Prada. Beaucoup d'objets africains, de maillots de foot et de lingerie féminine bon marché.

La Pignasecca (carte p. 280 ; Via Pignasecca et rues adjacentes ; 8h-13h ; M Montesanto). Le plus ancien et (sans doute) le meilleur marché de Naples, en tout cas pour l'alimentation. Il y a là tout ce qui est comestible (mozzarella fraîche et pain casareccio, viande, poisson, etc), mais aussi des parfums et du linge de maison à bas prix, de la vaisselle et des ustensiles de cuisine, des CD de hip-hop napolitain et des sacs et des vêtements de couturiers (faux naturellement).

Mercatino di Antignano (carte p. 283 ; Piazza degli Artisti ; 8h-13h lun-sam, fermé août ; M Medaglie D'Oro). Dans les hauteurs de Vomero, l'endroit est réputé pour les sacs, bijoux, linge de maison, ustensiles de cuisine, chaussures et vêtements de nouvelle et de fin de saison. Et pour son camelot qui jette les sous-vêtements en l'air en criant *Un euro! Un euro!*

Mercatino di Posillipo (carte p. 287 ; Parco Virgiliano ; 8h-14h jeu, fermé août ; 140 jusqu'au Viale Virgilio). Pas le moins cher, mais le meilleur pour des articles de qualité : authentiques produits de couturiers (mais les sacs D&G et Louis Vuitton sont faux), maillots de bain femme, sous-vêtements et linge de maison. Seuls les vendeurs africains en bas de la colline acceptent de marchander.

Mercato dei Fiori (carte p. 280 ; Castel Nuovo ; aube-midi ; R2 Piazza del Municipio). Le marché aux fleurs.

Mercato di Poggioreale (carte p. 278 ; Via Nuova Poggioreale ; 8h-13h ven-lun, fermé août ; M Gianturco). Dans les anciens abattoirs de la ville. Une quarantaine de stands de chaussures écoulent les surplus des couturiers les plus tendance et des modèles de marques standard. Fantastiques également : les vêtements simples et bon marché, les costumes, les rouleaux de tissus colorés et la vaisselle.

Porta Nolana (carte p. 280 ; Via Nolana ; 8h-18h ; R2 Piazza Garibaldi). Autre marché tentaculaire plein de poissonniers hurlants, de commerçants chinois infatigables et de vendeurs de cigarettes de contrebande. Prenez un maïs grillé et faites les étalages sur tréteaux qui débordent de poissons et de fruits frais, de montres bon marché, de gadgets géniaux et de compilations des années 1980.

pâte de citron, la *grappa* parfumée au citron ou la *crema di melone* (liqueur de melon).

OTTICA STREVELLA CARTE P. 280 OPTICIEN

081 20 27 34 ; Corso Umberto I 213 ; R2 Corso Umberto I

Opticien sympathique offrant toute la gamme des services : contrôle de la vue, petites réparations et verres sur ordonnance à partir de 50 €. Grand choix de lunettes de soleil Dior, DKNY, Gucci, Ralph Lauren, Cesare Paciotti, Valentino et Armani.

TATTOO CARTE P. 280 MUSIQUE

081 552 09 73 ; Piazzetta del Nilo 15 ; 9h-20h lun-jeu, 9h-24h ven et sam, 9h-14h dim ; M Dante

Spécialiste du hip-hop et de la soul, mais bien fourni dans tous les autres genres musicaux. Fait ses plus grosses ventes avec les vinyles. Vous pouvez écouter avant d'acheter.

VIA TOLEDO ET QUARTIERS ESPAGNOLS

ANTICHE DELIZIE

CARTE P. 280 ALIMENTATION

☎ 081 551 30 88 ; Via Pasquale Scura 14 ; Ⓜ Montesanto

Jambons suspendus, salamis fameux et la meilleure mozzarella de la ville. Cette institution napolitaine est parfaite pour préparer un pique-nique, en faisant provision d'entrées aux aubergines, de *caprignetti* (fromage de chèvre farci aux herbes) et de vin régional.

ANTONIO BARBARO

CARTE P. 284 HABILLEMENT HOMME ET CHAUSSURES

☎ 081 42 56 07 ; Piazza Trieste e Trento ; 🚌 CS Trieste e Trento

Les hommes coquets viennent ici pour les nouveaux modèles de chaussures Tod et Hogan, ainsi que les chemises polo Ralph Lauren. Les coquets en herbe trouveront les petites tailles Hogan, Rich et Baci un peu plus bas, chez Barbaro Junior (Via Toledo 231).

BERSHKA CARTE P. 280 VÊTEMENTS ET ACCESSOIRES

☎ 081 552 83 62 ; Via Toledo 126 ; 🕒 10h-20h lun-sam ; 🚌 CS Via Toledo

Sols en béton, murs orange pétant et remixes bastonnants de Madonna, pour le cadre. Le reste est un déluge de vêtements de mode à bons prix pour garçons et filles urbains : deux étages de jeans de couturier, de T-shirts rétro et de maillots de bain exhibo.

INTIMISSIMI CARTE P. 280 LINGERIE

☎ 081 552 55 67 ; Via Toledo 47-48 ; Ⓜ Dante

Le grand fournisseur des amateurs de lingerie fine, slips et sous-vêtements pour hommes et femmes, à bons prix. Le look est plutôt sexy, avec des imprimés coquins et des ensembles rouge et noir très boudoir.

TALARICO CARTE P. 280 PARAPLUIES

☎ 081 40 77 23 ; Vico Due Porte a Toledo 4B ; 🚌 CS Via Toledo

Mario Talarico et ses neveux ont fait de l'humble parapluie une œuvre d'art pour une clientèle de chefs d'État. Chaque pièce est bien sûr unique, avec bouton en nacre, embout en corne et manche taillé dans une seule branche d'arbre. Les plus belles pièces vont chercher dans les 300 €, mais on peut trouver son bonheur à moindre prix.

SANTA LUCIA ET CHIAIA

AMARCORD 900 MODERNARIATO E COLLEZIONISMO

CARTE P. 284 JOUETS DE COLLECTION

☎ 081 549 82 76 ; Via Giacomo Piscicelli 77B ; 🕒 lun 16h-19h30, mar-sam 10h-19h30 ; Ⓜ Amedeo

Vous n'arrivez pas à trouver cette fusée de 1972 éditée en série limitée ? Ici, peut-être… Au milieu des lampes psychédéliques, des pochettes d'album rétro et des jouets rares et anciens comme ces vieilles ambulances russes et ces petites voitures italiennes en fer blanc. On restaure aussi vos vieux jouets.

BOWINKEL CARTE P. 284 ANTIQUITÉS

☎ 081 764 07 39 ; Via Santa Lucia 25 ; 🚌 C25 Via Partenope

Les plus belles gravures anciennes, photographies, aquarelles et cadres classiques. Si vous ne trouvez pas votre bonheur, essayez au magasin principal, Piazza dei Martiri 24 (081 764 43 44). L'érudit propriétaire vous renseignera et se chargera des expéditions à l'étranger.

CONTEMPORASTUDIO

CARTE P. 284 BIJOUTERIE

☎ 081 247 99 37 ; Via Francesco Crispi 50 ; 🕒 10h-13h30 et 16h30-20h lun-ven, 10h-13h30 sam ; Ⓜ Amedeo

Galerie tout en béton vendant les merveilleux bijoux expérimentaux de la Napolitaine Asad Ventrella : colliers de *penne rigate* (pâtes) en argent massif, grosses bagues double face en titane et aluminium, et boutons de manchette tranchants pour dandys avertis.

CULTI SPACAFÉ CARTE P. 284 CONCEPT STORE

☎ 081 764 46 19 ; Via Carlo Poerio 47 ; 🚌 C25 Riviera di Chiaia

Espace mode de vie hyper-chic rassemblant de la vaisselle japonaise, des produits de beauté, un fleuriste mode, un bar-restaurant d'une coquetterie échevelée et un fabuleux spa avec hammam. Après avoir acheté des mules en soie, vous irez prendre un Campari avant une séance de shiatsu.

DELIBERTI CARTE P. 284 CHAUSSURES

☎ 081 41 60 64 ; Via Chiaia 10 ; 🚌 C25 Piazza dei Martiri

La boutique où rafraîchir votre collection de chaussures (de sport) design avec, entre autres, les marques Helmut Lang, Puma, Bikkemberg

top 5 DES RUES COMMERÇANTES

Via Toledo (carte p. 280)
Les boutiques chic se concentrent dans la partie piétonne, à l'extrémité sud, mais le spectacle est aussi dans la rue avec les vendeurs de *sfogliatelle* (chausson de ricotta à la cannelle), les artistes de rue et les passants qui rivalisent d'élégance.

Via dei Tribunali (carte p. 280)
Sur un tronçon de quelques centaines de mètres entre la Piazza San Gaetano et la Via Atri, c'est une succession d'épiceries fines à l'ancienne, de marchands de légumes, de restaurants de quartier pittoresques, et... un tailleur pour santons de crèche.

Via Chiaia (carte p. 278)
Autre lieu de perdition pour le porte-monnaie : boutiques charmantes, vêtements de couturiers, chaussures effrontées, accessoires originaux et vaisselle rutilante.

Via San Gregorio Armeno (carte p. 280)
Vieux ateliers d'artisans et boutiques remplies de figurines de crèche qui valent leur pesant de kitsch napolitain (voir p. 140).

Via Calabritto (carte p. 284)
Le nec plus ultra du shopping napolitain, sur un trottoir pavé, le rendez-vous des grands couturiers, d'Armani à Zegna.

et Adidas. Ne ratez pas la petite collection de dangereux talons aiguilles Casadei à impressions léopard. Soldes fréquents.

EDDY MONETTI
CARTE P. 284 ÉLÉGANCE FÉMININE

☎ 081 40 32 29 ; Piazzetta Santa Caterina ; C25 Piazza dei Martiri
Les élégantes de Naples viennent ici chercher leurs vestes, jupes et pantalons admirablement coupés, et leurs magnifiques sacs à main en cuir. Imaginez *Vogue* et *Harper's Bazaar* réunis, avec comme marques Etro, Blumarine, Malo et Cucinelli. Rien à moins de 250 € pièce.

EDDY MONETTI MEN'S STORE
CARTE P. 284 ÉLÉGANCE MASCULINE

☎ 081 40 70 64 ; Via dei Mille 45 ; C25 Piazza dei Martiri
La version homme d'Eddy Monetti se décline en blazers Burberry, chemises Ralph Lauren et irrésistibles pulls en cachemire. Ambiance 16e arrondissement et service snob à l'avenant.

FELTRINELLI CARTE P. 284 LIVRES ET MUSIQUE

☎ 081 240 54 11 ; Piazza dei Martiri ; 10h-21h lun-jeu, 10h-22h ven, 10h-23h sam, 10h-14h et 16h-22h dim ; C25 Piazza dei Martiri
Trois étages de livres, CD, vidéos, DVD et, en plus, une billetterie de spectacles. On traîne et on feuillette, et puis on va prendre un expresso au café du rez-de-chaussée.

JOSSA CARTE P. 284 MODE HOMME ET CHAUSSURES

☎ 081 39 92 23 ; Via Carlo Poerio 43 ; C25 Riviera di Chiaia
Lâchez-vous un peu et venez vous refaire une garde-robe ultra-cool de jeans maculés de peinture, de chemises rose vif, de tricots à bandes pastel et de costumes très finement rayés. Avec ça, il vous faudra bien des chaussures Pantofola d'Oro, Carshoe ou Abercrombie & Fitch.

INTERFOOD CARTE P. 284 VIN

☎ 081 764 97 92 ; Via Santa Lucia 6-10 ; C25 Via Partenope
Petite *enoteca* (bar à vin) de Santa Lucia, bien fournie en vin de Campanie, étoile montante de la scène œnologique italienne. Parmi les meilleurs producteurs, on retiendra les noms de Cantina del Taburno, Ocone ou D'Ambra pour les rouges, Falanghina ou Coda de Volpe pour les blancs. Bonnes affaires à saisir : 3 bouteilles d'un vin correct pour 15 € ou moins.

LIVIO DE SIMONE
CARTE P. 284 ÉLÉGANCE FÉMININE

☎ 081 764 38 27 ; Via Domenico Morelli 15 ; C25 Piazza dei Martiri
Livio de Simone a habillé Audrey Hepburn et Jacky Onassis. Aujourd'hui, sa femme et sa fille ont repris le flambeau avec des robes chemisiers imprimées à la main de motifs très libres, style Capri à la japonaise, et des porte-monnaie, sacs et chaussures adaptés. Un second magasin Vico Satriano 3A vend des pièces anciennes de Livio de Simone pour les accros de la mode (attention : quand on aime on ne compte pas).

OK-KO RESEARCH CARTE P. 284 NOUVEAUTÉS

☎ 081 40 01 77 ; Via Cavalerizza a Chiaia 63 ; C25 Piazza dei Martiri
Les bobos napolitains dénichent ici des boîtes lumineuses d'Andy Warhol, des chaises en

LE DANDYSME NAPOLITAIN

Milan est peut-être la façade publicitaire du chic italien, mais Naples est son cœur et son âme. Ses tailleurs à façon universellement réputés attiraient autrefois des clients comme le roi Emmanuel III, au début du XXe siècle. En fait, les ateliers sont des sortes de clubs, des lieux où les gentlemen napolitains se rencontrent et parlent de mode, de style et de coupe. De nos jours, les costumes de Mariano Rubinacci, les chemises de Borrelli et Finamore et les cravates de Marinella se doivent de figurer dans la garde-robe de tous les élégants du monde, de Tokyo à Turin.

Le secret d'un tel succès, c'est la combinaison d'une fabrication artisanale, de tissus magnifiques et d'une attention minutieuse au détail et à la ligne. En ce qui concerne les costumes, le look est plutôt enfant gâté que directeur de banque, avec une coupe souple et élancée, des épaules naturelles et non retouchées (qui permettent de gesticuler), des emmanchures hautes et la pochette caractéristique en *barchetta* (petit bateau). Le style lui-même a évolué à partir des costumes Savile Row à la mode dans les années 1920. Les tailleurs locaux ont commencé à assouplir la rigide coupe anglaise, ôtant les épaulettes et réduisant la toile et le rembourrage pour obtenir une ligne plus conforme à la nonchalance locale.

Une chemise napolitaine classique est faite à partir de cotons italien, suisse ou irlandais, avec un col, un empiècement, des manches et des boutonnières cousus main et des plis réunis à l'épaule.

La confection d'une chemise ou d'un costume sur mesure nécessite deux ou trois essayages et un délai pouvant aller de 3 à 8 semaines. Les pièces peuvent être expédiées à l'étranger.

Fort de ces renseignements, voici quelques noms célèbres dans la couture napolitaine :

Mariano Rubinacci (carte p. 284 ; ☎ 081 41 57 93 ; www.marianorubinacci.it ; Via Filangieri 26). De beaux costumes légers et finement ajustés par l'ancêtre des tailleurs napolitains. Le réalisateur napolitain Vittorio de Sica et le dramaturge Eduardo de Filippo ont compté parmi ses clients.

Cesare Attolini (carte p. 284 ; ☎ 081 42 68 26 ; www.cesareattolini.it ; Vico Vetriera 12). Cesare Attolini et ses deux élégants fils offrent 3 lignes différentes : Cesare Attolini pour des costumes sur mesure entièrement faits main, Sartoria Attolini pour des costumes prêt-à-porter faits main et Sartoria pour des costumes jeunes finis à la main.

Borrelli (carte p. 284 ; ☎ 081 423 82 73 ; www.luigiborrelli.com ; Via Filangieri 68 ; 🚌 C25 Piazza dei Martiri). Look BCBG classique avec un petit côté déluré : blazers pastel, costumes à carreaux et pulls en cachemire à rayures rouge foncé. Nonchalant mais toujours respectable.

Finamore (carte p.284 ; ☎ 081 246 18 27 ; www.finamore.it en italien ; Via Calabritto 16). Chemises prêt-à-porter (160-250 €) et sur mesure (à partir de 90 €) aux teintes exquises – bleu roi, rose pastel et vert citron – entièrement cousues main, avec cravates et écharpes assorties.

Marinella (carte p. 284 ; ☎ 081 245 11 82 ; Piazza Vittoria 287). Ancien fournisseur de Luchino Visconti, Aristote Onassis et Gianni Agnelli, Marinella est le grand confectionneur de cravates prêt-à-porter et sur mesure, que l'on peut assortir à un choix irrésistible d'accessoires de luxe (chaussures, chemises, pulls et eaux de Cologne anciennes).

Anna Matuozzo (carte p. 284 ; ☎ 081 66 38 74 ; www.annamatuozzo.it ; Viale Antonio Gramsci 26). La Signora Matuozzo est une ancienne apprentie de Mariano Rubinacci. Cette dame à la voix douce et ses filles sont renommées pour leurs chemises sur mesure à boutons de nacre et cousues à l'ancienne, que complètent des cravates en soie aux combinaisons de couleurs telles que fuchsia et bleu ciel. Prenez rendez-vous à l'avance pour un essayage.

GREG ELMS

COUVERTS DE BIJOUX

Quand la mère de l'artiste Giovanni Scafuro lui interdit de jouer avec sa nourriture, il se mit à jouer avec sa fourchette et sa cuillère. Devenu adulte, il continue de jouer avec les couverts (et d'autres objets recyclables) en les tordant et les soudant pour en faire des bijoux et des sculptures d'avant-garde. Sont apparus des bracelets et des bagues en petites cuillères en argent, des candélabres en fourchettes tordues et des bagues en vieilles touches de clavier d'ordinateur. Un talent aussi original ne pouvait rester dans l'ombre : les créations de Giovanni sont vendues jusqu'à Fukuoka, au Japon. On les trouvera dans plusieurs boutiques de Naples, mais il est beaucoup plus amusant de visiter son atelier sur le toit (carte p. 283 ; ☎ 081 594 52 71 ; www.giovanniscafuro.it ; Via Matteo Renato Imbriani 191 ; Ⓜ Materdei), véritable trésor d'objets d'art et de design. N'oubliez pas d'appeler au préalable, l'atelier est aussi la résidence de l'artiste.

plastique aux couleurs criardes, des horloges de designer hollandais, des compils de chill-out et des sacs à main fluo en forme d'arrosoir. Le comptoir se double d'une platine pour le DJ maison, et un apéritif est servi à l'étage, en hiver.

TABACCHERIA SISIMBRO

CARTE P. 284 CIGARES

☎ 081 40 69 83 ; Via San Pasquale a Chiaia 74-76 ; Ⓜ Amedeo

Temple du tabagisme où trouver les marques les plus rares de cigarettes (Dunhill, Dupont et Cartier), ainsi que de subtils cigares cubains conservés à bonnes température et humidité dans une pièce séparée. Une gamme de pipes italiennes, de coupe-cigares, de briquets et de cendriers facilite la pratique du culte.

VERDEGRANO CARTE P. 284 VAISSELLE

☎ 081 40 17 54 ; Via Santa Teresa a Chiaia 17 ; 🕓 10h-13h et 17h-19h, fermé lun matin et dim en hiver, fermé sam après-midi et dim en été ; Ⓜ Amedeo

Pots, vases, assiettes et objets décoratifs en porcelaine peinte à la main, y compris de petites pièces faciles à transporter. Les prix sont raisonnables. Attention si vous avez des enfants : l'endroit est exigu et les objets entassés.

LES MEILLEURS ACHATS À NAPLES

Livres et musique Feltrinelli (p. 142)
Chocolat Gay-Odin (p. 139)
Crèches Giuseppe Ferrigno (p. 139)
Vaisselle tendance OK-KO Research (p. 142)
Bijoux Contemporastudio (p. 141)
Mozzarella Antiche Delizie (p. 141)
Gravures anciennes Bowinkel (p. 141)
Chaussures Antonio Barbaro (p. 141)
Cravates Marinella (p. 143)

VOMERO

CS SUPERMARKET CARTE P. 283 SUPERMARCHÉ

Via Raffaele Morghen 26 ; 🕓 8h-20h30 lun-sam, 9h-13h30 dim Ⓜ Vanvitelli

Vaste supermarché dont les Caddies sont sûrement les plus mode de la planète.

DE PAOLA CAMEOS

CARTE P. 283 BIJOUTERIE

☎ 081 578 29 10 ; Via Annibale Caccavello 67 ; 🕓 9h-20h lun-sam, 9h-14h dim ; Funiculaire de Centrale à Fuga

Magnifique choix de camées finement ciselés, de colliers en corail, de boucles d'oreille, pendentifs et bracelets. Le style est classique ou moderne et on ne vous presse pas d'acheter. Autre magasin à Santa Lucia, Via Cesario Console 23.

L'ANGOLO A DUE RUOTE

CARTE P. 283 VÊTEMENTS MOTO

☎ 081 558 43 41 ; Piazza Vanvitelli 19 ; Ⓜ Vanvitelli

Vous risquez de provoquer des accidents avec un casque provenant de cette boutique : imprimés hawaïens rose vif et orange, style graffiti en vert citron et bleus électriques, de AGV, Suomy et Shark. Choix restreint de combinaisons hors de prix pour frimer.

PETER PAN CARTE P. 283 MODE ENFANT

☎ 081 578 39 71 ; Via Gianlorenzo Bernini 24 ; Ⓜ Vanvitelli

Boutique spécialisée dans les costumes de carnaval en feutre faits main, pour les tout-petits jusqu'aux adolescents. Pour l'élégance au quotidien, vous trouverez de tout, de la robe à smocks à l'adorable mini-veste tyrolienne. Ne ratez pas les soldes.

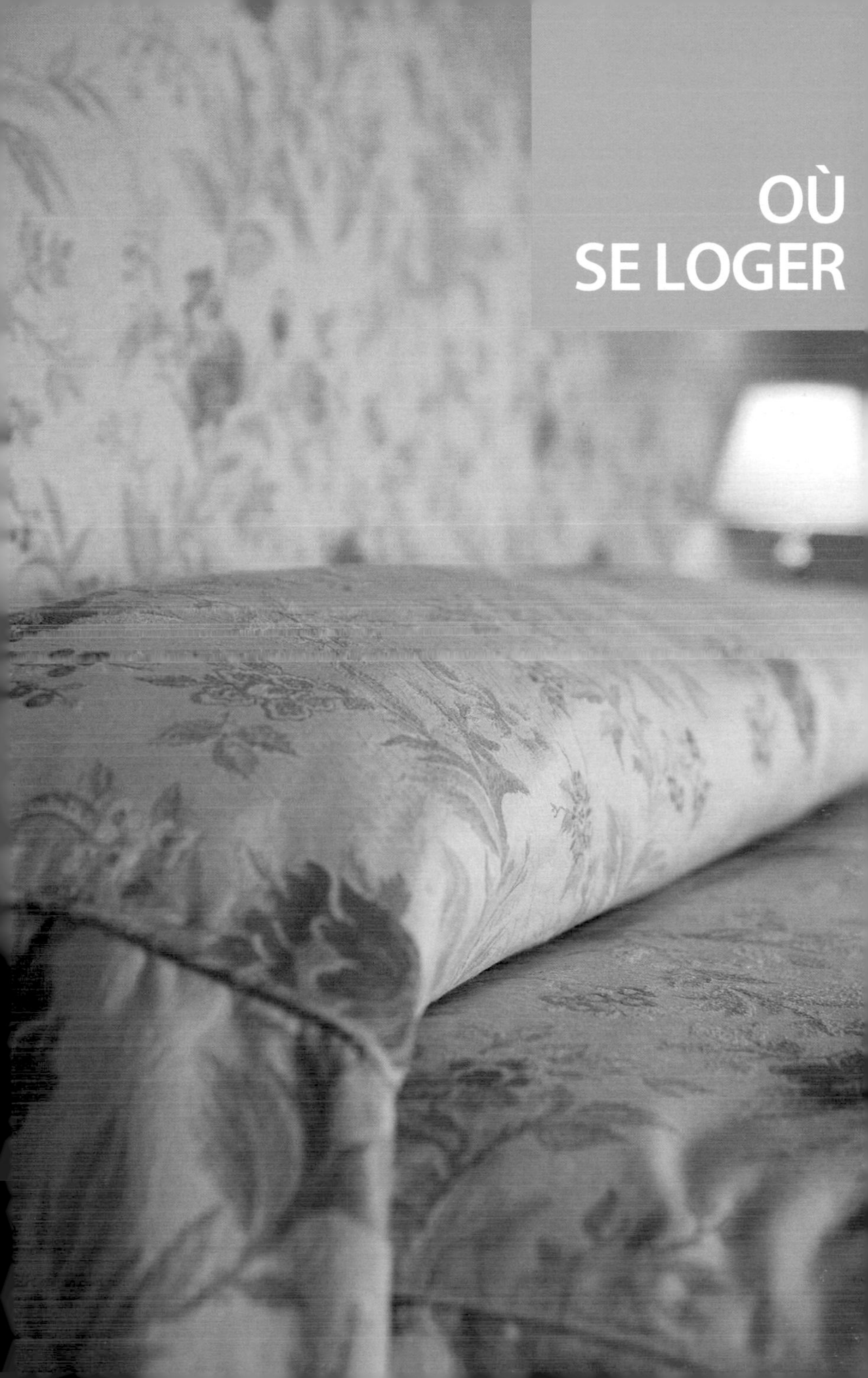

OÙ SE LOGER

L'intérieur somptueux du Sansevero d'Angri (p. 151)

ROOM SERVICE

Palais du XVIe siècle orné de fresques, ancien couvent éclairé aux chandelles ou hôtel design… Naples varie les décors pour faire de beaux rêves.

Du luxueux cinq-étoiles à l'auberge de jeunesse conviviale, les possibilités d'hébergement ne manquent pas. Et les Bed & Breakfasts ont actuellement le vent en poupe. Loin d'être démodés et contraignants, beaucoup parmi les plus récents sont tenus par des jeunes qui travaillent à leur compte et vous laissent volontiers la clé pour aller et venir à votre guise.

Les auberges de jeunesse constituent une autre solution bon marché, plusieurs établissements privés ayant vu le jour ces dernières années.

La plupart des hôtels économiques se concentrent aux abords de la gare centrale – quartier hélas bruyant, sale et peu recommandable la nuit. Néanmoins, toutes les adresses citées ici étaient propres et sûres lors de notre enquête.

Pour bénéficier de l'atmosphère la plus vivante, choisissez le centre historique, où maintes enseignes de charme se cachent derrière de lourdes portes. Avec un peu de chance, vous aurez peut-être droit à un boudoir baroque. Mieux encore, nombre des sites majeurs se situent à une courte distance à pied.

Santa Lucia, proche de la mer, regroupe les établissements les plus prestigieux. Plus loin sur le front de mer, le quartier de Chiaia

CATÉGORIES DE PRIX

Il est très difficile de donner des tarifs précis, car ils varient considérablement en fonction des périodes de l'année. Nombre d'établissements baissent leurs prix en basse saison, pour les séjours de plus longue durée ou les week-ends. Nous avons classé les adresses selon 3 catégories : € (double à moins de 90 €), €€ (90-190 €) et €€€ (plus de 190 €). Les tarifs cités correspondent à la haute saison.

JEAN-BERNARD CARILLET

top 5 HÔTELS REMARQUABLES

Hotel San Francesco Al Monte (p. 153)

Parteno (p. 153)

Costantinopoli 104 (p. 148)

B&B Donnaregina (p. 148)

Portalba 33 (p. 150)

se révèle tout aussi chic et agréable, tandis que Mergellina est relié par des hydroglisseurs aux îles de la baie. Pour échapper à l'agitation de la ville basse et jouir d'un panorama spectaculaire depuis la chambre d'un grand hôtel, montez sur la colline de Vomero. Enfin, à la périphérie ouest de Naples, dans les champs Phlégréens vous trouverez des complexes hôteliers spécialisés dans le thermalisme et des gîtes ruraux à flanc de cratère.

L'**office du tourisme** de la gare centrale (carte p. 280 ; ☎ 081 26 87 79 ; Stazione Centrale, Piazza Garibaldi ; Stazione Centrale) peut se charger des réservations. Sinon, **Rent A Bed** (carte p. 280 ; ☎ 081 41 77 21 ; www.rentabed.com ; Vico D'Afflitto 16 ; à partir de 35 €/nuit ; R2 pour Piazza Trieste e Trento) propose un large choix de B&B et d'appartements, aussi bien à Naples que dans les îles de la baie et sur la côte amalfitaine.

Les auberges de jeunesse mentionnées ci-après accueillent leurs hôtes 24h/24 et leur demandent de quitter la chambre au plus tard à 10h. Toutes ont des dortoirs mixtes et l'on peut réserver sur www.hostelspoint.com. Les réceptions des hôtels pratiquent, quant à elles, des horaires variables. Aussi, mieux vaut prévenir au moment de la réservation si vous prévoyez d'arriver tard. Il faut généralement rendre la chambre entre 10h et 12h. Passé midi, on vous facturera peut-être une nuit supplémentaire.

Pensez à réserver si votre séjour coïncide avec le **Mai des monuments** (Maggio dei Monumenti ; p. 18), qui attire les foules, ou en haute saison (d'avril à mi-juin, à Noël et au Nouvel An). Nombre d'hôtels demandent une confirmation par fax de la réservation et un numéro de carte de crédit servant de caution. Attention, cela ne signifie pas pour autant que l'établissement accepte les paiements par carte ; n'oubliez pas de vérifier. Si vous n'avez pas de carte de crédit, on vous demandera peut-être d'envoyer un mandat postal en guise d'arrhes pour la première nuit. Aujourd'hui, les hôtels encouragent de plus en plus leurs clients à réserver sur Internet pour leur épargner des tracasseries.

Lors de la réservation, précisez *camera matrimoniale* si vous voulez un lit double ou *camera doppia* si vous préférez des lits jumeaux. Voir également la p. 253.

CENTRE HISTORIQUE ET MERCATO

Pour goûter l'ambiance de la véritable Naples, rien ne vaut le centre historique (*centro storico*), avec sa profusion de monuments anciens, ses places animées et le théâtre de ses rues. C'est le domaine des B&B cachés, des auberges de jeunesses accueillantes et des palais reconvertis.

Le Mercato compte quantité d'hôtels bon marché. Tous ceux indiqués ci-dessous étaient propres et fiables lors de la rédaction de ce guide, mais sachez que le quartier se révèle bruyant dans la journée et douteux la nuit.

6 SMALL ROOMS

CARTE P. 280 AUBERGE DE JEUNESSE €

☎ 081 790 13 78 ; www.6smallrooms.com ; Via Diodata Lioy 18 ; dort/d avec petit déj 18/45 € ; Ⓜ Dante

Au dernier étage d'un vieux bâtiment poussiéreux, cette petite auberge de jeunesse sympathique possède des dortoirs vastes et lumineux, 2 chambres individuelles et une immense cuisine commune. Des peintures murales et des meubles anciens composent le décor. La petite chambre en bas bénéficie de la clim et d'une sdb. Il faut apporter son propre cadenas pour les casiers.

ALBERGO DUOMO

CARTE P. 280 HÔTEL €

☎ 081 26 59 88 ; hotelduomo@libero.it ; Via Duomo 228 ; s/d 50/65 € ; 🚌 R2 pour Piazza Nicola Amore ; 💻

À l'ombre de la cathédrale, l'hôtel a échangé son ancienne couleur rose contre des tons crème plus doux. Des couvre-lits vifs égayent les chambres douillettes et spacieuses, un peu impersonnelles. Réservez à l'avance car l'*albergo* affiche rapidement complet, vu ses tarifs.

B&B COSTANTINOPOLI

CARTE P. 280 B&B €€

☎ 081 44 49 62, 333 613 59 27 ; lauramazzella@hotmail.com ; Via Santa Maria di Costantinopoli 27 ; s/d avec petit déj 65/93 € ; Ⓜ Museo ; ❄

Malgré l'escalier lugubre, voilà un lieu de séjour formidable que ce vaste appartement au 3e étage, décoré avec exubérance. Il y a là 2 chambres propres, claires et confortables. La famille d'artistes propriétaire vous réserve un accueil chaleureux et constitue une mine d'information sur la ville.

B&B DONNAREGINA

CARTE P. 286 B&B €€

☎ 081 44 67 99 ; Via Settembrini 80 ; d/tr/q avec petit déj 93/120/150 € ; Ⓜ Cavour ; ❄

Un véritable bijou, mi-galerie d'art, mi-demeure familiale, dont les murs croulent sous les tableaux et les livres. Quatre chambres spacieuses, toutes pourvues d'une sdb et d'une TV satellite, présentent chacune un décor différent rehaussé d'œuvres originales. Le volubile propriétaire, un artiste, prépare lui-même le petit déjeuner, servi sur une énorme table en bois. *Pancetta* bio fameuse.

BELLA CAPRI HOSTEL & HOTEL

CARTE P. 280 AUBERGE DE JEUNESSE ET HÔTEL €

☎ 081 552 92 65 ; www.bellacapri.it ; Via G. Melisurgo 4 ; dort 20 €, s/d 70/80 €, avec sdb commune 50/60 €, ttes les formules avec petit déj ; 🚌 R2 pour Via Agostino Depretis ; ❄ 💻

Adresse centrale et accueillante composée d'un hôtel et d'une auberge de jeunesse aménagés sur deux étages séparés. Les chambres de l'hôtel, un rien démodées, sont nettes et confortables. Plus attrayante, l'auberge comprend plus de lits standard que superposés, une sdb pour chaque dortoir et un service de blanchisserie (5 €). Pas de couvre-feu.

CARAVAGGIO HOTEL

CARTE P. 280 HÔTEL €€

☎ 081 211 00 66 ; www.caravaggiohotel.it ; Piazza Riario Sforza 157 ; s/d/ste avec petit déj 125/190/240 € ; 🚌 CS pour Via Duomo ; 💻

D'audacieuses peintures abstraites sont suspendues en face d'arcs de pierre, des sofas bordent les murs en brique vieux de trois siècles et des plafonds d'origine à poutres apparentes ajoutent du caractère aux chambres confortables de ce quatre-étoiles. Personnel fort attentif.

COSTANTINOPOLI 104

CARTE P. 280 HÔTEL €€€

☎ 081 557 10 35 ; www.constantinopoli104.it ; Via Santa Maria di Costantinopoli 104 ; s/d avec petit déj 160/200 € ; Ⓜ Museo ; Ⓟ ❄ 💻 ♿

Chic et tranquille, le Costantinopoli 104 occupe une villa néoclassique. Ses chambres d'une élégance discrète donnent, au rez-de-chaussée, sur une piscine bordée de palmiers, au 1er étage sur un solarium. Le mobilier ancien et les vitraux accentuent son charme rétro.

DIMORA DEI GIGANTI CARTE P. 280 B&B €

081 44 90 53, 338 926 44 53 ; www.dimoragiganti.it ; Vico Giganti 55 ; s/d/tr/q avec petit déj 60/80/95/110 € ; CS pour Via Duomo ; P

Habilement rénové par son architecte de propriétaire, ce B&B raffiné compte 4 chambres, ornées de lampes sculpturales, de mobilier d'inspiration ethnique, avec sdb design. Cuisine moderne, salon cosy et terrasse en majoliques pour se détendre le soir.

HOSTEL OF THE SUN

CARTE P. 280 AUBERGE DE JEUNESSE €

081 420 63 93 ; www.hostelnapoli.com ; Via G. Melisurgo 15 ; dort/d 18/70 €, s/d avec sdb commune 45/50 €, ttes les formules avec petit déj ; R2 pour Via Depretis ;

Proche du terminal des ferries, ce confortable établissement privé a la faveur des voyageurs à petit budget. Personnel particulièrement serviable ; cuisine, ascenseur (0,05 €). Internet gratuit et service de blanchisserie gratuit pour les séjours supérieurs à 4 nuitées. Pas de couvre-feu. Accès handicapés.

HOTEL CASANOVA CARTE P. 278 HÔTEL €

081 26 82 87 ; www.hotelcasanova.com ; Corso G. Garibaldi 333 ; s/d 35/56 €, avec sdb commune 28/46 € ; M Garibaldi ;

Un charmant hôtel familial doté d'une terrasse fleurie sur le toit et de chambres d'un excellent rapport qualité/prix, avec meubles modernes fonctionnels et sdb reluisante. On peut y accéder par deux rues : préférez l'entrée du Corso G. Garibaldi, plus sûre, à celle de la Via Venezia. Petit déjeuner en sus (4 €).

HOTEL LUNA ROSSA CARTE P. 280 HÔTEL €€

081 554 87 52 ; www.hotellunarossa.it ; Via G. Pica 20-22 ; s/d avec petit déj 60/95 € ; M Garibaldi ;

Un hôtel paisible tenu par la fille d'un musicien napolitain. Les chambres simples mais douillettes se doublent d'une grande sdb. Chacune porte le nom d'une chanson napolitaine dont les paroles encadrées figurent à l'intérieur.

HOTEL PIGNATELLI CARTE P. 280 HÔTEL €€

081 658 49 50 ; www.hotelpignatellinapoli.com en italien ; Via San Giovanni Maggiore Pignatelli 16 ; s/d avec petit déj 50/90 € ; R2 pour Corso Umberto I ;

Une adresse chic et bon marché, dans une jolie demeure restaurée du XVe siècle. Les chambres de style rustique Renaissance comportent des lits en fer forgé, des appliques murales en bronze et, pour certaines, un plafond à poutres apparentes d'origine. Accessible en fauteuil roulant.

HOTEL SUITE ESEDRA

CARTE P. 280 HÔTEL €€

081 553 70 87 ; www.sea-hotels.com ; Via Cantani 12 ; s/d/ste avec petit déj 120/130/140 € ; R2 pour Corso Umberto I ;

L'immense Esedra se dresse sur une place minuscule juste à côté du Corso Umberto I embouteillé, à mi-chemin entre la gare centrale et le centre historique. Chambres tout confort ornées de tableaux napolitains, et sdb avec un ou deux hublots. Les suites profitent d'une terrasse privative avec Jacuzzi.

HOTEL ZARA CARTE P. 278 HÔTEL €

081 28 71 25 ; www.hotelzara.it ; 2e ét, Via Firenze 81 ; s/d/tr 45/62/80 € ; M Garibaldi ;

Tenu par la même famille que le Casanova (ci-contre), ce petit hôtel impeccable, rénové depuis peu, tranche avec la rue crasseuse en contrebas. Chambres spartiates rutilantes,

Le Portalba 33 JEAN-BERNARD CARILLET

MEURTRE AU PALAIS

Au n°9 de la Piazza San Domenico Maggiore, le Palazzo dei Di Sangrio, qui abrite aujourd'hui l'hôtel Soggiorno Sansevero (ci-dessous) fut le cadre d'une tragique histoire d'amour et de trahison. C'est là que, la nuit du 17 octobre 1590, le célèbre compositeur napolitain Carlo Gesualdo trucida sa femme Maria d'Avalos et son amant Don Fabrizio Carafa, au cours d'un accès de jalousie. Se doutant de quelque chose, Gesualdo avait fait croire à son épouse qu'il était parti chasser pour mieux la prendre sur le fait. À en croire la légende, les deux amoureux ensanglantés seraient morts dans les bras l'un de l'autre. La jalousie de Gesualdo n'avait rien de surprenant car son rival dégageait une telle séduction qu'on l'avait surnommé "l'Ange". Mais sa mort ne suffit pas à apaiser le mari trompé qui commandita le meurtre de son propre fils, le soupçonnant d'être illégitime. D'après les habitants du coin, le fantôme de la pauvre Maria hante toujours les rues la nuit, à la recherche de son enfant et de son bien-aimé.

JEAN-BERNARD CARILLET

garnies de mobilier moderne, d'une TV satellite et de doubles vitrages. Petit déjeuner en sus (4 €) et échange de livres.

PORTALBA 33 CARTE P. 280 B&B €€

☎ 081 549 32 51 ; www.portalba33.it ; Via Port'Alba 33 ; s/d avec petit déj 120/140 € ; Ⓜ Dante

Un B&B ultra-chic qui sort vraiment de l'ordinaire. Le décor inspiré de ses 3 chambres somptueusement cosy comprend un vieux cheval à bascule, des couvre-lits en similifourrure, des imprimés léopard et des murs bleu layette. Appareil de musculation pour vos exercices du matin.

SOGGIORNO SANSEVERO

CARTE P. 280 HÔTEL €€

☎ 081 790 10 00 ; www.albergosansevero.it ; Piazza San Domenico Maggiore 9 ; s/d 90/110 €, avec sdb commune 70/90 €, petit déj inclus ; Ⓜ Dante ;

Au 1er étage d'un palais du XVIIIe siècle ayant appartenu au prince de Sansevero (voir l'encadré ci-dessus), un des hôtels portant l'enseigne Sansevero. Situé à l'angle de la chapelle du même nom, du côté est de la vibrante Piazza San Domenico Maggiore – donc assez bruyant le soir.

UNA HOTEL NAPOLI

CARTE P. 280 HÔTEL €€€

☎ 081 563 69 72 ; www.unahotels.it ; Piazza Garibaldi 9-10 ; s 163-291 €, d 181-323 €, ste 417-478 €, petit déj inclus ; Ⓜ Garibaldi ; Ⓟ

Un hôtel design flambant neuf qui ne jurerait pas dans un magazine de déco (contrairement à la place voisine) : sculptures de lumière dignes du MoMA, murs en tuf apparent, bar-restaurant minimaliste sur le toit et 89 chambres très zen avec des lignes épurées et TV à écran plat. Accessible en fauteuil roulant.

VIA TOLEDO ET QUARTIERS ESPAGNOLS

La Via Toledo est la principale artère commerçante de Naples. À l'ouest, les Quartiers espagnols ont mauvaise réputation, ce qui paraît toutefois exagéré.

Les établissements qui suivent incluent aussi bien d'humbles appartements que d'anciens couvents convertis en hôtels haut de gamme. Tous se sont révélés accueillants, confortables et sûrs lorsque nous les avons visités.

ALBERGO NAPOLIT'AMO

CARTE P. 280 HÔTEL €€

☎ 081 497 71 10 ; albergonapolitamo@virgilio.it ; Via San Tommaso d'Aquino 15 ; s/d avec petit déj 75/115 € ; R2 pour Via Medina ;

Du "bon côté" de la Via Toledo, ce trois-étoiles aux tons de vert, de jaune et de bleu offre une atmosphère informelle. La nouvelle aile du 5e étage renferme les plus belles chambres et la salle du petit déjeuner donne sur le Castello dell'Ovo. N'oubliez pas vos 0,10 € pour l'ascenseur. Accessible en fauteuil roulant.

HOTEL IL CONVENTO CARTE P. 280 HÔTEL €€

☎ 081 40 39 77 ; www.hotelilconvento.com ; Via Speranzella 137A ; s 68-145 €, d 80-210 €, avec petit déj ; R2 pour Piazza Trieste e Trento ;

Empruntant son nom au couvent voisin, voici un excellent hôtel qui mêle vieux meubles toscans, bibliothèques remplies d'ouvrages savants et escaliers éclairés aux chandelles. Les chambres élégantes et cosy associent couleur crème et bois sombres à un briquetage original du XVIe siècle. Pour 110 à 210 €, vous aurez une chambre avec jardin privé sur le toit. Accessible en fauteuil roulant.

HOTEL TOLEDO CARTE P. 280 HÔTEL €€

081 40 68 71 ; www.hoteltoledo.com ; Via Montecalvario 15 ; s/d/ste avec petit déj 85/130/180 € ; CS pour Via Toledo ;

Un hôtel chaleureux installé dans un vieux bâtiment de trois étages. Un peu sombres mais néanmoins confortables, les petites chambres carrelées de terre cuite disposent de tous les équipements modernes. Petit déjeuner servi sur le toit en terrasse.

LA LOCANDA DELL'ARTE & VICTORIA HOUSE CARTE P. 280 B&B €€

081 564 46 40 ; www.bbnapoli.org en italien ; Via Enrico Pessina 66 ; s/d avec petit déj 70/90 € ; M Dante ;

Dirigés par la même équipe, ces deux B&B occupent un bâtiment donnant sur l'élégante Via Bellini. Chambres tout confort, celles de La Locanda étant un peu plus modernes, celles de Victoria House plus spacieuses. On sert le petit déjeuner dans le restaurant tendance du rez-de-chaussée.

NAPOLIT'AMO CARTE P. 280 HÔTEL €€

081 552 36 26 ; www.napolitamo.it ; Via Toledo 148 ; s 65-75 €, d 80-105 €, petit déj inclus ; R2 pour Via Toledo ;

Fuyez la foule et vivez comme la noblesse d'autrefois dans le palais Tocco di Montemiletto, du XVIe siècle. S'il montre par endroits quelques signes de fatigue, ses miroirs dorés et ses hauts plafonds composent toujours un cadre grandiose.

NEIL SETCHFIELD

top 5

ADRESSES ÉCONOMIQUES

La Controra (p. 154)

Dimora dei Giganti (p. 149)

La Casa di Leo (p. 153)

Hostel of the Sun (p. 149)

6 Small Rooms (p. 148)

SANSEVERO D'ANGRI

CARTE P. 280 HÔTEL €€

081 790 10 00 ; www.albergosansevero.it ; Piazza VII Settembre 28 ; s/d avec petit déj 110/150 € ; CS pour Via Toledo ;

Tout le charme d'un palais construit par Vanvitelli, l'architecte du Palais royal de Caserta. Les salons baroques croulent sous les ors, le parquet date vraiment du XVIIe siècle et quelques-unes des immenses chambres sont ornées de fresques au plafond.

TOLEDO 205 CARTE P. 280 APPARTMENTS €

081 410 70 77 ; www.toledo205.it ; Via Toledo 205 ; app 100 € ; R2 pour Piazza Trieste e Trento ;

Dans la principale artère commerçante de Naples, deux mini-appartements pouvant héberger 5 personnes. Ni luxueux ni chic, mais bien entretenus, ils disposent d'une terrasse commune avec vue. Idéal pour un groupe d'amis désirant un logement économique en centre-ville. Ascenseur ; 0,10 €.

SANTA LUCIA ET CHIAIA

C'est ici que séjournent les présidents et les stars – dans des hôtels de luxe d'où l'on peut contempler les îles de la baie. D'une façon générale, les chambres avec vue sur la mer coûtent un peu plus cher.

Le quartier huppé de Chiaia, avec ses boutiques à la mode et ses lieux de sortie sélects, dispose de lieux d'hébergement en rapport. Les voyageurs à petit budget se tourneront donc vers les deux excellents B&B.

B&B CAPPELLA VECCHIA 11

CARTE P. 284 B&B €€

081 240 51 17 ; www.cappellavecchia11.it ; Vico Santa Maria a Cappella Vecchia 11 ; s/d avec petit déj 70/100 € ; C25 pour Piazza dei Martiri ;

Dirigé par un jeune couple très prévenant, ce B&B de premier ordre possède 6 chambres pleines de caractère illustrant plusieurs thèmes de la culture napolitaine, comme le *mal'occhio* (mauvais œil) et le *peperoncino* (piment). Vaste espace commun où prendre le petit déjeuner, et Internet gratuit 24h/24.

B&B I 34 TURCHI CARTE P. 284 B&B €€

081 764 71 36 ; www.i34turchi.it ; Via Marino Turchi 34 ; s/d/tr avec petit déj 60/100/220 € ; C25 pour Via Partenope

Style et confort au Grand Hotel Vesuvio GREG ELMS

B&B *gay friendly* où louer un appartement indépendant, détaché du logement familial, avec petite double en mezzanine et canapé convertible dans le salon. Vous serez donc libre d'aller et venir avec votre propre clé. Toit en terrasse. Ascenseur : 0,20 €.

B&B MORELLI

CARTE P. 284 B&B €€

☎ 081 245 22 91 ; www.bbmorelli49.it ; Via Domenico Morelli 49 ; s/d avec petit déj 65/95 € ; 🚌 C25 pour Riviera di Chiaia ;

Les fans de cinéma et de culture pop apprécieront peut-être l'atmosphère kitsch du lieu. La chambre consacrée à Madonna est décorée d'albums de la chanteuse ; les 3 autres présentent une combinaison excentrique d'affiches de films d'Almódovar, de carrelage florentin classique et de lampes rétro.

B&B SANTA LUCIA

CARTE P. 284 B&B €€

☎ 081 245 74 83 ; www.borgosantalucia.net ; Via Santa Lucia 90 € ; s 80-110 €, d 90-140 €, petit déj inclus ; 🚌 C25 pour Via Partenope ;

Le manque de caractère de l'endroit – la réception ressemble à une clinique haut de gamme – est compensé par 6 chambres impeccables, des propriétaires italo-brésiliens exubérants et une situation à deux pas de la mer.

CHIAJA HOTEL DE CHARME

CARTE P. 284 HÔTEL €€

☎ 081 41 55 55 ; www.hotelchiaia.it ; Via Chiaia 216 ; s 95 €, d 145-165 avec petit déj ; 🚌 CS pour Piazza Trieste e Trento

Fort chic et pourtant abordable, cette demeure seigneuriale rénovée s'agrémente de tons jaune pâle apaisants, de cadres dorés, de mobilier d'époque et d'élégants rideaux drapés. Les chambres affichent toutes un décor différent et celles qui donnent sur la Via Chiaia disposent d'un Jacuzzi.

GRAND HOTEL SANTA LUCIA

CARTE P. 284 HÔTEL €€€

☎ 081 764 06 66 ; www.summithotels.com ; Via Partenope 46 ; s/d avec petit déj 235/390 € ; 🚌 C25 pour Via Partenope ;

Un cinq-étoiles qui doit son style Liberty à l'architecte Giovan Battista Comencini. Service impeccable, qui va de pair avec des chambres raffinées pourvues d'une sdb en marbre. Fait rare en Italie, il existe même un étage non-fumeurs.

GRAND HOTEL VESUVIO

CARTE P. 284 HÔTEL €€€

☎ 081 764 00 44 ; www.vesuvio.it ; Via Partenope 45 ; s/d avec petit déj 370/410 € ; 🚌 C25 pour Via Partenope ; Ⓟ

Palace des légendes hollywoodienne – Rita Hayworth et Humphrey Bogart séjournèrent –,

Cour de l'Hotel San Francesco al Monte JEAN-BERNARD CARILLET

cet opulent cinq-étoiles n'est que lustres en cristal, meubles d'époque et somptueuses chambres. Il comporte un restaurant sur le toit, parfait pour siroter un Martini sous les étoiles. Accessible en fauteuil roulant.

HOTEL EXCELSIOR CARTE P. 284 HÔTEL €€€

☎ 081 764 01 11 ; www.excelsior.it ; Via Partenope 48 ; s/d 270/330 € ; C25 pour Via Partenope ;
Face au yachts du Borgo Marinaro, l'Excelsior offre un style grandiose – colonnes en marbre, limousines noires et chambres fin de siècle d'une taille immense. Mais ce sont surtout les vues sur le Vésuve et Capri, cadre romantique par excellence, qui vous émerveilleront. Accessible en fauteuil roulant.

HOTEL RUGGIERO CARTE P. 284 HÔTEL €€

☎ 081 66 35 36 ; hotelrug@libero.it ; 3e ét., Via Campiglione Martucci 72 ; s/d avec petit déj 70/90 € ; M Amedeo ;
Un majestueux bâtiment Art nouveau proche de la Piazza Amedeo, qui renferme un hôtel calme et accueillant, agrémenté de copies d'antiquités chinoises. Jolies chambres nettes et ordonnées, celles de l'étage inférieur bénéficiant de la clim.

PARTENO CARTE P. 284 HÔTEL €€

☎ 081 245 20 95 ; www.parteno.it ; Via Partenope 1 ; s 110 €, d 144-160 €, petit déj inclus ; C25 pour Via Partenope ;
Six chambres élégantes, portant chacune un nom de fleur, décorées avec goût de meubles anciens, de gravures de Naples et de couvre-lits en soie. La chambre Azalea (160 €) remporte la palme, avec une vue quasi cinématographique sur la mer, le ciel et Capri. Installations modernes : accès sans fil à Internet, TV satellite (2 des chambres ont un écran plasma) et ligne fixe pour téléphoner gratuitement en Europe et en Amérique du Nord.

VOMERO

Moins riche en monuments que la ville qui s'étend en contrebas, le quartier de Vomero, où réside la classe moyenne, procure en revanche une vue splendide et des espaces verts. Qui plus est, il suffit de prendre le funiculaire pour retrouver l'effervescence urbaine.

Il y a là des établissements au chic rétro, mais à des prix bien actuels. Ceux situés vers le bas de la colline s'avèrent meilleur marché.

GRAND HOTEL PARKER'S

CARTE P. 284 HÔTEL €€€

☎ 081 761 24 74 ; www.grandhotelparkers.com ; Corso Vittorio Emanuele I 35 ; s/d avec petit déj 290/360 € ; C28 pour Via Tasso ; P
Favori des voyageurs qui entreprenaient jadis le Grand Tour, ce vénérable palace a vu défiler des personnalités comme Oscar Wilde, Virginia Wolfe et Robert Louis Stevenson. Aujourd'hui, ses hôtes en Prada prennent l'apéritif dans les fauteuils Louis XVI de la terrasse, avec vue sur la mer, ou se délassent dans le spa.

HOTEL SAN FRANCESCO AL MONTE

CARTE P. 283 HOTEL €€€

☎ 081 423 91 11 ; www.hotelsanfrancesco.it ; Corso Vittorio Emanuele I 328 ; d avec petit déj 190 € ; funiculaire central pour Corso Vittorio Emanuele I ;
Un magnifique hôtel aménagé dans un monastère du XVIe siècle. Les cellules des moines ont été transformées en chambres stylées, l'ancien cloître sert de cadre à un bar en plein air et les corridors voûtés sont frais et pittoresques. Piscine au 7e étage.

LA CASA DI LEO CARTE P. 283 B&B €

☎ 081 544 78 43 ; www.bedandbreakfastnapoli.it ; Via Girolamo Santacroce 5A ; s/d avec sdb commune et petit déj 50/70 € ; M Salvator Rosa
Couleurs vives, livres d'art et tableaux abstraits composent le décor de cette *casa*, résidence

d'un architecte des monuments historiques. Chambres claires et spacieuses à l'élégante simplicité, donnant sur une cour verdoyante. Grande sdb commune et cuisine à disposition. Métro juste en bas de la rue.

LA CONTRORA CARTE P. 283 AUBERGE DE JEUNESSE €

☎ 081 549 40 14 ; www.lacontrora.com ; Piazzetta Trinità alla Cesarea 231 ; dort/s/d avec petit déj 20/27,50/55 € ; Ⓜ Salvator Rosa ;

Pensez lampes en acier, bar aux lignes épurées, lits superposés en bois blond, sdb vert menthe et cuisine commune digne d'une émission culinaire, et vous aurez une idée de ce qui vous attend. On peut faire la sieste dans un hamac, dans la cour, et surfer sur Internet (1 €/ 30 min).

MERGELLINA ET LE PAUSILIPPE

Avec ses palais Liberty, ses yachts amarrés et son front de mer animé, Mergellina est un quartier fort agréable, bien relié au centre-ville et pratique pour prendre tôt le matin un hydroglisseur à destination d'une des îles de la baie de Naples.

HOTEL AUSONIA CARTE P. 284 HÔTEL €€

☎ 081 68 22 78 ; www.hotelausonianapoli.com ; Via Francesco Caracciolo 11 ; s/d/tr avec petit déj 90/120/140 € ; 140 pour Via Francesco Caracciolo ;

En face de la marina de Mergellina, un hôtel modeste et accueillant. Les chambres confortables illustrent toutes un thème marin, avec des hublots, des baromètres et des têtes de lit en forme de barre de navire. Celles qui donnent sur la mer ne sont pas plus chères.

HOTEL PARADISO CARTE P. 278 HÔTEL €€

☎ 081 247 51 11 ; www.hotelparadisonapoli.it ; Via Catullo 11 ; s/d avec petit déj 118/170 € ; funiculaire Mergellina pour S Gioacchino ;

Vos efforts pour monter jusqu'ici, un peu au-dessus du centre-ville, seront amplement récompensés par la vue sensationnelle sur la baie de Naples et le Vésuve. La plupart des chambres, joliment meublées, s'accompagnent d'un balcon ; celles qui n'ont pas de vue valent un peu moins cher. Personnel courtois et service efficace.

AUX ENVIRONS DE NAPLES

À l'ouest de Naples, les champs Phlégréens offrent un environnement plus serein

top 5

HÔTELS AVEC VUE

- Grand Hotel Parker's (p. 153)
- Grand Hotel Vesuvio (p. 152)
- Hotel Paradiso (ci-dessous)
- Hotel Excelsior (p. 153)
- Il Casolare di Tobia (ci-dessous)

que les quartiers du centre-ville. Dans ce secteur, Pouzzoles (Pozzuoli) possède un certain nombre d'hôtels et de pensions à prix raisonnables. Renseignez-vous auprès de l'office du tourisme (p. 255).

HOTEL TERME PUTEOLANE

CARTE P. 287 HÔTEL €

☎ 081 526 22 62 ; termeputeolane@tiscalinet.it ; Corso Umberto I 195, Pozzuoli ; s/d 55/75 € ; Cumana pour Pozzuoli ; P

Ce vieil hôtel majestueux de Pouzzoles est prisé pour son air à forte teneur en souffre, ses soins thermaux et ses chambres spacieuses. Entre avril et décembre, forfait de 12 bains thermaux à 103 € ; celui à 155 € donne aussi droit à un bain de boue.

IL CASOLARE DI TOBIA

CARTE P. 287 GÎTE RURAL €

☎ 081 523 51 93 ; www.datobia.it en italien ; Contrada Coste di Baia, Via Selvatico 12, Bacoli ; ch avec/sans kitchenette 65/55 €, petit déj inclus ; SEPSA pour Bacoli ; P

Sise dans un cratère éteint, cette ferme du XIXe siècle est entourée de vignes et de potagers qui approvisionnent son restaurant réputé. Elle comprend 4 belles chambres agrémentées d'antiquités locales, une cuisine commune de style rustique et un fabuleux Jacuzzi à l'extérieur. Le gîte ferme une semaine fin août et une semaine fin décembre ou début janvier.

VULCANO SOLFATARA CARTE P. 287CAMPING €

☎ 081 526 74 13 ; www.solfatara.it ; Via Solfatara 161, Pozzuoli ; 6/9 € par tente/pers, bungalow pour 2/4 pers 43/100 € ; Ⓜ Pozzuoli ;

Le terrain de camping le plus proche de Naples, près du cratère de la Solfatara. Piscine ; une sdb accessible aux handicapés.

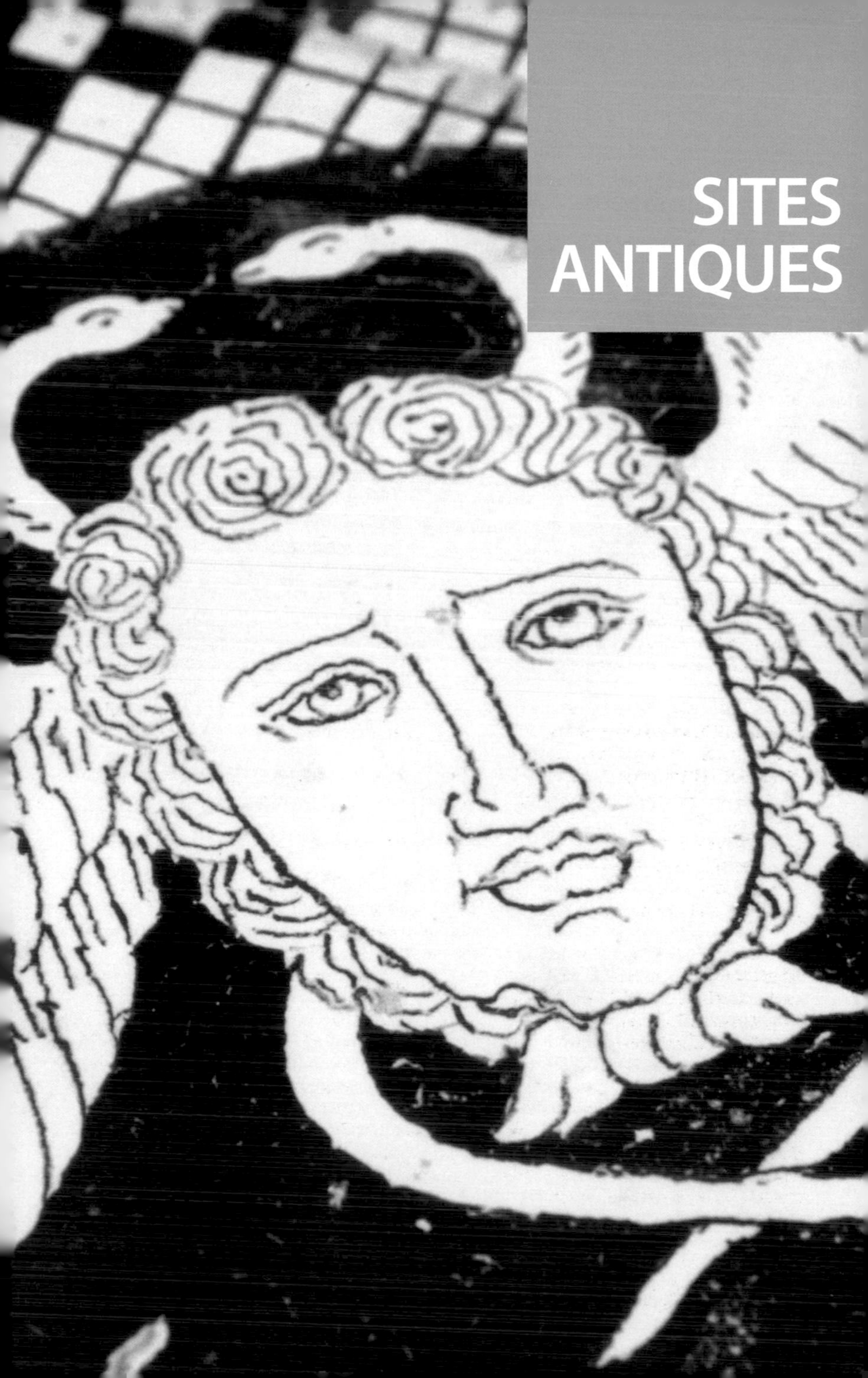
SITES
ANTIQUES

Détail d'une mosaïque de Pompéi conservée au Musée archéologique national de Naples (p. 80). GREG ELMS

SITES ANTIQUES

Ensevelies pendant des siècles sous des mètres de débris volcaniques, les ruines romaines de la région de Naples font partie des mieux conservées et des plus spectaculaires qui soient.

Les vues sur la baie de Naples sont fabuleuses. De la pointe ouest du Pausilippe, la perspective l'embrasse tout entière, englobant le Vésuve et la presqu'île de Sorrente. Et c'est là, dans une des zones urbaines les plus densément peuplées d'Europe, que se cachent les sites prestigieux de Pompéi et d'Herculanum, ainsi que bien d'autre vestiges archéologiques moins connus.

Il y a deux millénaires, le paysage était tout autre. Des domaines agricoles et des forêts couvraient les pentes inférieures du Vésuve, Herculanum était une petite bourgade de pêche et Pompéi une importante cité marchande. La seconde épouse de Néron possédait une villa dans le secteur huppé d'Oplonte (l'actuelle Torre Annunziata, beaucoup moins chic) et le patriciat romain venait en villégiature à Stabie (aujourd'hui Castellammare di Stabia). La région cumulait de multiples atouts jusqu'à ce qu'elle soit frappée par deux catastrophes naturelles successives : un tremblement de terre en l'an 62 de notre ère et l'éruption du Vésuve en 79.

Ce que nous savons de cette éruption nous vient principalement du témoignage de Pline le Jeune qui y assista de ses propres yeux. Dans une lettre à l'historien Tacite, il écrit : "Une nuée noire et horrible, déchirée par des tourbillons de feu, laissait échapper de ses flancs entrouverts de longues traînées de flammes, semblables à d'énormes éclairs." Car ce n'est ni la lave ni la pluie de pierres ponces qui tua les habitants de Pompéi, mais l'explosion de gaz brûlant émanant du volcan.

La zone fut ensuite plus ou moins laissée à l'abandon avant de renaître brièvement au XVIIIe siècle. Le roi bourbon Charles VII se fit édifier un palais à Portici en 1738 et la noblesse construisit à sa suite quelque 120 demeures, les fameuses villas vésuviennes (voir p. 216), le long du "mille d'or" (Miglio d'Oro) entre San Giovanni a Teuduccio et Torre del Greco. Pour la décoration de sa nouvelle résidence, le souverain n'hésita pas à dépouiller Pompéi, découverte en 1748, de ses plus belles fresques, mosaïques et sculptures. La plupart furent par la suite transférées à Naples, au Musée archéologique national (p. 80).

Parmi les cinq grands sites archéologiques de la baie de Naples, Pompéi tient évidemment la vedette et ses ruines majestueuses donnent une image intéressante de ce qu'était une ville marchande de 20 000 âmes à l'époque romaine. Herculanum a beau être d'une taille plus modeste, elle présente en revanche un meilleur état de conservation que son illustre voisine. Les 16 m de boue qui la recouvrirent lors de l'éruption du Vésuve fossilisèrent tout, des denrées alimentaires au mobilier en passant par une bibliothèque de rouleaux manuscrits et de splendides mosaïques. Plus loin sur la côte, les villas mises au jour à Torre Annunziata et à Castellammare di Stabia s'inséraient dans le tissu urbain ininterrompu qui s'étendait jadis de Naples à Castellammare.

Maison de Neptune et d'Amphitrite (p. 166) GREG ELMS

Pompéi, Herculanum et Oplonte se trouvent à une courte distance à pied des gares de la ligne ferroviaire *Circumvesuviana*, qui relie Naples à Sorrente. Stabie et Boscoreale demandent un peu plus d'efforts (voir l'encadré ci-après).

Plus au sud, 36 km après Salerne, l'antique cité grecque de Paestum mérite incontestablement le détour pour admirer ses temples imposants, vieux de quelque 2 750 ans.

VILLAS PATRICIENNES

Enterré sous les rues disgracieuses de Torre Annunziata, Oplonte (Oplontis) fut jadis un faubourg huppé de Pompéi en bord de mer. Découvert au XVIIIe siècle, le site n'a pratiquement pas été touché depuis. Seules deux de ses habitations ont été exhumées, dont une, la villa de Poppée, est ouverte au public. Magnifique exemple de villa *otium* (résidence consacrée au repos et au divertissement), elle aurait appartenu à la seconde épouse de Néron. Les fresques du Ier siècle qui ornent le *triclinium* (salle à manger) et le *caldarium* (bains chauds), dans l'aile ouest, sont remarquables. Les ruines se situent à 300 m de la gare de Torre Annunziata (ligne ferroviaire *Circumvesuviana*).

Au sud d'Oplonte, Stabie (Stabiae) est située sur les pentes de la colline de Varano, qui surplombait autrefois la mer et domine aujourd'hui la ville moderne de Castellammare di Stabia. Là, on peut visiter la Villa Arianna, du 1er siècle av. J.-C., et la Villa San Marco, qui mesurait dit-on 11 000 m². Aucune n'est en bon état, mais les fresques de la première suggèrent une demeure des plus fastueuses. L'accès à ces villas se fait en bus depuis la gare de Via Nocera (*Circumvesuviana*).

Environ 3 km au nord de Pompéi, l'Antiquarium de Boscoreale est un musée dédié à Pompéi et aux vestiges antiques. À l'aide de pièces historiques, de photos grandeur nature et de reconstitutions, il donne un aperçu de la vie dans la région il y 2 000 ans. Pour vous y rendre, prenez un bus pour Villa Regina depuis la gare de Boscotrecase (*Circumvesuviana*).

Les trois sites sont couverts par un billet unique (adulte/18-25 ans de l'UE/moins de 18 ans et plus de 65 ans de l'UE 5,50/2,75€/gratuit) et suivent les mêmes horaires (⌚ 8h30-19h30 avr-oct, dernière entrée 18h, et 8h30-17h nov-mars, dernière entrée 15h30).

LE VÉSUVE (VESUVIO)

Dominant Naples de sa masse menaçante, le Vésuve ne dort que d'un œil et présente le même danger qu'à l'époque romaine.

Depuis qu'il entra dans l'histoire en ensevelissant Pompéi, Herculanum et une bonne partie de la campagne environnante en 79 de notre ère, le volcan a connu une trentaine d'éruptions. La plus dévastatrice se produisit en 1631, la plus récente en 1944. Si rien ne laisse actuellement présager une catastrophe imminente, les observateurs s'inquiètent malgré tout, faisant observer que cette période de repos est la plus longue en l'espace de cinq siècles.

Une éruption violente aurait en effet des conséquences terribles. Près de trois millions de personnes vivent actuellement à l'ombre du Vésuve, dont 600 000 dans un rayon de 7 km autour du cratère. Des tentatives ont été menées pour reloger les habitants les plus exposés au risque (voir p. 27), mais peu d'entre eux sont partis, malgré la promesse d'une indemnisation de 30 000 €. Les agriculteurs en particulier se montrent réticents à quitter leurs riches terres volcaniques, importantes sources de revenu dans la région.

Le secteur a en effet toujours été fertile. Dans l'Antiquité, des cultures céréalières, des vergers, des chênaies peuplées de sangliers et d'épaisses forêts de hêtres tapissaient les flancs du Vésuve (ou mont Somma comme on l'appelait alors), tandis que des villas patriciennes émaillaient le littoral en contrebas.

Le volcan proprement dit mesurait autrefois 3 000 m de haut, contre 1 281 m aujourd'hui, et n'avait qu'un sommet au lieu de deux. L'éruption spectaculaire qui noya Pompéi sous les pierres ponces et fit reculer la côte de plusieurs kilomètres, le tronqua partiellement, créant une immense caldeira et un second sommet.

top 5 LECTURES ANCIENNES

Pompei : La vie ensevelie (Larousse)
Collectif, dir. Filippo Coarelli

Pompéi, Le rêve sous les ruines (Omnibus)
Collectif, dir. Claude Aziza

Pompei (Pocket)
Robert Harris

Vie, mort et résurrection d'Herculanumm et de Pompéi (Payot)
Egon César Corti

Le testament de Pompéi (Dossiers d'Aquitaine)
Franck Lafossas

Le cratère du Vésuve — MARTIN MOOS

De nos jours, le Vésuve se révèle mieux protégé que la plupart des agglomérations à ses pieds. Le **parc national du Vésuve** (www.parconazionaledelvesuvio.it), inauguré en 1995, attire chaque année quelque 600 000 visiteurs. La plupart grimpent directement jusqu'en haut (voir l'encadré ci-après), mais des randonnées pédestres intéressantes sont possibles, si vous avez du temps et de bonnes jambes. Renseignez-vous à ce sujet au **centre d'information** (⌚ 9h-17h30 tlj), sur le parking, au sommet.

Vers la mi-hauteur du cratère, le **Museo dell'Osservatorio Vesuviano** (musée de l'observatoire du Vésuve ; ☎ 081 610 84 83 ; www.ov.ingv.it en italien ; entrée libre ; ⌚ 10h-14h sam-dim) raconte 2 000 ans d'activité volcanique.

MARTIN MOOS

DÉCOUVRIR LE VÉSUVE

La façon la plus simple de découvrir le Vésuve consiste à prendre le bus depuis Pompéi jusqu'au parking au sommet du cratère. Les bus **Vesuviani Mobilità** (☎ 081 963 44 20) effectuent dix allers-retours quotidiens depuis la Piazza Anfiteatro. Le trajet dure une heure dans chaque sens et le billet coûte 8,60 €.

Deux de ces bus font halte à Ercolano, partant de l'arrêt situé sur la Via Panoramica (à 50 m de la gare d'Ercolano-Scavi sur la ligne ferroviaire *Circumvesuviana*), à 8h23 et à 12h45 (retour à 13h55 et à 16h30). Les billets sont vendus à bord (aller-retour : 7,60 €, 90 min).

Les minibus-taxis **Vesuvio Express** (☎ 081 739 36 66 ; www.vesuvioexpress.it ; Piazzale Stazione Circumvesuviana 8 ; 10 €, 16,50 € avec l'accès au cratère) desservent le sommet depuis la gare d'Ercolano-Scavi et ne démarrent qu'une fois pleins, voire archibondés.

Si vous circulez en voiture, quittez l'A3 à Ercolano Portico et suivez les panneaux marqués "Parco Nazionale del Vesuvio".

Que vous arriviez en bus ou en voiture, la route se termine au parking du sommet (ou juste avant si vous voulez éviter de payer 2,50 € pour vous garer), d'où un sentier de 860 m monte jusqu'au **cratère** (adulte/+ de 65 ans/- de 8 ans 6,50/4,50 €/gratuit ; ⌚ 9h-18h tlj juil-sept, jusqu'à 17h avr-juin, jusqu'à 15h oct-mars ; fermeture de la billetterie 1 heure avant celle du cratère). L'ascension n'a rien d'ardu (35-40 min), mais portez des chaussures de sport plutôt que des sandales ou des tongs. Prévoyez aussi des lunettes de soleil, utiles pour se protéger les yeux des cendres qui virevoltent, et un pull car il peut faire frisquet, même en été.

Sachez qu'en cas de mauvaises conditions climatiques, le sentier est fermé et les bus ne circulent pas.

Le long du Vicolo di Mercurio, Pompéi

POMPÉI

Sombre rappel des forces destructrices du Vésuve, Pompéi exerce sur le visiteur une rare fascination.

Ville romaine figée dans le temps il y a 2 000 ans, Pompéi fait partie des centres d'intérêts majeurs de la péninsule italienne. Quelque 2,5 millions de visiteurs arpentent chaque année la cité fantôme qui fut jadis un centre économique florissant.

Mais l'intérêt du lieu dépasse largement le cadre de l'industrie touristique. Sur le plan archéologique, le site revêt en effet une valeur exceptionnelle car, au lieu d'être pulvérisée par l'éruption du Vésuve, la ville fut ensevelie sous une couche de *lapilli* (fragments de pierres ponces enflammés) qui permit sa conservation. Pline le Jeune témoigne de l'événement en ces termes : "La pluie de cendres recommença plus forte et plus épaisse. Nous nous levions de temps en temps pour secouer cette masse qui nous eût engloutis et étouffés sous son poids."

Malgré la violence de l'éruption, le bilan aurait pu être beaucoup plus lourd. Dix-sept ans auparavant, Pompéi avait été dévastée par un tremblement de terre et la majorité de ses 20 000 habitants évacués. Beaucoup n'étaient pas revenus lorsque le Vésuve se manifesta, mais 2 000 hommes, femmes et enfants périrent néanmoins.

RENSEIGNEMENTS

Premiers secours (☎ 081 535 91 11 ; Via Colle San Bartolomeo 50)
Police Piazza Esedra
Site Internet (www.pompeiisites.org). Très complet.
Poste (☎ 081 861 09 58 ; Piazza Esedra)
Offices du tourisme Porta Marina (☎ 081 850 72 55 ; Piazza Porta Marina Inferiore 12 ; 🕑 8h-15h30 lun-sam oct-mars, 8h-19h lun-ven et 8h-14h sam avr-sep) ; Pompéi-Ville (☎ 081 850 72 55 ; Via Sacra 1 ; même horaires)

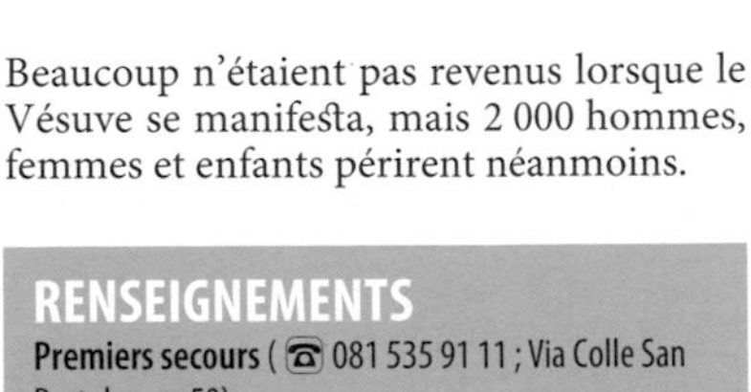

Moulage d'une victime du Vésuve, Pompéi GREG ELMS

RUSSELL MOUNTFORD

ACCÈS AU SITE

Entrées Porta Marina ou Piazza Anfiteatro
Billetteries (☎ 081 857 53 47 ; Porta Marina et Piazza Anfiteatro).
Tarifs (adulte/18-25 ans de l'UE/- de 18 ans et + de 65 ans de l'UE 11/5,50 €/gratuit ; billet combiné incluant Herculanum, Oplonte, Stabie et Boscoreale 20/10 €/gratuit). Il faut présenter une pièce d'identité pour bénéficier des réductions. Après avoir acheté votre billet, procurez-vous la carte et la brochure gratuites au guichet à gauche des toilettes.
Horaires (8h30-19h30 avr-oct, dernière entrée à 18h, et 8h30-17h nov-mars, dernière entrée à 15h30)
Audioguides (6,50 €). Il existe aussi des audioguides destinés aux enfants.

Les origines de Pompéi sont incertaines, mais il semblerait qu'elle ait été fondée au VIIe siècle av. J.-C. par les Osques de Campanie. Au cours des sept siècles suivants, elle tomba successivement aux mains des Grecs et des Samnites, avant de devenir une colonie romaine en 80 av. J.-C.

L'éruption volcanique de 79 fit tomber la cité dans l'oubli jusqu'en 1594, date à laquelle l'architecte Domenico Fontana tomba dessus par hasard en creusant un canal. Les véritables fouilles ne débutèrent toutefois qu'en 1748. Elles se poursuivent encore aujourd'hui et, malgré de nouvelles découvertes – une zone de loisirs ornée de fresques a été mise au jour en 2000 sous des travaux de voirie –, l'accent est davantage mis sur la restauration des vestiges déjà exhumés.

Sur la route à 1 km en aval des ruines, dans la ville moderne de Pompéi, le Sanctuaire de la Madone du Rosaire (Santuario della Madonna del Rosario, p. 164) est un lieu de pèlerinage fréquenté.

Orientation

La ligne ferroviaire *Circumvesuviana* dessert la gare Pompéi-Scavi-Villa dei Misteri, proche de l'entrée principale du site, la Porta Marina. Si vous circulez en voiture, des panneaux – et d'énergiques rabatteurs – vous mèneront de l'A3 aux *scavi* (fouilles) et aux parkings. La ville

VISITES GUIDÉES

Vous serez certainement abordé par un guide devant la billetterie. Les professionnels agréés portent un badge et dépendent d'une des quatre agences :
Cast (☎ 081 856 42 21)
Casting (☎ 081 850 07 49)
Gata (☎ 081 861 56 61)
Promo Touring (☎ 081 850 88 55)
Le tarif officiel de la visite de 2 heures pour une à 25 personnes se monte à 100 €.

GREG ELMS

moderne de Pompéi se situe à 1 km de la gare, en descendant la Via Plinio.

Les ruines

Sur les 66 ha de Pompéi, 44 ont désormais été fouillés. Évidemment, cela ne signifie pas que vous pourrez explorer à loisir tous les recoins de ce site classé au patrimoine mondial de l'Unesco. Bien que la situation se soit beaucoup améliorée dernièrement, vous serez néanmoins confronté à des secteurs interdits d'accès sans raison apparente, au manque de signalisations claires et à la présence occasionnelle de chiens errants. Vous avez donc tout intérêt à investir dans un audioguide et un bon guide papier vous sera également utile – nous vous recommandons *Pompeii* (8 €), publié par Electa Napoli.

En été, prévoyez chapeau, crème solaire et provision d'eau car il n'y a pas beaucoup d'ombre. Avec des enfants, programmez plutôt la visite le matin ou en fin d'après-midi, quand le soleil ne tape pas trop fort. En revanche, vous ne pourrez guère éviter le sol irrégulier, véritable cauchemar pour les poussettes.

Pour rendre justice à Pompéi, accordez-vous au minimum trois ou quatre heures afin de parcourir le site en détail.

Au moment où nous rédigeons, la maison des Vettii et les thermes du Forum sont fermés pour restauration, et les thermes suburbains se visitent sur réservation (www.arethusa.net). C'est dans les vestiaires de cet ensemble de bains privé construit en dehors de la ville que se trouvent les fresques érotiques qui offusquèrent

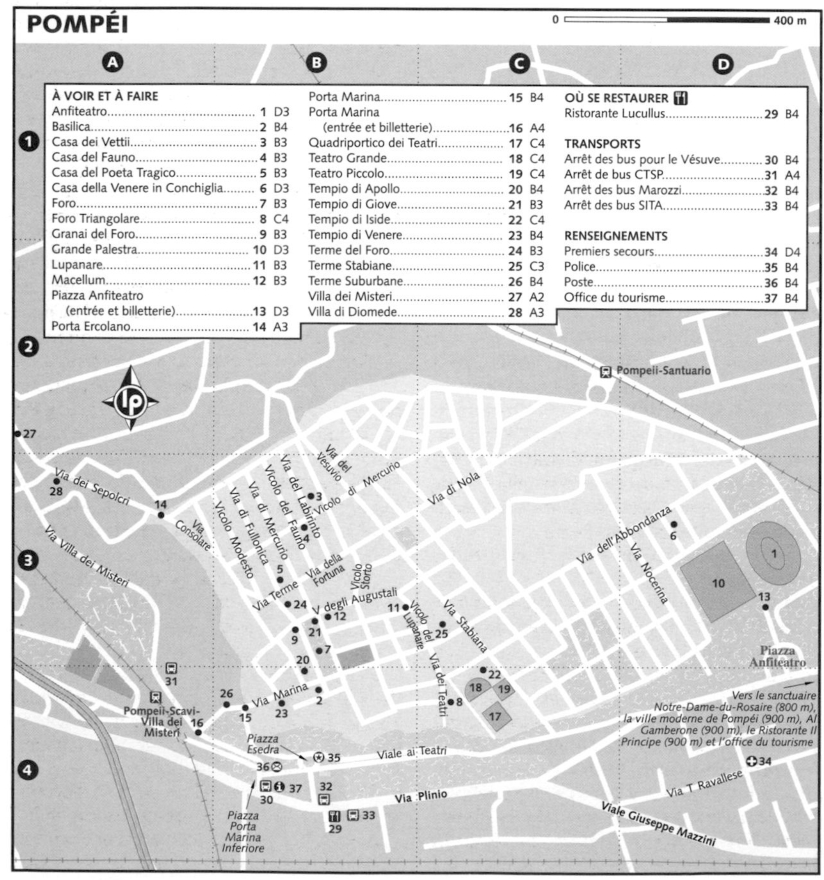

tant l'Église catholique lors de leur découverte en 2001.

Principale entrée du site, la **Porta Marina** est la plus impressionnante des sept portes qui ponctuaient autrefois la muraille de la ville et celle qui la reliait alors au port, voisin. En pénétrant par la porte, vous découvrirez, à droite, le **temple de Vénus** (Tempio di Venere), du Ier siècle av. J.-C., jadis l'un des plus somptueux de la ville.

En continuant la Via Marina, vous arriverez à la **basilique** (Basilica), du IIe siècle av. J.-C., où se traitaient les affaires judiciaires et commerciales. Lui faisant face, le **temple d'Apollon** (Tempio di Apollo) est le plus ancien et le plus grandiose édifice religieux de Pompéi. La majeure partie de ce que l'on en voit aujourd'hui, notamment l'impressionnant portique à colonnes, date du IIe siècle av. J.-C. Il subsiste cependant quelques vestiges d'une version antérieure du temple, du VIe siècle av. J.-C. À côté s'étend le verdoyant **forum** (Foro), principale place et centre de la vie de la cité antique – immense rectangle qui était interdit aux chars, bordé de colonnes en pierre.

Au nord du forum se dresse le **temple de Jupiter** (Tempio di Giove), toujours flanqué d'un de ses deux arcs de triomphe, et le **grenier du forum** (Granaio del Foro), aujourd'hui utilisé pour stocker des centaines d'amphores, ainsi que les moulages de corps réalisés au XIXe siècle en versant du plâtre dans l'espace laissé par la décomposition du cadavre dans la gangue de débris volcaniques. Le **macellum** voisin correspondait au principal marché de viande et de poisson.

Du marché, suivez la Via degli Augustali vers le nord-est jusqu'au Vicolo del Lupanare. À mi-parcours de cette ruelle étroite se tient le **lupanar**, seule maison close officielle de la cité, qui comporte deux étages de cinq pièces chacun et les fresques les plus osées de Pompéi.

Au bout de la Via dei Teatri, le **forum triangulaire** (Foro Triangolare), de couleur verte, dominait jadis la mer et la rivière Sarno. Son monument majeur, le **Grand Théâtre** (Teatro Grande), creusé dans la lave, date du IIe siècle av. J.-C. et pouvait accueillir 5 000 spectateurs. Derrière la scène, le **Quadriportique des théâtres** (Quadriportico dei Teatri) permettait au public de déambuler à l'entracte et servit plus tard de caserne aux gladiateurs. À côté, le **Petit Théâtre** (Piccolo Teatro), ou Odéon, était un lieu fermé réputé pour son acoustique. Enfin,

Maison de la Vénus au coquillage, Pompéi WITOLD SKRYPCZAK

le **temple d'Isis** (Tempio di Iside), antérieur à l'époque romaine, était un lieu de culte très populaire.

De retour dans l'artère principale, Via dell'Abbondanza, on peut admirer les **thermes stabiens**, typiques du IIe siècle av. J.-C. Après avoir pénétré dans le vestibule, les baigneurs se déshabillaient dans l'*apodyterium* (vestiaire) voûté, puis entraient successivement dans le *tepidarium* (salle tiède) et le *caldarium* (salle chaude).

Vers l'extrémité nord-est de la Via dell'Abbondanza, la **maison de la Vénus au coquillage** (Casa della Venere in Conchiglia), aujourd'hui restaurée après avoir été endommagée par des bombardements en 1943, conserve une étonnante fresque de la déesse allongée sur une grande conque.

Non loin, dans une zone verdoyante, se cache l'**amphithéâtre** (Anfiteatro), le plus ancien amphithéâtre romain que l'on connaisse. Construit vers 70 av. J.-C. il put accueillir jusqu'à 20 000 spectateurs assoiffés de sang. La **grande palestre** (Grande Palestra) voisine, qui servait aux exercices des athlètes, est bordée d'un long portique et garde la trace de la piscine qui se trouvait au centre.

De là, revenez sur la Via dell'Abbondanza et tournez à droite dans la Via Stabiana pour voir quelques-unes des plus grandioses maisons de Pompéi. Prenez à gauche la Via della Fortuna, puis descendez à droite dans le Vicolo del Labirinto pour arriver au Vicolo di Mercurio et à l'entrée de la **maison du Faune** (Casa del Fauno), plus grande demeure privée de Pompéi. Elle doit son nom à la célèbre petite statue en bronze qui fut découverte dans l'*impluvium* (réservoir de pluie), et c'est là que des fouilles antérieures mirent au jour les plus belles mosaïques de la cité,

SANCTUAIRE DE NOTRE-DAME-DU-ROSAIRE

Dominant le centre de la ville moderne de Pompéi, le **Santuario della Madona del Rosario** (☎ 081 857 71 11 ; Piazza Bartolo Longo ; 🕒 6h15-19h30 lun-sam, 5h45-20h30 dim) fut consacré en 1891, 15 ans après le miracle qui lui valut sa réputation. En 1876, une jeune fille fut guérie de son épilepsie après avoir prié devant la peinture de la *Vierge du Rosaire à l'enfant*, accrochée au-dessus du maître-autel. La nouvelle se répandit rapidement, si bien que cette peinture fit l'objet d'une dévotion populaire, encore très vivace aujourd'hui.

À côté du sanctuaire se dresse un **campanile** (☎ 081 850 70 00 ; 🕒 9h-13h et 15h-18h sam-jeu) d'une hauteur de 80 m.

la plupart exposées aujourd'hui au Musée archéologique national (p. 80) de Naples. À deux rues de là, la **maison du Poète tragique** (Casa del Poeta Tragico) recèle une mosaïque portant l'avertissement *Cave Canem* ("Attention au chien"), plus ancienne inscription du genre connue à ce jour. Au nord, dans le Vicolo di Mercurio, la **maison des Vettii** (Casa dei Vettii) est ornée d'une représentation de Priape pesant sur une balance son phallus surdimensionné (voir photo p. 45).

De là, suivez la route à l'ouest et tournez à droite dans la Via Consolare, qui vous emmène en dehors de la ville par la **Porta Ercolano.** La porte franchie, passez devant la **villa de Diomède** (Villa di Diomede) et vous arriverez à la **villa des Mystères** (Villa dei Misteri), l'un des ensembles les plus complets et les mieux conservés de Pompéi. Vous y admirerez l'une des plus grandes peintures antiques encore *in situ* : sur les pans de murs de la salle à manger, elle illustre le cycle d'initiation d'une jeune épouse au culte de Dionysos, dieu grec de la vigne et du vin.

Où se loger et se restaurer

Il n'y a guère d'intérêt à passer la nuit à Pompéi car le secteur devient malfamé. La plupart des restaurants aux abords des ruines sont de vastes établissements sans charme. Vous trouverez plutôt votre bonheur dans la ville moderne, où quelques tables servent une savoureuse cuisine locale.

Si vous voulez manger un morceau sur le site même, une bonne **"cantine"** (Via di Mercurio ; repas 18 €) jouxte le temple de Jupiter (voir p. 162).

AL GAMBERONE TRATTORIA €

☎ 081 850 68 14 ; Via Piave 36 ; repas 17 € environ ; 🕒 mer-lun

Non loin du sanctuaire de la Madone du Rosaire, cette modeste *trattoria* prépare d'excellents plats à des prix honnêtes. Sa carte simple comprend de grands classiques, comme le poulet rôti aux légumes ou le *risotto pescatore* (risotto aux fruits de mer).

RISTORANTE IL PRINCIPE RESTAURANT €€€

☎ 081 850 55 66 ; Piazza B Longo 8 ; repas 70 € environ ; 🕒 tlj avr-oct, mar-sam et déj lun nov-mars

Un des meilleurs restaurants de la région, qui s'est fait une spécialité des recettes inspirées de la cuisine antique campanienne. On peut ainsi commander des spaghettis au *garum* (sauce de poisson romaine apparentée au nuoc mam vietnamien) ou la *cassata* réputée de la maison – riche gâteau à la ricotta représenté sur une fresque d'Oplonte (voir p. 157).

RISTORANTE LUCULLUS RESTAURANT €€

☎ 081 861 30 55 ; Via Plinio 129 ; pizzas à partir de 6 €, repas 22 € environ ; 🕒 mer-lun

À proximité des ruines, le Lucullus constitue la bonne option pour manger des pizzas ou des plats traditionnels, tels les *tagliatelle alla bolognese* ou le *risotto ai funghi porcini* (risotto aux cèpes). Et pour les végétariens, riche assortiment de *contorni* (garnitures de légumes).

Depuis/vers Pompéi

La ligne ferroviaire *Circumvesuviana* constitue le moyen de transport le plus pratique pour rejoindre Pompéi. Des trains réguliers relient la gare de Pompei Scavi Villa dei Misteri à Naples (2,30 €, 40 min, environ 30 départs/jour) et à Sorrente (1,80 €, 30 min, environ 30 départs/jour). Pour vous rendre de Pompéi à Herculanum, prenez le train pour Naples et descendez à la gare d'Ercolano Scavi (1,30 €).

Des bus **SITA** (☎ 199 73 07 49 ; www.sita-on-line.it en italien) couvrent le trajet Naples-Pompéi (2,30, 35 min) toutes les demi-heures. Le bus n°50 de la **CSTP** (☎ 089 48 70 01 ; www.cstp.it en italien) assure la liaison Salerne-Pompéi (1,80 €, 1 heure, 15 départs/jour). Il existe aussi un bus **Marozzi** (☎ 089 87 10 09 ; www.marozzivt.it en italien) quotidien depuis/vers Rome (16 €, 3 heures).

De Naples en voiture, empruntez l'A3, prenez la sortie Pompéi et suivez les panneaux Pompei Scavi. Les parkings (environ 4 €/heure) sont bien indiqués.

HERCULANUM

Trop souvent éclipsée par sa voisine Pompéi, Herculanum mérite d'être considérée pour ce qu'elle est : un site hors du commun.

Enfouie sous 16 m de boue, Herculanum est une véritable mine archéologique qui a révélé, outre ses bâtiments et mosaïques, des trésors plus inhabituels, tels que rouleaux de papyrus, bateaux et squelettes. De taille modeste comparée à Pompéi (4,5 ha contre 66), cette cité portuaire magnifiquement conservée peut être visitée sans avoir le sentiment, de manquer quelque chose d'important.

L'actuel Ercolano, triste faubourg de Naples situé à 12 km au sud-est de la ville, occupe le site de l'antique Herculanum. À l'époque romaine, ce paisible port de pêche d'environ 4 000 habitants était en outre un lieu de villégiature pour les riches Romains et Campaniens.

Le sort d'Herculanum suivit de près celui de sa voisine Pompéi. Ravagée une première fois par un tremblement de terre en 62 de notre ère, la ville fut entièrement ensevelie à la suite de l'éruption du Vésuve de l'an 79. Herculanum, plus proche du volcan, fut engloutie sous un torrent de boue volcanique qui fossilisa la ville. C'est pourquoi des objets délicats, tels que des meubles ou des vêtements, furent découverts dans un état de conservation remarquable. Les habitants ne réussirent pas à s'enfuir en bateau et tous furent étouffés par les gaz toxiques du volcan.

Redécouverte en 1709, Herculanum fit l'objet de fouilles intermittentes jusqu'en 1874. Les travaux étaient alors menés par des archéologues amateurs. Les objets extraits du site étaient destinés à orner les maisons des riches Napolitains ou, au mieux, finissaient dans des musées. Les fouilles archéologiques commencèrent véritablement en 1927 et se poursuivent encore, ralenties par le fait qu'une grande partie du site antique gît sous la ville moderne d'Ercolano.

RENSEIGNEMENTS

Site Internet (www.pompeiisites.org). Couvre de manière complète Pompéi, Herculanum, Oplonte, Stabie et l'Antiquarium de Boscoreale.
Bureau d'information du site (🕑 8h30-15h)
Office du tourisme (☎/fax 081 788 12 43, Via IV Novembre 82 ; 🕑 9h-14h45 lun-sam)

GREG ELMS

ACCÈS AU SITE

Billetterie (☎ 081 739 09 63)
Tarifs (adulte/18-25 ans de l'UE/- de 18 ans et + de 65 ans de l'UE 11/5,50 €/gratuit, billet combiné incluant Pompéi, Oplonte, Stabie et Boscoreale 20/10 €/gratuit). Présentez une pièce d'identité pour bénéficier des réductions.
Horaires (🕑 8h30-19h30 avr-oct, jusqu'à 17h nov-mars, dernière entrée 90 min avant la fermeture)
Audioguides (6,50 €). Il existe aussi des audioguides destinés aux enfants.

Orientation et renseignements

De la gare d'Ercolano-Scavi (ligne *Circumvesuviana*), il suffit de descendre sur 500 m pour atteindre les ruines – suivez les panneaux marqués *scavi* (fouilles) le long de l'artère principale appelée Via IV Novembre. Vous passerez devant l'**office du tourisme**, sur votre droite.

On s'oriente plus facilement à Herculanum qu'à Pompéi, surtout avec une carte et un audioguide . Prenez un plan gratuit et une brochure au **bureau d'information du site**, à côté de la **billetterie**, avant d'emprunter le large boulevard qui mène à la véritable entrée du site, à droite peu après le tournant.

À la librairie à côté de la sortie, procurez vous la brochure *Herculanum, les fouilles et l'histoire locale* (7 €), qui constitue une bonne introduction sur la cité antique.

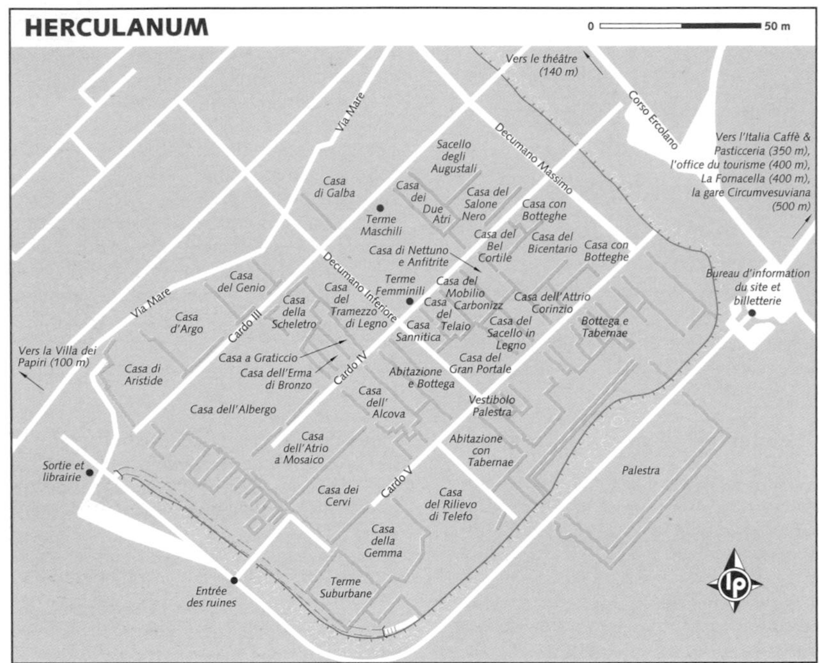

Les ruines

Les ruines, dans lesquelles on se repère facilement, se parcourent tranquillement en une matinée. Le site est divisé en 11 *insulae* (îles) qui correspondent au découpage de la cité antique. Les deux rues principales, le Decumano Massimo et le Decumano Inferiore, croisent le Cardo III, le Cardo IV et le Cardo V.

Notez qu'à tout moment, certains monuments peuvent être fermés pour restauration. À l'heure où nous écrivons, c'est le cas des thermes suburbains et de la maison de l'Atrium aux mosaïques (Casa dell'Atrio a Mosaico).

Pour pénétrer sur le site, vous franchirez ce qui ressemble à des douves entourant la ville, mais qui correspond en réalité à l'ancienne ligne du rivage. Les archéologues ont découvert ici en 1980 quelque 300 squelettes d'habitants d'Herculanum qui avaient fui sur la plage, où ils furent tués par le nuage de gaz brûlant émanant du Vésuve.

À l'extrémité sud du site, les **thermes suburbains** (Terme Suburbane) du Ier siècle av. J.-C. se classent parmi les complexes de bains les mieux conservés. Remarquez les bassins profonds, les frises et les bas-reliefs en stuc, les pavements et les sièges en marbre.

Non loin, accessible par le Cardo V, la **maison des Cerfs** (Casa dei Cervi) est probablement la plus opulente des demeures patriciennes. Cette villa sur deux niveaux, édifiée autour d'une cour centrale, contient des fresques et des œuvres d'art remarquablement conservées, notamment deux petits groupes de cerfs assaillis par des chiens sculptés dans le marbre et une statue représentant Hercule ivre, soulageant sa vessie.

Remontez un peu le Cardo V puis tournez à gauche dans le Decumano Inferiore, pour arriver à la **maison au Grand Portail** (Casa del Gran Portale), qui doit son nom aux élégantes colonnes corinthiennes en brique qui ornent son entrée principale. L'intérieur révèle quelques fresques bien conservées.

Au sud-ouest, sur le Cardo IV, la **maison de l'Atrium aux mosaïques** (Casa dell'Atrio a Mosaico) est une imposante demeure qui conserve aussi un vaste pavement de mosaïques, un peu gondolé sous l'effet du temps. Dans l'atrium, l'échiquier noir et blanc en mosaïques est particulièrement remarquable.

Des mosaïques encore plus extraordinaires ornent la **maison de Neptune et d'Amphitrite** (Casa di

LA VILLA DES PAPYRUS

La villa des Papyrus (Villa dei Papiri) était la demeure la plus luxueuse d'Herculanum. Propriété de Lucius Calpurnius Piso Caesoninus, beau-père de Jules César, cette résidence sur quatre étages, longue de 245 m, s'étendait jusqu'à la mer. Outre des piscines, des fontaines et près de 80 sculptures, elle comportait une bibliothèque riche de 1 800 rouleaux de papyrus à laquelle elle doit son nom.

La plupart des rouleaux carbonisés, conservés au Musée archéologique national de Naples (p. 80), contenaient les œuvres de Philodème de Gadara, un philosophe épicurien (les textes noircis ont pu être déchiffrés grâce à l'imagerie multispectrale), mais les chercheurs espèrent trouver des écrits d'Aristote, de Tite-Live et de Sappho parmi les centaines encore à étudier.

Fouillée par intermittence depuis 1765, la villa a révélé, dans les années 1990, deux nouveaux étages, mais quelque 2 800 m² restent à explorer. À l'heure où nous écrivons, les travaux sont suspendus, même si le financement est désormais assuré. Le millionnaire américain David W. Packard (de la firme Hewlett-Packard) a en effet promis de payer les fouilles à venir.

Pour visiter la villa, dont seuls l'atrium et des parties des étages supérieurs sont ouverts au public, vous devrez réserver à l'avance. Le plus simple consiste à se connecter sur www.arethusa.net. Le nombre de visiteurs est limité à 25 personnes le week-end de 9h à 17h.

Nettuno e Anfitrite), toujours sur le Cardo IV. Cette demeure patricienne doit son nom à la mosaïque de son nymphée (*nymphaeum* ; fontaine et bains). Les couleurs resplendissantes utilisées pour représenter les deux divinités en disent long sur la somptuosité de la décoration d'origine.

Les thermes du Forum (Terme del Foro) se composaient de deux parties : le **bain des femmes** (Terme Femminili), de l'autre côté de la route, et le **bain des hommes** (Terme Maschili), accessible depuis le Cardo III. Si la gent féminine passait de l'*apodyterium* (notez la finesse des tritons qui ornent le sol en mosaïque) au *tepidarium* et au *caldarium*, les hommes transitaient aussi par le *frigidarium* (bain froid). On distingue encore les bancs sur lesquels les baigneurs s'asseyaient et les étagères murales où ils déposaient leurs vêtements.

À l'extrémité nord-est du Cardo IV, sur le Decumano Massimo, un crucifix trouvé à l'étage de la **Casa del Bicentenario** (Casa del Bicentenario) tendrait à prouver la présence de chrétiens à Herculanum avant 79.

Virtuellement la dernière maison du Cardo III avant la sortie, la **maison d'Argus** (Casa d'Argo) ouvrait originellement sur le Cardo II (jusqu'ici pas encore excavé). Elle offre un bel exemple de demeure patricienne, avec son *triclinium* (salle à manger) et son péristyle ceinturant le jardin.

Au nord-ouest du site, sur le Corso Ercolano, s'élèvent les vestiges d'un **théâtre** de l'époque augustéenne et la **villa des Papyrus** (Villa dei Papiri, voir l'encadré ci-dessus).

Où se loger et se restaurer

Comme pour Pompéi, plutôt que de loger à Ercolano, mieux vaut séjourner à Naples ou Sorrente et venir par le train pour passer la journée, ce qui est très facile. Et ce d'autant qu'il y a peu de choses à voir, à part les ruines. Vous trouverez quelques restaurants.

ITALIA CAFFÈ & PASTICCERIA — CAFÉ €

☎ 081 732 14 99 ; Corso Italia 17 ; en-cas à partir de 3 €

Juste en retrait de la Via IV Novembre, cet établissement banal sert des *granite* (glace pilée aromatisée) rafraîchissantes, un café correct et de savoureux gâteaux. On peut acheter des en-cas à emporter ou à manger en terrasse.

LA FORNACELLA — RESTAURANT €

☎ 081 777 48 61 ; Via IV Novembre 90-92 ; menu 7 €

Un restaurant touristique et peu engageant, mais où la cuisine est plutôt bonne. Le menu de midi (pâtes, plat principal et garniture) à 7 € présente un rapport qualité/prix avantageux, avec des plats comme le *pollo alla cacciatora* (poulet au four à la tomate et au paprika) et les légumes grillés. Si vous voulez vraiment déjeuner rapidement, commandez des spaghettis frits à la tomate.

Depuis/vers Herculanum

La ligne *Circumvesuviana* est le moyen le plus rapide, et de loin, pour accéder depuis Naples ou Sorrente à Herculanum/Ercolano (descendre à la gare Ercolano-Scavi). Les trains circulent régulièrement tout au long de la journée. L'aller simple coûte 1,70/1,30/1,80 € au départ de Naples/Pompéi/Sorrente.

En voiture, il faut prendre l'A3 depuis Naples, et sortir à Ercolano Portico, puis suivre les panneaux indiquant les parkings du site.

RENSEIGNEMENTS

Musée (☎ 0828 81 10 23 ; adulte/18-24 ans de l'UE/- de 18 ans et + de 65 ans de l'UE 4/2 €/gratuit ; 🕐 8h45-19h45, dernière entrée à 19h)
Ruines (adulte/18-24 ans de l'UE/- de 18 ans et + de 65 ans de l'UE 4/2 €/gratuit ; 🕐 9h-1 heure avant le coucher du soleil)
Office du tourisme (☎ 0828 81 10 16 ; www.infopaestum.it ; Via Magna Grecia 887 ; 🕐 9h-13h30 et 14h30-19h lun-sam juin-sept, horaires restreints oct-mai). Fournit la liste des guides accrédités.
Transport. Le bus CSTP n°34 dessert Paestum depuis la Piazza della Concordia à Salerne (2,90 €, 1 heure 20, 12 départs/jour).

Temple de Neptune, Paestum

ROBERTO SONCIN GEROMETTA

PAESTUM

Classés au patrimoine mondial de l'Unesco, les majestueux temples grecs de Paestum témoignent de la grandeur de la Magna Graecia, qui englobait jadis presque toute l'Italie du Sud.

Paestum, l'antique Poseidonia (d'après le nom du dieu de la mer), fut fondée par des colons grecs vers le VIe siècle av. J.-C. Tombée sous la domination romaine en 273 av. J.-C., elle devint un important port de commerce. Victime d'affrontements successifs à la fin de l'Empire romain, d'épidémies de paludisme et de raids des Sarrasins, la cité sombra progressivement. Ses temples furent redécouverts à la fin du XVIIIe siècle lors de la construction d'une route qui devait traverser les ruines. Le site dans son ensemble ne fut mis au jour que dans les années 1950.

En pénètrant par le nord, on croise en premier le **Temple de Cérès** (Tempio di Cerere, VIe siècle av. J.-C). Originellement dédié à Athéna, il fut converti en église chrétienne à l'époque médiévale.

Vers le sud, on découvre ensuite les traces du grand forum rectangulaire, cœur de l'ancienne cité. Parmi les bâtiments partiellement debout, on distingue la zone résidentielle et, au sud, l'amphithéâtre.

Le **temple de Neptune** (Tempio di Nettuno), construit vers 450 av. J.-C., est le plus grand et le mieux conservé des trois temples. Seules manquent certaines parties du toit et des murs intérieurs. À côté, l'édifice appelé à tort **basilique** (en fait, un temple dédié à la déesse Héra) est le plus ancien du site. Avec ses 9 colonnes sur la largeur et 18 en longueur, cet édifice du milieu du VIe siècle av. J.-C. donne un sentiment de puissance majestueuse.

Situé juste à l'est du site, le **musée** renferme une collection de métopes (bas-reliefs) entrelacées : 33 sur les 36 que comptait le **temple d'Argive Hera** (Tempio di Argive Hera), à 9 km au nord de Paestum, dont ne subsiste pratiquement rien d'autre.

Le monument majeur des ruines reste toutefois la **tombe du Plongeur** (*Tomba del Tuffatore*), qui date du Ve siècle av. J.-C., et dont le personnage suspendu entre ciel et terre symboliserait le passage de la vie à la mort.

Le site compte plusieurs restaurants, le meilleur étant le **Ristorante Nettuno** (☎ 0828 81 10 28 ; Via Principe di Piemonte ; repas 25 € environ) près de l'entrée sud. Sinon, la **Fattoria del Casaro** (☎ 0828 72 27 04 ; Via Licinella 5), voisine, vend de la mozzarella.

Si vous souhaitez loger sur place, l'**Hotel Villa Rita** (☎ 0828 81 10 81 ; www.hotelvillarita.it ; s/d avec petit déj 62/88 € ; ❄ 🏊) a de confortables chambres trois-étoiles et une piscine dans ses jardins verdoyants.

LA CÔTE AMALFITAINE

Capri (p. 172) RUSSELL MOUNTFORD

LA BAIE DE NAPLES ET LA CÔTE AMALFITAINE

On entre ici dans un monde vertical de falaises éblouissantes, de criques secrètes et d'horizons bleus, un monde qui compte plus de bateaux que de voitures et où les escaliers servent de rues.

La côte amalfitaine est la partie la plus spectaculaire de la côte italienne et, assurément, l'une des plus fabuleuses d'Europe. Ce mélange de paysages sublimes, de légendes et de romantisme enchante les visiteurs depuis l'époque romaine. Le contraste ne pouvait pas être plus grand entre la côte et la ville : une heure de voiture seulement sépare l'enfer urbain du cœur de Naples de cet univers de rêve.

Cependant, cette topographie étonnante n'a pas toujours été une chance. La grande époque de la puissance maritime d'Amalfi (du IXe au XIIe siècle) une fois révolue, la région a végété dans la pauvreté et l'isolement, sous la menace permanente des invasions étrangères, des tremblements de terre et des glissements de terrain. C'est précisément cet isolement qui attira les premiers visiteurs au début du XXe siècle, prélude à la vague touristique de la seconde moitié du siècle. Aujourd'hui, la côte amalfitaine est l'une des destinations phares du tourisme italien, prisée de la jet-set et des jeunes couples amoureux.

Deux villes servent de porte d'entrée à la côte : **Sorrente** (Sorrento) à l'ouest, et **Salerne** (Salerno), 50 km à l'est. Suspendue en haut d'une falaise, la première est une cité balnéaire qui a miraculeusement survécu au déferlement du tourisme de masse. Située sur le versant nord de la péninsule de Sorrente (la pointe qui sépare le golfe de Naples du golfe de Salerne) et non directement sur la côte amalfitaine, elle n'est cependant qu'à une très courte distance, par une route sublime, de **Positano**, station la plus chic et la plus chère de la côte, aux maisons pastel.

Sorrente est aussi le port le plus rapproché de **Capri**, la plus célèbre des trois îles de la baie. But de promenade incontournable, Capri offre un curieux mélange d'hôtels de

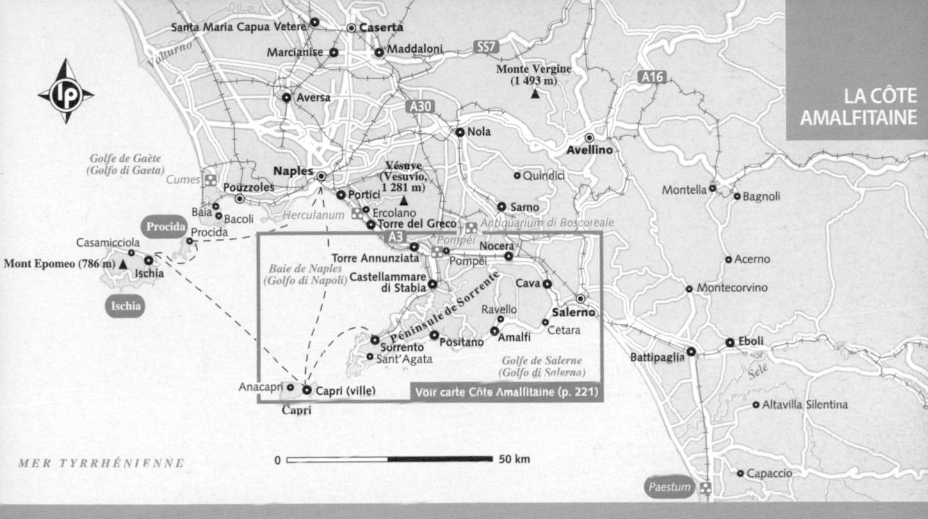

À NE PAS MANQUER

- L'ascension en télésiège du **mont Solaro** (p. 177), le point culminant de Capri, et la descente à pied
- Boire une bière sur le front de mer de **Marina Corricella** (p. 201), à Procida
- Écouter un concert de musique classique dans les fabuleux jardins de la **Villa Rufolo** (p. 238), à Ravello
- Siroter un verre de *limoncello* à **Sorrente** (p. 204), face au Vésuve
- La **baie de Ieranto** (p. 219), qu'il faut rejoindre à pied, où l'on trouve le plus beau lieu de baignade de la côte

luxe, de boutiques de mode et de paysage méditerranéen préservé. Au nord-ouest, **Ischia** a longtemps tiré profit de ses eaux thermales, de ses jardins luxuriants et de ses belles plages, tandis que sa petite voisine **Procida** restait la moins développée des trois îles. Bien que le tourisme ne l'ait pas totalement épargnée, ses petits ports pittoresques ont gardé une authenticité qu'on trouve plus difficilement ailleurs.

Sur le continent, **Amalfi** est une jolie petite ville au glorieux passé de puissance maritime, qui tire désormais l'essentiel de ses revenus d'un flot ininterrompu de touristes.

Perchée sur les hauteurs de la côte, **Ravello** maintient ses distances tout en cultivant ses souvenirs wagnériens derrière les murs de grandioses villas. Finalement, après avoir traversé le centre de fabrication de la céramique de **Vietri sul Mare**, on arrive à **Salerne**, port ordinaire dont l'attrait réside précisément dans l'absence de boutiques de souvenirs et la présence d'un centre historique des plus animés.

Marina Corricella, Procida (p. 201)

DALLAS STRIBLEY

Les Faraglioni à Capri (p. 175)

HOLGER LEUE

À NE PAS MANQUER

- Une immersion dans la lumière surnaturelle de la **Grotte bleue** (voir encadré p. 178)
- Les vastes ruines de la **Villa Jovis** de Tibère (p. 176)
- Le **Sentiero dei Fortini** (voir *Un peu d'exercice*, p. 176), magnifique sentier longeant la côte ouest peu fréquentée
- La montée en télésiège au **mont Solaro** (p. 177) pour ses vues sublimes
- Boire un verre sur **la Piazzetta** (p. 174), là où les choses se passent

CAPRI

Avec ses falaises, ses cafés, ses villas et ses panoramas, Capri a charmé les empereurs romains, les révolutionnaires russes et le gratin du showbiz.

Depuis que l'empereur romain Tibère lui a accolé une réputation de décadence, Capri a toujours excité l'imagination du public. Grosse masse rocheuse entourée d'eau bleu intense, l'île est un concentré de charme méditerranéen, un amalgame charmant de petites piazzas et de cafés, de ruines romaines et de côte déchiquetée.

C'est aussi un but d'excursion très populaire d'une journée et un lieu de villégiature estivale en vogue chez les VIP. Inévitablement, les deux petites villes principales, **Capri** et sa rivale perchée en hauteur, **Anacapri**, sont presque entièrement vouées à un tourisme aux prix très élevés. Mais, passé les boutiques de couturiers et les trattorias bien sûr traditionnelles, vous découvrirez un arrière-pays rural au charme intact parsemé de majestueuses villas, de potagers envahis de végétation, de stucs effrités et délavés par le soleil, et ponctué des masses denses et colorées de bougainvillées. Le tout surplombant une mer d'un bleu profond qui vient clapoter au fond de criques et de grottes mystérieuses.

L'île ne possède pas beaucoup de sites à voir absolument, mais il y en a un, malgré tout, qu'il serait dommage de manquer : la **Grotte bleue** (Grotta Azzurra). C'est le site le plus visité de Capri, car sa délicate lumière bleue fascine les foules accompagnée par des bateliers qui poussent la chansonnette. À l'autre extrémité de l'île, les ruines de la **Villa Jovis** témoignent du séjour de Tibère en ce lieu.

Déjà habitée à l'époque paléolithique, Capri fut brièvement occupée par les Grecs avant que l'empereur Auguste n'en fasse son domaine privé et que Tibère ne s'y retire en l'an 27 de notre ère. Son statut actuel de centre touristique date du début du XXe siècle, quand elle fut envahie par une foule d'artistes, d'écrivains et de révolutionnaires russes.

ORIENTATION

Distante de 5 km du continent en son point le plus rapproché, Capri ne fait que 6 km de long sur 2,7 km de large. En s'approchant, on a un point de vue magnifique sur la ville de Capri au pied des pentes abruptes du mont Solaro (Monte Solaro ; 589 m), à l'ouest, derrière lequel se cache le village d'Anacapri.

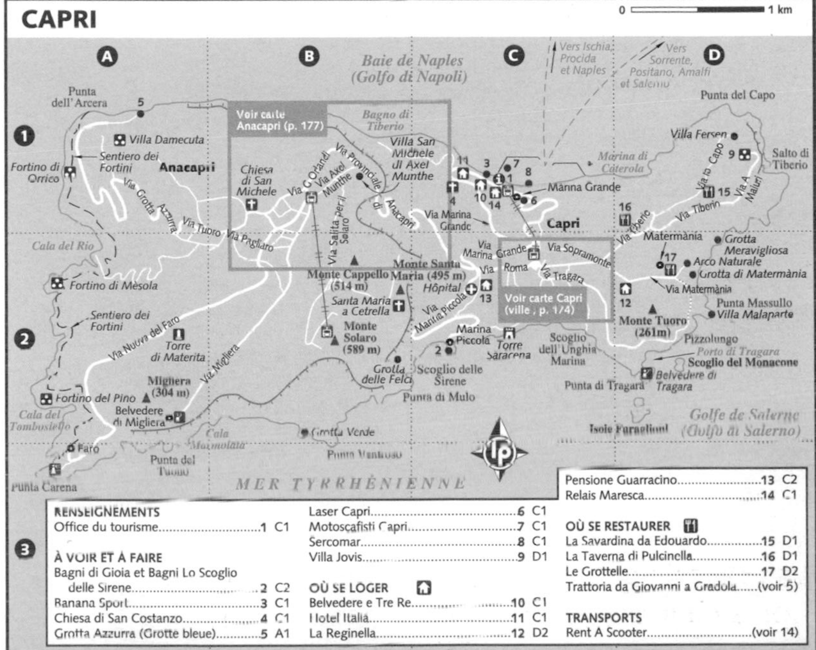

RENSEIGNEMENTS

- **Anacapri** (www.anacapri-life.com). Infos et renseignements sur Anacapri.
- **Capri Internet Point** (carte p. 177 ; ☎ 081 837 32 83 ; Via de Tommaso 1, Anacapri ; 4 €/heure ; 🕒 8h-21h lun-sam, 8h-14h dim mai-oct, horaire réduit nov-avr). Vend aussi la presse internationale.
- **Capri Island** (www.capri.net). Excellent site Internet avec répertoires, itinéraires et horaires de ferries.
- **Capri Tourism** (www.capritourism.com). Site officiel de l'office du tourisme de Capri.
- **Bureau de change** (carte p. 177 ; ☎ 081 837 31 46 ; Piazza Vittoria 2b, Anacapri ; 🕒 8h30-18h tlj).
- **Farmacia Barile** (carte p. 177 ; ☎ 081 837 14 60 ; Piazza Vittoria 28, Anacapri).
- **Farmacia Internazionale** (carte p. 174 ; ☎ 081 837 04 85 ; Via Roma 24, Capri).
- **Hôpital** (carte ci-dessus ; ☎ 081 838 11 11 ; Via Provinciale di Anacapri 5, Capri).
- **Office du tourisme d'Anacapri** (carte p. 177 ; ☎ 081 837 15 24 ; www.capritourism.com ; Via G Orlandi 59, Anacapri ; 🕒 8h30-20h30 juin-sept, 9h-15h lun-sam oct-déc et mars-mai).
- **Office du tourisme de Capri** (carte p. 174 ; ☎ 081 837 06 86 ; www.capritourism.com ; Piazza Umberto I, Capri ; 🕒 8h30-20h30 juin-sept, 9h-13h et 15h30-18h45 lun-sam oct-mai)
- **Office du tourisme de Marina Grande** (carte ci-dessus ; ☎ 081 837 06 34 ; www.capritourism.com ; 🕒 9h-13h et 15h30-18h45 juin-sept, 9h-15h lun-sam oct-mai).
- **Police** (carte p. 174 ; ☎ 081 837 42 11 ; Via Roma 70, Capri).
- **Poste d'Anacapri** (carte p. 177 ; ☎ 081 837 10 15 ; Via de Tommaso 8, Anacapri).
- **Poste de Capri** (carte p. 174 ; ☎ 081 978 52 11 ; Via Roma 50, Capri).
- **San Paolo Banco di Napoli** (carte p. 177 ; ☎ 081 838 21 69 ; Via G Orlandi 150, Anacapri). Distributeur de billets.
- **Unicredit Banca** (carte p. 174 ; ☎ 081837 05 11 ; Via Roma 57, Capri). Distributeur de billets.

Tous les hydrofoils et les ferries arrivent à Marina Grande, nœud de communications de l'île. Le moyen le plus rapide pour monter à Capri-ville est le funiculaire, mais il existe aussi des bus et des taxis. À pied, il faut faire un dur chemin de 2,25 km par la Via Marina Grande. Arrivé en haut, on peut tourner à gauche (vers l'est) au croisement avec la Via Roma pour rejoindre le centre-ville, ou à droite (vers l'ouest) et remonter la Via Provinciale di Anacapri, qui devient Via G. Orlandi en arrivant à Anacapri.

La minuscule Piazza Umberto I est le point focal de Capri-ville. À deux pas à l'est, la Via Vittorio Emanuele descend vers la Via Camerelle, la principale artère commerçante.

En haut, à Anacapri, les bus et les taxis vous déposent sur la Piazza Vittoria, d'où partent la Via G. Orlandi, la rue principale, vers le sud-ouest, et la Via Capodimonte vers la Villa San Michele di Axel Munthe.

À VOIR ET À FAIRE

Capri-ville

Avec ses maisons en pierre blanchies à la chaux et ses rues minuscules et sans voitures, Capri ressemble plus à un décor de cinéma qu'à une ville réelle. Version miniature du chic méditerranéen, c'est un mélange rutilant d'hôtels luxueux, de bars et de restaurants hors de prix et de boutiques de grands couturiers. En été, ses ruelles fourmillent de gens fortunés et de visiteurs d'un jour armés d'appareils photo.

Au cœur de la vie de Capri, la **Piazza Umberto I** (dite aussi la Piazzetta) est son salon en plein air, au pied de la tour de l'horloge, où l'on vient voir et surtout être vu en train de voir, depuis la terrasse d'un café. Pour se dégourdir les jambes, on peut monter jusqu'à l'**église Santo Stefano** (carte ci-dessous ; ☎ 081 837 00 72 ; Piazza Umberto I ; 🕑 8h-20h tlj), édifice baroque du XVIIe siècle, où l'on admirera un pavement de marbre en bon état (provenant de la Villa Jovis, voir p. 176) et une statue de San Costanzo, le saint patron de Capri. On remarquera le couple de patriciens à la pose alanguie, dans la chapelle au sud du maître-autel, qui semble faire écho à certains élégants des terrasses des cafés. À côté de la chapelle nord, un reliquaire protège un os de saint qui aurait, dit-on, sauvé Capri de la peste au XIXe siècle.

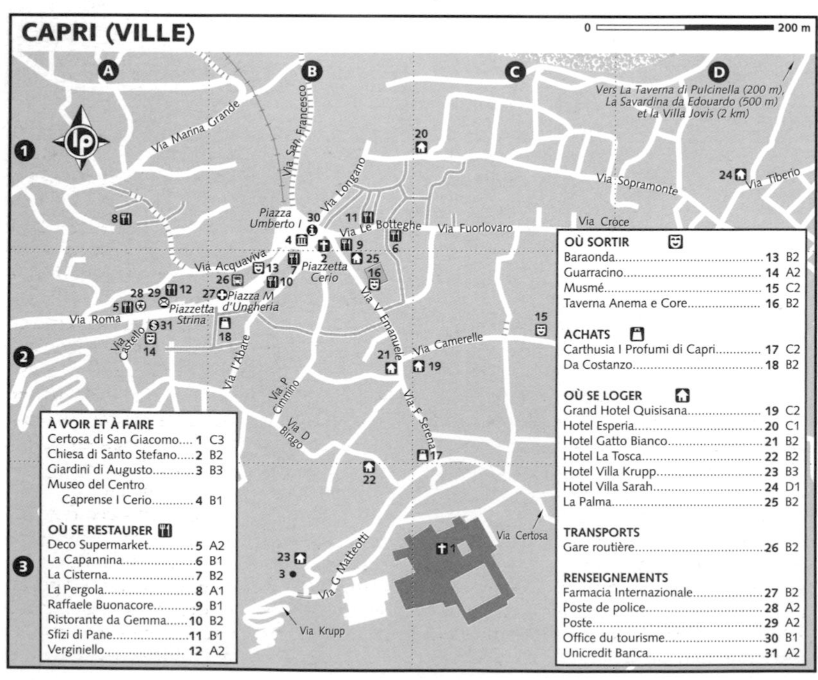

Le port de Capri-ville DALLAS STRIBLEY

LES PLUS BEAUX POINTS DE VUE :

- Mont Solaro (p. 177)
- Belvedere di Tragara (voir encadré p. 176)
- Villa Jovis (p. 176)
- Villa San Michele d'Axel Munthe (p. 177)
- Villa Damecuta (p. 178)

De l'autre côté de la rue, le **musée du Centro Caprense i Cerio** (carte p. 174 ; ☎ 081 837 66 81 ; Piazzetta Cerio 5 ; adulte/moins de 14 ans et plus de 65 ans 2,60/1 € ; 🕑 10h-13h mar-sam) possède une bibliothèque de livres et de revues sur l'île (la plupart en italien), ainsi qu'une collection de fossiles néolithiques et paléolithiques trouvés sur l'île.

À l'est de la Piazzetta, la Via Vittorio Emanuele et son prolongement, la Via F. Serena, descendent vers la pittoresque **chartreuse San Giacomo** (Certosa di San Giacomo ; carte p. 174 ; ☎ 081 837 62 18 ; Viale Certosa 40 ; 🕑 9h-14h mar-dim), monastère du XIVe siècle considéré comme le plus bel exemple restant de l'architecture locale. Bâti entre 1363 et 1371 à l'initiative de Giacomo Arucci, un noble local secrétaire de la reine Jeanne Ire de Naples, il devint le bastion de la puissante communauté des chartreux de l'île. Fermé au début du XIXe siècle sur ordre des forces d'occupation napoléoniennes, il abrite aujourd'hui une école, une bibliothèque et un musée de peintures du XVIIe qui n'ont rien de palpitant. Il comprend deux cloîtres, le plus petit datant du XIVe siècle, le plus grand du XVIe siècle, et une église décorée de quelques belles fresques du XVIIe.

Au sud-ouest du monastère, au bout de la Via G. Matteotti, les **jardins d'Auguste** (Giardini di Augusto ; carte p. 174 ; 🕑 aube-crépuscule tlj), débordant de couleurs, furent créés par l'empereur Auguste. Depuis les jardins, la vue sur les **Faraglioni** (Isole Faraglioni ; carte p. 173), trois pointes calcaires jaillissant de la mer, est somptueuse. Hauts de 109 m, 81 m et 104 m, ces pitons abritent un rare lézard bleu qu'on a longtemps considéré comme propre aux Faraglioni, avant qu'on le découvre sur la côte sicilienne.

Depuis les jardins, la **Via Krupp** descend en zigzags en direction de Marina Piccola. Portant le nom du célèbre sidérurgiste allemand, Alfred Krupp, elle est temporairement fermée pour des raisons de sécurité. Un curieux buste de Lénine surplombe la route depuis une plate-forme voisine.

UN PEU D'EXERCICE

Aussi surprenant que cela puisse paraître pour une si petite île, Capri réserve de mémorables surprises aux marcheurs. L'île est sillonnée de sentiers bien entretenus permettant de découvrir des zones qui, même en plein été, restent quasiment désertes. Voici les quatre plus beaux :

Capri-Arco Naturale-Grotta di Matermània-Belvedere di Tragara

Cette promenade classique longe la côte sur 1,2 km, de l'Arco Naturale au Belvedere di Tragara.

De l'Arco Naturale, au bout de la Via Matermània, revenez sur vos pas jusqu'au restaurant Le Grottelle et descendez l'escalier situé à proximité. À mi-pente, vous arrivez à la Grotta di Matermània, une grande grotte dont les Romains avaient fait un nymphée (sanctuaire consacré aux nymphes) dédié à la Mater Magna (la Grande Mère). Au fond du nymphée, reprenez le sentier qui longe la côte vers le sud. Une fois à la Punta Massullo, la curieuse villa rouge, sur la gauche, est la Villa Malaparte, ancienne résidence de l'écrivain toscan Curzio Malaparte (1898-1957). Plus loin, les points de vue sont de plus en plus spectaculaires à mesure que le sentier contourne le mont Tuoro. Quelques centaines de mètres plus loin, vous atteignez un escalier, sur la droite, qui monte au Belvedere di Tragara, d'où l'on a une vue splendide sur les Faraglioni.

On rejoint ensuite le centre de Capri-ville en suivant la Via Tragara et son prolongement, la Via Camerelle.

Anacapri-mont Solaro

Dominant Anacapri, le Monte Solaro (589 m) est le point culminant de l'île. Pour accéder au sommet, vous pouvez soit prendre la *seggiovia* (télésiège) depuis la Piazza Vittoria, soit monter à pied (environ 2 km). Pour cela, empruntez la Via Axel Munthe et tournez à droite dans la Via Salita per il Solaro. Suivez le sentier escarpé qui grimpe jusqu'au col de La Crocetta, marqué par un crucifix en fer impossible à manquer. Ici, le sentier se divise : à droite, vous montez au sommet et à ses vues somptueuses sur la baie de Naples et la côte amalfitaine ; à gauche, vous descendez dans la vallée de Cetrella, site du pittoresque ermitage Santa Maria a Cetrella (en général ouvert le samedi après-midi jusqu'au crépuscule).

Vous pouvez aussi faire comme tout le monde : monter en télésiège et redescendre à pied.

Anacapri-Belvedere di Migliera

Jolie promenade digestive de 2 km conduisant au Belvedere di Migliera, plate-forme panoramique offrant de magnifiques vues sur la mer.

Rien de plus simple que l'itinéraire : depuis la Piazza Vittoria, suivez la Via Caposcuro et son prolongement, la Via Migliera. En chemin, vous longerez des vergers, des vignes et de petits bois. Arrivé au belvédère, vous pouvez revenir par la Torre di Materita ou bien, si vous avez de la réserve, entreprendre l'ascension du mont Solaro. Sachez toutefois que ce sentier est classé "difficulté moyenne" par le Club Alpin Italien (Club Alpino Italiano).

Carena-Punta dell'Arcera, le Sentiero dei Fortini

Serpentant le long de la côte ouest de l'île – la moins visitée –, le Sentiero dei Fortini (Sentier des Petits Forts, 5,2 km) vous conduira de la Punta Carena, pointe sud-ouest de l'île, à la Punta dell'Arcera, près de la Grotte bleue, au nord. Ainsi nommé parce qu'il relie les trois forts de Pino, Mèsola et Orrico, ce sentier traverse les paysages les plus sauvages de Capri.

D'autres vues sur les Faraglioni vous attendent au Belvedere, au bout de la Via Tragara.

La Villa Jovis et ses environs

À l'est du centre-ville, au bout de 2 km de marche confortable par la Via Tiberio, la **Villa Jovis** (Villa de Jupiter ; carte p. 173 ; ☎ 081 837 06 34 ; Via Tiberio ; adulte/jeunes 18-25 ans citoyens européens/moins de 18 ans et plus de 65 ans citoyens européens 2 €/1 €/gratuit ; 🕑 9h-1 heure avant le coucher du soleil), également connue sous le nom de Palazzo di Tiberio, se dresse à 354 m d'altitude. C'était la plus grande et la plus luxueuse des douze villas romaines de l'île et la résidence principale de Tibère à Capri. Elle n'est plus en très bon état, mais la taille des ruines donne une idée du standing auquel Tibère s'était accoutumé. Ses appartements privés, au nord et à l'est de l'ensemble, offrent une vue magnifique sur la Punta della Campanella.

Spectaculaire mais malcommode, la situation de la villa posa un problème ardu aux architectes : comment collecter et stocker suffisamment d'eau pour alimenter les bains et les 3 000 m² de jardins. Ils optèrent pour un système sophistiqué de canaux amenant les eaux de pluie dans quatre citernes géantes dont les vestiges sont clairement visibles.

Derrière la villa, un escalier monte au **Saut de Tibère** (Salto di Tiberio ; carte p. 173), un promontoire de quelque 300 m de haut tombant dans la mer d'où, dit-on, Tibère faisait précipiter les courtisans qui avaient cessé de lui plaire.

Non loin de la villa, en descendant par la Via Tiberio et la Via Matermània, on rejoint l'**Arco Naturale**, un grand arc rocheux sculptée par les vagues.

Anacapri et ses environs

Ville jumelle de Capri, traditionnellement plus calme et moins en vue, l'Anacapri actuelle n'est pas pour autant restée à l'écart du tourisme. Mais celui-ci se limite essentiellement à la Villa San Michele d'Axel Munthe et aux boutiques de souvenirs des rues principales. Il suffit de marcher deux minutes pour s'éloigner de l'affluence et découvrir Anacapri telle qu'elle a toujours été, un village rural et tranquille.

Venant de Capri, le bus ou le taxi vous dépose sur la Piazza Vittoria, d'où l'on accède rapidement à la **Villa San Michele d'Axel Munthe** (carte p. 173 ; ☎ 081 837 14 01 ; Via Axel Munthe ; entrée 5 € ; 9h-18h mai-sept, 10h30-15h30 nov-fév, 9h30-16h30 mars, 9h30-17h avr et oct), ancienne résidence du médecin suédois Axel Munthe, qui s'était pris de passion pour Capri dans son autobiographie, *Le Livre de San Michele* (1929). Il y raconte notamment l'histoire de sa demeure, construite sur les ruines d'une villa romaine. Hormis la collection de sculptures romaines, son plus bel attrait est le jardin magnifiquement conservé et les vues splendides. En été, la **fondation Axel Munthe** (☎ 081 837 14 01 ; www.sanmichele.org) organise des concerts dans le jardin.

Au-delà de la villa, la Via Axel Munthe continue en direction de l'escalier de 800 marches qui redescend vers Capri. Construit au début du XIXe siècle, il fut le seul lien entre Anacapri et le reste de l'île jusqu'à la construction de la route, dans les années 1950. Comme on pouvait s'en douter, Capri et Anacapri ont toujours eu des rapports tendus et les deux villes sont toujours prêtes à exhiber leur saint patron respectif pour écarter le *mal'occhio* (mauvais œil) jeté par leur rivale.

L'autre grand point d'intérêt d'Anacapri est de monter au mont Solaro par la **Seggiovia del Monte Solaro** (carte ci-dessous ; ☎ 081 837 14 28 ; aller simple/aller-retour 5/6,50 € ; 9h30-17h mars-oct, 10h30-15h nov-fév), un télésiège qui vous porte au sommet de ce mont en 12 minutes, d'où le panorama est exceptionnel. Par temps clair, on voit toute la baie de Naples, la côte amalfitaine et les îles d'Ischia et de Procida.

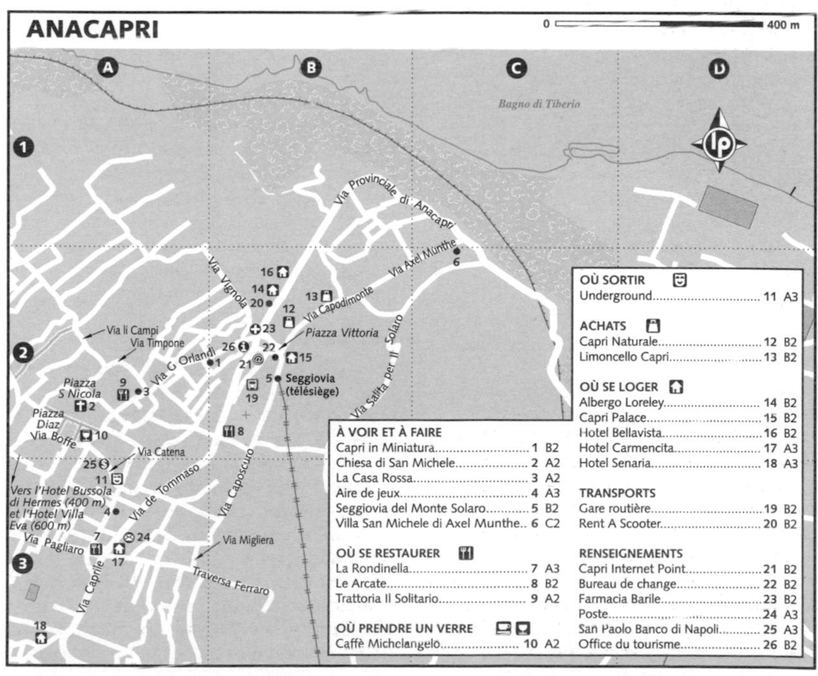

LA GROTTE BLEUE

La grande et unique attraction de Capri est la **Grotta Azzurra** (carte p. 173 ; adulte/Européens moins de 18 ans et plus de 65 ans 4 €/gratuit ; 🕑 9h -1h avant le crépuscule), une étonnante grotte marine éclairée d'une lumière bleue surnaturelle.

Connue depuis longtemps des pêcheurs, elle fut redécouverte par deux Allemands, l'écrivain Augustus Kopisch et le peintre Ernst Fries, en 1826. Des recherches ultérieures révélèrent que l'empereur Tibère y avait déjà fait construire un quai et un nymphée, peuplé de statues, en l'an 30. On peut encore voir le débarcadère taillé dans la roche au fond de la grotte.

Mesurant 54 m sur 30 m et d'une hauteur de 15 m, la grotte se serait affaissée de 20 m dans la mer à l'époque préhistorique, bloquant toutes les issues, sauf l'entrée actuelle, de 1,30 m de haut. Ainsi s'explique le phénomène : la lumière pénétrant par une petite ouverture sous-marine est réfractée par l'eau. Cet effet, combiné à la réflexion de la lumière sur le fond blanc sableux, produit la vive lumière bleue qui a donné son nom à la grotte.

Pour la visiter, le plus simple consiste à prendre un bateau depuis Marina Grande. L'excursion coûte 18,50 €, comprenant l'aller-retour en bateau à moteur (10 €), le canot à rames dans la grotte (4,50 €) et le droit d'entrée (adulte/Européen moins de 18 ans et plus de 65 ans 4 €/gratuit). Comptez une bonne heure. Vous ne ferez qu'une économie marginale, et perdrez beaucoup de temps, en prenant un bus depuis Anacapri ou Capri, car vous devrez de toute façon payer le canot et l'entrée. Les "bateliers chantants" sont compris dans le prix ; sentez-vous libres de refuser s'ils insistent pour recevoir un pourboire.

Si la mer est agitée, la grotte est fermée. Avant d'embarquer, consultez l'affichage à l'office du tourisme de Marina Grande, à 25 m de la billetterie pour le bateau à moteur.

Il est interdit de se baigner dans la grotte, mais vous pouvez le faire à l'extérieur de l'entrée. Prenez un bus jusqu'à la Grotte bleue, descendez les marches sur la droite et plongez depuis la petite plate-forme en béton.

Dans le village, on peut également visiter l'**église San Michele** (carte p. 177 ; ☎ 081 837 23 96 ; Piazza San Nicola ; adulte/enfant 1 €/gratuit ; 🕑 9h30-19h avr-oct, 9h30-15h nov-mars), édifice baroque réputé pour son sol en majolique du XVIIIe siècle représentant Adam et Ève au paradis terrestre. Plus que nos vénérables ancêtres, ce sont les images très vivantes d'animaux qui retiennent l'attention, parmi lesquelles une licorne, un taureau, plusieurs chèvres et un éléphant.

Sur la Via G. Orlandi, **Capri in Miniatura** (carte p. 177 ; ☎ 081 837 1082 101 ; Via G. Orlandi 101 ; entrée 3 € ; 🕑 9h-18h tlj) amusera peut-être les enfants une minute ou deux. Il fallut un an et demi à l'artiste Sergio Rubino pour sculpter cette maquette dans la roche de l'île. Dans les murs voisins, on a représenté des scènes de l'histoire de l'île. Si les enfants veulent encore s'amuser, il y a une **aire de jeu** avec balançoires et cage à poules un peu plus bas (en quittant Capri in Miniatura, tournez à gauche, la rue s'incurve sur la gauche et le terrain de jeu est sur la gauche).

Toujours dans la Via G. Orlandi, **La Casa Rossa** (carte p. 177 ; ☎ 081 837 21 93 ; Via G Orlandi ; entrée 2 € ; 🕑 10h30-13h30 et 18h30-21h30 tlj) passe difficilement inaperçue. Cette maison rouge, construite par le colonel américain J. C. Mackowen à la fin du XIXe siècle, abrite aujourd'hui une collection éclectique d'antiquités et de peintures.

Au nord-est d'Anacapri, près de l'héliport, la **Villa Damecuta (carte p. 173 ; entrée libre ;** 🕑 9h-1 heure avant le coucher du soleil) fut l'une des plus grandes des douze villas de Tibère sur l'île. Il n'en reste plus grand-chose, mais l'endroit est tranquille et la vue s'étend sur Ischia et la baie de Naples. Pour s'y rendre, le plus simple est de prendre le bus depuis la Grotte bleue, à Anacapri, et de demander au chauffeur de vous déposer à proximité.

Dressé sur la Punta Carena, la pointe sud-ouest de l'île, le **faro** (carte p. 173) est le deuxième phare italien par sa puissance et sa hauteur. Les rochers alentour sont un lieu de baignade favori en été. D'Anacapri, un bus dessert le *faro* toutes les 20 minutes en été, 40 minutes en hiver.

Marina Grande

Cahotique et peu reluisant, le port principal de Capri ne laisse rien présager du clinquant qui vous attend un peu plus haut. Il n'y a pas grand-chose à y faire sauf aller se baigner sur la plage de galets large de 200 m située à l'ouest du port. Non loin de là, l'**église San Costanzo** (carte p. 173 ; ☎ 081 837 70 28 ; Via Marina Grande), plus vieille église de l'île datant du Ve siècle, est dédiée à son saint patron, qui s'y installa après avoir réchappé à une terrible tempête au cours d'un voyage de Constantinople à Rome. La première église fut édifiée sur un édifice romain, mais le bâtiment actuel, de style byzantin, est le fruit d'un remaniement du Xe siècle.

La marina est le centre des fructueuses activités nautiques de Capri. C'est ici qu'il faut venir pour louer un bateau ou réserver une plongée. À l'extrémité est du front de mer, **Sercomar** (carte p. 173 ; ☎ 081 837 87 81 ; www.caprisub.com ; Via Colombo 64 ; fermé nov) propose divers forfaits de plongée allant de 100 € la plongée unique (pour 3 pers maximum) à 350 € le stage de 4 séances pour débutant.

Installé dans un kiosque se trouvant sur la plage privée de Pontile (à l'ouest des billetteries des ferries), **Banana Sport** (carte p. 173 ; ☎ 081 837 51 88 ; mi-avr à oct) loue des dinghys à moteur (5 pers), pour 75 € les 2 heures ou 160 € la journée (9h30-17h30). On peut aussi prendre un bateau pour rallier un lieu de baignade prisé, le **Bagno di Tiberio**, petite crique à l'ouest de Marina Grande. On prétend que Tibère aimait s'y baigner. En tout cas, il n'avait pas à payer les 7,50 € exigés pour accéder à la plage, privée.

Marina Piccola

Sur la côte opposée de l'île, juste au sud de Marina Grande, Marina Piccola n'est guère plus qu'une suite de plages payantes, rapidement accessibles en bus, ou en un quart d'heure à pied, depuis Capri. La plage publique de galets, de 50 m de large, est fermée par le **Scoglio delle Sirene** (rocher des Sirènes) à l'ouest, et une **tour sarrasine**, à l'est. La baignade n'a rien de formidable, bien que deux rochers à 10 m au large fassent office de plongeoirs.

On peut louer des canots à **Bagni di Gioia** (carte p. 173 ; ☎ 081 837 77 02) et à **Bagni Lo Scoglio delle Sirene** (carte p. 173 ; ☎ 081 837 02 21), pour 12 € environ de l'heure le canot à 2 places, et 7 € le canot individuel.

LA MER SANS LA PLAGE

Capri est un rocher qui ne compte que quelques rares plages, presque toutes de galets. Ce qui ne veut pas dire qu'il ne soit pas agréable de s'y baigner, mais les meilleurs sites sont monopolisés par des clubs privés dont l'entrée coûte quelque 8 €, plus la location d'un parasol et d'un matelas. Notez également que Capri n'est pas recommandée aux nageurs inexpérimentés. On perd pied très près du rivage.

Les meilleurs lieux de baignade sont :

Grotta Azzurra (à gauche)
Plongez depuis la plate-forme près de l'entrée de la Grotte bleue.

Punta Carena (ci-contre)
Il y a foule les week-ends d'été sur les rochers près du phare.

Bagno di Tiberio (ci-dessus)
Une plage privée où Tibère aimait se baigner, dit-on.

Tragara (voir encadré p. 176)
Près du Belvedere di Tragara, descendez l'escalier en direction des rochers qui font face aux Faraglioni.

Marina Piccola (ci-dessus)
Une petite plage de galets, pour l'essentiel colonisée par des clubs privés.

DALLAS STRIBLEY

Arco Naturale (p. 176) STEPHEN SAKS

Promenades en bateau

Plusieurs agences offrent des tours de l'île. **Motoscafisti Capri** (carte p. 173 ; ☎ 081 837 56 46 ; www.motoscafisticapri.com ; quai de Marina Grande) propose trois sorties en mer : une vers la Grotte bleue (10 €, plus 8,50 € d'entrée à la grotte, 1 heure), une vers les Faraglioni (10 €, 1 heure), et la dernière qui fait le tour de l'île (13 €, 2 heures). Billets en vente à la cabane en bois près de l'office du tourisme, à Marina Grande.

Laser Capri (carte p. 173 ; ☎ 081 837 52 08 ; www.lasercapri.com ; Via Don Giobbe Ruocco 45) affiche le même genre de prestations : tours de l'île (11 €) et visite de la Grotte bleue pour 8 € (non compris l'entrée à la grotte de 8,50 €). Billets en vente à l'agence, en face du dock 23.

FÊTES

Les deux grandes fêtes religieuses de Capri, la **Festa di San Costanzo**, le 14 mai, et la **Festa di Sant'Antonio**, le 13 juin à Anacapri, sont marquées par des processions pittoresques et des concerts en plein air.

La première quinzaine de septembre, Anacapri accueille la **Settembrata Anacaprese**, une fête des vendanges avec soirées gastronomiques, compétitions sportives et marchés en plein air.

Pour fêter la nouvelle année, des groupes folkloriques locaux se produisent du 1er au 6 janvier sur la Piazza Diaz, à Anacapri, et la Piazza Umberto I, à Capri.

On lira plus de détails sur ces fêtes sur le site www.capri.com.

OÙ SE LOGER

Une nuit à Capri ne sera pas la partie la plus économique de votre séjour. L'offre d'hébergement est fortement concentrée dans la tranche quatre et cinq-étoiles, et très pauvre en petits hôtels. Le camping est interdit, et quoique le nombre de B&B soit en augmentation, ils constituent rarement une alternative moins onéreuse. Partout, les prestations sont de qualité, et où que vous alliez, vous serez accueilli avec courtoisie et pourrez compter sur un service efficace.

Il est indispensable de réserver. Les chambres se font rares en été et beaucoup d'établissements ferment en hiver, de novembre à mars environ.

Marina Grande

Pratique si vous avez un ferry matinal à prendre, le port de Capri est le nœud de communication de l'île, mais le charme manque à l'appel.

BELVEDERE E TRE RE CARTE P. 173 HÔTEL €€

☎ 081 837 03 45 ; www.belvedere-tre-re.com ; Via Marina Grande 264 ; ch 90-140 € ; avr-nov ;

Difficile de manquer les murs rouge rouille de ce chaleureux hôtel à la mode d'autrefois, à 5 minutes à pied du port. Chambres simples aux murs blancs, sol carrelé et mobilier banal, mais grandes – les meilleures ont une petite terrasse donnant sur la mer. Beau solarium au dernier étage.

HOTEL ITALIA CARTE P. 173 PENSION€€

☎ 081 837 06 02 ; www.pensioneitaliacapri.com ; Via Marina Grande 204 ; ch 80-120 € ; avr-nov

Modeste pension familiale à l'hospitalité à l'ancienne, simple et sans façon. La réception est décorée de souvenirs de famille et de cartes postales jaunissantes. Chambres à haut plafond dotées de lits et d'armoires démodés. Petit moins : la salle à manger ressemble à une cantine d'hôpital.

RELAIS MARESCA CARTE P. 173 HÔTEL €€

☎ 081 837 96 19 ; www.relaismaresca.it ; Via Marina Grande 284 ; d avec petit déj 140-220 € ; mars-déc ;

Délicieux quatre-étoiles, le meilleur choix de Marina Grande. Look typique de Capri, avec des kilomètres de carreaux étincelants turquoise, bleu et jaune, et un mobilier stylé. Plusieurs catégories de chambres (et de prix), les meilleures avec terrasse et vue sur la mer. Terrasse abondamment fleurie au dernier étage ; connexion Internet pour les clients et lits pour enfant gratuits.

Capri

Si vous voulez être au cœur de l'action, Capri-ville s'impose. Facilement accessible depuis le port, c'est le centre bourdonnant de la vie insulaire.

GRAND HOTEL QUISISANA CARTE P. 174 HÔTEL €€€

☎ 081 837 07 88 ; www.quisi.com ; Via Camerelle 2 ; ch/ste avec petit déj à partir de 300/620 € ; mi-mars à 1re sem nov ;

L'un des 3 hôtels cinq-étoiles de luxe de l'île et le plus célèbre, ouvert en 1845. L'opulence à l'état pur, avec 2 piscines (couverte et découverte), salle de sport et centre thermal, jardins tropicaux, restaurants et bars. Chambres d'une élégance à l'avenant, aux couleurs fraîches et au mobilier classique.

HOTEL ESPERIA CARTE P. 174 HÔTEL €€

☎ 081 837 02 62 ; fax 081 837 09 33 ; Via Sopramonte 41 ; ch avec petit déj 120-170 € ; avr-oct ;

Pas très loin du centre en montant sur la colline, dans une villa du XIXe à la façade écaillée, rehaussée de belles colonnes et d'urnes géantes. Grandes chambres aérées, meublées en moderne et à décor floral. Les plus belles ont une terrasse de taille respectable avec vue sur la mer.

HOTEL GATTO BIANCO CARTE P. 174 HÔTEL €€

☎ 081 837 51 43 ; www.gattobianco-capri.com ; Via V. Emanuele 32 ; avec petit déj, s 102-158 €, d 153-220 € ; avr-nov ;

Situation centrale et direction souriante, bon accueil réservé à la clientèle gay. Une excellente option avec des chambres lumineuses au style traditionnel, à carrelage en céramique bleu et jaune. Beau patio au mobilier en fer forgé. Accès Internet pour les clients (3 €/15 min).

HOTEL LA TOSCA CARTE P. 174 HÔTEL €

☎ 081837 09 89 ; www.latoscahotel.com ; Via Dalmazio Birago 5 ; s 45-80 €, d 65-125 € ; avr-oct ;

Charmante pension une-étoile proche de la chartreuse San Giacomo, et l'une des meilleures options pour les voyageurs à petit budget. Cachée au fond d'une ruelle tranquille à deux pas de l'animation, elle compte 11 chambres d'un blanc étincelant, certaines avec vue sur la mer, toutes meublées avec simplicité. Le patron est un charmant garçon affable et hospitalier. L'adresse est donc réputée. Réservation indispensable.

HOTEL VILLA KRUPP CARTE P. 174 HÔTEL €€

☎ 081 837 03 62 ; fax 081 837 64 89 ; Viale G. Matteotti 12, Parco Augusto ; avec petit déj, s 90 €, d 125-155 € ; avr-oct ;

Vieil hôtel au charme désuet, dans l'ancienne résidence de Maxime Gorki, avec carrelage à fleurs, antiquités usées et lourds bois de lit. Vues fabuleuses sur les jardins d'Auguste et les Faraglioni. Si vous n'avez pas la vue de votre chambre, installez-vous sur la terrasse à l'extérieur de la réception.

HOTEL VILLA SARAH CARTE P. 174 HÔTEL €€

☎ 081 837 06 89 ; www.villasarah.it ; Via Tiberio 3A ; avec petit déj, s 80-125 €, d 125-195 € ; Pâques-oct ;

Sur la route de la Villa Jovis, à 10 minutes à pied du centre, le Villa Sarah offre un charme rustique que beaucoup d'hôtels de l'île ont perdu depuis longtemps, au milieu de jardins d'arbres fruitiers. Il loue 19 chambres spacieuses, au style typiquement local avec carrelage et vieux mobilier. Petite piscine extérieure.

LA REGINELLA CARTE P. 173 HÔTEL €€

☎ 081 837 05 00 ; www.lareginella.it ; Via Matermània 36 ; s/d avec petit déj 70/140 € ; avr-sept

Sympathique hôtel aux chambres tout ce qu'il y a de plus simple, donnant sur une terrasse en contrebas. Elles comportent un lit et le strict minimum, mais sont impeccables et toutes disposent d'une chaise et d'une table sur la terrasse pour passer le temps dans la chaleur du soir. En haut, le restaurant La Palette (environ 25 € le repas) sert des poissons corrects et un choix de vins régionaux.

PENSIONE GUARRACINO

CARTE P. 173 PENSION €€

☎ /fax 081837 71 40 ; Via Mulo 13 ; s 70-85 €, d 90-115 € ; tte l'année ;

"Pension intéressante pour son prix", une expression à replacer dans le contexte de Capri, mais c'est bien la réalité de ce petit établissement familial, à deux pas du centre et proche de Marina Piccola. Treize chambres d'un blanc immaculé, avec lit confortable, douche correcte et clim individuelle.

Anacapri

Plus calme et très légèrement moins chère que Capri, Anacapri est un bon point de départ pour explorer la partie occidentale, moins visitée, de l'île. L'inconvénient, c'est qu'il faut faire l'effort d'y monter depuis le port.

ALBERGO LORELEY CARTE P. 177 HÔTEL €€

☎ 081 837 14 40 ; www.loreley.it ; Via G. Orlandi 16 ; avec petit déj, d 90-120 €, tr 135 € ; avr-oct

Hôtel accueillant, à l'ancienne mode. Le genre d'endroit où téléphone et télévision sont signalés en tant que commodités modernes. En d'autres termes, idéal pour tout oublier. Le décor des chambres, toutes de taille respectable, va du chintz de nos grands-mères au typique méditerranéen (carrelage et

L'ÎLE DES CÉLÉBRITÉS

Icône du chic méditerranéen, Capri jouit d'une longue réputation de rendez-vous de célébrités.

Le premier grand résident fut l'empereur Tibère, en 27 de notre ère, un pervers aux goûts sadiques à en croire Suétone. Il se fit construire 12 villas sur l'île, dont l'immense Villa Jovis (p. 176). Il laissa des cicatrices profondes au point que, jusqu'à l'époque moderne, son nom était synonyme de mal pour les îliens. Lorsque, au début du XXe siècle, le médecin suédois Axel Munthe commença à fureter dans les ruines romaines de l'île et se fit construire sa villa sur le site d'un palais de Tibère, les îliens n'y virent que *"roba di Tiberio"*, de l'engeance de Tibère.

Plus que les frasques de l'empereur, c'est la découverte de la Grotte bleue en 1826 qui provoqua l'afflux des célébrités. La nouvelle de sa découverte se propageant, artistes, intellectuels, industriels et écrivains se pressèrent sur l'île, attirés par la beauté sauvage du lieu et, dans certains cas, par la disponibilité de ses jeunes garçons. Un des premiers habitués, l'industriel et fabricant d'armes allemand Alfred Krupp, fut impliqué dans un scandale homosexuel ; et les agissements de l'écrivain anglais Norman Douglas et du comte français Jacques Fersen suscitèrent bien des commentaires.

L'île fut aussi un refuge de révolutionnaires russes. En 1905, Maxime Gorki s'installa à Capri après avoir échoué à renverser le tsar et, cinq ans plus tard, Lénine s'y arrêta le temps d'une visite.

Au début du XXe siècle, le poète chilien Pablo Neruda et l'écrivain allemand Thomas Mann comptèrent parmi ses visiteurs réguliers. Les écrivains anglais Compton Mackenzie et Graham Greene y vécurent pendant de longues périodes, et la chanteuse anglaise des années 1940 Gracie Fields vint s'y retirer.

De nos jours, ce sont les stars d'Hollywood et les mannequins internationaux qui animent la chronique mondaine de Capri et maintiennent ses paparazzi en émoi.

DALLAS STRIBLEY

mobilier ancien). La situation, à deux pas de la rue principale, est pratique et étonnamment calme.

CAPRI PALACE CARTE P. 174 HÔTEL €€€

☎ 081 978 01 11 ; www.capripalace.com ; Via Capodimonte 2B ; s/d/ste avec petit déj à partir de 190/295/620 € ; avr-oct ;

Favori des VIP (Harrison Ford, Liz Hurley et Naomi Campbell y sont passés), l'hyper-classe Capri Palace est l'hôtel actuellement le plus en vue. L'architecture intérieure, méditerranéenne, est rehaussée d'art contemporain, et les chambres sont toutes luxueuses. Certaines ont une terrasse-jardin privée avec piscine. On peut se détendre au centre thermal, réputé le meilleur de l'île. En été, un minimum de 3 nuitées est exigé.

HOTEL BELLAVISTA CARTE P. 174 HÔTEL €€

☎ 081 837 14 63 ; www.bellavistacapri.com ; Via G. Orlandi 10 ; s 80-105 €, d 120-200 € ; avr-oct ;

L'un des hôtels les plus anciens de Capri, vieux de plus d'un siècle. Bien que le décor n'ait pas l'âge des murs, une réfection ne lui ferait pas de mal. Grandes chambres au carrelage à grand motif floral années 1960 et mobilier à l'avenant. Côté positif : une situation commode à l'entrée d'Anacapri, un court de tennis, un restaurant avec vue magnifique et un accès à tarif réduit à une piscine du voisinage.

HOTEL BUSSOLA DI HERMES HÔTEL €€

☎ 081 838 20 10 ; www.bussolahermes.com ; Trav La Vigna 14 ; dort 27-32 €, s 40-70 €, d 75-120 €, q 120-180 € ; tte l'année ;

Une offre adaptée à toutes les demandes. Grand hôtel-auberge avec dortoir pour les étudiants, quadruples pour les familles et 8 doubles récemment rénovées. Ces chambres inondées de soleil sont modernes et confortables, avec TV à écran plat, murs blancs et sols en marbre bleu. La vue sur la mer se paye 10 € de plus. Prendre le bus jusqu'à Piazza Vittoria et appeler le service de navette de l'hôtel.

HOTEL CARMENCITA CARTE P. 177 HÔTEL €€

☎ 081 837 13 60 ; www.hotelcarmencita-capri.com ; Via de Tommaso 4 ; s 69-95 €, d 110-145 € ; mi-mars à mi-nov ;

Hôtel proche de la gare routière, tenu par un couple volubile et chaleureux – ils viennent vous chercher au terminal du ferry à Marina Grande si vous les prévenez à l'avance. Grandes chambres pimpantes (murs jaune moutarde et carrelage en céramique) et confortables. L'hôtel vient d'obtenir l'autorisation de construire une piscine.

HOTEL SENARIA HÔTEL €€

☎ 081 837 12 23 ; www.senaria.it ; Via Follicara 6 ; ch avec petit déj 120-160 € ; avr-nov ;

La route est longue pour rejoindre ce charmant hôtel familial dans l'ancien centre d'Anacapri, mais vos efforts seront récompensés. Logées dans une discrète villa blanche, les chambres sont la parfaite illustration de la modestie dans l'élégance, avec sols carrelés, tons crème rafraîchissants et belles aquarelles de l'artiste local Giovanni Tessitore. L'endroit est calme et, hormis les cloches du dimanche matin, rien ne viendra troubler votre repos si ce n'est la brise marine.

HOTEL VILLA EVA HÔTEL €€

☎ 081 837 15 49 ; www.villaeva.com ; Via La Fabbrica 8 ; s 50-80 €, d 90-120 € ; mars-oct,

Véritable retraite à la campagne, le Villa Eva est une perle cachée au milieu des oliviers et des arbres fruitiers (auxquels on a suspendu des hamacs). Le décor des chambres est rehaussé d'éléments originaux tels qu'une cheminée carrelée, un modèle réduit de navire, un puits en brique ou des plafonds à coupole. Idéal pour les familles, l'hôtel offre piscine, snack-bar et des vues sur les cîmes des arbres jusqu'à la mer. Seul inconvénient : il n'est pas facile d'accès. Depuis Anacapri, prendre le bus pour la Grotte bleue et demander au chauffeur de vous déposer à proximité, ou sacrifier 20 € pour qu'on vienne vous chercher au port.

OÙ SE RESTAURER

De la cuisine traditionnelle servie dans des trattorias traditionnelles, voilà ce que vous trouverez à Capri. Et elle est très bonne, particulièrement dans les restaurants de l'intérieur de l'île. Les prix sont élevés mais baissent considérablement à mesure qu'on s'éloigne de la ville de Capri.

Le cadeau de l'île à la gastronomie mondiale est l'*insalata caprese*, une salade de tomates, basilic et mozzarella, arrosée d'huile d'olive. On goûtera également au fromage *caprese*, un croisement de mozzarella et de ricotta, et aux *ravioli caprese*, des raviolis farcis à la ricotta et aux aromates.

Beaucoup de restaurants, à l'instar des hôtels, ferment en hiver.

À côté du poste de police de Capri, le **supermarché Deco** (carte p. 174 ; Via Roma ; ⏲ 8h-20h30 lun-sam, 8h-13h dim) vous fournira tout ce qu'il faut pour un pique-nique.

Capri-ville et ses environs

LA CAPANNINA CARTE P. 174 TRATTORIA €€€

☎ 081 837 07 32 ; Via Le Botteghe 12 ; repas autour de 50 € ; ⏲ mi-mars à oct

Capri est rarement en manque de célébrités et toutes, tôt ou tard, viennent manger ici, dans la trattoria la plus réputée de l'île. Salle rustique revue et corrigée par Hollywood, avec nappes roses, pots en cuivre suspendus et chaises en bois sculpté. Cuisine insulaire classique de grande qualité, à base de pâtes aux fruits de mer, de *ravioli caprese*, de viandes grillées et de poissons frais.

LA CISTERNA CARTE P. 174 TRATTORIA €€

☎ 081 837 56 20 ; Via M. Serafina 5; repas autour de 25 € ; ⏲ fermé fév

Logée, comme son nom l'indique, dans une citerne vieille de 2 000 ans, cette trattoria bourdonnante et sans prétention est l'éternelle favorite des vacanciers. Propriété du rabelaisien Salvatore dont le portrait figure sur les bouteilles du vin maison, elle permet de se régaler de plats traditionnels, telles les pâtes aux haricots, les côtelettes de veau et les pizzas au feu de bois. On en sort repu car les rations sont énormes.

LA PERGOLA CARTE P. 174 TRATTORIA €€€

☎ 081 837 74 12 ; Via Traversa Lo Palazzo 2 ; repas autour de 30 € ; ⏲ jeu-mar nov-sept

Un cran au-dessus de la moyenne des trattorias de l'île, et tout à fait charmante. La terrasse en tonnelle et la vue sur la mer accompagnent une cuisine délicieuse et inventive. La carte affiche tous les classiques de Capri et quelques plats modernes, tels les *paccheri con cozze, patate e peperoncino* (grands anneaux de pâte aux moules, pommes de terre et piments). L'endroit est difficile à trouver ; persévérez et suivez les pancartes.

LA SAVARDINA DA EDOUARDO

CARTE P. 173 RESTAURANT €€€

☎ 081 837 63 00 ; Via Lo Capo 8 ; repas autour de 30 € ; ⏲ tlj juil et août, fermé mar mars-juin et sept-oct, fermé nov-fév

Vous aiguiserez votre appétit rien à qu'à grimper jusqu'à ce restaurant décontracté, en pleine campagne. Assis à la terrasse en plein air, contemplant Ischia à l'horizon, vous oublierez vos tracas. La cuisine y contribuera également, simple et faisant appel aux produits locaux. Essayez les *papardelle con ragù di coniglio* (pâtes à la sauce au lapin) suivies de succulentes côtelettes d'agneau.

LA TAVERNA DI PULCINELLA

CARTE P. 173 TRATTORIA €€

☎ 081 837 64 85 ; Via Tiberio 7 ; repas autour de 20 €, pizzas autour de 7 € ; ⏲ avr-oct

Des milliers de touristes passent chaque jour devant cette *trattoria-pizzeria* ordinaire en allant à la Villa Jovis. Très peu daignent s'y arrêter, dissuadés sans doute à la vue des serveurs en costumes de *Pulcinella*. Les îliens n'ont pas cette retenue, qui viennent y commander leurs pizzas à emporter – les meilleures de l'île. Si vous avez une grosse faim, choisissez la Vesuvio, mélange éruptif de ricotta, jambon, champignons et piments.

LE GROTTELLE CARTE P. 173 RESTAURANT €€

☎ 081 837 57 19 ; Via Arco Naturale 13 ; repas autour de 28 € ; ⏲ avr-oct

Rien de mieux pour impressionner votre partenaire, pas tant par la nourriture, correcte sans plus (plats de pâtes ordinaires suivis de poisson, poulet ou lapin), que par le cadre. À 150 m de l'Arco Naturale (p. 176), Le Grottelle possède 2 espaces de restauration, un dans une grotte et l'autre, plus attrayant, sur une terrasse dominant un versant boisé descendant vers la mer.

RAFFAELE BUONACORE CARTE P. 174

SNACK-BAR €

☎ 081 837 78 26 ; Via Vittorio Emanuele 35 € ; ⏲ 8h-24h mars-oct

Idéal pour manger vite et bien, ce snack-bar réputé fournit, à haut débit, pizzas, frittate (omelettes), panini (à partir de 4 €), pâtisseries, gaufres et glaces. Difficile de faire mieux que les délicieuses *sfogliatelle* (chausson à la ricotta parfumée à la cannelle) à 1,50 €.

RISTORANTE DA CARTE P. 174 RESTAURANT €€€

☎ 081 837 04 61 ; Via M. Serafina 6 ; repas autour de 30 € ; ⏲ mar-dim mars-déc

Si la nourriture n'a rien d'exceptionnel, certains apprécieront de s'asseoir là où John Lennon est un jour passé. On reconnaîtra le Beatle au milieu d'un collage de photos jaunissantes, affiché dans l'entrée du restaurant. Et qu'est-ce que la star a bien pu commander ? Une *insalata caprese* ? Une pizza margherita ? Les non-végétariens seront tentés par les scampi grillés ou le steack au poivron vert.

SFIZI DI PANE CARTE P. 174 BOULANGERIE €

☎ 081 837 61 80 ; Via Le Botteghe 15 ; 🕒 7h-13h25 et 16h45-20h45 mar-dim

Attiré par la capiteuse odeur de levure, poussez la porte de ce *panificio* pour prendre une *pizza al taglio* (tranche de pizza, autour de 3 €) ou une tarte salée. Petits pains frais parfaits pour un pique-nique.

VERGINIELLO CARTE P. 174 RESTAURANT €€

☎ 081 837 09 44 ; Via Lo Palazzo 25 ; repas autour de 20 € ; 🕒 tlj avr-oct, fermé mar déc-mars, fermé nov

Table parmi les moins chères de Capri attirant une clientèle nombreuse avec sa bonne cuisine et sa vue magnifique sur Marina Grande. Personnel harcelé et dur à la tâche qui apporte avec diligence plats de pâtes fameux (*ravioli caprese* et *spaghetti alle cozze* – aux moules) ou steaks grillés par exemple.

Anacapri et ses environs

LA RONDINELLA CARTE P. 177 RESTAURANT €€

☎ 081 837 12 23 ; Via G. Orlandi 295 ; repas autour de 28 € ; 🕒 tte l'année

Un des meilleurs restaurants, et des plus constants – apparemment, Graham Greene l'appréciait déjà – d'Anacapri. Dans une atmosphère rurale et décontractée, on y goûte des standards de la cuisine italienne, telle la *saltimbocca alla romana* (tranches de veau au jambon et à la sauge), la *cotoletta alla milanese* (côtelette de veau panée) et les *gnocchi alla sorrentina* (gnocchis à la sauce tomate et à la mozzarella). Plus originaux : les *linguine alla ciammura* du chef Michele, délicieux plat de pâtes avec une sauce blanche crémeuse aux anchois, ail et persil.

ROCCO FASANO

LE ARCATE CARTE P. 177 RESTAURANT €€

☎ 081 837 33 25 ; Via de Tommaso 24 ; repas autour de 28 € ; 🕒 tte l'année

Faites comme les réceptionnistes du Capri Palace Hotel voisin et venez vous attabler ici. L'endroit est sans prétention, avec des paniers de lierre suspendus, des nappes jaunes et des carreaux de terre cuite. Mention spéciale aux délicieux *primi* (entrées), aux pizzas et au *risotto con polpa di granchio, rughetta e scaglie di parmigiano* (risotto à la chair de crabe, roquette et copeaux de parmesan).

TRATTORIA DA GIOVANNI A GRADOLA CARTE P. 173 TRATTORIA €€

Grotta Azzurra ; repas autour de 18 € ; 🕒 avr-oct

Au-delà des bains luxueux de la Grotte bleue, une trattoria décontractée, idéale pour un déjeuner en maillot de bain. Cadre charmant (tables en bois sur une étroite terrasse dominant la mer) et cuisine simple : *parmigiana di melanzane* (gratin d'aubergines à la tomate), poisson frit et *pasta e fagioli* (ragoût de pâtes et de haricots). Convient mieux à un déjeuner estival qu'à un dîner formel.

TRATTORIA IL SOLITARIO CARTE P. 177 TRATTORIA €€

☎ 081 837 13 82 ; Via G. Orlandi 96 ; repas autour de 20 €, pizzas à partir de 4,50 € ; 🕒 avr-oct

Une des meilleures trattorias du centre touristique d'Anacapri. Excellente cuisine à des prix honnêtes. La carte n'a rien d'exceptionnel (choix habituel de pâtes aux fruits de mer, de viandes grillées et de pizzas), mais les rations sont généreuses et la qualité supérieure. Les serveurs sont jeunes et l'on mange dans une agréable arrière-cour. Réservez les week-ends d'été.

RUSSELL MOUNTFORD

OÙ PRENDRE UN VERRE ET SORTIR

Sortir le soir à Capri équivaut à se montrer. L'activité principale consiste à se mettre sur son trente et un et à se pavaner, de préférence à l'un des quatre cafés de la Piazzetta (Piazza Umberto I). Sachez, néanmoins, que ce privilège a son prix (quelque 15 € pour 2 verres de vin blanc).

Les cafés mis à part, la vie nocturne est assez banale, avec peu de discothèques qui retiennent l'attention et une petite poignée de tavernes haut de gamme. La plupart des lieux ouvrent vers 22h et ferment vers 4h. Le prix d'entrée varie de 20 à 30 €.

À Capri, les "people" aiment se faire voir en train de pousser la chansonnette (les classiques napolitains) à la **Taverna Anema e Core** (carte p. 174 ; ☎ 081 837 64 61 ; Via Sella Orta 39E ; ⌚ fermé nov-mars), l'un des lieux nocturnes les plus célèbres de l'île. **Guarracino** (carte p. 174 ; ☎ 081 837 05 14 ; Via Castello 7 ; ⌚ fermé nov-mars) offre le même genre de divertissement, avec chanteurs de charme raclant la guitare devant une foule de présentateurs télé, de mannequins et de touristes aux poches pleines.

Pour une expérience un peu plus excitante, affrontez les videurs musclés à l'entrée du **Musmè** (carte p. 174 ; ☎ 081 837 60 11 ; Via Camerelle 61B ; ⌚ fermé nov-mars), discothèque flashy dans le secteur chic de Capri-Ville, ou rejoignez les foules plus jeunes dansant sur des rythmes de hip-hop, de house ou de revival, au **Baraonda** (carte p. 174 ; ☎ 081 837 25 23 ; Via Roma 6 ; ⌚ tte l'année).

À Anacapri, les soirées funk et house, et les fêtes de plage de l'**Underground** (carte p. 177 ; ☎ 081 837 25 23 ; Via G Orlandi 259 ; ⌚ tte l'année) attirent un mélange d'Italiens et d'étrangers. Non loin, le **Caffè Michelangelo** (carte p. 177 ; Via G. Orlandi 138 ; ⌚ tte l'année) est un endroit tranquille pour siroter une boisson fraîche en écoutant les Village People.

ACHATS

Avec l'une des plus fortes concentrations de boutiques de couturier au monde, le shopping à Capri se distingue par son conservatisme et ses prix élevés. Les grands noms de la mode, de la bijouterie et de la chaussure sont massés dans la Via Vittorio Emanuele et la Via Camarelle. Si vous ne cherchez pas une montre Rolex ou un sac Prada, vous trouverez de la céramique et des produits au citron, parfum ou *limoncello* (liqueur au citron).

CAPRI NATURALE

CARTE P. 177 MODE ET CHAUSSURES POUR FEMMES

☎ 081 837 47 19 ; Via Capodimonte 15, Anacapri ; ⌚ avr-oct

Une des meilleures boutiques de la touristique Via Capodimonte, proposant un choix limité d'articles féminins : robes fines en lin bleu foncé ou lavande à dégradé de tons, et quelques sandales artisanales. Tout est de fabrication locale et les prix sont raisonnables.

CARTHUSIA I PROFUMI DI CAPRI

CARTE P. 174 PARFUMS

☎ 081 837 03 68 ; Viale Parco Augusto 2C, Capri ; ⌚ tte l'année

D'après la légende, le célèbre parfum Fiori di Capri (Fleurs de Capri) fut découvert en 1380 par le prieur de la chartreuse San Giacomo. Une visite de la reine l'ayant pris au dépourvu, il composa un bouquet des plus belles fleurs de l'île. Trois jours plus tard, voulant changer l'eau du vase, il découvrit qu'elle avait acquis une mystérieuse odeur florale. Ce bouquet devint la base du parfum fabriqué par ce laboratoire.

DA COSTANZO CARTE P. 174 CHAUSSURES

☎ 081 837 80 77 ; Via Roma 49 ; ⌚ mars-nov

En 1959, Clarke Gable s'arrêta devant ce minuscule marchand de chaussures pour s'acheter une paire de sandales artisanales. La boutique est toujours là, avec un choix étourdissant de modèles colorés. Comptez au minimum 80 €.

LIMONCELLO CAPRI CARTE P. 177 CADEAUX

☎ 081 837 29 27 ; Via Capodimonte 27, Anacapri ; 9h-19h mai-sept, 9h-17h oct-avr

Faites fi de la tapageuse vitrine jaune de cette vieille boutique, car on y vend l'un des meilleurs *limoncelli* de l'île. En fait, c'est ici que la boisson a vu le jour. La grand-mère de la patronne actuelle, Vivica, proposait cette liqueur en digestif aux clients de son hôtel. Aujourd'hui, la famille produit 70 000 bouteilles par an, ainsi que du chocolat, de la confiture et du miel, tous au citron. On y trouve aussi des céramiques à motif de citron.

DEPUIS/VERS CAPRI

Sauf si vous êtes prêt à payer 1 650 € un transfert en hélicoptère depuis l'aéroport Capodichino de Naples, avec **Sam Helicopters** (☎ 0828 35 41 55 ; www.capri-helicopters.com), vous arriverez à Capri par bateau. Les deux principaux points de départ sont Naples et Sorrente, mais des ferries desservent également Ischia et la côte amalfitaine (Amalfi, Positano et Salerne).

Les informations ci-dessous sont valables pour la haute saison. Si vous voyagez en basse saison, vérifiez les horaires auprès des offices du tourisme ou des compagnies de ferries.

Tous les ferries arrivent à, et partent de Marina Grande.

Depuis/vers Naples, **Caremar** (☎ 081 837 07 00 ; www.caremar.it) assure 5 départs quotidiens en ferry/hydroglisseur (7,60/12,50 €, 75/50 min), et **Snav** (☎ 081 837 75 77 ; www.snav.com), **Neapolis** (☎ 081 837 08 19) et **Navigazione Libera del Golfo** (NLG ; ☎ 081 552 07 63 ; www.navlib.it, en italien) assurent 25 navettes en hydroglisseur par jour. Le prix standard adulte/enfant est de 14/10 € pour 45 minutes de traversée.

Depuis/vers Sorrente, Caremar propose 4 traversées en ferry par jour (adulte/enfant 7,80/4,90 €, 25 min) et **LMP** (Linee Marittime Partenope ; ☎ 081 704 19 11 ; www.consorziolmp.it, en italien) 20 traversées en hydroglisseur (adulte/enfant 12/7,50 €, 25 min).

Depuis/vers la côte amalfitaine, LMP dessert Positano (ferry/hydroglisseur 13/15,50 €, 6/jour), Amalfi (13,50/16 €, 7/jour) et Salerne (14,50/16 €, 5/jour).

LMP et **Alilauro** (☎ 081 837 69 95 ; www.alilauro.it) desservent la ligne Capri-Ischia en hydroglisseur. Avec le premier, vous paierez 13 €, et avec le second, adulte/enfant 15,50/8 €.

On notera que certaines compagnies font payer un petit supplément pour les bagages, d'environ 1,50 €.

COMMENT CIRCULER

La première difficulté rencontrée par les visiteurs consiste à se rendre de Marina Grande à Capri. Le moyen de transport le plus simple, le plus rapide et le plus populaire est le **funiculaire** (6h30-0h30 juin-sept, jusqu'à 21h30 avr-mai, jusqu'à 21h oct-mars). Les billets (1,30 €) sont en vente aux guichets à l'ouest du port ou, en haut, à la gare du *funiculare*.

Une fois en haut, rien ne vaut l'autobus pour circuler dans l'île. Installée à la gare routière de la Via Roma, la compagnie **Sippic** (☎ 081 837 04 20) dessert régulièrement Marina Grande (de 5h45 à 0h30), Anacapri (de 5h à 1h30) et Marina Piccola (de 6h à 2h). Elle assure aussi une liaison Marina Grande-Anacapri (de 5h45 à 22h10) et Marina Piccola-Anacapri (de 12h30 à 19h30).

À Anacapri, les bus **Staiano Autotrasporti** (☎ 081 837 24 22 ; www.staiano-capri.com) vont régulièrement à la Grotte bleue et au phare de Punta Carena, depuis la gare routière de la Via de Tommaso.

Un billet coûte 1,30 € quel que soit le trajet. Le billet valable une journée, de 6h à 4h de mai à septembre, de 6h à 24h d'octobre à avril, revient à 6,70 €. Il faut donc prévoir de faire au moins 6 trajets dans la journée pour qu'il soit rentable.

On ne peut pas louer de véhicule sur l'île et rares sont les routes suffisamment larges pour circuler en voiture. De mars à octobre, ne sont autorisés à débarquer sur l'île que des véhicules immatriculés à l'étranger ou loués dans un aéroport international. Les bus étant réguliers et les taxis nombreux, vous n'aurez pas vraiment besoin d'un véhicule personnel. Malgré tout, vous pouvez louer un scooter chez **Rent a Scooter** Marina Grande (carte p. 173 ; ☎ 081 837 79 41 ; Via Marina Grande 280, Marina Grande ; 15/65 € heure/jour) ; Anacapri (carte p. 177 ; ☎ 081 837 38 88 ; Piazza Barile 20, Anacapri ; 15/65 € heure/jour).

La course en taxi depuis Marina Grande coûte autour de 20 € jusqu'à Capri et de 25 € jusqu'à Anacapri. De Capri à Anacapri, comptez environ 15 €. Pour une course dans Capri et ses environs, appelez le ☎ 081 837 05 43, ou le ☎ 081 837 11 75 à Anacapri.

GREG ELMS

À NE PAS MANQUER

- Un bain rafraîchissant et un massage au parc thermal de **Negombo** (p. 193)
- Une visite macabre au cimetière des clarisses du **château aragonais** (p. 192)
- Le bain bouillonnant d'**Il Sorgeto** (p. 194), après une traversée en bateau-taxi depuis Sant'Angelo.
- Les ruines gréco-romaines de la **zone archéologique de Santa Restituta** (p. 193)
- Un concert classique sous les étoiles à **La Mortella** (p. 194)

ISCHIA

Accidentée et verdoyante, l'île d'Ischia est connue pour ses sources thermales et ses fumerolles qui attirent, depuis l'Antiquité, corps et esprits stressés et fatigués.

La plus grande et la plus animée des îles de la baie de Naples est un mélange stimulant de stations thermales, de jardins tropicaux et de trésors antiques. Les stations thermales voisinent avec des nécropoles enfouies, les coteaux sont parsemés d'ermitages, et des jardins qui embaument le jasmin dissimulent des villas restaurées appartenant à des artistes.

Si les promeneurs d'un jour partant de Naples préfèrent le chic de Capri, Ischia séduit de nombreux estivants. La plupart optent pour les stations balnéaires de la côte nord : **Ischia Porto**, **Ischia Ponte**, **Casamicciola Terme**, **Forio** et **Lacco Ameno** – Ischia Porto se distinguant par la diversité de ses bars, Casamicciola par ses difficultés de circulation, Ischia Ponte et Lacco Ameno par leur charme.

Sur la côte sud, plus tranquille, le petit port de **Sant'Angelo** est un coin de paradis sans voitures, aux ruelles tortueuses où les chats se promènent entre deux bains de soleil quand les humains barbotent dans les eaux themales bouillonnantes voisines. Entre les deux côtes s'étend un paysage de châtaigneraies, ponctué de fermes poussiéreuses et de hameaux à flanc de colline.

Au VIIIe siècle av. J.-C., l'île fut l'une des premières colonies grecques, appelée Pithecusa en raison de l'argile à poterie (*pithos*) qu'ils y découvrirent. Escale importante sur la route du commerce entre la Grèce et l'Italie du Nord, elle fut rebaptisée Aenaria par les Romains qui, suivant les conseils de Pline et de Strabon, vinrent s'immerger dans ses eaux bienfaisantes.

Mais cette perle insulaire eut aussi eu sa part de malheurs. En 1301, l'éruption du mont Arso, aujourd'hui éteint, obligea les îliens à fuir vers le continent, où ils restèrent pendant quatre ans. En 1883, un séisme fit 1 700 victimes et rasa intégralement la station thermale florissante de Casamicciola.

ORIENTATION

Ischia se trouve à 19 km au sud-est de Pouzzoles (Pozzuoli) et à 33 km de Naples. Depuis ces deux ports, ferries et hydroglisseurs desservent Casamicciola Terme et Ischia Porto. La seconde est le principal point d'entrée de l'île et son pôle touristique. C'est aussi à Ischia Porto que se situe, à une minute à pied à l'ouest du débarcadère, la principale gare routière de l'île, qui en dessert toutes les localités. À l'est du débarcadère, la Via Roma, l'artère commerçante, devient le Corso Vittoria Colonna et rejoint Ischia Ponte, au sud-est.

À VOIR

Ischia Porto et Ischia Ponte

Administrativement séparées en deux municipalités, Ischia Porto et Ischia Ponte forment en réalité un long et sinueux cordon de bâtiments aux couleurs acidulées et d'hôtels frangés de palmiers, peuplés de jeunes sirotant leurs boissons glacées et de retraités jouant aux cartes.

Bordé de restaurants de poisson, le port est un ancien lac de cratère, ouvert sur la mer en 1854 à la demande du roi espagnol Ferdinand II qui, dit-on, n'aurait pas supporté la puanteur du lac. Il est plus vraisemblable que le souverain ait été motivé par la perspective d'augmenter le revenu de la taxation du fret maritime. En face du débarcadère des ferries, se dresse l'**église Santa Maria di Portosalvo** (Via Iasolino, Ischia Porto ; ⌚ 8h-12h30 et 16h-20h tlj), du XIXe siècle. Juste à l'est, l'ancien palais royal a été transformé en centre thermal militaire, interdit aux simples civils.

Pendant que les élèves officiers s'assouplissent les muscles, des bataillons de vacanciers bronzés dévalisent les boutiques de la Via Roma et du Corso Vittoria Colonna, plus chic. Îlot de paix spirituelle dans cet océan de consumérisme, l'**église San Pietro** (angle Corso Vittoria Colonna et Via Gigante, Ischia ; ⌚ 8h-12h30 et 16h-19h30 tlj) présente une belle façade convexe du XVIIIe siècle, des chapelles semi-circulaires et une terrasse en hauteur.

Plus bas dans le Corso Vittoria Colonna, après la Via F. D'Avalos, les grilles vert émeraude, sur la gauche, donnent accès aux luxuriants **jardins publics** (Giardini Pubblici ; Corso Vittoria Colonna, Ischia ; ⌚ 7h-20h tlj). En continuant vers l'est, vous arriverez à la **Spiaggia dei Pescatori** (la plage des Pêcheurs), qui offre un spectacle en Technicolor de bateaux de pêche colorés, de chairs bronzées, de parasols criards et de mères penchées au balcon appelant à table leurs gamins potelés.

À partir de là, le Corso Vittoria Colonna devient la Via Pontano, qui s'achève à la Via Seminario. Récemment devenue piétonne, la Via Seminario est la grande promenade d'Ischia Ponte, où l'on vient parfois tourner des scènes de cinéma. Faites un détour à gauche par la Via Marina. Le bâtiment gris et morne au bord de l'eau est le **palais Malcoviti**, du XVIe siècle, qui apparaît dans le *Talentueux M. Ripley* et, avant lui, dans *Plein Soleil*. Construit pour être une tour de guet, il attend patiemment le coup de peinture fraîche que lui donnera la prochaine équipe de tournage. Plus à l'est, sur le rivage, se dresse la Torre del Mare, une tour de guet du XVe siècle, devenue le clocher de la cathédrale d'Ischia, **Santa Maria della Scala** (Via Mazzella, Ischia Ponte ; ⌚ 8h-12h30 et 16h30-20h tlj). L'église actuelle, œuvre d'Antonio Massinetti achevée en 1751, succède à deux églises plus anciennes, une du XIIIe et une du XVIIe siècle. À l'intérieur, où ses murs sont passablement écaillé, on peut admirer des fonts baptismaux du XIVe siècle, un crucifix roman en bois et un tableau du XVIIIe de Giacinto Diano.

RENSEIGNEMENTS

- **Bay Watch** (☎ 081 333 10 96 ; Via Iasolino 37, Ischia Porto). Hébergement et réservation d'excursions.
- **Hôpital** (☎ 081 507 91 11 ; Via Fundera 2, Lacco Ameno)
- **Internet Point** (☎ 081 98 15 89 ; Corso Vittoria Colonna 123, Ischia ; 5 €/heure ; ⌚ 9h-13h et 16h-3h oct-mars, 10h-13h et 17h-4h avr-sept)
- **Ischia** (www.ischiaonline.it). Répertorie hôtels, sites, activités et spectacles.
- **Laverie** (☎ 081 99 18 86 ; Via Alfredo De Luca 91, Ischia ; ⌚ 8h30-13h et 15h-20h lun-ven, 8h30-13h sam, fermé dim)
- **Office du tourisme** (☎ 081 507 42 31 ; Via Iasolino, Banchina Porto Salvo ; ⌚ 9h-14h et 15h-20h lun-sam)
- **Pharmacie** (☎ 081 99 40 60 ; Piazza Marina, Casamicciola Terme)

ISCHIA

À VOIR ET À FAIRE

- Area Archeologica di Santa Restituta..1 C2
- Cappella di San Nicola di Bari............2 C4
- Captain Cook....................................3 F2
- Castello Aragonese...........................4 G4
- Chiesa di San Pietro..........................5 H2
- Chiesa di Santa Maria del Soccorso....6 A3
- Chiesa di Santa Maria di Portosalvo...7 G2
- Giardini Poseidon..............................8 A4
- Giardini Pubblici................................9 H2
- La Colombaia..................................10 B2
- La Mortella......................................11 B2
- Museo Archeologico di Pithecusae et Museo Angelo Rizzoli..............12 C2
- Museo Civico del Torrione 13 A3
- Museo del Mare...............................14 G3
- Negombo..15 C2
- Palazzo Malcoviti.............................16 F4
- Parco Termale Aphrodite Apollon.....17 C6
- Santa Maria della Scala....................18 G3
- Terme Cavascuro..............................19 C6
- Location de bateaux Westcoast....... 20 A3

OÙ SE RESTAURER

- Cantine di Pietratorcia.....................21 B5
- Da Ciccio..22 G2
- Da Roberto.......................................23 H3
- Gran Caffè Vittoria...........................24 H2
- Il Focolare...25 E3
- La Baia el Clipper.............................26 G1
- La Brocca..27 C2
- Lo Scoglio...28 C6
- Ristorante Da Ciccio.........................29 G3
- Ristorante Il Ponte............................30 C6
- Ristorante La Pantera Rosa..............31 G1
- Umberto a Mare...............................32 A3
- Zi Carmela..33 B3

OÙ SORTIR

- Bar Calise...34 F4
- Blue Jane..35 F1
- Valentino..36 H2

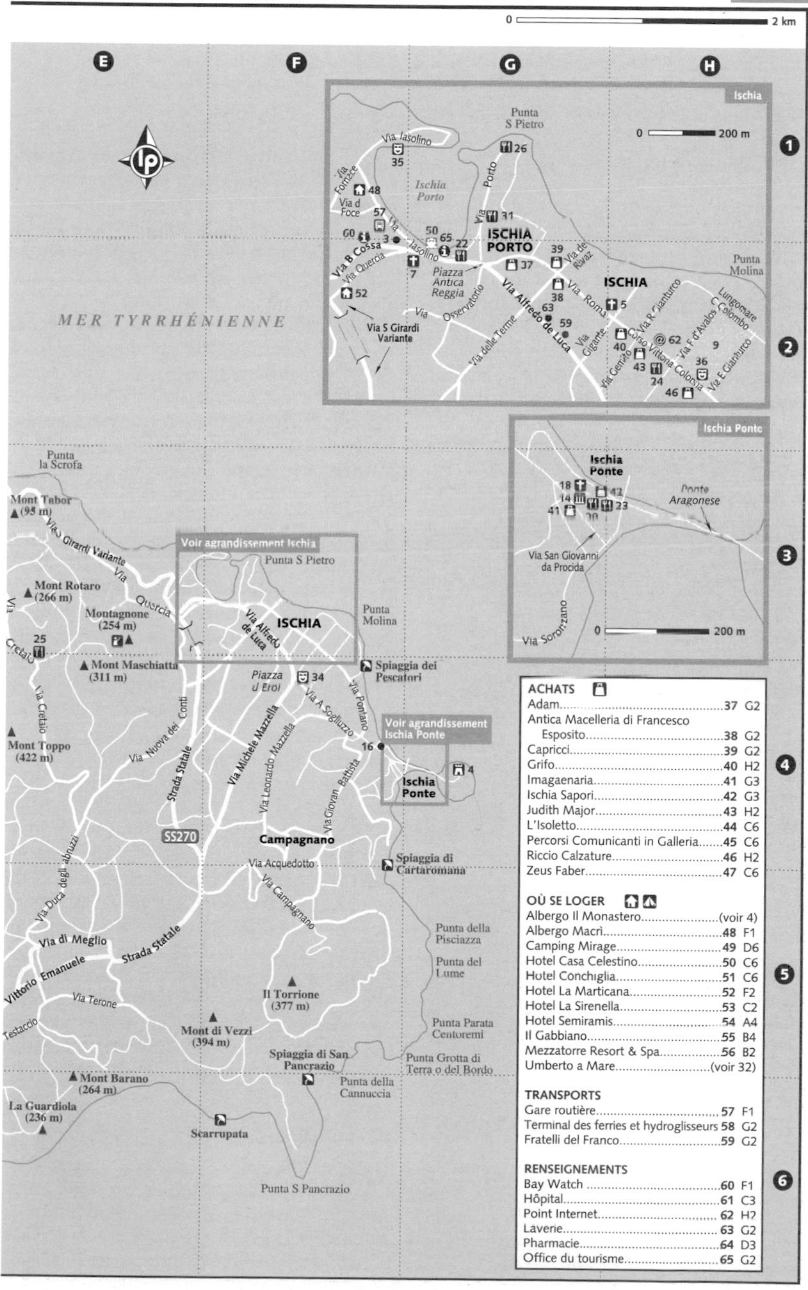

0 2 km
E
F
G
H
1
2
3
4
5
6
MER TYRRHÉNIENNE
Ischia
0 200 m
Punta S Pietro
Ischia Porto
ISCHIA PORTO
ISCHIA
Piazza Antica Reggia
Punta Molina
Via S Girardi Variante
Via Alfredo de Luca
Ischia Ponte
Ischia Ponte
Ponte Aragonese
Via San Giovanni da Procida
Punta la Scrofa
Mont Tabor (95 m)
Voir agrandissement Ischia
Punta S Pietro
Mont Rotaro (266 m)
Montagnone (254 m)
ISCHIA
Punta Molina
Mont Maschiatta (311 m)
Piazza d Eroi
Spiaggia dei Pescatori
Mont Toppo (422 m)
Voir agrandissement Ischia Ponte
Ischia Ponte
Campagnano
SS270
Spiaggia di Cartaromana
Via di Meglio
Strada Statale
Punta della Pisciazza
Punta del Lume
Il Torrione (377 m)
Mont di Vezzi (394 m)
Punta Parata Centoremi
Spiaggia di San Pancrazio
Punta Grotta di Terra o del Bordo
Mont Barano (264 m)
Punta della Cannuccia
La Guardiola (236 m)
Scarrupata
Punta S Pancrazio
ACHATS
Adam ... 37 G2
Antica Macelleria di Francesco Esposito ... 38 G2
Capricci ... 39 G2
Grifo ... 40 H2
Imagaenaria ... 41 G3
Ischia Sapori ... 42 G3
Judith Major ... 43 H2
L'Isoletto ... 44 C6
Percorsi Comunicanti in Galleria ... 45 C6
Riccio Calzature ... 46 H2
Zeus Faber ... 47 C6
OÙ SE LOGER
Albergo Il Monastero ... (voir 4)
Albergo Macrì ... 48 F1
Camping Mirage ... 49 D6
Hotel Casa Celestino ... 50 C6
Hotel Conchiglia ... 51 C6
Hotel La Marticana ... 52 F2
Hotel La Sirenella ... 53 C2
Hotel Semiramis ... 54 A4
Il Gabbiano ... 55 B4
Mezzatorre Resort & Spa ... 56 B2
Umberto a Mare ... (voir 32)
TRANSPORTS
Gare routière ... 57 F1
Terminal des ferries et hydroglisseurs 58 G2
Fratelli del Franco ... 59 G2
RENSEIGNEMENTS
Bay Watch ... 60 F1
Hôpital ... 61 C3
Point Internet ... 62 H2
Laverie ... 63 G2
Pharmacie ... 64 D3
Office du tourisme ... 65 G2

Le passé maritime d'Ischia est amoureusement documenté au modeste **musée de la Mer** (Museo del Mare ; ☎ 081 98 11 24 ; Via Giovanni da Procida 2, Ischia Ponte ; entrée 2,58 € ; 🕒 10h30-12h30 nov-jan et mars, 10h30-12h30 et 15h-19h avr-juin et sept-oct, 10h30-12h30 et 18h30-22h juil-août, fermé fév). Il conserve des ex-voto de marins remerciant des saints, des urnes antiques, des modèles de bateaux très joliment faits et des photographies instructives montrant la vie de l'île au XXe siècle, notamment l'arrivée de la première voiture américaine en 1958.

La Via Mazzella descend ensuite en direction du beau **pont aragonais** (Ponte Aragonese) du XVe siècle, qui relie la ville au vaste **château aragonais** (Castello Aragonese ; ☎ 081 99 28 34 ; Rocca del Castello ; entrée 10 € ; 🕒 9h-19h avr-oct, 10h-17h nov-mars), orgueilleusement perché sur un îlot rocheux. Si la première forteresse fut construite par le tyran de Syracuse Géron Ier, en 474 av. J.-C., la majeure partie de la structure actuelle date du XVe siècle, lorsque le roi Alphonse d'Aragon fit agrandir l'ancienne forteresse angevine en lui ajoutant des bastions fortifiés, une chaussée et une rampe d'accès taillée dans le roc.

Avant de remonter la rampe, prenez un carte avec itinéraire à la billetterie. Vous pourrez visiter le **musée des Armes** (Museo delle Armi), qui abrite une petite mais curieuse collection d'instruments de torture médiévaux : pince à serrer les crânes, étau à écraser les pieds, ceintures de chasteté pour elle et pour lui, et autres illustrations perverses. La collection d'armes médiévales italiennes et allemandes est plus importante.

Plus loin dans le complexe vous découvrirez les ruines des stucs brûlés par le soleil de la **cathédrale dell'Assunta**, du XIVe siècle. Construite en remplacement de celle qui avait été détruite lors de l'éruption du mont Arso en 1301, elle fut rénovée à la mode du XVIIIe siècle, avant de s'écrouler sous le feu des canons britanniques en 1809. La **crypte** souterraine (XIe siècle) garde quelques traces de fresques inspirées de Giotto. En meilleur état, l'**église dell'Immacolata**, du XVIIIe siècle, présente un plan en forme de croix grecque et une coupole scandée de fenêtres à tympans incurvés. Commandée par le **couvent des clarisses** (Convento delle Clarisse) voisin, elle fut laissée dans cet état minimaliste après épuisement des fonds alloués à sa construction. À la mort des sœurs, on asseyait leur cadavre sur des chaises, le dos droit, et on les laissait se décomposer dans cette position, comme on peut le voir au macabre **cimetière Monache Clarisse**. Revenu à la lumière du jour, continuez en direction de la belle **église San Pietro a Pantaniello**, de forme hexagonale, et du sombre **Carcere Borbonico**, où furent incarcérés des chefs du Risorgimento (le mouvement du XIXe siècle qui préluda à l'unité italienne), dont Poerio, Pironti, Nusco et Settembrini. Enfin, faites un tour à la **Casa del Sole** pour admirer sa collection d'art contemporain, qui comprend de belles œuvres des peintres locaux Clementina et Michele Petroni.

top 5

LES PLUS BELLES PLAGES D'ISCHIA

Spiaggia dei Maronti (p. 194). Longue plage de sable aujourd'hui très prisée des vacanciers, après l'avoir été des pirates qui enterraient leur butin dans le sable. Accès en bus depuis Barano, en bateau-taxi depuis Sant'Angelo ou à pied par le sentier venant de Sant'Angelo.

Il Sorgeto (p. 194). Accès en bateau-taxi depuis Sant'Angelo ou à pied depuis Panza. Une petite crique intime et sa source thermale bouillonnante vous y attendent. Parfait pour un bain hivernal.

Spiaggia dei Pescatori (p. 189). La plage humainement la plus haute en couleur, coincée entre Ischia Porto et Ischia Ponte. Vieux bateaux de pêche colorés, matchs de foot sur le sable et au loin, château-fort perché sur son rocher.

Baia di San Montano. Juste à l'extérieur de Lacco Ameno. Magnifique baie aux eaux chaudes, cristallines et peu profondes. Site du **parc thermal de Negombo** (à droite).

Punta Caruso. À la pointe nord-ouest de l'île. Endroit rocheux et isolé, parfait pour un bain solitaire en eaux claires et profondes. Suivre le sentier de promenade qui part de la Via Guardiola et descend vers la plage. Déconseillée aux enfants ou quand la mer est agitée.

Lacco Ameno

Dans les années 1950 et 1960, les starlettes françaises et les familles royales européennes venaient prendre du bon temps au légendaire hôtel Terme Regina Isabella. Les stars ont disparu mais une icône locale est restée, pointant son nez au large : **Il Fungo** (le Champignon), rocher volcanique de 10 m de haut craché par le mont Epomeo, il y a plusieurs milliers d'années.

La **Piazza Restituta** est embellie par l'hôtel **Terme Regina Isabella** et l'**église Santa Restituta**, toute rose, reconstruite après le tremblement de terre de 1883. La légende affirme qu'au IVe siècle, un bateau portant le corps de la martyre Restitute, s'échoua sur la plage voisine de San Montano, après avoir été guidé depuis la Tunisie par un ange marin. Tous les ans au mois de mai, les habitants rejouent la scène de cette arrivée miraculeuse sur la grève.

Il faut absolument visiter, sous l'église, la **zone archéologique Santa Restituta** (Area Archeologica di santa Restituta ; ☎ 081 98 05 38 ; Piazza Restituta ; entrée 3 € ; 🕑 9h30-12h30 et 17h-19h lun-sam, 9h30-12h30 dim, fermé nov-mars). Les fouilles, conduites de 1951 à 1974, ont mis au jour un four à céramique grec, un temple et une rue romaines, des amphores funéraires du IVe siècle et une basilique paléochrétienne. Toute une série de vitrines sont remplies d'objets antiques (bracelets romains, ex-voto, fourneau vieux de 3 300 ans provenant de Procida, etc.). Au rez-de-chaussée, retour vers le futur avec de merveilleux *pastori* (figurines de crèche de Noël) du XVIIe siècle, des céramiques colorées du XVIIIe, des vêtements sacerdotaux, ainsi qu'une statue en bois du XVIIIe siècle de sainte Restitute, que l'on utilise encore pour la procession annuelle dans la baie de San Montano. À la billetterie, vous pouvez demander à consulter un guide écrit à la main détaillant les fouilles.

L'autre pôle culturel de la ville est le **musée archéologique de Pithecusa** (Museo Archeologico di Pithecusae ; ☎ 081 99 61 83 ; www.pithecusae.it ; Corso Angelo Rizzoli 210, Lacco Ameno ; entrée 5 € ; 🕑 9h30-13h et 15h-19h oct-mai, 9h30-13h et 16h-20h juin-sept, fermé lun), dans la belle Villa Arbusto, ancienne résidence de l'éditeur Angelo Rizzoli. La villa fait face au mont Vico, site de l'antique ville et acropole de Pithecusa, et sa collection comprend d'importantes trouvailles faites dans la cité hellénique, aussi bien des céramiques importées que des fragments de l'acropole elle-même. Les tessons de poterie mycénienne et de l'âge du bronze trouvés à Casamicciola sont encore plus anciens. La collection embrasse toute l'histoire d'Ischia, du néolithique à l'époque romaine. Un de ses trésors est la légendaire coupe de Nestor du VIIe siècle av. J.-C. (salle II). Trois vers homériques y sont gravés : "Je suis la coupe de Nestor, bonne à boire. Qui boit à cette coupe sera immédiatement enflammé de désir pour Aphrodite à la belle couronne." C'est l'un des témoignages les plus anciens d'écriture grecque primitive qui nous soit parvenu. Le musée héberge également le **musée Angelo Rizzoli**, rendant hommage à l'homme qui, dans les années 1950, fit de l'humble Lacco un lieu de rendez-vous de stars. Photos de paparazzi et articles de presse d'un Rizzoli hitchcockien et de ses amis célèbres ornent les pièces où résonnèrent les voix de Gina Lollobrigida, Grace Kelly et Federico Fellini. Le jardin est tout aussi impressionnant, avec ses citronniers, sa fontaine, son aire de jeu pour les enfants et ses vues somptueuses en direction des champs Phlégréens (Campi Flegrei).

Vous pourrez ensuite aller vous détendre au **Negombo** (☎ 081 98 61 52 ; www.negombo.it ; Baia di San Montano, Lacco Ameno ; entrée 25 € la journée entière, 20 € à partir de 13h, 13 € à partir de 16h30, 5 € à partir de 17h ; 🕑 8h30-19h tlj avr-oct). Centre thermal doublé d'un merveilleux jardin de plantes exotiques, il combine plusieurs piscines thermales zen, un hammam, des sculptures contemporaines et plage privée, le tout sur la baie de San Montano, et séduit une clientèle plus jeune que celle des autres centres thermaux d'Ischia. *Tavola calda* (snack-bar) correcte et bon choix de massages et de soins de beauté. Si vous êtes en voiture ou en scooter, vous pouvez vous garer sur place (3,60 € la voiture, 2 € le scooter pour la journée).

Pour un bain de mer gratuit, suivez les panneaux indiquant *spiaggia* (plage), en face du Negombo.

Forio et la côte ouest

Bien longtemps avant l'invasion des sarongs et des crèmes solaires, Forio fut, au Moyen Âge, la cible des pirates. L'une des douze tours de guet censées défendre ses malheureux habitants abrite aujourd'hui le **musée municipal del Torrione** (Museo Civico del Torrione ; ☎ 081 333 29 34 ; Via Torrione, Forio ; entrée 2 € ; 🕑 9h30-12h30 et 18h-21h mar-dim). Datant de 1480, la tour servit de prison sous les Bourbons, avant d'être la résidence du peintre et sculpteur Giovanni Maltese, dont les œuvres sont exposées sur ses murs.

À la limite ouest coupole fut reconstruite après le tremblement de terre de 1883. Des carreaux en faïence du XVIIIe siècle, dépareillés mais particulièrement beaux, ornent l'escalier semi-circulaire de la façade. En outre, la vue est y somptueuse.

Ischia possède son jardin d'Éden, à **La Mortella** (☎ 081 98 62 20 ; Via F. Calese 39, www.lamortella.it ; Forio ; entrée 10 € ; 9h-19h mar, jeu, sam et dim avr-nov). Conçu par Russell Page, qui s'inspira des jardins de l'Alhambra, à Grenade, c'est incontestablement l'un des plus beaux d'Italie. Un millier d'espèces rares et exotiques y prospèrent, lotus exubérants ou nénuphars amazoniens. Cette merveille fut créée par le compositeur britannique Sir William Walton et sa femme argentine, Susana, qui s'y établirent en 1949. Des concerts de musique classique y sont donnés au printemps et en automne.

Une agréable promenade de 10 minutes en descendant la route mène à la villa néo-Renaissance **La Colombaia** (☎ 081 333 21 47 ; www.colombaia.org ; Via F Calise 130, Forio ; entrée 6 € ; 10h-14h et 15h-19h tlj août-déc), ancienne résidence du cinéaste Luchino Visconti, né en 1906 dans l'une des plus riches familles de Milan. Sa "garçonnière" toute blanchie à la chaux abrite désormais une fondation artistique comprenant une bibliothèque documentaire dédiée à Visconti et à l'histoire du cinéma, ainsi que des costumes, des éléments de décor et des photos de ses films. C'est ici également que se déroule le **festival de cinéma d'Ischia** (voir à droite).

Au sud de Forio, les amateurs de spa peuvent barboter à loisir dans les vastes **Giardini Poseidon** (Jardins de Poséidon ; ☎ 081 908 71 11 ; www.giardiniposeidon.it ; Via Mazzella, Spiaggia di Citara ; forfait journée 28 € ; 9h-18h30 tlj avr, 8h30-19h tlj mai-oct, fermé nov à mi-avr), qui proposent un choix impressionnant de soins et d'équipements, dont saunas, Jacuzzi et piscines d'un bleu tendre aux saines eaux minérales. Si vous n'arrivez pas à vous décider, il vous reste encore la magnifique plage privée.

Sant'Angelo et la côte sud

À des années-lumières de l'affluence de la côte nord, le tout petit village de Sant'Angelo est l'endroit le plus chic de l'île. Des ruelles tranquilles descendent de la colline, bordées de boutiques élégantes, de galeries, de frangipaniers et de chats dormant au soleil. En bas, sur la Piazetta Ottorino Troia, des Italiens bronzés sirotent des Campari soda avant d'aller assister à un concert de fin de soirée. Dominant le tout, le gros *scoglio* (rocher) est relié au village par une longue bande de sable jalonnée de petits bateaux de pêche, de parasols sous la surveillance des *bagnini* (maîtres-nageurs).

Depuis le quai, des bateaux-taxis aux couleurs vives vous emmèneront à quelques-unes des plus belles plages de l'île, notamment la **Spiaggia dei Maronti** (aller simple 3 €) et la petite crique intime d'**Il Sorgeto** (aller simple 5 €), dotée d'une source thermale chaude. On peut aussi l'atteindre à pied par un chemin mal balisé à partir du village de Panza.

Pour vivre une expérience thermale hors du commun, prenez un bateau-taxi jusqu'à Cavascura (aller simple 2,50 €) et suivez les panneaux jusqu'aux **Terme Cavascuro** (☎ 081 99 92 42; www.cavascura.it ; Via Cavascura 1, Spiaggia dei Maronti, Sant'Angelo ; bain simple 10 € ; 8h30-13h30 et 14h30-18h mi-avr à mi-oct, fermé mi-oct à mi-avr), 300 m plus bas au fond d'une gorge. Coincé entre des falaises verticales, ce bain en plein air d'une grande simplicité est le plus ancien d'Ischia. Vous plongerez dans des bassins romains taillés dans le roc, transpirerez au fond d'une grotte et, moyennant un supplément, profiterez d'un enveloppement de boue (20 €), d'une séance de manucure (13 €) ou d'un massage (26 €). Ces eaux sulfureuses sont recommandées pour les rhumatismes, les faiblesses des bronches et les maladies de peau.

Une balade spectaculaire (fatigante par endroits) de 2 km, en corniche le long de la côte, permet d'atteindre les sources. En chemin, vous passerez devant le **Parco Termale Aphrodite Apollon** (☎ 081 99 92 19 ; www.aphrodite.it ; Via Petrelle, Sant'Angelo ; entrée 23 € ; 8h-18h mi-avr à oct, fermé nov à mi-avr), au luxe un peu vieillot. Derrière l'entrée envahie de lierre s'étend un vaste complexe comprenant salles de gym, saunas, luxuriants jardins en terrasses et 12 piscines chauffées à des températures différentes, dont une d'hydrocyclisme. Parmi les soins de beauté : thérapies kinésiologiques personnalisées (60 €), soins du visage au vin (60 €) et douches rafraîchissantes de boue (20 €).

Mont Epomeo

Un sentier de 2,5 km (50 min) au départ de Fontana vous durcira les mollets tout en vous conduisant au sommet du **Monte Epomeo** (788 m). Formé à la suite d'une éruption sous-marine, il offre des vues inégalées sur la baie de Naples. Près du sommet, une petite église du XVe siècle, la **chapelle San Nicola di Bari**, renferme un beau pavement de céramique. L'ermitage voisin fut construit au XVIIIe siècle par un gouverneur de l'île qui, ayant échappé de justesse à la mort, troqua la politique pour la pauvreté et passa ici le restant de ses jours dans une sainte solitude.

À FAIRE

Si vous aimez la plongée sous-marine, **Captain Cook** (☎ 335 636 76 30 ; www.captaincook.it ; Via Iasolino 106, Ischia Porto) loue des équipements et propose des leçons. Une plongée simple coûte au minimum 35 €. **Westcoast** (☎ 081 90 86 04 ; www.westcoastischia.it ; Porto di Forio) loue, à la journée ou à la demi-journée, des bateaux à moteur et des dinghys (avec ou sans pilote).

FÊTES ET FESTIVALS

Les fêtes et les festivals d'Ischia ont pour point commun de célébrer les plaisirs de la vie : cuisine, vin, cinéma et jazz cool pour accompagner les longues soirées d'été.

Festival du cinéma d'Ischia (www.ischiafilmfestival.it). Projections gratuites et expositions dans quelques lieux d'exception, comme le château aragonais, la Villa Arbusto et La Colombaia. En juin, généralement.

Vinischia (www.vinischia.it en italien). Quatre jours de célébration de la cuisine et des vins régionaux, avec dégustations gratuites et concerts sur le Lungomare Aragonese. Généralement en juin et début juillet.

Festa di Sant'Anna. "L'incendie (allégorique) du château aragonais" a lieu le jour de la sainte Anne, le 26 juillet, et s'accompagne d'une belle procession de bateaux ainsi que de feux d'artifice.

Festival de jazz d'Ischia (www.ischiajazzfestival.com en italien). Festival annuel de 5 jours réunissant des saxophonistes italiens cool et quelques artistes étrangers. Généralement en septembre.

OÙ SE LOGER

La plupart des hôtels ferment en hiver et les tarifs de ceux qui restent ouverts chutent considérablement. Les prix indiqués ci-dessous concernent la haute saison. Outre les hôtels mentionnés, l'île compte des hôtels thermaux qui, la plupart du temps, demandent de loger en demi-pension ou pension complète. L'office du tourisme vous en donnera la liste.

ALBERGO IL MONASTERO — HÔTEL €€

☎ 081 99 24 35 ; www.albergoilmonastero.it ; Castello Aragonese, Rocca del Castello, Ischia Ponte ; s/d/ste avec petit déj 75/110/125 € ; Pâques-oct

Récemment refait, cet ancien couvent associe plafonds voûtés, murs blancs et vieux carrelage avec des canapés luxueux, quelques antiquités et d'audacieuses œuvres d'art contemporains de l'ancien propriétaire, l'artiste Gabriele Mattera. Chambres simples mais stylées, et sans TV ; inutile, du reste : les vues sur l'île et la mer valent tous les programmes.

ALBERGO MACRÌ — HÔTEL €

☎/fax 081 99 26 03 ; Via Iasolino 96, Ischia Porto ; s/d/t avec petit déj 46/76/101 € ; tte l'année ; P

Au fond d'une impasse près du port. L'aubergiste est affable et l'atmosphère discrète et chaleureuse. Le mobilier de bambou et de pin est sans éclat, mais les chambres propres, lumineuses et confortables. Celles à l'étage ont une terrasse. Le petit bar, en bas, sert un très bon expresso.

CAMPING MIRAGE — CAMPING €

☎ 081 99 05 51 ; www.campingmirage.it ; Via Maronti 37, Spiaggia dei Maronti, Barano d'Ischia ; par tente/voiture/pers 5,50/9,50/10,50 € ; tte l'année ; P

Terrain ombragé de 50 places sur l'une des plus belles plages d'Ischia. Douches, laverie, bar et restaurant servant d'alléchants plats de pâtes.

IL GABBIANO — PENSION €

☎/fax 081 90 94 22 ; SS Forio-Panza 182, Forio ; lit avec petit déj 16 € ; avr-oct

L'une des meilleures pensions d'Ischia, proche de la plage, avec des chambres à 2, 4 ou 6 lits. D'une simplicité monacale, les chambres n'en sont pas moins propres et toutes dotées d'un petit balcon avec vue imprenable sur la mer.

HOTEL CASA CELESTINO — HÔTEL €€

☎ 081 99 92 13 ; www.casacelestino.it ; Via Chiaia di Rose 20, Sant'Angelo ; s 90-110 €, d 75-100 €, ste 110-125 € avec petit déj ; janv-oct

Sur la promenade piétonne en direction du promontoire, ce petit hôtel chic offre un mélange rafraîchissant de mobilier couleur crème, de murs blancs, d'art contemporain et de rehauts en terre cuite. Les chambres aérées ont un carrelage en céramique, une sdb moderne et un beau balcon enviable face à la mer. Bon restaurant sans chichi de l'autre côté de la rue.

HOTEL CONCHIGLIA HÔTEL €

☎ 081 99 92 70 ; Via Chiaia di Rose, Sant'Angelo ; s/d avec petit déj 40/80 € ; tte l'année

Charmant, propre et central (derrière la place où tout se passe), cet humble hôtel de bord de plage offre un bon rapport qualité/prix. Chambres intimes et décor kitsch avec fleurs en plastique. Copieux petit déjeuner buffet servi sur la terrasse face à la mer. Renseignez-vous sur les tarifs spéciaux selon la saison, parfois très avantageux.

HOTEL LA MARTICANA HÔTEL €

☎ 081 333 44 31 ; www.lamarticana.it ; Via Quercia 48-50, Ischia Porto ; s/d avec petit déj 88/68 € ; tte l'année ; P

Pas très loin du débarcadère des ferries, ce petit hôtel ravit ses hôtes par son ambiance chaleureuse et son vieux jardin à vigne grimpante, avec des plants de tomate et un barbecue (à disposition). Chambres petites mais bien équipées – réfrigérateur, TV et sèche-cheveux. Le petit déjeuner buffet est plus copieux qu'ailleurs.

HOTEL LA SIRENELLA HÔTEL €€

☎ 081 99 47 43 ; www.lasirenella.net ; Corso Angelo Rizzoli 41, Lacco Ameno ; s/d avec petit déj 70/140 € ; avr-oct ;

Tenue par une jeune et souriante équipe de frères et sœurs, un hôtel sympathique donnant sur la plage. Chambres avec terrasse qui ont un air de vacances au grand air ; sdb au carrelage refait à neuf. Quand la brise marine vous aiguise l'appétit, vous pouvez vous accorder une pizza au restaurant.

HOTEL SEMIRAMIS HÔTEL €

☎ 081 90 75 11 ; www.hotelsemiramisischia.it ; Spiaggia di Citara, Forio ; s/d avec petit déj 75/51 € ; avr-oct ; P

À quelques minutes à pied du centre thermal Poseidon, cet hôtel assez récent tenu par le chaleureux Giovanni et sa femme allemande, baigne dans une ambiance tropicale avec sa piscine centrale entourée de palmiers. Grandes chambres joliment carrelées, dans le style traditionnel jaune et turquoise. Magnifique jardin avec figuiers, vigne grimpante et vue sur la mer dans le lointain.

MEZZATORRE RESORT & SPA HÔTEL CLUB €€€

☎ 081 98 61 11 ; www.mezzatorre.it ; Via Mezzatorre 23, Forio ; s 200-300 €, d 250-380 €, ste 500-700 € avec petit déj ; mi-avr à oct ; P

Perché sur un promontoire face à la mer, un luxueux complexe entouré d'une pinède de 3 ha, qui compte un centre thermal et des courts de tennis. Les salons et quelques chambres sont situés dans une tour du XVe siècle. Les chambres sont décorées de couleurs terre, certaines ont un jardin privé et un Jacuzzi. Piscine panoramique surplombant la plage. Si vos moyens ne sont pas adaptés à l'hôtel,.

UMBERTO A MARE HÔTEL €

☎ 081 99 71 71 ; www.umbertoamare.it ; Via Soccorso 2, Forio ; s 75-110 €, d 110-170 € avec petit déj ; avr-oct

Nichées sous l'un des meilleurs restaurants d'Ischia, avec vue sur la mer en contrebas, ces 12 chambres calmes arborent une élégance discrète, avec carrelage frais, sdb moderne et terrasse en terracotta dotée de chaises longues et ouverte sur le large.

OÙ SE RESTAURER

Outre les poissons et les fruits de mer, Ischia est réputée pour le lapin, qu'on élève dans les fermes de l'intérieur. L'autre spécialité locale est le *rucolino*, une liqueur verte parfumée à la réglisse et à base de *rucola* (roquette).

CANTINE DI PIETRATORCIA CAVE À VIN €€€

☎ 081 90 72 32 ; www.pietratorcia.it ; Via Provinciale Panza 267, Forio ; repas 30 € ; 10h-13h et 16h-20h lun-jeu et heure tardive ven-dim avr à mi-juin et mi-sept à mi-nov, 17h30-tard mi-juin à mi-sept, fermé mi-nov à mars

Entourée de vignes, de figuiers et de romarins, cette cave à vin de qualité supérieure est aussi un paradis de gastronomie. Visitez les vieux celliers en pierre, goûtez à un vin local et jetez un coup d'œil à la carte dégustation, proposant d'odorantes bruschettas au fromage, des saucisses de Campanie et de la *salumeria* (charcuterie et viandes froides) épicées. Dîners complets servis sur réservation préalable.

DA CICCIO SNACKS €

☎ 081 99 13 14 ; Via Porto 1, Ischia Porto, en-cas à partir de 1 € ; tte l'année

Le genre d'endroit que l'on apprécie en débarquant du ferry, et à toute heure pour ses repas légers pour l'estomac et le porte-monnaie, ses pâtisseries appétissantes et ses glaces délicieuses. Sur place ou à emporter. Le *calzone* fourré aux épinards, pignons de pin et raisins secs à 1 € est exquis.

DA ROBERTO GLACIER €

☎ 081 98 23 13 ; Via Luigi Mazzella 28, Ischia Ponte ; cornets à partir de 1,50 € ; tte l'année

Les propriétaires Roberto et Eugenia sont originaires de Belluno, en Vénétie, région réputée pour le talent de ses glaciers. Les cornets en sont la preuve : le *grande biscotto*, la *crema della nonna* et le mélange Mozart chocolat et noisette n'ont pas d'équivalents. *Semi-freddi* (desserts partiellement gelés) fabriqués sur place, et à consommer sans retenue.

GRAN CAFFÈ VITTORIA — CAFÉ €

☎ 081 199 16 49 ; Corso Vittorio Colonna 110, Ischia ; pâtisseries 2 € ; tte l'année

À l'extrémité chic du port, ce café aux lambris distingués régale ses clients depuis plus d'un siècle avec d'irrésistibles pâtisseries, cafés et cocktails, apportés par des serveurs à l'ancienne, au nœud papillon.

LA BAIA EL CLIPPER — RESTAURANT €€€

☎ 081 333 42 09 ; Via Porto 116, Ischia Porto ; repas 40 € ; tte l'année

Situé à l'entrée du port et aujourd'hui tenu par la deuxième génération, l'endroit est parfait pour un dîner d'amoureux. Habillez-vous, commandez des cocktails, trinquez et… laissez faire. Besoin d'adjuvants ? Vous avez la vue et les fruits de mer. Service amical et stylé.

LA BROCCA — TRATTORIA €€

☎ 081 90 00 51 ; Via Roma 24, Lacco Ameno ; repas 17 € ; janv-oct

Face à la plage, de l'autre côté de la route, cette trattoria sans décor sert poissons et fruits de mer simples et succulents à une clientèle locale avertie. La mamma cuisine à l'arrière, la *nonna* (grand-mère) astique les couverts et le courageux fiston à la mine ensoleillée sert des fruits de mer qui viennent d'être pêchés. Ne manquez pas les spaghettis aux moules, à déguster avec une serviette autour du cou !

LO SCOGLIO — RESTAURANT €€

☎ 081 99 95 29 ; Via Cava Ruffano 58, Sant'Angelo ; repas 28 € ; fermé janv-mars et mi-nov à mi-déc

Jouissant d'une position spectaculaire en saillie au-dessus de la mer, à côté d'une crique de carte postale, l'endroit est idéal pour manger des fruits de mer au coucher du soleil. La soupe aux moules, le bar grillé et les pâtes papillon au saumon figurent parmi les spécialités. Service rapide et efficace. Grosse affluence le dimanche midi.

RISTORANTE DA CICCIO — RESTAURANT €€

☎ 081 99 16 86 ; Via Luigi Mazzella 32, Ischia Ponte ; repas 25 € ; fermé nov et mar déc-mai et oct

Une adresse à retenir pour ses fruits de mer sublimes et son patron charmant. Les spécialités sont les pâtes *tubettoni* aux clams et au pecorino, et la soupe piquante aux moules recouverte de pain et de piment.

RISTORANTE IL PONTE — RESTAURANT €

☎ 081 90 42 55 ; Via Chiaia delle Rose 89, Sant'Angelo ; pizzas à partir de 3,50 € ; avr-oct

Cuisine simple et bon marché, juste au-dessus du parking. Les pizzas sont bonnes sans être exceptionnelles, les fruits de mer d'une fraîcheur satisfaisante et les salades copieuses et variées. Commandez une margherita, un pichet de bière glacée et laissez filer l'après-midi à l'ombre du toit de palmes de la terrasse.

RISTORANTE LA PANTERA ROSA — RESTAURANT €€

☎ 081 99 24 83 ; Riva Destra, Ischia Porto ; repas 28 € ; avr-nov

Agréable restaurant en terrasse situé sur la promenade chic du port. Bonne cuisine et prix raisonnables. La carte propose tous les choix traditionnels de pâtes et de pizzas, et des viandes, dont un veau au vin (9 €) que nous recommandons.

UMBERTO A MARE — RESTAURANT €€€

☎ 081 99 71 71 ; Via Soccorso 2, Forio ; repas 46 € ; mars-déc

À l'ombre de l'église de Soccorso, ce restaurant au bord de l'eau offre le choix entre un café-bar modeste servant des en-cas et un restaurant plus formel de cuisine méditerranéenne chic. À retenir : les *ziti* (longues et épaises pâtes tubulaires) au thon, tomate fraîche et *peperoncino* (piment) et les somptueux penne au homard et asperges.

ZI CARMELA — RESTAURANT €€

☎ 081 99 84 23 ; Via Schioppa 27, Forio ; repas 20 € ; avr-oct

La clientèle locale apprécie les poissons, tel le *fritturina e pezzogne* (un poisson blanc du cru cuit au feu de bois dans le four à pizza avec des pommes de terre et des aromates). La salle à manger est gaiement décorée de casseroles en cuivre, de tasses en céramique et de tresses d'ails et de piments. Les indécis peuvent choisir le menu fixe à 4 plats à 25 €.

OÙ SORTIR

Ischia n'est pas Ibiza. Cela dit, le secteur d'Ischia Porto offre de quoi occuper les oiseaux de nuits, avec sa demi-douzaine de bars et de discothèques.

Le **Bar Calise** (☎ 081 99 12 70 ; Piazza degli Eroi 69, Ischia ; entrée 15 €, 1 boisson incluse ; 🕑 19h-3h jeu-dim) attire une clientèle mixte, jeune et moins jeune, dans un langoureux mélange de palmiers, de serveurs en gilet, de cocktails et d'orchestres jouant de la musique latine, du swing et du folklorique.

Les clubbeurs trépignent sur de la house et de la techno à l'hyperactif (et hypercher) **Valentino** (☎ 081 99 26 53 ; Corso Vittoria Colonna 97 ; entrée 30 € juil et août, 10 € sept-juin ; 🕑 0h-tard tlj).

Dans les années 1960, le bateau amarré **Blue Jane** (☎ 081 99 32 96 ; Viale Pagoda 1, Ischia Porto ; entrée 20 €, 1 boisson incluse ; 🕑 0h-tard ven-dim) était une célèbre boîte flottante, *A Lampara*, où l'on croisait Mick et Bianca Jagger, Kirk Douglas et Fabrizio de Andre, le chanteur culte italien. Aujourd'hui, une foule sympathique y danse sur de la musique commerciale et house.

ACHATS

Le quartier commerçant le plus tentant est la Via Roma d'Ischia Porto et les petites rues en direction d'Ischia Ponte. Bikinis arachnéens ou bocaux divers, ces ruelles pavées sont pleines d'occasions de dépenser son argent. Toujours insatisfait ? Il vous reste les minuscules boutiques et les galeries d'art de Sant'Angelo et Forio.

ADAM — ANTIQUITÉS

☎ 081 98 22 05 ; Via Roma 102, Ischia

Vous avez toujours rêvé d'un pistolet Renaissance ? C'est ici que vous le trouverez, chez ce spécialiste des antiquités italiennes : urnes d'Ischia, Pulcinella faits main, armure étincelante, etc. Faites un détour par le jardin à l'arrière pour admirer les citrons géants, les tortues et le chat au caractère bien trempé.

ANTICA MACELLERIA DI FRANCESCO ESPOSITO — ALIMENTATION

☎ 081 98 10 11 ; Via delle Terme 2, Ischia ; 🕑 tte l'année, fermé dim en hiver

Rien de mieux que cette épicerie vieille d'un siècle pour remplir un panier pique-nique, À partir de 8h, vous pourrez faire provision de mozzarella fraîche et de pain *casareccio* (fait à la maison) cuit au feu de bois, à garnir de fromage, de jambon et de produits maison (salami au peperoncino et poivrons marinés). N'oubliez pas une bouteille de *falanghina* (vin blanc sec) et vous êtes paré.

CAPRICCI — LINGERIE ET MAILLOTS DE BAIN

☎ 081 98 20 63 ; Via Roma 37, Ischia

Lingerie fabuleuse et maillots de bain pour hommes et femmes Versace, Moschino, La Perla et Roberto Cavalli. Belle qualité et prix à l'avenant.

ISCHIA AU BOUT DE LA FOURCHETTE

Laissons la parole à Carlo Buono, restaurateur d'Ischia :

"Toute la saveur de la cuisine d'Ischia tient à l'emploi d'ingrédients frais et de saison, de l'onctueuse huile d'olive aux *pomodorini* (tomates cerises) charnus. À l'instar de la cuisine napolitaine, son caractère distinctif est la simplicité, celle d'une cuisine domestique à base de produits de première qualité. Traditionnellement, il existe deux types de cuisine, celle de la côte et celle de la montagne. Pendant des siècles, les pêcheurs de Lacco Ameno et Sant'Angelo ont échangé leur poisson contre le vin, les légumes, le porc et le lapin des fermiers de Barano et Serrara Fontana.

Le lapin est en effet un plat typique d'Ischia. L'élevage traditionnel selon le procédé de la *fossa* (fosse) connaît actuellement une renaissance. Les animaux ne sont pas enfermés dans des cages et s'ébattent librement dans des fosses profondes. Il en résulte une chair plus tendre et plus parfumée. L'artisan de ce renouveau est l'ardent défenseur local de la Slow Food, Riccardo d'Ambra, dont la célèbre trattoria **Il Focolare** (☎ 081 90 29 44 ; Via Cretaio 3, Barano d'Ischia ; repas 25 € ; 🕑 20h-23h lun-ven, 12h-15h et 20h-23h sam et dim, fermé mer nov-mars, ouvert au Nouvel An) est réputée pour son lapin et ses plats montagnards rustiques. Une des grandes spécialités de l'île, à manger le dimanche midi de préférence, est le *coniglio all'ischitana*, du lapin cuit à l'huile d'olive et au vin blanc, avec de l'ail non épluché, du piment, de la tomate, du basilique et du thym.

Comme la terre, la mer a ses saisons. Les plats de poisson varient donc selon les périodes. Parmi les poissons locaux typiques, citons le *pesce bandiera* (poisson-voilier), la plate *castagna* (castagnole), la *lampuga* (coryphène) et la *palamide* (pélamide, un petit thon). On les prépare couramment à l'*acqua pazza* (eau folle) qui, traditionnellement, se faisait sur les bateaux. C'est une délicate sauce à base de *pomodorini*, d'ail et de persil. Le poisson frit est aussi un mets récurrent ; une assiette de *frittura di mare* relevée de quelques gouttes de citron est tout simplement un délice. Mai à septembre est la saison du *totano* (calamar) ; c'est le moment de goûter aux *totani imbotti* (calamars farcis aux olives, câpres et chapelure, qu'on fait mijoter dans le vin).

Autre merveille : le pain frais *casareccio* , "fait à la maison", cuit au feu de bois. Dense et tendre à l'intérieur, croustillant à l'extérieur, on le dirait fait tout spécialement pour la *scarpetta* (essuyer son assiette avec du pain) ou les sandwichs au salami ou au parmesan. S'il vous reste un peu de place, essayez la *torta caprese*, moelleux gâteau au chocolat et aux amandes. *Buon appetito !*"

GRIFO — MODE

☎ **081 98 37 25 ; Corso Vittoria Colonna 210, Ischia**
Vêtements mode pour hommes des marques Burberry, Richmond, et de la marque tropézienne Vilebrequin. Les pulls Borrelli à rayures pastel sont sublimes. Idem pour femmes, en face, au n°162.

IMAGAENARIA — LIVRES

☎ **081 98 56 32 ; Via Giovanni da Procida, Ischia Ponte**
Charmante et savante petite librairie doublée d'une maison d'édition qui publie des petits ouvrages en italien sur le folklore, la culture, l'histoire et la nature d'Ischia. Rares gravures et lithographies d'Ischia et de Naples, à des prix variés, les plus chères datant du XVIIe siècle. Ouverte jusqu'à 21h en hiver et 1h du matin en été.

ISCHIA SAPORI — ALIMENTATION ET CADEAUX

☎ **337 97 24 65 ; Via Luigi Mazzella 5, Ischia Ponte**
Petite boutique de produits locaux, dont du *rucolino* – digestif parfumé à la réglisse, à base de *rucola* (roquette), dont la recette est tenue secrète. Sans oublier les produits maison : des vins, des mets fins, des babas au *limoncello*, des savons à l'huile d'olive et des parfums, tous à des prix raisonnables et emballés avec ce raffinement italien inimitable.

JUDITH MAJOR — VÊTEMENTS ET CHAUSSURES

☎ **081 98 32 95; Corso Vittoria Colonna 174, Ischia**
Revendeur exclusif de la marque italienne Brunello Cucinelli, un genre de Polo Ralph Lauren, touche italienne sexy en plus. Pulls en cachemire, chemises, blazers et vêtements féminins chic. Côté chaussures : Prada, Barrett et Alberto Guardiani pour les hommes, Stuart Weitzman et Pedro Garcia pour les femmes. Bref, tout ce qu'il vous faut pour votre croisière à bord du yacht.

L'ISOLETTO — CADEAUX ET SOUVENIRS

☎ **081 99 93 74 ; Via Chiaia delle Rose 36, Sant'Angelo**
Faites provision de souvenirs locaux comestibles : *peperoncino*, babas au rhum et *cannoncelli* (pâtisserie fourrée à la crème au citron), vin d'Ischia et incontournable *limoncello*. Aussi savoureux, mais non consommables : tout un choix de souvenirs un peu kitsch, du set de table en coquillage aux assiettes murales en relief.

PERCORSI COMUNICANTI IN GALLERIA — CÉRAMIQUE

☎ **081 90 42 27 ; Via Sant'Angelo 93, Sant'Angelo**
Un peu de contemporain, pour changer des plateaux à motif de soleil riant. Petite galerie stylée vendant les créations du céramiste napolitain Massimiliano Santoro, que complète un choix restreint de bijoux en verre de Murano et des caftans en soie de couturiers.

RICCIO CALZATURE — CHAUSSURES

☎ **081 98 41 99 ; Corso Vittoria Colonna 216, Ischia**
Chaussures italiennes à prix réduits, habillées ou sportives, pour hommes et femmes. Le stock de la saison passée est écoulé à moitié prix. Que les fashion victims se rassurent : les modèles de la nouvelle saison sont disponibles, et à des prix bien de saison. Le choix n'est pas énorme mais vaut le coup d'œil, avec des marques comme Diesel, Richmond, Miss Sixty et Cesare Paciotti.

ZEUS FABER — VÊTEMENTS ET ACCESSOIRES

☎ **333 760 33 02 ; Via Sant'Angelo 81, Sant'Angelo**
Bric-à-brac mêlant dans la pénombre le chic bohème et l'art local : pashminas indiens, sandales brodées, bijoux et sacs voisinent avec de vieilles gravures, des reconstitutions maladroites et les peintures originales du Vésuve en flammes de la propriétaire, Rosario De Paola.

COMMENT SE RENDRE ET CIRCULER À ISCHIA

Des hydroglisseurs relient directement Ischia à Capri (10,40 €), Procida (4 €, 20 min), Naples et la côte amalfitaine. Les détails sur les ferries et les hydroglisseurs circulant toute l'année figurent p. 262.

La gare routière principale de l'île se trouve à Ischia Porto. Il existe 2 grandes lignes de bus : la CS (Circolo Sinistro, Circulaire gauche) et la CD (Circolo Destro, Circulaire droite), qui font le tour de l'île dans l'un et l'autre sens. Elles desservent toutes les localités et partent toutes les demi-heures. Les bus passent à proximité de tous les hôtels et terrains de camping. Un aller simple, valable 90 minutes, coûte 1,20 €, le forfait journée 4 € et le forfait 2 jours 6 €. Des taxis et des microtaxis (tricycles tirés par un scooter) sont aussi à votre disposition.

Si vous voulez louer une voiture ou un scooter pour la journée, vous aurez l'embarras du choix, mais l'étroitesse des routes et les embouteillages dans les stations balnéaires sont stressants pour les automobilistes. Outre des voitures (à partir de 32 €/jour) et des vélomoteurs (de 25 à 35 €), **Fratelli del Franco** (☎ 081 99 13 34 ; Via A De Luca 127, Ischia Ponte) loue aussi des VTT (autour de 10 €/jour).

GREG ELMS

À NE PAS MANQUER

- Un déjeuner sur la plage de **La Conchiglia** (p. 203)
- Flâner en compagnie des pêcheurs dans le village de **Marina Corricella** (à droite), aux maisons pastel
- Une bière, le soir, en écoutant du jazz dans un modeste bar du port de **Marina Grande** (p. 203)
- La tournée des plages de l'île avec un *gommone* (dinghy) loué à **Marina di Chiaiolella** (à droite)

PROCIDA

La plus petite île de la baie de Naples est aussi son secret le mieux gardé : un mélange émouvant de bosquets de citronniers, de pêcheurs aux traits burinés et de maisons méditerranéennes aux teintes pastel.

Miraculeusement épargnée par le tourisme de masse, Procida donne une rafraîchissante impression de réalité. Hormis au mois d'août qui voit affluer les vacanciers sur ses plages, ses petites rues écrasées de soleil sont le domaine des îliens : des garçonnets empoignent leur canne à pêche de vieux marins chenus se racontent leurs misères sur la **Piazza dei Martiri** (la place des Martyrs). Ici, les hôtels sont plus petits, moins de serveurs parlent un mauvais allemand, et l'accueil de la population locale est dépourvue de toute obséquiosité.

À **Marina Grande**, des maisons cubiques et colorées s'alignent sur le front de mer. Sous le linge qui sèche, des pêcheurs raccommodent leurs filets tandis que leurs prises sont servies dans des restaurants qui ne connaissent plus leur âge. De l'autre côté de la colline, les maisons de la somnolente **Corricella** dégringolent vers la mer en un tumulte de jaunes, de roses et de blancs. Des escaliers extérieurs ornent des maisons à larges arcades, y ajoutant un zeste de saveur arabe.

Dominant le village de très haut, le **château d'Avalos**, aujourd'hui abandonné, a servi de prison jusqu'en 1985. Ses vues étaient tellement réputées que les prisonniers avaient besoin d'une recommandation pour y être affectés. Procida a aussi une longue expérience en tant que décor de cinéma. C'est ici que furent tournées certaines scènes du *Facteur* (*Il Postino*) en 1994 et du *Talentueux Monsieur Ripley*, en 1999. Procida est toujours la villégiature préférée des artistes et des créateurs napolitains, qui viennent y chercher la solitude, l'inspiration et la meilleure *granita* au citron de ce côté-ci de Sorrente.

ORIENTATION ET RENSEIGNEMENTS

Marina Grande, où accostent ferries et hydroglisseurs, est aussi la vitrine touristique de l'île. Là, l'**agence de voyages Graziella** (☎ 081 896 95 94 ; www.isoladiprocida.it ; Via Roma 117) est le meilleur endroit pour trouver un hébergement, retenir une promenade en bateau et louer un vélo. On y distribue également une bonne carte gratuite de l'île.

ETP (☎ 081 896 90 67 ; www.casavacanza.net, en italien ; Via Principe Umberto I, Marina Grande) peut aussi vous aider à trouver un hébergement et vous vendre des billets pour le festival Il Vento del Cinema (voir p. ci-contre).

Vous pourrez surfer sur Internet chez **Call Me** (☎ 081 896 80 33 ; Via Vittorio Emanuele 3, Marina Grande ; 3 €/heure).

À VOIR ET À FAIRE

L'île, qui mesure environ 4 km², se découvre idéalement à pied ou à vélo.

Juché au sommet de l'île, le **château d'Avalos**, édifice du XVIe siècle tombant en ruine, est un ancien pavillon de chasse des Bourbons transformé par la suite en prison. Profitez des vues extraordinaires avant d'aller explorer l'**abbaye San Michele Arcangelo** voisine (☎ 081 896 76 12 ; Via Terra Murata 89 ; entrée 2 € ; ⌚ 10h-12h45 tte l'année, et 15h30-18h mai-oct). Construite au XIe siècle et remaniée entre le XVIIe et le XIXe siècle, cette ancienne abbaye bénédictine abrite une église, un petit musée riche de quelques peintures intéressantes et un réseau de catacombes en forme d'alvéoles.

Depuis la panoramique Piazza dei Martiri, le village de **Marina Corricella** étage ses maisons roses, jaunes et blanches jusqu'à la marina.

Plus au sud, un escalier abrupt partant de la Via Pizzaco descend vers la **Spiaggia di Chiaia**, plage marbrée de sable parmi les plus belles de l'île, où se trouve **La Conchiglia** (p. 203).

Toute rose, blanche et bleue, la jolie petite **Marina di Chiaiolella** est un port de plaisance bien rempli, doublé de restaurants à l'ancienne. De là, on rejoint la plage du **Lido di Procida**.

La petite île satellite de **Vivara**, protégée par le WWF, abrite une faune indigène rare et constitue un site archéologique important. Elle est fermée aux visiteurs jusqu'à nouvel ordre.

Le **Procida Diving Centre** (☎ 081 896 83 85 ; www.vacanzeaprocida.it/framediving01-uk.htm ; Via Cristoforo Colombo 6) propose des leçons de plongée et loue du matériel. Comptez 32 € pour une plongée unique et 60 € pour la journée.

Sur le port de Marina Corricella, demandez Cesare, un patron qui propose des **promenades en bateau** (20 € pour une sortie de 2 heures 30) et des demi-journées à bord d'un galion pour 90 € (25 pers minimum). **Ippocampo** (☎ 081 810 14 37, 333 720 01 93 ; www.ippocamposas.it ; Marina Chiaiolella) loue des *gommoni* (dinghys) et des *gozzi* (bateaux en bois) pour 80 € la journée.

On peut aussi louer un yacht chez **Blue Dream** (☎ 081 896 05 79, 339 572 08 74 ; www.bluedreamcharter.com ; Via Ottimo 3), à partir de 60 € par personne et par jour.

FÊTES ET FESTIVALS

Le Vendredi saint a lieu la pittoresque **procession des Misteri**. Une statue en bois du Christ et de la Madonna Addolorata, ainsi que des représentations grandeur nature en plâtre et papier mâché des scènes de la Passion, sont promenées sur des chars à travers l'île. Les hommes sont vêtus de tuniques bleues et de cagoules blanches tandis que les jeunes filles s'habillent comme la Vierge.

Il Vento del Cinema (www.ilventodelcinema.it) est un festival de 5 jours de cinéma d'auteur et d'ateliers en anglais dirigés par des réalisateurs prolifiques. Consultez le site pour connaître les dates.

OÙ SE LOGER

L'hébergement est plutôt de dimension réduite – des fermes reconverties et des hôtels gérés en famille. Il y a aussi à louer quantité de bungalows et d'appartements indépendants, qui s'avèrent très bon marché si vous êtes plusieurs. Nombre d'établissements ferment en hiver et affichent complet en août. Pour ces périodes, il est impératif de se renseigner au préalable.

Plusieurs campings ont été aménagés sur l'île, ouverts d'avril à octobre. Leurs tarifs tournent autour de 10 € par emplacement, plus 10 € par personne. Les terrains les plus fiables sont **Vivara** (☎ 081 896 92 42 ; Via IV Novembre) et, sur la même route, **La Caravella** (☎ 081 810 18 38 ; Via IV Novembre).

Spiaggia di Chiaia (p. 201) DALLAS STRIBLEY

CASA GIOVANNI DA PROCIDA B&B €

☎ 081 896 03 58 ; www.casagiovannidaprocida.it ; Via Giovanni da Procida 3 ; s 50-80 €, d 65-100 € avec petit déj ; fermé fév ;

Ferme reconvertie en B&B chic. Les chambres minimalistes à mezzanine sont garnies de lits bas et de mobilier contemporain. Les sdb sont petites mais stylées, avec carrelage bronze ou aigue-marine, lavabo cubique. Le beau jardin donne envie d'y passer du temps à lire en mangeant des pêches.

HOTEL CRESCENZO HÔTEL €€

☎ 081 896 72 55 ; www.hotelcrescenzo.it ; Via Marina di Chiaiolella 33 ; s 60-120 €, d 70-120 € avec petit déj ; tte l'année ;

Dix chambres seulement, et il faut choisir entre la vue sur la baie ou le balcon. Décor bleu marine et blanc, comme il se doit. Le restaurant en face de l'hôtel attire une clientèle locale bruyante et amicale.

HOTEL LA CORRICELLA HÔTEL €€

☎ 081 896 75 75 ; Via Marina Corricella 88 ; s 70-100 €, d 90-120 € avec petit déj ; avr-oct

Difficile d'ignorer cette bâtisse d'un rose agressif fermant la Marina Corricella à une de ses extrémités. Chambres simples équipées d'un ventilateur et d'une TV. La grande terrasse commune offre une vue somptueuse sur le port. Un service de bateau permet de se rendre sur la plage voisine.

HOTEL RIVIERA HÔTEL €

☎ 081 896 71 97 ; Via Giovanni da Procida 36, Marina di Chiaiolella ; s/d avec petit déj 35/70 € ; avr-oct ;

Côté négatif : il faut grimper depuis la marina, l'aménagement intérieur est un peu fatigué et l'atmosphère plutôt anonyme. Côté positif : les oiseaux chantent, vous avez la clim et des lits propres et confortables, et c'est incroyablement bon marché.

LA ROSA DEI VENTI BUNGALOWS €

☎ /fax 081 896 83 85 ; www.vacanzeaprocida.it ; Via Vincenzo Rinaldi 34 ; s par sem 320-490 €, d 390-690 €, tr 450-750 € avec petit déj ; mars-oct ;

Perchés au sommet d'une falaise, ces 18 bungalows indépendants à l'intérieur simple et propre, disposent d'une cuisine équipée et d'un patio. Le domaine comprend une plage privée et une vigne, et la matriarche Titta prépare un festin hebdomadaire, à déguster sous une pergola de citronniers.

LE GRAND BLEU GUESTHOUSE APPARTEMENTS €€

☎ 081 896 95 94 ; www.isoladiprocida.it ; Via Flavio Gioia 37 ; app par sem 250-950 € ; fermé mi-déc à janv ;

Proches de la plage de Chiaia, des appartements récents garnis de meubles fonctionnels et équipés de plaques de cuisson. Sdb géniales, accès Internet et toit-terrasse avec four à bois, barbecue et vue sur Ischia. Accès handicapés.

OÙ SE RESTAURER

Un dîner sur le port n'est pas synonyme, ici, de coûteuse déception. Les trattorias servent une cuisine classique de première fraîcheur. Quant aux établissements de l'intérieur de l'île, ils utilisent le plus souvent la viande et les légumes produits sur la propriété. Essayez l'*insalata al limone*, une salade au citron relevée d'huile pimentée.

BAR CAVALIERE PÂTISSERIE €

☎ 081 810 10 74 ; Via Roma 76, Marina Grande ; pâtisseries à partir de 1 € ; tte l'année

La meilleure *pasticceria* de Procida, réputée pour ses *lingue di bue* (langues de bœuf), un chausson en forme de langue rempli de crème pâtissière.

FAMMIVENTO TRATTORIA €€

☎ 081 896 90 20 ; Via Roma 39, Marina Grande ; repas 25 € ; fermé dim soir, lun et nov-mars

Mettez-vous en train avec les *alici ripieni* (anchois farcis), suivis, par exemple, de *fusilli carciofi e calamari* (pâtes aux artichauts et calamars). Pour un dîner de gala, essayez la *zuppa di crostaci e moluschi* (soupe de crustacés et de mollusques). Ce n'est pas la spécialité de la maison pour rien.

GRAZIELLA TRATTORIA €

☎ 081 896 74 79 ; Via Marina Corricella 14 ; repas 12 € ; ⌚ mars-oct

Sur cette marina sans prétention, avec ses vieux bateaux de pêche et ses amoncellements de filets, vous passerez une soirée mémorable dans n'importe lequel de ses restaurants. Le choix varie entre sandwichs, hamburgers, *penne alla siciliana* (pâtes à la sauce tomate pimentée) et poulet grillé tendre à la sauce au piment doux.

LA CONCHIGLIA TRATTORIA €€

☎ 081 896 76 02 ; Via Pizzaco 10 ; repas 25 € ; ⌚ mars-oct

Non, vous ne rêvez pas, la vue est réelle : des vagues bleu turquoise à vos pieds, et les couleurs pastel de Corricella à l'arrière-plan. Sur la terrasse, des pêcheurs plein d'entrain et des amoureux bronzés avalent des merveilles qui ont pour nom *antipasto al mare* (entrée de la mer) et *spaghetti alla povera* (spaghettis au *peperoncino*, poivron vert, tomate cerise et anchois), fabuleuses. Pour y accéder, descendez l'escalier partant de la Via Pizzaco ou louez un bateau depuis Corricella.

RISTORANTE L'APPRODO TRATTORIA €

☎ 081 896 99 30 ; Via Roma 76, Marina Grande ; repas 12 € ; ⌚ mars-oct

Le style familial de la cuisine a su plaire aux impeccables élèves officiers de marine qui se pressent dans ce restaurant. Après les pimentées *penne alla siciliana* ou la *zuppa di pesce* (ragoût de poisson), vous pourrez lever le nez et regarder les bateaux rentrer au port.

RISTORANTE SCARABEO RESTAURANT €€

☎ 081 896 99 18 ; Via Salette 10 ; repas 27 € ; ⌚ tlj déc-oct, week-end seulement déc-fév

Derrière une véritable jungle de citronniers s'étend la vénérable cuisine de Signora Battinelli. C'est là qu'avec Francesco, son mari, elle prépare des standards, telles les *fritelle di basilico* (petits pâtés frits de pain, œuf, parmesan et basilic), et des raviolis maison à l'aubergine et à la *provola* (9 €). Ils élèvent leurs lapins, font leur *falanghina*, à déguster sous une pergola de citrons.

OÙ SORTIR

On vient à Procida pour trouver la paix et la tranquillité, alors ne comptez pas faire des folies nocturnes. Il y a quelques bars discrets à Marina Grande. Le **GM Bar** (☎ 081 896 75 60 ; Via Roma 117 ; ⌚ 24h/24 juil-août, 5h-2h sept-juin, fermé mar oct-mai) accueille des orchestres de jazz, de musique latine et de pop locale le vendredi soir, des DJ de house le samedi soir, et de latine le dimanche soir.

Plus haut dans la même rue, un ponton en bois, des palmiers en pot et une musique douce composent l'atmosphère idéale pour regarder passer les gens depuis le **Bar Roma** (☎ 081 896 74 60 ; Via Roma 163, Marina Grande ; ⌚ fermé mar oct-avr).

ACHATS

Procida la discrète n'est pas un poids lourd du shopping. Céramiques, vins et art local sont néanmoins intéressants.

ENOTECA PECCATI DI GOLA VINS

☎ 081 810 19 99 ; Via Vittorio Emanuele 13, Marina Grande

Portant le nom provocateur de "Péchés de la gorge", cette petite boutique stylée vend les meilleurs vins de Campanie et une petite sélection de vins italiens d'autres régions.

LUIGI NAPPA GALLERY ART ET BIJOUX

☎ 081 896 05 61, Via Roma 50, Marina Grande

Nappa fait des peintures d'une belle fraîcheur contemporaine sur des thèmes de l'île. Sculptures et bijoux originaux.

SISTERS CÉRAMIQUES ET SOUVENIRS

☎ 081 896 03 33 ; Via Roma 154, Marina Grande

Les séduisants pichets, plats, dessous de bouteille, presse-citron et tasse à café en céramique sont on ne peut plus méditerranéens. Les vieilles photos de l'île constituent des souvenirs émouvants.

COMMENT SE RENDRE ET CIRCULER À PROCIDA

Procida est reliée par bateau et hydroglisseur à Ischia (4 €, 20 min), Pouzzoles et Naples (voir p. 262). Il existe un service limité de bus (0,80 €), avec 4 lignes rayonnant à partir de Marina Grande. Le bus L1 relie le port à la Via Marina di Chiaiolella.

Des micro-taxis découverts peuvent se louer pour 2 ou 3 heures, moyennant 35 € environ, selon votre aptitude au marchandage. Pour louer un vélo (5 €/demi-journée, 8 €/journée), adressez-vous à **Graziella Travel Agency** (☎ 081 896 95 94 ; www.isoladiprocida.it ; Via Roma 117).

À NE PAS MANQUER

- Une méditation sur les forces obscures qui grondent dans les entrailles du Vésuve depuis le **parc de la Villa Comunale** (p. 208)
- Une plongée sous-marine dans les eaux limpides de la **baie de Ieranto** (p. 219)
- Un plateau de fruits de mer à la table voisine de celle d'un VIP, à **Marina del Cantone** (p. 219)
- Une immersion dans le silence à l'occasion d'une **promenade** (voir encadré p. 218) dans les collines de la péninsule
- Un concert dans le cloître du XIVe siècle de **l'église San Francesco** (p. 207)

SORRENTE (SORRENTO)

Porte du silencieux pays des sirènes, Sorrente est une cité balnéaire qui a malgré tout gardé son âme italienne méridionale.

À première vue, Sorrente serait une escale du tourisme de masse à éviter, pauvre en monuments, dépourvue de plage, accablée en outre d'une surabondance de pubs anglais tapageurs. En fait, l'endroit est étonnamment attirant, sa charmante langueur méridionale ayant résisté à toutes les tentatives pour l'ensevelir sous une avalanche de boutiques de souvenirs et de constructions disgracieuses.

Datant de l'époque grecque et connue des Romains sous le nom de Surrentum, son atout majeur est sa fabuleuse situation, sur des falaises, face à la baie de Naples et au Vésuve. C'est aussi un magnifique point de chute pour qui voudrait explorer la région : au sud, la plus belle partie de la campagne bien préservée de la péninsule, et au-delà, la côte amalfitaine ; au nord, Pompéi et les sites archéologiques ; et au large, la légendaire Capri.

En ville, l'intérêt se concentre sur le **centre historique** (*centro storico*) médiéval, un beau quartier de boutiques, de restaurants, d'églises et de places, qui s'anime fortement en été – bien que même en juillet et en août, il suffise de faire quelques mètres pour s'éloigner de la foule.

Pour trouver une tranquillité plus authentique, il faut s'enfoncer dans les collines verdoyantes des environs de Sorrente. La région à l'ouest de **Massa Lubrense**, le "pays des sirènes" comme on l'appelle en l'honneur de ces démons femelles dont la mythologie situait la demeure à Li Galli, un petit archipel au large de la côte sud de la péninsule, est une des moins développées et des plus belles du pays. La meilleure façon d'en apprécier la beauté est de parcourir les anciens sentiers qui relient les villages aux petites criques secrètes de la côte. De magnifiques sites de plongée sous-marine attendent les plus aventureux à la **réserve marine de Punta Campanella**.

La baie de Naples depuis le musée Correale de Sorrente (p. 208) GREG ELMS

ORIENTATION

La Piazza Tasso, que traverse l'artère principale de Sorrente, le Corso Italia, est le centre de la ville. Elle se trouve à 300 m au nord-ouest de la gare ferroviaire de la *Circumvesuviana*, par le Corso Italia. De la Marina Piccola, où accostent ferries et hydroglisseurs, remontez la Via Marina Piccola, au sud, et grimpez les 200 marches de l'escalier pour rejoindre la piazza. À l'est, le Corso Italia devient la SS145 rejoignant Naples, et à l'ouest, il devient la Via Capo.

À VOIR ET À FAIRE

Centre historique

Le centre-ville est ramassé et tous les monuments, au demeurant assez peu nombreux, sont visitables à pied depuis la **Piazza Tasso**. Filant vers l'ouest, le Corso Italia (fermé à la circulation de 10h à 13h et de 19h à 7h) traverse le *centro storico*, dont les petites rues sont envahies par les touristes les soirs d'été. Dans cette suite ininterrompue de boutiques de souvenirs, de pubs, de cafés et de trattorias, le **Sedile Dominava**, du XVe siècle, sur la Via San Cesareo, à l'air parfaitement déplacé. Ce monument à coupole était, au Moyen Âge, le rendez-vous de la noblesse.

La Piazza Tasso GREG ELLMS

RENSEIGNEMENTS

- **Deutsche Bank** (Piazza Angelina Lauro 22-29). Une des nombreuses banques de la Piazza Angelina Lauro et de ses abords disposant d'un distributeur de billets. Autres banques sur le Corso Italia.
- **Farmacia Farfalla** (☎ 081 878 13 49 ; Via De Maio 19 ; 🕓 8h30-13h30 et 16h-23h tlj)
- **Hôpital** (☎ 081 533 11 11 ; Corso Italia 1)
- **Info Sorrento** (www.infosorrento.it). Site très complet d'information touristique sur Sorrente et sa région.
- **Internet Train** (☎ 081 878 57 42 ; Via degli Aranci 49 ; 30 min/1h 1,50/3 € ; 🕓 9h30-13h30 et 15h30-22h30 lun-sam, 9h30-13h30 et 18h-22h dim)
- **Office du tourisme** (☎ 081 807 40 33 ; www.sorrento tourism.com ; Via Luigi De Maio 35 ; 🕓 8h45-18h15 lun-sam toute l'année, et 8h45-18h15 lun-sam et 8h45-12h45 dim août). Installé dans le Circolo dei Forestieri (cercle des Étrangers). Beaucoup de documents très utiles et un mensuel d'information gratuit, *Surrentum*.
Service de réservation de chambres d'hôtel.
- **Police** (☎ 081 807 53 11 ; Via Capasso 11)
- **Poste** (☎ 081 878 14 95 ; Corso Italia 210)
- **Sorrento Info** (☎ 081 807 40 00 ; www.sorrentoinfo.eu ; Via Tasso 19 ; 30 min 2,50 € ; 🕓 10h-13h30 et 16h-20h lun-sam nov-avr, 10h-13h30 et 17h-22h30 lun-sam mai-oct). Agence d'information touristique dotée d'un accès Internet.
- **Téléphone** (☎ 081 807 33 17 ; Piazza Tasso 37 ; 🕓 9h-13h et 16h-22h tlj)

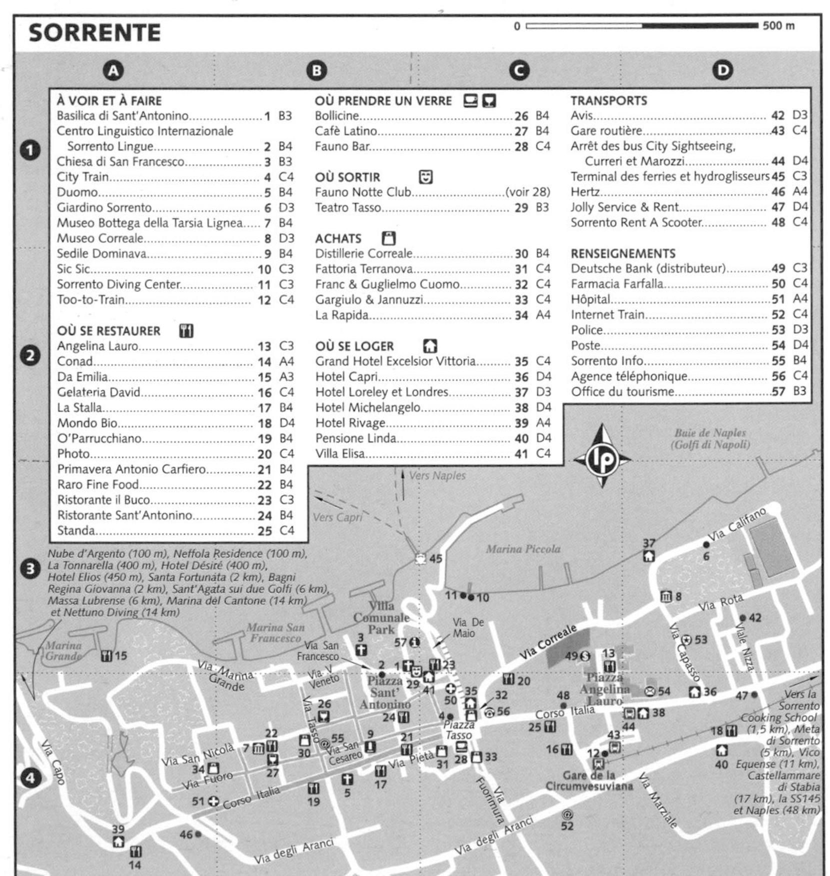

Cathédrale et églises

Sur le Corso Italia, la façade d'une blancheur étincelante du **Duomo** (☎ 081 878 22 48 ; Corso Italia ; ⌚ 7h30-12h et 17h-20h tlj) ne laisse rien présager de l'exubérance du décor intérieur. On notera en particulier le trône épiscopal en marbre, de 1573, et les belles stalles en bois du chœur décorées en *intarsio* (marqueterie) dans le style local. La structure d'origine de la cathédrale date du XVe siècle, mais elle fut reconstruite à plusieurs reprises, la dernière fois au début du XXe siècle, quand fut ajoutée la façade actuelle. Cependant, la porte latérale, de 1474, est d'origine. Légèrement décalé à l'est, le clocher à trois niveaux repose sur un porche voûté où ont été insérés trois colonnes et d'autres fragments antiques.

L'un des plus beaux sites de Sorrente, le cloître de l'**église San Francesco** (☎ 081 878 12 69 ; Via San Francesco ; ⌚ 8h-13h et 14h-20h tlj) vaut absolument le détour. Dans ce cadre harmonieux mariant les styles architecturaux – deux côtés sont bordés d'arcs en ogive du XIVe siècle et les deux autres d'arcs en plein cintre reposant sur des piliers octogonaux – se tiennent des expositions et, en été, des concerts.

Non loin de là, la **basilique Sant'Antonino** (☎ 081 878 14 37 ; Piazza Sant'Antonino ; ⌚ 9h-12h et 17h-19h tlj) est surtout connue pour abriter les os du saint patron de Sorrente. Entre autres miracles, ce saint très vénéré aurait sauvé un enfant en le tirant du ventre d'une baleine. D'où la présence de deux os de baleine dans la basilique. Les os du

Le cloître de l'église San Francesco GREG ELMS

saint, quant à eux, reposent sous l'intérieur baroque, dans une crypte du XVIIIe siècle.

Musées

Sorrente est réputée, depuis le XVIIIe siècle, pour ses meubles en *intarsio* dont on peut voir de magnifiques spécimens au **musée Bottega della Tarsia Lignea** (☎ 081 877 19 42 ; Via San

Fresque du Duomo de Sorrente EMILY RIDDELL

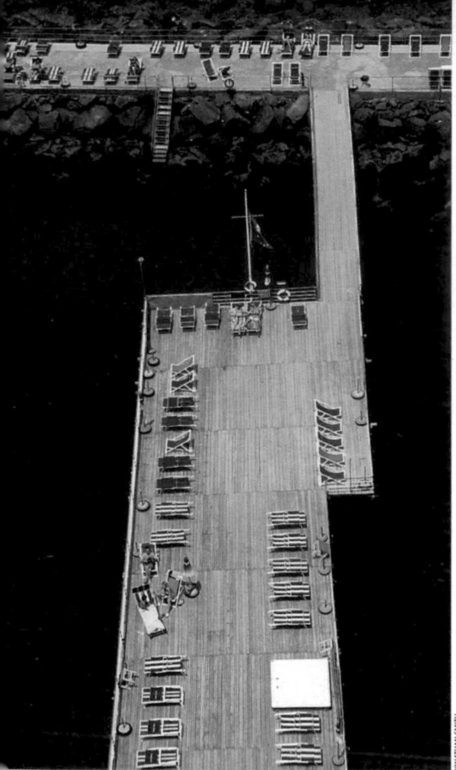

JONATHAN SMITH

Nicolà 28 ; entrée 8 € ; 🕑 10h-13h et 15h-18h lun-sam). Ce musée possède également une belle collection de peintures, de gravures et de photographies montrant la ville et ses environs au XIXe siècle.

Cependant, le grand musée de Sorrente est le **musée Correale** (☎ 081 878 18 46 ; Via Correale 50 ; entrée 6 € ; 🕑 9h30-13h30 mer-lun), à l'est du centre-ville. Y sont exposés un bel ensemble d'art napolitain des XVIIe au XIXe siècles, des porcelaines japonaises, chinoises et européennes, des horloges, des meubles, et au rez-de-chaussée, des objets grecs et romains. L'essentiel de la collection, ainsi que la villa du XVIIIe qui l'abrite, furent légués à la ville dans les années 1920 par Alfredo et Pompeo Correale, derniers descendants d'une famille de l'aristocratie. Les jardins offrent une vue magnifique sur la baie.

Parcs

On jouira d'un autre point de vue magnifique depuis le petit **parc de la Villa Comunale** (🕑 8h-20h tlj mi-oct à mi-avr, 8h-24h mi-avr à mi-oct), dans l'axe du Vésuve. Au coucher du soleil, une foule nombreuse vient profiter des bancs, des chanteurs d'opéra et du petit bar.

Pour les parents ayant des enfants en bas âge, signalons un agréable parc pas très loin à l'est de la Piazza Tasso, le **Giardino Sorrento** (Via Califano ; 🕑 9h-13h et 16h30-23h tlj en été, 9h-17h en hiver), doté de cages à poules et de jeux.

Plages

Sorrente n'a pas de belles plages. En ville, les deux principaux lieux de baignade sont **Marina Piccola** et, à l'est, **Marina Grande**, bien que ni l'une ni l'autre ne soit spécialement attrayante. Marina Grande, à 700 m à l'ouest de la Piazza Tasso, offre un agréable front de mer bordé de trattorias et de maisons délabrées, et une mince bande de sable sombre. Les pontons des environs sont couverts de parasols et de transats, loués jusqu'à 17 € la journée. Plus proche du centre, Marina Piccola est le rendez-vous des jeunes Italiens qui s'entassent sur cette plage grande comme un mouchoir de poche. Si vous voulez vous baigner à Sorrente, cela vaut la peine de payer l'accès à l'un des clubs de baignade privés.

De loin les plus beaux, les **Bagni Regina Giovanna** disposent d'une plage rocheuse à 2 km à l'ouest de la ville. Aménagés dans les ruines de la villa romaine Pollio Felix, ils occupent un coin pittoresque où l'eau est propre et claire. On peut s'y rendre à pied (en suivant la Via Capo), mais vous pouvez aussi prendre un des bus SITA pour Massa Lubrense.

Cependant, les meilleurs coins de baignade sont les petites criques qui ponctuent la côte escarpée à l'ouest et au sud de Sorrente. Vous pouvez louer un bateau afin de faciliter la recherche de votre coin préféré. **Sic Sic** (☎ 081 807 22 83 ; www.nauticasicsic.com ; Marina Piccola ; 🕑 mai-oct) loue toute une gamme de bateaux à partir de 30 € l'heure, ou 90 € la journée (essence non comprise).

Basé à Marina Piccola, le **Sorrento Diving Center** (☎ 081 877 48 12 ; www.sorrentodivingcenter.it ; Via Marina Piccola 63) propose quotidiennement des plongées (si le temps le permet) et une série de leçons. Pour les 8-11 ans, la leçon d'une demi-journée coûte 75 €, et pour les adultes 90 €. Les plongeurs confirmés paieront 35 € pour une plongée de 45 minutes maximum, matériel compris.

HOLGER LEUE

Cours

Dans la ville voisine de Sant'Agnello, l'**école de cuisine de Sorrente** (☎ 081 878 32 55 ; www.sorrento-cookingschool.com ; Viale Dei Pini 52, Sant'Agnello) propose des cours de cuisine de 2 heures, suivis d'un déjeuner ou d'un dîner, à 140 € par personne. On vient vous chercher à l'hôtel à 9h pour le cours du matin et à 14h pour celui de l'après-midi. Il existe aussi des cours sur la préparation de la pizza, la dégustation de vin et le *limoncello*. Renseignements complémentaires sur le site, en anglais.

Moins appétissants mais non moins exigeants, des cours d'italien sont dispensés au **Centre linguistique international de Sorrente** (Centro Linguistico Internazionale Sorrento Lingue ; ☎ 081 807 55 99 ; www.sorrentolingue.com ; Via San Francesco 8). Le stage de base comprend 4 heures de cours collectif (12 élèves maximum), 5 jours par semaine, à partir de 206 € pour une semaine, et jusqu'à 760 € pour 4 semaines. Des stages résidentiels sont possibles, avec hébergement chez l'habitant.

Circuits organisés

Très populaire auprès des adultes comme des enfants, le **City Train** (circuit 5 €) est une façon amusante de faire le tour de la ville. Le minitrain part de la Piazza Tasso toutes les 45 minutes, de 9h à minuit. Les tours, comprenant un commentaire en anglais, durent environ 35 minutes.

City Sightseeing Sorrento (☎ 081 877 47 07 ; www.sorrento.city-sightseeing.it ; adulte/6-15 ans 15/7,50 €) fait circuler un bus à accès libre faisant le tour de Sorrente et de la périphérie. Il part de la Piazza Angelina Lauro à la demie de chaque heure, de 9h30 à 16h30 tous les jours. Le bus à impériale découverte s'arrête à Rione Cappuccini et Cocumella (tous deux au nord-est de Sorrente) avant de repartir, via la Piazza Tasso, dans la direction de Massa Lubrense, Termini et Sant'Agata sui due Golfi. Des commentaires en langue étrangère, dont le français, sont assurés et les billets, vendus à bord, sont valables pendant 6 heures.

Installé dans un wagon reconverti installé à l'extérieur de la gare de la Circumvesuviana, **Too-To-Train** (☎ 081 734 17 55 ; www.too-to-train.com) offre une gamme de circuits, notamment dans la péninsule de Sorrente (28,50 €), vers Pompéi et le Vésuve (45 €) et vers Herculanum (27 €).

FÊTES ET FESTIVALS

Le patron de la ville, Sant'Antonino, est fêté le 14 février par des processions et de grands marchés. C'est grâce au saint, dont les os sont conservés à la basilique Sant'Antonino (voir p. 207), que la ville fut épargnée, dit-on, durant la Seconde Guerre mondiale par les bombardements, alors que Salerne et Naples furent durement touchées.

Les processions de la Semaine sainte (Settimana Santa, voir p. 18) sont réputées dans toute l'Italie. Il y a deux grandes processions : une le Jeudi saint à minuit avec des pénitents cagoulés en blanc, et une le Vendredi saint, cagoulé en noir, en souvenir de la mort du Christ.

De juillet à septembre, des concerts sont donnés dans le cloître de l'église San Francesco (voir p. 207), dans le cadre du **festival de Sorrente** (☎ 081 807 40 33). Les concerts, généralement de musique classique, commencent habituellement à 21h. L'office du tourisme vous renseignera sur les programmes et la vente des billets.

Encore récemment, le Festival de cinéma de novembre était considéré comme l'un des plus importants du pays pour le cinéma italien. Cependant, son édition 2005 a été annulée et, au moment de nos recherches, son avenir restait en suspens.

OÙ SE LOGER

Vous ne devriez pas avoir de difficulté à trouver un hébergement à Sorrente bien que, en pleine saison estivale (juillet et août), il soit nécessaire de réserver à l'avance. La plupart des grands hôtels du centre-ville reçoivent les touristes en voyage organisé, si bien que les prix sont élevés. Il y a néanmoins quelques très belles affaires, notamment sur la Via Capo, la route côtière à l'ouest du centre. On y accède à pied depuis le centre, mais si vous êtes chargé, il vaut mieux prendre un bus SITA direction Sant'Agata ou Massa Lubrense.

GRAND HOTEL EXCELSIOR VITTORIA — HÔTEL €€€

☎ 081 807 10 44 ; www.exvitt.it ; Piazza Tasso 34 ; avec petit déj, s/d 340/390 €, ste à partir de 690 € ; tte l'année ;

Vieille de plus de 170 ans, la grande dame de Sorrente est la parfaite icône du charme à l'européenne. D'énormes palmiers en pot ornent les salles communes inondées de lumière et d'antiquités. Les chambres varient en taille et en style, allant de la simplicité de bon goût à l'opulence d'un décor de fresques. Toutes bénéficient d'une vue, soit sur le jardin luxuriant soit sur la mer et le Vésuve. Le livre d'or porte les signatures de Wagner, Goethe, Pavarotti, Sophia Loren et de la famille royale britannique.

HOTEL CAPRI — HÔTEL €€

☎ 081 878 12 51 ; www.albergocapri.it ; Corso Italia 212 ; s/d avec petit déj 100/150 € ; mars-oct ;

Trois-étoiles correct proche de la gare ferroviaire, avec des chambres modernes et confortables, décorées de faïence jaune citron et bleu et de meubles fonctionnels. Elles ne sont pas immenses, mais bénéficient de TV satellite et d'isolation phonique, un luxe pas inutile compte tenu de l'emplacement sur la rue. Le petit déjeuner, servi au restaurant de l'hôtel, est un buffet de jus de fruit, croissants, jambon et fromage.

HOTEL DÉSIRÉ — HÔTEL €

☎ 081 878 15 63 ; www.desireehotelsorrento.com ; Via Capo 31B ; s/d avec petit déj 60/90 € ; mars-déc ; P

Un parmi un groupe d'hôtels de la Via Capo, super affaire pour les voyageurs à petit budget, pas tant pour les chambres simples et ensoleillées, fort convenables, ni pour les commodités (salon TV et terrasse panoramique sur le toit), que pour son ambiance décontractée, son sympathique propriétaire et ses jolies vues. L'ascenseur jusqu'à la plage rocheuse en contrebas est un "plus", même s'il faut payer les parasols et les transats.

HOTEL ELIOS — HÔTEL €

☎ 081 878 18 12 ; Via Capo 33 ; s 40 €, d 70-60 € ; Pâques-nov

Avec une vue que beaucoup d'hôtels du centre feraient payer très cher, l'Elios est une petite pension tenue par une charmante vieille dame. Pas de luxe (en dehors de la vue), juste une hospitalité à l'ancienne et de belles chambres lumineuses. Si la vôtre n'a pas de balcon (ils sont rares), descendez en bas sur la terrasse.

HOTEL LORELEY ET LONDRES — HÔTEL €€

☎ 081 807 31 87 ; fax 081 532 90 01 ; Via Califano 12 ; ch avec petit déj 95 € ; mars-nov

L'élégance s'est estompée depuis longtemps mais le charme demeure, dans cet hôtel qui tourne résolument le dos à la mode. Perché sur la falaise, une situation de choix, il n'a d'yeux que pour le Vésuve – c'est pour lui que l'on y vient, plus que pour le décor intérieur floral un rien délabré. Certaines chambres ont la vue, celles qui l'ont n'ont pas la clim, et inversement, les chambres sans vue ont la clim. À l'extérieur, il n'y a pas mieux que le bar-terrasse-restaurant ombragé donnant sur la mer pour prendre un apéritif (4 €) au coucher du soleil.

HOTEL MICHELANGELO HÔTEL €€€

081 878 12 51 ; www.michelangelohotel.it ; Corso Italia 275 ; s/d avec petit déj 125/210 € ; tte l'année ;

Commodité et confort sont les maîtres mots de ce quatre-étoiles moderne situé sur la route principale d'accès à la ville, près de la gare. Les sols en marbre et terracotta, les œuvres d'art banales et le service courtois laissent une impression agréable. Chambres sans prétentions, un peu anonymes. La piscine est un atout majeur.

HOTEL RIVAGE HÔTEL €€

081 878 18 73 ; www.hotelrivage.com ; Via Capo 11 ; s/d 88/110 € ; mars-oct ;

Plus souvent loué par des groupes que par des individuels, cet hôtel se trouve à l'extrémité ouest de la ville, mais le centre est facilement accessible à pied. Il offre 53 chambres d'une fade blancheur, toutes avec terrasse privative. Wifi, parking (10 €/jour), restaurant correct et solarium sur le toit.

LA TONNARELLA HÔTEL €€

081 878 11 53 ; www.latonnarella.it ; Via Capo 31 ; avec petit déj, d 150-165 €, ste 255-270 € ; avr-oct et Noël ;

Mordernistes s'abstenir. La Tonnarella n'est que faïence bleue et jaune, antiquités, lustres et statues. Chambres classiques, avec mobilier traditionnel et commodités modernes discrètes, la plupart avec balcon ou petite terrasse. Plage privée accessible par ascenseur, et restaurant en terrasse très réputé.

NEFFOLA RESIDENCE APPARTEMENTS €€

081 878 13 44 ; www.neffolaresidence.com ; Via Capo 21 ; prix sur demande uniquement ;

Les 10 appartements indépendants pour 2 à 4 personnes de cette ferme en pierre sont parfaits pour les familles. Tous ont un coin cuisine et une sdb, et la plupart un balcon privatif. Il y a un solarium commun avec vue sur la cime des arbres alentour et au-delà, la mer. Accès gratuit à la piscine du camping voisin, Nube d'Argento.

NUBE D'ARGENTO CAMPING €

081 878 13 44 ; www.nubedargento.com ; Via Capo 21 ; voiture/pers/tente 5/10/10 €, bungalows 2 pers 50-80 €, bungalows 4 pers 65-110 € ; mars-déc ;

Charmant camping à 1 km à l'ouest du centre-ville. Emplacements de tente et bungalows en bois disséminés sous des oliviers à l'ombre bienfaisante. Excellents équipements : les jeunes en particulier apprécieront la piscine découverte, la table de ping-pong, les toboggans et les balançoires.

PENSIONE LINDA PENSION €

/fax 081 878 29 16 ; Via degli Aranci 125 ; s/d 50/75 € ; tte l'année

Oubliez l'environnement urbain des moins pittoresques et l'entrée sombre et rébarbative : cette *pensione*, située à l'étage, est une perle. Tenue par une famille accueillante, elle possède des chambres modernes impeccables avec sdb assez grande et décor standard. Pas de clim mais des ventilateurs en été, et les douches marchent parfaitement. Le bruit des bâtiments alentour peut parfois être gênant.

SANTA FORTUNATA CAMPING €

081 807 35 74 ; www.santafortunata.com ; Via Capo 39 € ; voiture/tente/pers 5/6,50/9 €, bungalows 2 pers 50-60 €, bungalows 4 pers 80-110 € ; mars-oct ;

Vaste camping bien équipé, avec emplacements de tente, 35 bungalows en bois et 25 mobile-homes répartis sur un site verdoyant. Les bungalows (4 pers) comprennent une chambre avec lit double, une autre avec lits superposés, un coin cuisine et une sdb. Inutile et agaçant, le supplément de 2,50 € demandé en juillet et août pour l'usage de la piscine. Cartes de crédit non acceptées.

VILLA ELISA HÔTEL €

081 878 27 92 ; www.villaelisasorrento.com ; Piazza Sant'Antonino 19 ; d/tr/ste 80/100/120 € ; tte l'année ;

Il n'y a pas plus central que cette petite affaire sympathique. Les chambres simples, toutes avec de quoi faire la cuisine, donnent sur une cour où l'on peut s'asseoir pour manger. En haut d'un escalier raide, la suite indépendante (indisponible de mars à juin) dispose d'un minuscule salon, d'une sdb, d'une chambre et d'une cuisine. L'endroit n'est pas grand et les chambres assez petites, mais la machine à laver est un atout et la propriétaire est charmante.

OÙ SE RESTAURER

On ne compte plus, dans le centre-ville, les bars, cafés, trattorias et restaurants, sans oublier un débit de kebabs à emporter. Nombre de ces établissements, notamment ceux ayant des serveurs en gilet postés à l'extérieur, sont des pièges à touristes servant une cuisine inintéressante à des prix très intéressés. Mais tous ne le sont pas et il est parfaitement possible de bien manger. Si vous êtes motorisé, vous aurez accès, dans la campagne alentour, à quelques restaurants merveilleux, entre autres une des meilleures tables de toute l'Italie à Sant'Agata sui due Golfi.

Tâchez de goûter à l'une des meilleures spécialités locales, les *gnocchi alla sorrentina* (gnocchis à la sauce tomate et à la mozzarella).

Plusieurs supermarchés permettent de faire ses courses, dont un **Standa** (Corso Italia 225 ; 8h30-13h20 et 17h-20h55 lun-sam, 9h30-13h et 17h-20h30 dim) dans le centre, et un **Conad** (Via Capo 10 ; 8h30-21h lun-sam et 9h-13h dim), à la limite ouest de la ville.

ANGELINA LAURO — BAR €

081 807 40 97 ; Piazza Angelina Lauro 39-40 ; repas en self-service autour de 12 € ; tlj juil-août, mer-lun sept-juin

On se croirait dans une cantine de lycée, avec ces chaises métalliques et ces lumières vives, mais ce bar d'aspect ordinaire vous permettra de déjeuner copieusement sans trop dépenser. Prenez un plateau au fond et choisissez parmi la sélection du jour de pâtes, viandes et légumes. Vous pouvez rester assis et commander à la carte, mais cela vous reviendra plus cher, autour de 6 € pour des pâtes et à partir de 10 € pour une viande.

DA EMILIA — TRATTORIA €€

081 807 27 20 ; Via Marina Grande 62 ; repas autour de 20 € ; tte l'année, fermé mar mi-sept à avr

Parmi tout un groupe de restaurants du front de mer de Marina Grande, voilà une trattoria familiale typique, accueillante, décontractée et proposant une cuisine simple et classique de pâtes aux moules ou aux clams, de calamars frits et de poissons grillés. Tout est délicieux et copieux. L'*antipasto della casa* (entrée de la maison) réunit jambon, aubergines grillées marinées, *treccia* (fromage local), saumon mariné, anchois, olives et salami.

GELATERIA DAVID — GLACIER €

338 365 06 99 ; Via Marziale 19 ; cornet autour de 2,50 € ; 9h-2h tlj mars-oct

Petit glacier vivement éclairé, près de la gare, affichant une trentaine de parfums différents. La spécialité de la maison est la glace aux spaghettis, mais vous pouvez vous en tenir aux parfums traditionnels : *straciatelle*, pistache, chocolat, fraise, etc. Sans compter les *granite* et les crêpes. Quelques tables en terrasse.

LA STALLA — TRATTORIA €€

081 807 41 45 ; Via Pietà 30 ; repas autour de 25 €, pizzas à partir 4,50 € ; fermé mer

Montez le grand escalier pour rejoindre la vaste terrasse en plein air couverte d'auvents de bambou et flanquée d'un verger d'orangers et de citronniers. Un bataillon de serveurs en noir vont et viennent sans relâche, portant pâtes (bonnes), viandes, poissons et pizzas. Ces dernières sont au-dessus du lot, cuites au feu de bois, arrivant grésillantes, le fromage fondu à la perfection et la pâte commençant tout juste à noircir. Un délice.

MONDO BIO — VÉGÉTARIEN €

081 807 56 94 ; Via Degli Aranci 146 ; en-cas/pâtes 3/6,50 € ; 10h-15h lun-sam tte l'année

Lumineuse boutique-restaurant où l'on défend la cuisine bio et végétarienne, avec un choix (restreint) de pâtes sans viande et de plats de tofu. La carte change tous les jours, mais les *pasta con melanzane* (pâtes aux aubergines) et *polpette di tofu* (boulettes de tofu) sont des standards. Peu de places assises, et l'on peut fureter dans les rayons en attendant qu'une table se libère.

O'PARRUCCHIANO — TRATTORIA €€

081 878 13 21 ; Corso Italia 67 ; repas autour de 22 € ; jeu-mar tte l'année

L'écran vidéo montrant ce qui se passe en cuisine et placé à l'entrée est censé attirer le chaland, mais on aurait aussi bien pu braquer la caméra sur les dîneurs engloutissant de pleines assiettes de cannellonis (inventés ici, dit-on) ou de *gnocchi alla sorrentina*, l'omniprésente spécialité locale. Aussi mémorable que la cuisine, l'intérieur en forme de serre est envahi de plantes vertes luxuriantes.

PHOTO — BAR/RESTAURANT €€€

081 877 36 86 ; Via Correale 19-21 ; repas autour de 40 € ; tte l'année

Avec un look tendance (renouvelé toutes les deux ou trois semaines) et des projections régulières de photos, on est loin, ici, de la trattoria sorrentine traditionnelle. Mi-bar mi-restaurant, Photo propose plusieurs cartes, allant du poisson cru style sushi à des variantes modernes de classiques italiens, tel le carpaccio de bœuf Angus aux feuilles de roquette et copeaux de parmesan. Carte des vins intéressante, avec un choix limité de crus locaux. En hiver, la présence d'un DJ accentue le côté mode.

PRIMAVERA ANTONIO CARFIERO — GLACIER €

☎ 081 807 32 52 ; Corso Italia 142 ; cornets à partir de 2,50 € ; 🕑 8h-23h tlj, jusqu'à 3h en été

Le glacier le plus célèbre de Sorrente, à la surabondance de parfums au choix, notamment au jasmin pour les végétaliens. Tout en dégustant votre glace, admirez les photos des célébrités italiennes qui se sont fait photographier dans la boutique.

RARO FINE FOOD — ÉPICERIE FINE €

☎ 081 878 39 20 ; www.rarofinefood.com ; Vico I Fuoro 18 ; panini/salades 6/7 € ; 🕑 10h-16h et 17h30-24h tlj avr-oct, horaires restreints en hiver

Version branchée de la traditionnelle *salumeria* italienne, cette épicerie moderne propose des repas légers (pâtes et salades), et parmi les meilleurs panini de Sorrente, à base de pain frais et de garnitures traditionnelles (fromage, jambon, tomate). Excellents au déjeuner, sur place ou à emporter. On peut aussi commander des déjeuners emballés et acheter toutes sortes de délices culinaires.

RISTORANTE IL BUCO — RESTAURANT €€€

☎ 081 878 23 54 ; Rampa Marina Piccola 5 ; repas autour de 55 € ; 🕑 fév-déc, fermé mer

Même avec la plus mauvaise foi du monde, on aurait du mal à décrire ce restaurant étoilé au Michelin comme un "trou", puisque tel est son nom. Logé dans un ancien cellier de monastère, c'est une table d'un raffinement qui n'a rien de monastique. L'accent est mis sur la cuisine régionale, avec des combinaisons modernes du type pâtes à la sauce à la rascasse ou à la *treccia* (fromage local), et crevettes roses sur un lit de câpres, tomates et olives. En été, on peut manger en terrasse près de l'une des anciennes portes de la ville. Réservation conseillée.

RISTORANTE SANT'ANTONINO — RESTAURANT €€

☎ 081 877 12 00 ; Via Santa Maria delle Grazie 6 ; repas autour de 23 €, pizzas autour de 6 € ; 🕑 déc-oct

Si vous ne trouvez rien à votre convenance ici, c'est que vous n'aimez pas la cuisine italienne. Balayant tout le spectre, des pizzas aux pâtes en passant par les viandes, poissons, salades et crêpes, la carte est certainement la plus fournie de la ville. Si vous avez la flemme de tout lire, vous pouvez choisir l'un des 4 menus fixes (18/22/26/32 €). On s'y régale, sur la terrasse entourée de verdure et de citronniers.

OÙ PRENDRE UN VERRE

Sorrente peut satisfaire toutes les clientèles : celle qui aime boire des pintes de bière en regardant du sport sur grand écran, celle qui aime siroter des verres de vin dans des bars à vins lambrissés ou des cocktails dans des cafés chic, celle qui aime regarder passer les gens depuis une terrasse au coin d'une place, ou contempler le Vésuve en prenant un apéritif.

BOLLICINE

☎ 081 878 46 16 ; Via dell' Accademia 9 ; 🕑 18h-1h tlj juil et août, mar-dim sept-juin

Bar à vin sans prétention, avec un intérieur en bois sombre et des caisses de bouteilles dans tous les coins. La liste des vins comprend les grands crus italiens et une belle sélection de vins locaux. Les indécis suivront les conseils judicieux du barman. Petite carte de panini, *bruschetta* et un ou deux plats de pâtes.

CAFÉ LATINO

☎ 081 878 37 18 ; Vico I Fuoro 4A ; 🕑 10h-1h tlj avr-sept

L'endroit où venir en amoureux siroter un cocktail (à partir de 7 €) en terrasse, au milieu des orangers et des citronniers. Vous pourrez roucouler au-dessus d'un Mary Pickford (rhum, ananas, grenadine et marasquin) ou d'un verre de vin blanc bien frais. Si vous n'arrivez pas à partir, vous pouvez aussi manger sur place (repas autour de 30 €).

FAUNO BAR

☎ 081 878 11 35 ; Piazza Tasso ; 🕑 déc-oct

Ce café très en vue de la Piazza Tasso occupe la moitié de la place et offre la plus belle terrasse de la ville – mais certainement pas la moins chère (cocktails à partir de 8,50 €, sandwichs à partir de 7 €).

OÙ SORTIR

Pour une cité balnéaire aussi animée que Sorrente, le choix de divertissements s'avère plutôt modeste. En été, des concerts sont donnés dans le cloître de l'église San Francesco, sinon direction le théâtre, pour un bon vieux récital de chansons à l'ancienne.

FAUNO NOTTE CLUB

☎ 081 878 10 21 ; www.faunonotte.it ; Piazza Tasso 1

Concurrent direct du théâtre Tasso, plus anciennement établi, le Fauno propose "un voyage fantastique dans le passé, les légendes et le folklore". En d'autres termes, 500 ans d'histoire napolitaine mis en musique, avec des chants sur la révolte de Masaniello (voir p. 29) et d'autres épisodes pittoresques.

THÉÂTRE TASSO

☎ 081 807 55 25 ; www.teatrotasso.com ; Piazza San Antonino

Music-hall à la mode italienne méridionale, le Teatro Tasso programme le Sorrento Musical (25 €), revue sentimentale de chansons napolitaines classiques (*O Sole Mio, Trona a Sorrent*, etc.). Ce spectacle de 75 minutes (21h30, du lundi au samedi) est à l'affiche de mars à octobre.

ACHATS

Les rues piétonnes du *centro storico* sont l'endroit où faire du shopping. Fermez les yeux sur les répliques de maillots de foot et les souvenirs de pacotille, et ouvrez-les plutôt les objets en marqueterie et le *limoncello*.

Sauf mention contraire, les boutiques citées ci-après sont ouvertes toute la journée jusqu'à une heure tardive en été, et ferment en milieu de journée en hiver.

DISTILLERIE CORREALE — ALIMENTATION ET CADEAUX

☎ 081 877 46 22 ; Via Tasso 20

Une des nombreuses boutiques du centre historique vendant du *limoncello*. Ne manquez pas de goûter avant de faire votre choix dans le vaste assortiment de jolies bouteilles. Vous pouvez aussi faire provision de champignons et d'artichauts marinés, d'huiles d'olive raffinées et de confitures de luxe.

FATTORIA TERRANOVA — ALIMENTATION

☎ 081 878 12 63 ; Piazza Tasso 16

Un *agriturismo* (hébergement à la ferme ; p. 218) proche de Sant'Agata sui due Golfi, dans les collines au sud de Sorrente. On y produit tout ce qui est vendu dans ce magasin : vin, huile d'olive, conserves, confitures, légumes marinés, aromates. L'endroit idéal pour un cadeau alimentaire.

FRANC & GUGLIELMO CUOMO — CADEAUX

☎ 081 878 11 37 ; Piazza Tasso 32

La marqueterie est la spécialité de cette curieuse boutique de la Piazza Tasso. Outre les exquises boîtes à musique, il y a là un choix confondant de jeux d'échecs (jusqu'à 150 €) et toute une ménagerie de porcelaine, notamment un tigre somptueusement kitsch.

GARGIULO & JANNUZZI — CADEAUX

☎ 081 878 10 41 ; Viale Enrico Caruso 1

Un magasin-entrepôt à l'ancienne (1863), où des vendeurs d'un âge vénérable vous pilotent sur trois étages d'artisanat local : vaisselle en céramique, cabinets en marqueterie, dentelle brodée et poterie. Expédition à l'étranger.

LA RAPIDA — CHAUSSURES

☎ 338 877 77 05 ; Via Fuoro 67 ; 🕒 9h-13h et 17h-21h avr-oct, 9h-13h et 15h30-20h le reste de l'année

En traversant le *centro storico*, vous verrez de nombreuses boutiques de sandales en cuir. Tout au bout de la Via Fuoro, cette petite cordonnerie un peu démodée n'offre pas autant de choix que les autres, mais la qualité est la même et les prix plus doux (à partir de 25 €). Réparations assurée (sac déchiré, bouton à recoudre, etc.).

DEPUIS/VERS SORRENTE

Bateau

Depuis le Molo Beverello de Naples, **Alilauro** (☎ 081 878 14 30 ; www.alilauro.it) et **Linee Marrittime Partenope** (LMP ; ☎ 081 807 18 12 ; www.consorziolmp.it) assurent jusqu'à 15 liaisons quotidiennes par hydroglisseur pour Sorrente. Le trajet de 35 minutes coûte 9 €. En août, **Metrò del Mare** (☎ 199 60 07 00 ; www.metrodelmare.com) dessert la même ligne. Le trajet dure entre 50 minutes et une heure et demie selon le nombre d'escales. Le billet, qu'on achète à bord, coûte 4,50 €.

Sorrente est le principal point de départ pour Capri. Ferries et hydroglisseurs circulent toute l'année, toutes les heures en été, moins fréquemment en hiver. Les informations suivantes valent pour la pleine saison. **LMP** propose 20 hydroglisseurs par jour (12 €, 20 min), et **Caremar** (☎ 081 807 30 77 ; www.caremar.it) 4 ferries rapides (7,80 €, 25 min). Tous partent de Marina Piccola, où acheter les billets.

Pour la côte amalfitaine, les ferries **TraVelMar** (☎/fax 089 87 29 50 ; Largo Scario 5,

Amalfi) desservent Amalfi (8 €, 3/jour), tout comme **Metrò del Mare** (☎ 199 44 66 44 ; www.metrodelmare.com), avec 3 liaisons quotidiennes sur Amalfi (7 €).

Bus

Pour rejoindre Sorrente depuis l'aéroport de Capodichino, **Curreri** (☎ 081 801 54 20 ; www.curreriviaggi.it) assure 6 liaisons quotidiennes en bus, partant de l'extérieur du hall des arrivées et arrivant Piazza Angelina Lauro. Le trajet dure 75 minutes et le billet (7 €) s'achète à bord du bus. Beaucoup d'agences privées proposent un transport depuis/vers l'aéroport pour 60 € environ.

Marozzi (☎ 080 579 01 11 ; www.marozzivt.it) assure 2 liaisons depuis/vers Rome en semaine. Partant de la Stazione Tiburtina, à Rome, à 7h et 15h, les bus arrivent à Sorrente respectivement à 10h45 et 19h. Le billet coûte 17 €. En sens inverse, les bus partent de la Piazza Angelina Lauro à 6h et 17h et arrivent à 9h45 et 21h.

SITA (☎ 199 73 07 49 ; www.sita-on-line.it, en italien) dessert Naples (3,20 €, 1 heure 20, 2/jour), la côte amalfitaine et Sant'Agata. Les bus stationnent devant la gare ferroviaire de la Circumvesuviana. Les billets s'achètent au bar de la gare ou dans les boutiques portant le sigle bleu de la SITA. Au moins 12 bus par jour circulent entre Sorrente et Amalfi (2,40 €, 1 heure 30), en passant par Positano (1,30 €, 40 min). Pour Ravello, changez à Amalfi.

Voiture et moto

Si vous venez de Naples et du nord, suivez l'autoroute A3 jusqu'à Castellammare di Stabia, puis la SS145.

Train

Sorrente est le terminus de la ligne **Circumvesuviana** (☎ 081 772 24 44 ; wwww.vesuviana.it) partant de Naples. Dans le sens Sorrente-Naples, des trains partent toutes les demi-heures de la gare, proche du Corso Italia (3,20 € jusqu'à Naples, 1 heure 10), et s'arrêtent à Pompéi (1,80 €, 30 min) et Ercolano (1,80 €, 50 min), pour Herculanum.

COMMENT CIRCULER

Dans Sorrente, la marche à pied est le meilleur moyen de locomotion. Le centre-ville est fermé à la circulation la majeure partie de la journée. Cependant, on peut se rendre en bus au port de Marina Piccola (ligne B, ttes les 20 min de 7h à 23h30), à Sant'Agnello (ligne C, de 7h à 23h30) et à Marina Grande (ligne D, de 7h20 à 0h20). Les billets, valables 90 minutes, coûtent 1 € et sont en vente chez les marchands de tabac et de journaux, et dans les bars.

Pour louer un scooter ou une voiture, vous avez l'embarras du choix. Les grandes agences internationales sont présentes, notamment **Avis** (☎ 081 878 24 59 ; www.avisautonoleggio.it ; Via Nizza 53) et **Hertz** (☎ 081 807 16 46 ; www.hertz.it ; Via degli Aranci 9), en concurrence avec une multitude d'agences locales. Chez **Sorrento Rent a Scooter** (☎ 081 878 13 86 ; www.sorrento.it ; Corso Italia 210A), vous disposerez d'un scooter pour 45 € les 24 heures, et d'une voiture pour 55 € minimum par jour. **Jolly Service & Rent** (☎ 081 877 34 50 ; www.sorrentorent.com ; Via degli Aranci 180) loue de jolies voitures pour 60 € par jour et des scooters 50cc à partir de 30 €.

Pour appeler un taxi, faites le ☎ 081 878 22 04.

À L'EST DE SORRENTE

Plus urbanisé et moins séduisant que la côte à l'ouest de Sorrente, l'est de la ville n'est pas totalement dénué d'intérêt. Il s'y trouve notamment la plus longue plage de sable du secteur, **Spiaggia di Alimuri**, à **Meta di Sorrento**, et 12 km plus loin, les villas romaines de **Castellammare di Stabia** (voir encadré p. 157). Cette localité est par ailleurs dominée par le mont Faito (1 055 m), accessible par le **téléphérique** (aller-retour adulte/19-26 ans/moins de 18 ans 6,71/3,10/2,58 € ; 8 min, environ 30/jour tlj avr-oct) depuis la gare ferroviaire de la Circumvesuviana. Ce mont est l'un des plus élevés de la chaîne des Lattari. Couvert d'épaisses forêts de hêtres, le sommet est un très beau lieu de promenade et offre des vues extraordinaires.

VICO EQUENSE

Connue des Romains sous le nom d'Aequa, Vico Equense (Vico) est une petite bourgade perchée au sommet d'une falaise, à 10 km de Sorrente. Ignorée des touristes étrangers, c'est pourtant un lieu authentique et calme qui mérite une courte visite. Sur la place principale, l'**office du tourisme** (☎ 081 801 57 52; www.vicoturismo.it; Piazza Umberto I; ⏲ 9h-14h et 15h-20h lun-sam, 9h30-13h30 dim mars-oct, 9h-14h et 15h-17h lun-sam nov-fév) vous renseignera utilement sur les points d'intérêt du secteur.

Vico se trouve sur la route côtière SS145, et à 5 arrêts de Sorrente sur la ligne de chemin de fer Circumvesuviana.

À voir et à faire

De la Piazza Umberto I, du XIXe siècle, point focal de la ville, remontez le Corso Filangieri en direction du petit centre historique. L'**église dell'Annunziata** (☎ 081 879 80 04; Via Vescovado; ⏲ 10h-12h dim), ancienne cathédrale de Vico et seule église gothique de la péninsule de Sorrente, se dresse sur un petit balcon surplombant le village de Marina di Equa. Il ne reste pas grand-chose de la structure originale du XIVe siècle si ce n'est les fenêtres latérales près du maître-autel et quelques arcs des bas-côtés. L'essentiel de ce que l'on voit aujourd'hui, y compris la façade abîmée rose et blanc, est baroque XVIIe. Dans la sacristie trônent les portraits des évêques de Vico, tous présents sauf le dernier, Michele Natale, qui fut exécuté pour avoir soutenu la malheureuse République parthénopéenne de 1799 (voir p. 30). Sa place est occupée par un ange un doigt posé sur les lèvres, comme pour avertir l'évêque de garder secrètes ses opinions libérales.

En revenant par le Corso Filangieri, l'**Antiquarium Silio Italico** (☎ 081 801 92 50; Palazzo Municipale; Corso Filangieri 98; entrée libre; ⏲ 9h-13h lun-ven et 15h30-18h30 mar et jeu) conserve une collection d'objets archéologiques des Ve-VIIe siècles av. J.-C. trouvés dans des tombes du voisinage. Bien que le musée soit officiellement ouvert aux horaires indiqués, les gardiens sont rarement présents et vous devrez vous adresser à l'*Ufficio Anagrafico* (dans le même bâtiment – suivez les indications affichées sur la porte) pour qu'on vienne vous ouvrir le musée.

Non loin de là, le **Musée minéralogique** (Museo Mineralogico; ☎ 081 801 56 68; www.museomineralogicocampano.it; Via San Ciro 2; entrée 2 €; ⏲ 9h-13h et 17h-20h mar-sam, 9h-13h dim mars-sept, 9h-13h et 16h-19h mar-sam, 9h-13h dim oct-fév) présente une collection d'environ 5 000 pierres, fossiles et météorites.

Vico est entourée de plusieurs hameaux anciens, appelés *casali*. Ignorés du tourisme de masse, ils offrent un aperçu de la vie rurale, quasiment inchangée depuis des siècles. Mais on ne peut les découvrir qu'en voiture. De Vico, prenez la Via Roma puis la Via Rafaelle Bosco qui fait le tour des *casali* avant de regagner la ville. On notera particulièrement **Massaquano** et la **chapelle Santa Lucia** (ouverte sur demande), réputée pour ses fresques du XIVe siècle ; **Moiano**, d'où un antique sentier grimpe vers le sommet du **mont Faito**, et **Santa Maria del Castello**, qui jouit d'une vue extraordinaire sur Positano.

À 3 km à l'ouest de Vico, **Marina di Equa** a succédé à l'antique cité romaine d'Aequa. Parmi les bars et les restaurants bordant les plages de galets, on remarquera les vestiges de la Villa Pezzolo du Ier siècle de notre ère, une tour défensive, la Torre di Caporivo, et les vestiges d'une carrière médiévale.

Où se restaurer

Vico Equense vaut le détour, ne serait-ce que pour manger ses célèbres *pizze a metro* (pizzas au mètre).

VILLAS VÉSUVIENNES

On a peine à imaginer qu'à la fin du XVIIIe siècle, les 24 km de côte entre San Giovanni a Teduccio et Torre del Greco étaient le lieu de villégiature aristocratique par excellence, surnommé le Miglio d'Oro (le Mille d'or). En total contraste avec l'urbanisation envahissante qui caractérise le secteur aujourd'hui, c'était alors une zone semi-rurale de fermes et de grandes villas.

De fait, la découverte d'Herculanum en 1709 suscita un regain d'intérêt pour cet endroit, après des siècles d'abandon dus aux éruptions récurrentes du Vésuve. En 1738, le roi Charles VII décida de se faire construire un nouveau palais à Portici, entraînant dans son sillage l'aristocratie, soucieuse de ne pas perdre la faveur royale. C'est ainsi que 122 villas confiées aux meilleurs architectes du temps – Luigi Vanvitelli, Ferdinando Fuga, Domenico Antonio Vaccaro et Ferdinando Sanfelice – furent édifiées.

Un très petit nombre, hélas, de ces **ville vesuviane** (villas vésuviennes) sont ouvertes au public. Parmi celles-ci, deux se trouvent à Ercolano (la ville moderne recouvrant Herculanum) : la **Villa Campolieto** (☎ 081 732 21 34; Corso Resina 238; entrée libre; ⏲ 10h-13h mar-dim), grandiose demeure de Vanvitelli ornée d'un gracieux portique, et la **Villa Favorita** (☎ 081 739 39 61; Via G. D'Annunzio 36; entrée libre; parc ⏲ 10h-13h mar-dim), où l'on peut se promener dans le grand parc.

Au mois de juillet, des concerts sont donnés à la Villa Campolieto, dans le cadre du Festival delle Ville Vesuviane, organisé par l'**Ente Ville Vesuviane** (☎ 081 40 53 93; www.vesuviane.net), autorité qui administre les villas.

RISTORANTE ET PIZZERIA DA GIGINO PIZZERIA €€

☎ 081 879 83 09 ; Via Nicotera 15 ; pizza/mètre 12-26 € ; 🕑 12h-1h

Tenue par les 5 fils de Gigino Dell'Amura, l'inventeur de la pizza au mètre, cette pizzeria qui ressemble à une grange (dite aussi "l'université de la pizza") produit journellement des kilomètres de pizza dans ses 3 énormes fours à droite de l'entrée. Le choix de garnitures est vaste, et la qualité supérieure.

À L'OUEST DE SORRENTE

La campagne à l'ouest de Sorrente est l'image exacte de ce que vous êtes venu chercher dans cette partie du monde. Des routes en lacets sillonnent des collines couvertes d'oliviers et de citronniers, traversant des villages endormis et de petits ports de pêche. Des vues sublimes vous attendent à tous les virages, les plus belles se découvrant depuis les hauteurs dominant la **Punta della Campanella**, la pointe ouest de la péninsule. Au large, Capri semble juste éloignée de quelques brasses du rivage.

MASSA LUBRENSE

La première ville traversée en suivant la côte est Massa Lubrense. Perchée à 120 m au-dessus de la mer, c'est une localité éclatée comprenant un petit centre-ville et 17 *frazioni* (fractions ou hameaux), reliés par un écheveau de sentiers et de chemins muletiers. Si vous n'avez ni âne ni mulet, de bonnes routes de liaison sont parcourues par les bus réguliers de la SITA. On se renseignera sur les horaires et les itinéaires des lignes à l'**office du tourisme** (☎ 081 533 90 21 ; www.massalubrense.it ; Viale Filangieri 11 ; 🕑 9h30-13h tlj et 16h30-20h lun, mar et jeu-sam).

Noyau du centre-ville, le **Largo Vescovado** offre une belle vue sur Capri. Sur son flanc nord, l'ancienne cathédrale du XVIe siècle, l'**église Santa Maria della Grazia** (Largo Vescovado ; 🕑 7h-12h, 16h30-20h tlj), mérite une brève visite pour voir son pavement en céramique aux vives couleurs. Depuis la place, une route de 2 km rejoint **Marina della Lobra** (à pied, comptez 20 min pour descendre et 40 min pour remonter), joli petit port dans un écrin de maisons délabrées et de pentes verdoyantes. En route, vous passerez devant l'**église Santa Maria della Lobra** (🕑 6h30-8h et 17h-20h tlj), du XVIe siècle, couronnée par une coupole couverte de carreaux.

C'est en bateau que l'on visitera le plus aisément les criques de la côte, et la marina est le bon endroit pour en louer un. **Coop Marina della Lobra** (☎ 081 808 93 80 ; www.marinalobra.com) est un loueur de bonne réputation.

Où se loger et se restaurer

AGRITURISMO AGRIMAR SÉJOUR À LA FERME €

☎ 081 808 96 82 ; Via Maggio 9 ; B&B 40 €/pers ; 🕑 Pâques-mi-oct ; P

Dans une oliveraie en terrasses sur la route entre Massa Lubrense et Marina della Lobra, cet *agriturismo* des plus rudimentaires ravira ceux qui veulent échapper aux téléphones et aux TV. Nichés au milieu des arbres, 6 bungalows impeccables comprennent un lit double, une minuscule sdh et pas grand-chose d'autre. On a pensé à accrocher des hamacs un peu partout et des transats sont dépliés sur une plate-forme dominant la mer. Dîner servi sur demande.

FUNICULÌ FUNICULÀ BAR/RESTAURANT €€

Via Fontanelle 16, Marina dell Lobra ; repas autour de 23 € ; 🕑 avr-oct

Un bar/restaurant épatant, sur le front de mer, à Marina della Lobra. La carte est naturellement dominée par le poisson, mais elle affiche également de grandes salades et des viandes grillées. Les rations sont énormes et la cuisine délicieuse, comme ces *tubettoni con cozze, rucola e parmigiano* (pâtes tubulaires aux moules, roquette et parmesan).

HOTEL RISTORANTE PRIMAVERA HÔTEL/RESTAURANT €€

☎ 081 878 91 25 ; www.laprimavera.biz ; Via IV Novembre 3G ; s/d avec petit déj 70/100 € ; 🕑 tte l'année ; ❄

Un deux-étoiles familial et accueillant aux chambres fraîches et claires et un joyeux restaurant en terrasse. Décor méditerranéen conventionnel – murs blancs, carrelage floral et mobilier fonctionnel – et les baignoires (dans certaines chambres) sont un luxe inattendu. Comptez autour de 30 € pour un dîner complet.

LA PÉNINSULE À PIED

Formant un grand fer à cheval allant de la **Punta della Campanella** à la **Punta Penna**, la magnifique **baie de Ieranto** est, de l'avis général, le plus beau lieu de baignade de la péninsule de Sorrente. Pour y accéder, vous avez le choix entre le bateau ou la marche à pied depuis Nerano, le raidillon de descente faisant partie d'un sentier plus long de 6,5 km partant de Termini.

Dix-neuf autres sentiers d'un total de 110 km sillonnent le secteur, allant de longues et dures marches d'une journée, comme les 14,1 km de l'**Alta Via dei Monti Lattari** (des collines de Fontanelle près de Positano à la Punta della Campanella), à de courtes balades pouvant se faire en famille.

Les offices du tourisme de la région vous fourniront les cartes détaillées indiquant les itinéraires, classés par couleurs. À l'exception de l'Alta Via dei Monti Lattari, marquée en rouge et blanc, les sentiers longs figurent en rouge sur la carte, les sentiers de côte à côte en bleu, les sentiers reliant des villages en vert et les sentiers en boucle en jaune. Sur le terrain, tous sont assez bien balisés, bien que certaines marques soient devenues quasiment invisibles.

Depuis/vers Massa Lubrense

En voiture, Massa Lubrense se trouve à 20 minutes de Sorrente par une route agréable. Suivez la Via Capo et, passé le panneau annonçant Massa Lubrense, continuez encore pendant 5 minutes avant d'atteindre la Piazza Vescovardo.

Depuis la gare de la Circumvesuviana de Sorrente, des bus **SITA** (☎ 199 73 07 49 ; www.sita-on-line.it, en italien) partent toutes les heures, toute la journée, à destination de Massa (20 min, 1 €).

SANT'AGATA SUI DUE GOLFI

Perchée dans les hauteurs des collines de Sorrente, Sant'Agata sui due Golfi est la plus célèbre des 17 *frazioni* de Massa Lubrense. Jouissant de vues spectaculaires sur la baie de Naples d'un côté et la baie de Salerne de l'autre (d'où son nom de Sainte-Agathe-sur-les-Deux-Golfes), cette tranquille bourgade a conservé son charme rustique, malgré son nombre élevé d'hôtels. On trouvera des renseignements sur le village et ses environs au petit **office du tourisme** (☎ 081 533 01 35 ; www.santagatasuiduegolfi.it ; Corso Sant'Agata 25 ; 🕑 9h-13h, 17h30-21h avr-oct), près de la Piazza Sant'Agata, la place principale.

Pour bénéficier de la vue, le meilleur site est le couvent du **Deserto** (☎ 081 878 01 99 ; Via Deserto ; 🕑 8h30-12h30 et 14h30-16h30 oct-mars, 8h30-12h30 et 16h-21h avr-sept), à 1,5 km du centre. Construit au XVIIe siècle par des carmes, il est aujourd'hui occupé par une communauté de sœurs bénédictines

Dans le centre du village, l'**église de Sant'Agata** (Piazza Sant'Agata ; 🕑 8h-13h et 17h-19h tlj), église paroissiale du XVIIe siècle, est célèbre pour son autel en marbre polychrome. Conçu par le Florentin Dionisio Lazzari en 1654, il s'agit d'une merveilleuse marqueterie en marbre, nacre, lapis-lazuli et malachite.

Où se loger et se restaurer

On peut rejoindre à pied les deux agriturismi mentionnés ci-dessous, mais une voiture est fortement recommandée.

AGRITURISMO FATTORIA TERRANOVA — SÉJOUR À LA FERME €

☎ 081 533 02 34 ; www.fattoriaterranova.it ; Via Pontone 10 ; d avec petit déj 80 € ; 🕑 mars-déc ; P

Prototype du chic rural – sols en pierre, fleurs séchées suspendues à de grosses poutres en bois et grands tonneaux de vin disposés avec art – ce magnifique *agriturismo* offre de petits appartements sur un domaine intensivement cultivé. Ils sont assez simples, mais le cadre est exquis et la piscine un luxe apprécié. Voir p. 214, mention du point de vente des produits de la ferme à Sorrente.

AGRITURISMO LA TORE — SÉJOUR À LA FERME €

☎ 081 808 06 37 ; www.letore.com ; Via Pontone 43 ; s/d avec petit déj 55/90 €, demi-pension/pers 60 € ; 🕑 Pâques-fin oct ; P

Ferme bio en activité, La Tore offre un superbe hébergement hors des sentiers battus. Elle compte 8 chambres ressemblant à des granges et un appartement (5 pers) dans un charmant corps de ferme entouré d'arbres fruitiers. Carreaux de terracotta et lourd mobilier en bois accentuent le charme campagnard. Réduction de 50% pour les enfants entre 2 et 6 ans, de 30% entre 7 et 10 ans s'ils dorment dans la chambre des parents. En hiver, un appartement indépendant est disponible.

LO STUZZICHINO — RESTAURANT €€

☎ 081 533 00 10 ; Via Deserto 1A ; repas autour de 18 € ; 🕑 fermé janv

Dans la rue qui descend de l'église du village. Restaurant/pizzéria où goûter une cuisine à base de produits locaux, à des prix sympathiques : pâtes aux aubergines, tomate mozzarella et grillade mixte. Tables en terrasse en été ou à l'intérieur, simplement décoré de casiers à vin et d'une TV dans un coin.

RISTORANTE DON ALFONSO 1890 — RESTAURANT €€€

☎ 081533 02 26 ; Corso Sant'Agata 11 ; repas 115-125 € ; fermé lun et mar, sauf mar soir juin-sept, fermé nov-début mars ; P

Un deux-étoiles au guide Michelin, considéré comme l'un des meilleurs restaurants d'Italie. Les plats sont préparés avec les produits de la ferme du chef, un domaine de 6 ha à la Punta Campanella. La salle à manger est d'un raffinement absolu et la carte des vins, italiens et étrangers, l'une des plus belles du pays. La carte varie selon la saison, mais le thon au poivre rouge à peine saisi et les pâtes aux clams et aux courgettes sont devenus des spécialités. Réservation indispensable.

Depuis/vers Sant'Agata sui due Golfi

Si vous aimez marcher, vous pouvez suivre le joli sentier de 3 km (1 heure environ) qui sépare Sorrente de Sant'Agata. Depuis la Piazza Tasso, suivez le Viale Caruso puis la Via Fuorimura vers le sud, et prenez le sentier Circumpiso marqué en vert sur la carte des sentiers distribuée dans les offices du tourisme.

Des bus **SITA** (☎ 199 73 07 49 ; www.sita-on-line.it, en italien) partent toutes les heures de la gare de la Circumvesuviana à Sorrente.

En voiture depuis Sorrente, suivez la SS145 vers l'ouest sur 7 km, puis tournez à droite aux panneaux indicateurs.

MARINA DEL CANTONE

Depuis Massa Lubrense, suivez la route côtière jusqu'à **Termini**. Arrêtez-vous un moment pour admirer le panorama et continuez jusqu'à **Nerano**, d'où un beau sentier de randonnée descend vers la stupéfiante **baie de Ieranto** et **Marina del Cantone**. Ce village modeste à la petite plage de galets n'est pas seulement un lieu de villégiature tranquille mais aussi une destination très prisée à l'heure du dîner. Régulièrement, des célébrités débarquent du bateau de Capri comme, récemmment : Bill Gates, Roman Abramovich, Michael Douglas et Catherine Zeta-Jones, entre autres.

Où se loger et se restaurer

LO SCOGLIO — RESTAURANT €€€

☎ 081 808 10 26 ; Marina del Cantone ; repas autour de 50 € ; tte l'année

Le seul des restaurants de Marina directement accessible depuis la mer et adresse favorite des célébrités. Assurément, le cadre laissera des souvenirs : un pavillon de verre entourant une fontaine kitsch sur un ponton en bois. La cuisine est de qualité supérieure. Vous pouvez prendre des *fettucine alla bolognese* et un steack, mais il faut goûter aux magnifiques fruits de mer, notamment à l'antipasto de fruits de mer crus à 20 € et aux *spaghetti al riccio* (spaghettis aux oursins).

PENSIONE LA CERTOSA — HÔTEL €

☎ 081 808 12 09 ; www.hotelcertosa.com ; Marina del Cantone ; ch avec petit déj 85-95 €, pension demi/complète 75/85 €/pers ; tte l'année ;

Vaste hôtel en bord de mer doté d'un bon restaurant en terrasse (repas autour de 30 €) et de chambres modernes ordinaires. Les plafonds bas en bois et les balcons-coffres en béton sont des traits curieux, mais les chambres sont propres et l'hôtel contigu à la plage de galets. Demi-pension obligatoire en août.

VILLAGGIO RESIDENCE NETTUNO — CAMPING €

☎ 081 808 10 51 ; www.villaggionettuno.it ; Via A. Vespucci 39 ; par pers/tente 9/13 €, app 110-215 € ; mars-nov

Situé à l'entrée du village parmi les oliveraies en terrasses, le camping de Marina offre un choix varié d'hébergements (emplacements de tente, appartements pour 2 à 6 personnes, mobil homes pour 2 à 4 personnes), dont le prix varie selon une grille tarifaire saisonnière complexe. Ambiance conviviale et écologique (les déchets sont recyclés), excellents équipements et nombreuses activités proposées. Si les lumières de la ville vous manquent, une navette vous emmènera à Sorrente tous les soirs (départ à 20h30, retour à 23h30).

Depuis/vers Marina del Cantone

Des bus **SITA** (☎ 199 73 07 49 ; www.sita-on-line.it, en italien) circulent 10 fois par jour entre Sorrente et Marina del Cantone (figurant sur les horaires sous le nom de Nerano Cantone, 1 €, 1 heure).

La Spiaggia Grande, Positano (p. 222) DALLAS STRIBLEY

LES VILLES AMALFITAINES

Quintessence de la côte méditerranéenne, la côte amalfitaine est le mélange unique de ce que la nature peut offrir de plus enchanteur.

Avec leurs villas blanches miraculeusement accrochées aux pentes, leurs cabanes de pêcheurs nichées au fond des criques et leurs hôtels de luxe spectaculairement perchés sur des corniches, les villes amalfitaines ne sont à nulles autres pareilles. Des pentes abruptes découpées en terrasses odorantes plantées de citronniers plongent dans une mer bleue et scintillante. Telles des sentinelles, d'énormes figuiers de Barbarie veillent sur les silencieux sentiers de montagne et les bougainvillées font exploser leurs couleurs entre les maisons blanches.

Amalfi, la plus célèbre et la plus visitée des cités de la côte, ancienne capitale d'une puissante république maritime, est devenue la destination privilégiée pour les excursions d'un jour. Son centre est un ensemble plaisant de boutiques de céramique aux vives couleurs, de ruelles secrètes et de restaurants au bord de la plage. Perchée dans les hauteurs, **Ravello** est une hôtesse d'un genre plus sophistiqué avec ses jardins foisonnants et ses vues sublimes. Plus que toute autre, cependant, c'est **Positano** qui comble les attentes visuelles des visiteurs. Vu de la mer, le site s'avère effectivement unique en son genre.

Autour de ces fleurons gravitent une foule de joyaux moins connus : le petit port en amphithéâtre de **Cetara**, célèbre pour sa flotte de thoniers et ses restaurants de poisson ; **Vietri sul Mare**, centre de la vieille industrie céramique de la région et endroit privilégié pour l'achat d'un souvenir ; **Conca dei Marini** et son envoûtante grotte marine, la **Grotte d'émeraude** (Grotta dello Smeraldo) ; et **Marina di Praia** pour la qualité de sa baignade.

La meilleure période pour visiter le littoral est le printemps et le début de l'automne. En été, on roule au ralenti sur l'unique route côtière (SS163) et les prix sont exagérément gonflés, tandis qu'en hiver, une grande partie des hôtels et des restaurants sont fermés.

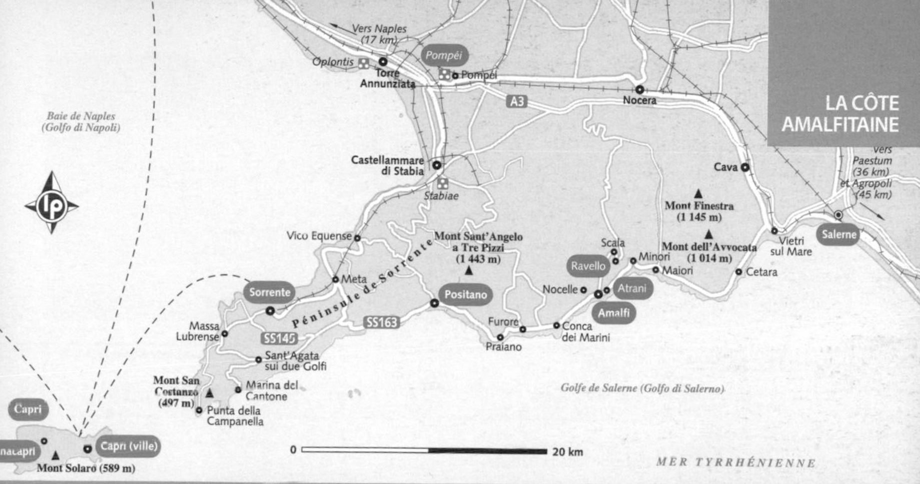

À NE PAS MANQUER

- Le panorama depuis le **Belvédère de l'Infini** (p. 238), à la Villa Cimbrone de Ravello
- Le poisson frais des restaurants du petit port de **Cetara** (p. 242)
- Une promenade au milieu des "beautiful people" dans les rues à la verticale de **Positano** (ci-dessous)
- L'harmonie bienfaisante du **cloître du Paradis** (p. 232), attenant à la cathédrale d'Amalfi
- La découverte d'un lieu de baignade idéal en louant un bateau à **Amalfi** (p. 232)

POSITANO

Avec ses maisons empilées les unes sur les autres comme des spectateurs sur des gradins, et ses jolies couleurs pêche, rose et terre cuite, Positano est incontestablement la ville la plus pittoresque – et la plus photographiée – de la côte. De près, le tableau n'est pas moins coloré quand on arpente ses rues quasi verticales (beaucoup ne sont en fait que des escaliers) bordées de vitrines flamboyantes, d'étals de bijoux, d'hôtels chic et de restaurants distingués.

Toutefois, en y regardant de plus près encore, apparaissent quelques signes rassurants d'une réalité plus prosaïque : stucs effrités, peintures dégradées et, même, parfois, une légère odeur d'égouts. John Steinbeck qui visita la localité en 1953, rapporta dans un article pour *Harper's Bazaar* : « Positano laisse une marque profonde. C'est un endroit de rêve d'une réalité improbable quand vous y êtes, mais insistante dès que vous l'avez quitté. » Positano a réellement quelque chose de particulier, reflété, comme on pouvait s'en douter, dans ses prix qui tendent à être plus élevés qu'ailleurs sur la côte.

ORIENTATION

Positano est divisée en deux parties séparées par une falaise que domine la Torre Trasita. À l'ouest, la partie la moins chère de la ville est adossée à la Spiaggia del Fornillo, une plage plus petite et moins fréquentée que la Spiaggia Grande, à l'est, qui a le centre-ville en toile de fond.

Il est facile de se repérer. La Via G. Marconi, qui part de la SS163, décrit un grand fer à cheval autour et au-dessus de la ville qui s'étage jusqu'à la mer. Le Viale Pasitea, à sens unique, forme une seconde boucle, un peu plus bas, en partant de la Via G. Marconi à l'ouest. Il traverse le centre-ville et remonte vers la Via G. Marconi sous le nom de Via Cristoforo Colombo. Partant du Viale Pasitea, la Via dei Mulini descend vers la Spiaggia Grande.

À VOIR ET À FAIRE

La ville en elle-même est un magnifique, empilement vertigineux de maisons multicolores agrippées à une pente escarpée. Pointant au-dessus des toits sa coupole

RENSEIGNEMENTS

- **Banca dei Paschi di Siena** (Via dei Mulini 4). Distributeur de billets.
- **Banco di Napoli** (Via dei Mulini 20). Distributeur de billets.
- **La Brezza** (089 87 58 11 ; Via del Brigantino 1 ; 15 min 3 € ; 9h30-22h tlj mars-nov). Petite boutique de céramiques avec accès Internet.
- **Office du tourisme** (089 87 50 67 ; Via del Saracino 4 ; 8h-14h et 15h30-20h lun-sam avr-oct, 9h-15h lun-ven nov-mars). Au pied de l'escalier de l'église Santa Maria Assunta.
- **Police** (089 87 50 11 ; angle Via G. Marconi et Viale Pasitea)
- **Positano.com** (www.positano.com). Site superbe donnant des listes d'hôtels et de restaurants, des itinéraires et des infos sur les transports.
- **Poste** (angle Via G. Marconi et Viale Pasitea)

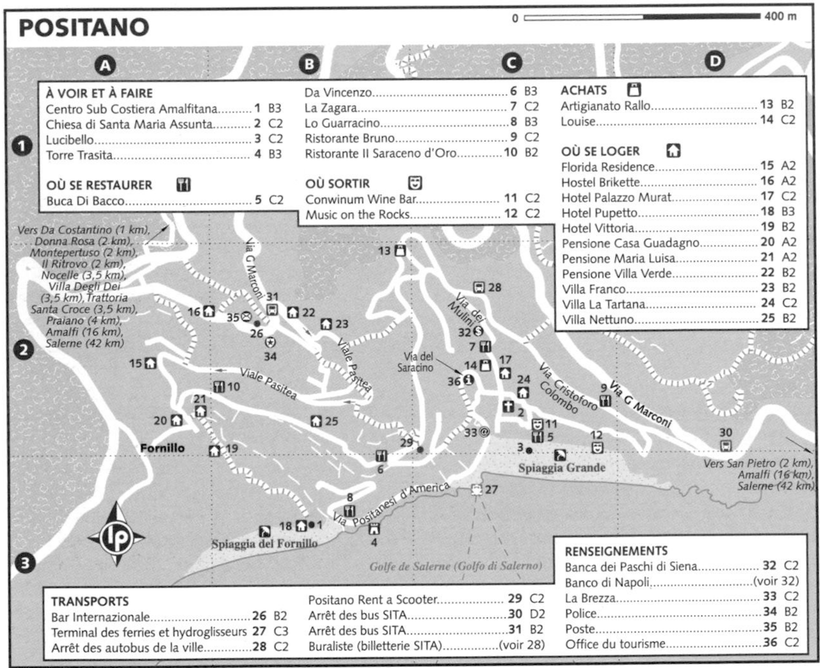

couverte de carreaux de céramique, l'**église Santa Maria Assunta** (Piazza Flavio Gioia ; 8h-12h et 15h30-19h tlj) en est le monument le plus marquant. À l'intérieur, la régularité de l'ordre classique est rythmée par des piliers à chapiteaux ioniques dorés et des angelots ailés au-dessus des arcs. Au-dessus du maître-autel, une Vierge noire à l'Enfant, de style byzantin, date du XIIIe siècle.

De là, on accède très vite à la Spiaggia Grande, qui n'a rien d'une plage de rêve, avec son sable grisâtre et sa légion de parasols bigarrés, mais qui offre une eau propre et un cadre au demeurant exceptionnel. Dans les zones réservées, une chaise et un parasol se louent environ 15 € par personne et par jour. Les bateaux ne sont pas donnés non plus. Installé dans un kiosque sur la Spiaggia Grande, **Lucibello** (089 875 50 32 ; www.lucibello.it ; Spiaggia Grande ; 9h-20h tlj Pâques-nov) loue des petits bateaux à moteur pour 30 € l'heure et organise des excursions en bateau à destination de Capri et de la Grotte d'émeraude (voir p. 229). Sur la Spiaggia del Fornillo, le **Centro Sub Costiera Amalfitana** (089 81 21 48 ; www.centrosub.it) propose des plongées (60 € les 2 heures) et des leçons pour adultes et enfants.

OÙ SE LOGER

Les lieux d'hébergement sont nombreux à Positano, mais si vos moyens sont

LE RUBAN BLEU

Sur une cinquantaine de kilomètres entre Vietri sul Mare et Piano di Sorrento, la SS163, surnommée le **Nastro Azzurro** (le Ruban bleu), est l'une des routes les plus spectaculaires d'Italie. Commandée par Ferdinand II et achevée en 1853, elle longe toute la côte amalfitaine, décrivant une succession de lacets, frôlant des précipices et traversant des tunnels taillés dans la roche. Vraie prouesse de génie civil, c'est aussi une épreuve pour les nerfs des automobilistes qui pourront se mesurer à la dextérité des chauffeurs de bus locaux. Conçue à l'origine pour les voitures à cheval, la route est très étroite par endroits, particulièrement dans les virages en épingle à cheveux. Pour éviter de bloquer le passage aux bus qui viennent en sens inverse, regardez bien dans les miroirs circulaires placés au bord de la chaussée et dressez l'oreille. Si vous entendez un klaxon, ralentissez immédiatement, car il annonce invariablement l'apparition d'un bus. L'essentiel est de rester calme, même si votre bébé est en train de vomir sur le siège arrière et si votre copilote vous presse de regarder la vue au moment où vous vous engagez dans un virage sans visibilité.

limités, vous n'aurez pas beaucoup de choix. La plupart de l'offre se situe dans la tranche supérieure (trois-étoiles et plus) et, comme partout sur la côte amalfitaine, l'été (surtout les week-ends et juillet-août) est une période très active pour laquelle il est indispensable de réserver. L'office du tourisme pourra vous renseigner sur les chambres chez l'habitant ou les appartements à louer.

FLORIDA RESIDENCE HÔTEL €€

☎ 089 87 58 01 ; www.floridaresidence.net Viale Pasitea 171 ; d 85-105 €, app 115 € ; avr-oct ; P

Un établissement sympathique au-dessus du centre-ville, avec quelques atouts : parking gratuit, climatisation (pas dans toutes les chambres) et même une (très) petite piscine. Les chambres propres et simples ne sont pas inoubliables, contrairement à la vue depuis la terrasse, et les appartements équipés de cuisinière et de réfrigérateur permettent de faire des économies appréciables de restaurants.

HOSTEL BRIKETTE AUBERGE DE JEUNESSE €

☎ 089 87 58 57 ; www.brikette.com ; Via G. Marconi 358 ; dort 22-25 €, d 60 €, app 115-180 € ; fin mars-nov ;

Non loin de l'arrêt de bus Bar Internazionale, sur la SS163, une auberge pimpante offrant l'hébergement le moins cher de Positano. Plusieurs options possibles : dortoirs de 6 à 8 personnes (mixtes et non mixtes), chambres doubles, une suite avec grande terrasse privée, et appartements pour 2 à 5 personnes. Plus une longue liste de commodités : blanchisserie, gravure de CD, wifi gratuit, consigne, cours d'italien et de cuisine et massage (1 heure, 30 €). Fermeture des portes à 3h du matin.

HOTEL PALAZZO MURAT HÔTEL €€€

☎ 089 87 51 77 ; www.palazzomurat.it ; Via dei Mulini 23 ; s avec petit déj 120-250 €, d 150-375 € ; mai à mi-jan ;

Parmi les grands hôtels du centre, celui-là a le plus de caractère, hébergé dans un

MARCHER AVEC LES DIEUX

La randonnée la plus célèbre de la côte amalfitaine est sans doute le **Sentiero degli Dei** (sentier des Dieux, 5 heures 30 à 6 heures), qui suit, sur 12 km, les sentiers escarpés et souvent rocheux reliant Positano à Praiano. Le cadre est grandiose, le sentier traversant les paysages les plus sauvages de la région et offrant au passage des vues fantastiques. Il est balisé de traits rouge et blanc badigeonnés sur les rochers et les arbres, mais très estompés par endroits et difficiles à repérer.

Un second itinéraire, plus fatigant, est celui du **Capo Muro** (6 heures 30 à 7 heures). Il suit à peu près le même chemin sur 14 km, passant sous des falaises abruptes et montant à 1 039 m d'altitude. On peut le faire dans les deux sens, mais vous aurez de meilleures vues dans le sens Praiano-Positano.

Pour ces balades, il est recommandé de se procurer une bonne carte, la plus fiable étant celle du Club alpin italien (Club Alpino Italiano) : *Monti Lattari, Peninsola Sorrentina, Costiera Amalfitana: Carta dei Sentieri* (8 €) au 1/30 000.

Pour profiter de panoramas splendides en faisant moins d'efforts, suivez la **Via Positanesi d'America**, un sentier longeant la falaise entre la Spiaggia Grande et la Spiaggia del Fornillo. En chemin, vous pourrez même vous offrir un rafraîchissement à la terrasse de l'**Hotel Pupetto** (p. 224).

palais du XVIIIe siècle, ancienne résidence d'été de Joachim Murat, beau-frère de Napoléon et un temps roi de Naples. À travers le porche d'entrée royal, on aperçoit un luxuriant jardin de bananiers, de callistemons, d'érables palmés et de pins. Les 5 chambres du bâtiment ancien (plus chères) et les 25 de l'annexe plus récente sont aménagées de manière traditionnelle – antiquités, peintures à l'huile originales et profusion de marbre. Wifi dans la cour centrale (5 €/30 min).

HOTEL PUPETTO HÔTEL €€

☎ 089 87 50 87 ; www.hotelpupetto.it ; Via Fornillo 37 ; s avec petit déj 80-90 €, d 130-160 € ; avr à mi-nov ; P

Bordant la Spiaggia del Fornillo, c'est l'hôtel le plus proche qu'on puisse trouver d'une plage. Endroit gai et animé, comprenant un restaurant populaire en terrasse (repas autour de 25 €, cuisine de qualité), un bar à thème nautique et, en haut, de jolies chambres simples avec vue sur la mer.

HOTEL VITTORIA HÔTEL €€

☎ 089 87 50 49 ; www.hotelvittoriapositano.it ; Via Fornillo 19 ; s avec petit déj 75-90 €, d 120-140 € ; P

Dans la partie ouest de la ville, au-dessus de la Spiaggia del Fornillo, un trois-étoiles chaleureux et décontracté sur plusieurs étages. Chambres blanches sans chichis et sans grand caractère, toutes dotées d'une terrasse individuelle. Ascenseur privé pour descendre sur la plage, parking (13 €/jour).

PENSIONE CASA GUADAGNO PENSION €

☎ 089 87 50 42 ; www.pensionecasaguadagno.it ; Via Fornillo 36 ; avec petit déj, s 50-75 €, d 65-90 € ; tte l'année

Dans l'enchevêtrement de la ville haute, pension modeste à des prix raisonnables. 6 chambres au décor de style régional, avec carrelage, couvre-lit à fleurs et petit balcon (tous avec vue sur la mer sauf un). Il n'y a pas beaucoup de superflu, mais l'endroit est impeccable, ensoleillé et confortable.

PENSIONE MARIA LUISA HÔTEL €

☎ 089 87 50 23 ; www.pensionemarialuisa.com ; Via Fornillo 42 ; s 50 €, d 70-80 € ; tte l'année

Éternel favori des voyageurs à petit budget, un petit hôtel de charme, sans rien de clinquant. Les chambres bizarrement démodées, la salle commune ensoleillée (réfrigérateur et machine à café) et le jovial propriétaire vous laisseront un agréable souvenir. Cela vaut la peine de sacrifier 10 € pour bénéficier d'une chambre avec terrasse privée et vue sur la baie.

PENSIONE VILLA VERDE HÔTEL €

☎ 089 87 55 06 ; www.pensionevillaverde.it ; Viale Pasitea 338 ; avec petit déj, s 50 €, d 60-90 €, tr 80-123 € ; P

L'un des 3 seuls une-étoile de Positano que cette *pensione* modeste et vieillotte d'un bon rapport qualité/prix. Douze chambres de belle taille, toutes avec petite terrasse, décor bleu et jaune, et une absence reposante de commodités modernes. TV disponible sur demande, mais à moins que vous ne compreniez l'italien, vous préférerez sûrement admirer la vue depuis votre terrasse. Parking (10 €/jour).

SAN PIETRO HÔTEL €€€

☎ 089 87 54 55 ; www.ilsanpietro.it ; Via Laurito 2 ; ch avec petit déj à partir de 420 € ; avr-oct ; P

Hôtel remarquablement discret compte tenu de sa réputation, perché sur un promontoire à 2 km à l'est de Positano, presque entièrement sous le niveau de la route. En voiture, guettez une cabine téléphonique anglaise rouge au bord de la route. Une fois installé dans vos quartiers, vous ne voudrez plus les quitter. Toutes les chambres, à l'aménagement différent, bénéficient d'une vue spectaculaire, d'une terrasse privée et d'un Jacuzzi. Tennis, piscine semi-circulaire, restaurant étoilé au Michelin et plage privée à 88 m sous la réception (ascenseur).

VILLA FRANCO HÔTEL €€€

☎ 089 87 56 55 ; www.villafrancahotel.it ; Viale Pasitea 318 ; ch avec petit déj 190-340 € ; avr à mi-oct ; P

Hôtel de luxe rutilant, à dominante méditerranéenne bleue et blanche. D'un classicisme absolu, les salles communes inondées de soleil sont remplies d'objets d'art, de plantes dans des pots impressionnants et de luminaires ornementés. Petites chambres adorables décorées de fresques en céramique et dotées d'un balcon avec panorama somptueux. Mais c'est depuis la piscine sur le toit, une des plus belles de Positano, qu'on jouit de la meilleure vue. En bas, petit bar, salle de gym comprenant les appareils les plus perfectionnés, et bain turc. Parking (20 €/jour).

VILLA LA TARTANA HÔTEL €€

☎ 089 81 21 93 ; www.villalatartana.it ; Via Vicolo Vito Savino 6-8 ; d avec petit déj 140-150 € ; avr-oct ;

À quelques mètres de la Spiaggia Grande, une des options les plus abordables dans le luxueux centre de Positano. Chambres sur 3 étages se ressemblant toutes plus ou moins, avec sol bleu, murs blancs et couvre-lit à fleurs ; celles du 3e ont un balcon et les meilleures vues. Il faut monter vos bagages à pied car il n'y a pas d'ascenseur, et pas non plus de salle à manger, ce qui signifie que le petit déjeuner est servi dans la chambre.

VILLA NETTUNO HÔTEL €

☎ 089 87 54 01 ; www.villanettunopositano.it ; Viale Pasitea 208 ; s/d 70/85 € ; tte l'année

Dissimulé derrière un écran de feuillage odorant, le Villa Nettuno séduit par son charme. Prenez une chambre dans la partie ancienne, vieille de 3 siècles, au lourd décor rustique, aux placards à fresques, et avec terrasse commune. Les chambres dans la partie rénovée du bâtiment, aussi intéressantes, manquent de caractère (carrelage vert citron des sdb et mobilier au rabais plutôt décevants). On peut cependant regarder la mer droit devant depuis le lit.

OÙ SE RESTAURER

Ce n'est pas à Positano que vous ferez le repas de vos vacances. La plupart des restaurants, bars et trattorias ne cachent pas leur orientation touristique, privilégiant la quantité de clients sur la qualité de la cuisine. Cela dit, il n'est pas impossible de bien manger, simplement ce plaisir se paye ici plus cher qu'ailleurs. Inutile de préciser que plus on se rapproche de la mer, et en particulier de la Spiaggia Grande, plus les prix montent. Beaucoup d'établissements ferment en hiver, à l'exception d'une brève saison entre Noël et le Nouvel An.

BUCA DI BACCO SNACKS €

☎ 089 81 14 61 ; Viale del Brigantino 35-37 ; en-cas autour de 5 €

Le snack-bar le plus pratique pour les baigneurs de la Spiaggia Grande. Il y a là la liste habituelle d'en-cas, dont des panini bien garnis et de bonnes pâtisseries. À l'étage, le restaurant La Pergola ne joue pas du tout dans la même catégorie. Aussi, à moins que vous ne soyez prêt à débourser 15 € minimum pour une assiette de pâtes ou un plat de résistance, restez au snack-bar.

DA COSTANTINO TRATTORIA €€

☎ 089 87 57 38 ; Via Montepertuso ; repas autour de 20 €, pizzas à partir de 4 € ; fermé mer

Si vous n'êtes pas motorisé, vous serez à coup sûr affamé quand vous arriverez chez Costantino, à 300 m au nord de l'Hostel Brikette, et l'une des trattorias les plus authentiques de Positano (située en fait sur la commune de Montepertuso). On y sert une honnête et simple cuisine italienne, dont des *scialatielli* (pâtes en ruban) aux aubergines, tomate et mozzarella, spécialité de la maison. À la carte également : des pizzas et un choix de viandes grillées qui ne déçoivent pas. Et la vue est extraordinaire.

DALLAS STRIBLEY

DA VINCENZO RESTAURANT €€€

☎ 089 87 51 28 ; Viale Pasitea 172-178 ; repas autour de 35 € ; ⏲ mars-oct, fermé mar midi juil et août

Si vous ne prenez pas habituellement de dessert, faites ici une exception : ils seraient les meilleurs de la ville. On trouve les incontournables baba, tiramisu et crème brûlée, et quelques originaux, telle la mousse à la fraise et à la pistache. Si vous ne voyez aucun des précédents – la carte est renouvelée régulièrement – prenez ce qui vous chante. Pour le reste, poissons et fruits de mer dominent, le service est chaleureux et l'atmosphère élégante, sans prétention. Pour le dîner, mieux vaut réserver.

DONNA ROSA RESTAURANT €€€

☎ 089 81 18 06 ; Via Montepertuso 97-99 ; repas autour de 38 € ; ⏲ mer-lun avr-déc

Les gens du cru savent depuis longtemps que pour bien manger sans payer une fortune, il faut aller à Montepertuso. En haut du village, Donna Rosa, ancienne trattoria familiale devenue un élégant restaurant familial, propose une des meilleures cuisines de la côte. Les pâtes artisanales de la chef, tels les *fusilli al ragù con salsiccia e mozzarella* (fusilli à la sauce à la viande, saucisse et mozzarella) ou les *ravioli alle melanzane* (raviolis aux aubergines) sont particulièrement fameuses. Plats de résistance et desserts à l'avenant, et la carte des vins confondra la plupart des amateurs. Réservation indispensable.

LA ZAGARA CAFÉ/PÂTISSERIE €

☎ 089 87 59 64 ; Via dei Mulini 6 ; ⏲ avr à mi-nov

Tout le monde passe au moins une fois devant cet évident piège à touriste et si tout le monde ne s'y arrête pas, beaucoup le font néanmoins, attirés par l'étalage appétissant de gâteaux (baba géant à la crème à 2,50 €) et d'en-cas salés (parts de pizza et paninis à partir de 3 €). Les serveurs vous pilotent habilement vers les tables, mais la cuisine est bien bonne et la terrasse aux citronniers envahissants tout ce qu'on attend d'un été méditerranéen.

LO GUARRACINO RESTAURANT €€€

☎ 089 87 57 94 ; Via Positanesi d'America ; repas autour de 35 €, pizzas à partir de 8,50 € ; ⏲ mars-déc

Difficile de trouver meilleur emplacement, sur le sentier longeant la falaise entre les deux plages de Positano. La vue panoramique, plus que la cuisine peu exceptionnelle, vous laissera des souvenirs. La carte fait la part belle aux poissons et aux fruits de mer, avec de l'espadon grillé (16 €) et des *tubetti al ragù di mare* (16 €), sans oublier les pizzas et les steacks. L'endroit étant réputé, il est préférable de réserver.

RISTORANTE BRUNO RESTAURANT €€€

☎ 089 87 53 92 ; Via Cristoforo Colombo 157 ; repas autour de 30 € ; ⏲ fermé jeu midi et fév-oct

Ici, pas de décor ni de vue mémorables, mais une délicieuse cuisine, un cran au-dessus de la moyenne positanienne. Spécialités de poissons et fruits de mer, diversement accommodés : en antipasto, par exemple, poisson mariné aux légumes, orange et parmesan ; en primo, des *linguine* aux clams, courgettes et pecorino ; et en plat, la belle simplicité d'un poisson grillé et tranche de citron local. Grand choix de vins italiens.

RISTORANTE IL SARACENO D'ORO RESTAURANT €€€

☎ 089 81 20 50 ; Viale Pasitea 254 ; repas autour de 25 €, pizzas à partir de 5 € ; ⏲ mars-oct

Sur la route d'accès à la ville, le "Sarrasin d'or" ne cesse de s'attirer des éloges. Adresse bourdonnante et réputée pour la gaieté de son service, l'absence de complication de sa cuisine et la modération de ses prix (pour Positano bien sûr). Pizzas excellentes, pâtes goûteuses et profiteroles superbes, qu'elles soient au chocolat ou à la crème au citron. Le petit verre de *limoncello* offert à la fin du repas ne gâte rien, bien au contraire.

OÙ SORTIR

À moins que l'idée de parader avec un pull en cachemire jeté sur les épaules ne vous séduise, les nuits de Positano ne vous offriront pas grand-chose. Davantage piano-bar qu'entrepôt, l'ambiance est sophistiquée, bourgeoise et des plus sûres.

CONWINUM WINE BAR

☎ 089 81 16 87 ; Via Rampa Teglia 12 ; ⏲ 9h-1h mars-déc

À la fois bar à vin, cybercafé (3 €/30 min) et galerie d'art, à deux pas de la Spiaggia Grande, lieu de rendez-vous d'Italiens dans le vent et vêtus comme il faut. Endroit chic donc, aux lumières tamisées, aux murs mandarine et au plafond voûté, baigné d'une musique *lounge* rythmée. Musiciens de jazz le vendredi et le samedi soir (en été uniquement) et dégustations quotidiennes de vin (10 € avec amuse-gueule). Sinon, vous pouvez toujours choisir un vin parmi les 900 de la liste.

MUSIC ON THE ROCKS

☎ 089 87 58 74 ; www.musicontherocks.it ; Via Grotte dell'Incanto 51 ; entrée 10-25 € ; Pâques-oct

Seule véritable discothèque de Positano, aménagée de façon spectaculaire dans la tour qui se dresse à l'est de la Spiaggia Grande. Une des meilleures de la côte, pour clubbeurs au physique avantageux, avec certains des meilleurs DJ de la région, passant de la house conventionnelle et de la disco de bon aloi. En haut, comptez 60 € pour un dîner à La Terrazza.

ACHATS

Que vous aimiez faire les magasins ou non, vous n'échapperez pas aux étalages vivement colorés des boutiques de Positano. Au bout d'un certain temps, cependant, vous risquez de vous fatiguer de la monotonie des articles exposés. L'humble citron occupe une place de choix, pas seulement en *limoncello* et autres bougies parfumées, mais imprimé sur des torchons à vaisselle, des tabliers et de la poterie.

ARTIGIANATO RALLO — CHAUSSURES

☎ 089 81 17 11 ; Viale Pasitea 96 ; 10h-21h30 tlj avr-oct, jusqu'à 18h nov-mars

Tenu par la troisième génération d'une famille de bottiers de Sorrente, cette petite boutique offre un beau choix de sandales artisanales en cuir (à partir de 33 € environ). Et vous pouvez vous faire réaliser la paire de vos rêves sur mesure.

LOUIS — VÊTEMENTS ET ACCESSOIRES

☎ 089 87 51 92 ; Via Dei Mulini 22 ; 9h-22h tlj juin-sept, 9h-13h et 15h-19h oct-mai

La boutique la plus célèbre de Positano, avec un amoncellement de robes, jupes, chemisiers et foulards aux éclatants motifs floraux. Ces articles très particuliers sont dessinés et fabriqués ici depuis 40 ans, sous l'œil vigilant de Louis, doyen de la mode positanienne. Vous pouvez avoir une robe pour 40 € environ.

DEPUIS/VERS POSITANO

Bateau

Les ferries partent du quai à l'ouest de la Spiaggia Grande. De Pâques à octobre, diverses compagnies assurent la desserte des villes de la côte et de Capri :

Alicost (☎ 089 87 14 83 ; Largo Scario 5, Amalfi). Services depuis/vers Salerne (7 €, 5/jour), Ischia (19 €, 1/jour) et Capri (15,50 €, 5/jour).

LMP (Linee Marittime Partenope ; ☎ 081 704 19 11 ; www.consorziolmp.it ; Via Guglielmo Melisurgo 4, Naples). Trois ferries quotidiens depuis/vers Sorrente (7 €).

Metrò del Mare (☎ 199 44 66 44 ; www.metrodelmare.com). Au printemps et en été, services depuis/vers Naples (9 €, 4/jour), Sorrente (6 €, 5/jour), Amalfi (6 €, 6/jour) et Salerne (7 €, 3/jour).

TraVelMar (☎ /fax 089 87 29 50 ; Largo Scario 5, Amalfi). Desserte de Salerne (ferry/hydroglisseur 6,50/7 €, 7/jour), Amalfi (ferry/hydroglisseur 5,50/6 €, 7/jour) et Sorrente (7 €, 3/jour).

Bus

Situé à 16 km à l'ouest d'Amalfi et 18 km de Sorrente, Positano se trouve sur la route côtière SS163. En fait, la route passe juste au-dessus, de sorte que si vous arrivez en bus, vous devrez demander l'arrêt au chauffeur. Il existe 2 principaux arrêts : venant de Sorrente, en face du Bar Internazionale, et venant d'Amalfi, en haut de la Via Cristoforo Colombo. Du premier, on rejoint la ville en suivant le Viale Pasitea ; du second, la Via Cristoforo Colombo. En partant, achetez vos billets au Bar Internazionale ou, si vous allez vers l'est, chez le marchand de tabac en bas de la Via Cristoforo Colombo.

ROCCO FASANO

ESCAPADE À NOCELLE

Petit village de montagne encore relativement isolé, Nocelle (450 m) jouit de points de vue extraordinaires sur la totalité de la côte. À des années-lumière de l'agitation touristique de Positano, c'est un lieu de silence où il ne se passe rien et où personne, du reste, ne souhaiterait qu'il s'y passe quelque chose.

Pour y séjourner, vous disposez de la **Villa degli Dei** (☎ 089812 35 10 ; www.villadeglidei.com ; ch 78-156 € ; tte l'année ;) qui loue 6 mini-appartements indépendants pour 2 et 4 personnes, tous équipés d'une kitchenette et la plupart d'un balcon avec vue panoramique fabuleuse. S'ils ne l'ont pas, vous l'aurez depuis le patio commun. Pour y accéder depuis le parking (où s'arrêtent les bus), descendez l'escalier, suivez le chemin et tournez à gauche. Dépassez le magasin du village, puis la **Trattoria Santa Croce** (ouverte midi et soir en été) et entrez dans la partie principale du village. Continuez jusqu'à ce que vous aperceviez la plaque en céramique à l'entrée.

Le plus simple pour arriver à Nocelle est de prendre le bus depuis Positano (1 €, 30 min, 17/jour). En voiture, suivez les panneaux indicateurs depuis Positano. Les randonneurs qui font le Sentiero degli Dei (voir *Marcher avec les Dieux*, p. 223) peuvent s'y arrêter en chemin.

SITA (☎ 199 73 07 49 ; www.sita-on-line.it, en italien) assure des liaisons fréquentes avec Amalfi (1,30 €, 40 min, plus de 12/jour) et Sorrente (1,30 €, 40 min, au moins 12/jour).

Voiture et moto

En voiture, prenez l'autoroute A3 jusqu'à Vietri sul Mare, puis la SS163. Cependant, le problème n'est pas tant d'arriver à Positano que de savoir quoi faire de son véhicule une fois en ville. À moins que votre hôtel n'ait un parking à vous offrir, vous pourriez être obligé de payer entre 3 et 8 € l'heure une place dans un parking privé comme celui de la Piazza dei Mulini 4.

COMMENT CIRCULER

La marche est le moyen de locomotion suprême, à condition que vos genoux vous permettent de monter et descendre la multitude d'escaliers et de ruelles, heureusement interdites à la circulation. Sinon, vous pouvez prendre les bus orange **Flavia Gioia** (☎ 089 81 30 77 ; Via Cristoforo Colombo 49), qui suivent la rue périphérique inférieure par le Viale Pasitea, la Via Cristoforo Colombo et la Via G. Marconi. Les arrêts sont bien marqués et les billets s'achètent à bord (1 €). Ces bus passent par les 2 arrêts SITA. Il existe aussi 17 bus quotidiens à destination de Montepertuso et Nocelle.

Pour louer un scooter, essayez **Positano Rent a Scooter** (☎ 089 812 20 77 ; Viale Pasitea 99 ; 50 €/jour minimum).

DE POSITANO À AMALFI

PRAIANO

Ancien port de pêche, Praiano est le prototype du village côtier, dépourvu de centre proprement dit. Ses maisons blanches s'étalent sur la pente verdoyante du mont Sant'Angelo, qui s'abaisse vers le Capo Sottile. Ancien centre important de fabrication de la soie, la bourgade eut les faveurs des doges d'Amalfi, qui y possédèrent leur résidence d'été.

Dans le village haut, l'**église San Luca** (☎ 089 87 41 65 ; Via Oratorio 1), du XVIe siècle, renferme un magnifique pavement en céramique et des peintures attribuées à Giovanni Bernardo Lama, un artiste du XVIe siècle. Mais c'est surtout la petite plage de **Marina di Praia** qui attire les visiteurs à Praiano. Depuis la SS163 (à côté de l'Hotel Continentale), un sentier en pente raide descend vers une crique minuscule aux eaux très tentantes bordées d'une étroite bande de sable grossier. La meilleure plage se trouve derrière les rochers, juste avant d'arriver en bas. Deux bars et un restaurant de poisson très correct occupent d'anciennes maisons de pêcheurs.

Où se loger et se restaurer

DA ARMANDINO RESTAURANT €€€

☎ 089 87 40 87 ; Via Praia 1 ; repas autour de 35 € ; avr-oct

Sur la plage de Marina di Praia, une table décontractée où se régaler de poisson tout juste pêché. Le poisson du jour est donc toujours excellent, tout comme les plats à la carte. Cadre exceptionnel, au pied des falaises couronnées par la route en corniche, et atmosphère de vacances.

HOTEL CONTINENTALE & LA TRANQUILLITA
HÔTEL €

☎ 089 87 40 84 ; www.continental.praiano.it ; Via Roma 21 ; s 40-60 €, d 60-85 €, app 850-1 250 €/sem, mini-app 400-800 €, tente 30 € ; ⌚ ch avr-oct, app tte l'année

Sur la route juste à l'est de Praiano, cet hôtel faisant bon accueil aux gays offre toute une gamme d'hébergements : de superbes chambres blanches avec vue sur la mer, 2 grands appartements indépendants et 3 petits (pouvant loger 4 personnes), ainsi que 15 emplacements de tente sur une série de terrasses verdoyantes. Depuis la terrasse inférieure, un escalier privé descend vers une plate-forme rocheuse sur la mer. Les bus s'arrêtent juste devant l'hôtel.

Où sortir

AFRICANA

☎ 089 87 40 42 ; Marina di Praia ; ⌚ Juin-sept

Les gens du pays vous diront que l'Africana n'est plus ce qu'il était depuis la mort de son ancien propriétaire, mais l'endroit mérite qu'on lui sacrifie une soirée, ne serait-ce que pour le cadre, singulier : une série de grottes proches de la plage de Marina di Praia. À travers la piste de danse vitrée, on voit l'eau de mer éclairée de lumières multicolores, un spectacle planant après un ou deux de verres de trop.

FURORE

Il eſt difficile d'imaginer que Marina di Furore, petit port de pêche récemment reſtauré, fut autrefois une active cité commerçante. C'eſt pourtant ce qu'elle fut au Moyen Âge, sa position naturelle exceptionnelle la mettant à l'abri des raids ennemis et lui procurant l'eau nécessaire à ses moulins à farine et à papier.

Fondée par des Romains fuyant les incursions barbares, la bourgade eſt établie au fond de ce qu'il eſt convenu d'appeler le fjord de Furore, une crevasse géante dans les monts Lattari. Le village principal, situé 300 m plus haut dans le Vallone del Furore, eſt un bourg très isolé, à l'écart du passage touriſtique, où l'atmosphère eſt reſtée rurale, en dépit de ses fresques colorées et de ses sculptures modernes incongrues. On y trouvera également un merveilleux *agriturismo*.

Pour arriver en voiture au village haut, suivez la SS163 puis la SS366 en direction d'Agerola. C'eſt à 15 km de Positano. Sinon, des bus SITA partent régulièrement de la gare routière d'Amalfi (1 €, 30 min, 17/jour).

Où se loger

AGRITURISMO SERAFINA
SÉJOUR À LA FERME €

☎ 089 83 03 47 ; www.agriturismoserafina.it ; Via Picola 3, Loc. Vigne ; ch avec petit déj 30-35 €, demi-pension 45-50 € ; ⌚ tte l'année ;

On ne peut être plus loin de tout que dans ce superbe *agriturismo* comptant 7 chambres impeccables et climatisées dans le corps de ferme principal, chacune avec petite terrasse et vue sur les terrasses verdoyantes en contrebas. Les repas sont servis sur la terrasse centrale ou, en hiver, dans la lumineuse salle à manger. La nourriture, bien sûr, est faite quasi exclusivement à partir des produits de la ferme (salami, pancetta, vin, huile d'olive, fruits et légumes).

CONCA DEI MARINI

À 4 km à l'oueſt d'Amalfi, Conca dei Marini abrite l'un des sites les plus populaires de la côte, la **Grotta dello Smeraldo** (Grotte d'émeraude ; entrée 5 € ; ⌚ 9h-16h mars-oct, 9h-15h nov-fév), une envoûtante grotte ainsi nommée en raison de l'étrange lumière émeraude émanant de l'eau de mer. Des ſtalactites descendent du plafond planant à 24 m de hauteur, tandis que les ſtalagmites s'élancent jusqu'à 10 m de haut. Chaque année, le 24 décembre et le 6 janvier, des plongeurs en maillot de bain venus de toute l'Italie font un pèlerinage traditionnel à la crèche en céramique immergée dans la mer.

Des bus SITA passent régulièrement devant le parking situé au-dessus de l'entrée de la grotte (d'où l'ont rejoint les canots à rames par un ascenceur ou un escalier). Autrement, deux bateaux de l'agence **Coop Sant'Andrea** (☎ 089 87 31 90 ; www.coopsantandrea.it ; Lungomare dei Cavalieri 1) partent chaque jour d'Amalfi (10 € aller-retour), à 9h et 15h30. Comptez 1 heure 30 pour l'excursion complète.

CRAIG PERSHOUSE

AMALFI

Absolument rien dans les piazzas ensoleillées et la petite plage de la ravissante cité d'Amalfi ne laisse soupçonner son importance passée : celle d'une capitale d'une puissante république maritime qui comptait jadis plus de 70 000 habitants. La bourgade se traverse en effet aujourd'hui à pied en 20 minutes et l'on cherche en vain des monuments importants. L'explication fait froid dans le dos : la majeure partie de la vieille ville et toute sa population ont tragiquement coulé dans la mer lors du tremblement de terre de 1343.

Aujourd'hui, la cité ne compte pas plus de 5 000 résidents, mais ce nombre augmente considérablement durant les mois d'été, au cours desquels les touristes affluent par cars entiers. La plupart se cantonnent au programme habituel : un tour rapide de la **Piazza del Duomo** et de la **cathédrale**, un peu de lèche-vitrine dans la Via Lorenzo d'Amalfi, et un repas à la terrasse de l'une des trattorias. Ce qui, au demeurant, est à peu près tout ce que l'on peut faire ici. Mais, plus que les monuments, c'est la beauté de son cadre propice aux balades sans but et aux déjeuners interminables qui fait tout le charme d'Amalfi.

Juste derrière le cap, la charmante bourgade voisine, **Atrani**, se présente comme un labyrinthe de pittoresques ruelles à arcades et de maisons blanches, centré sur une place vibrante de vie locale et sur une plage réputée.

ORIENTATION

Bus et bateaux vous déposent sur la Piazza Flavio Gioia, nœud de communication de la ville. En traversant la rue, vous accéderez à la Piazza del Duomo, centrale. La plupart des hôtels et des restaurants sont situés dans les petites rues adjacentes à l'artère principale, la Via Lorenzo d'Amalfi et son prolongement, la Via Capuano, qui court au nord. Sur le bord de mer, le Corso delle Repubbliche Marinare suit la côte vers l'est, et devient la Via Pantaleone Comite, qui se dirige vers la tour sarrasine, à la pointe du cap. Il vous suffira de continuer de l'autre côté, de traverser le tunnel et enfin de tourner à droite pour se retrouver à Atrani.

À VOIR ET À FAIRE

Cathédrale

Dominant la Piazza del Duomo, l'imposante **Cattedrale di Sant'Andrea** (☎ 089 87 10 59 ; Piazza del Duomo ; 🕑 9h-19h avr-juin, 9h-21h juil-sept, 9h30-17h15 oct et mars, 10h-13h et 14h30-16h30 nov-fév) se dresse en haut d'un escalier monumental. Elle date en partie du début du Xe siècle, mais sa façade à mosaïques polychromes, particulièrement

RENSEIGNEMENTS

- **Altra Costiera** (☎ 089 873 60 82 ; www.altracostiera.com ; Via Lorenzo D'Amalfi 34 ; 🕑 9h-21h tlj mai à mi-sept, fermé dim le reste de l'année). Accès Internet (15 min 2 €), aide à l'hébergement, organisation de promenades à pied et autres circuits, location de scooters (à partir de 45 €/jour, essence non comprise).
- **Deutsche Bank** (Corso Repubbliche Marinare). Voisine de l'office du tourisme ; distributeur de billets.
- **Farmacia del Cervo** (☎ 089 87 10 45 ; Piazza del Duomo ; 🕑 8h30-13h et 17h-21h lun-ven). Pharmacie.
- **Office du tourisme** (☎ 089 87 11 07 ; www.amalfitouristoffice.it ; Piazza Flavio Gioia 3 ; 🕑 8h30-13h30 et 15h-17h15 lun-ven, 8h30-12h sam, après-midi ouvert jusqu'à 19h15 lun-ven juil et août). Horaires de bus et de bateaux, quelques cartes mais pas grand-chose d'autre.
- **Poste** (☎ 089 87 29 96 ; Corso Repubbliche Marinare). À côté de l'office du tourisme.
- **Toilettes** (0,50 €). Juste à l'extérieur de l'office du tourisme.
- **Travel Tourist Office Divina Costiera** (☎ 089 87 24 67 ; Piazza Flavio Gioia 3 ; 🕑 8h-13h et 14h-20h tlj). Vente de billets de bus et de bateau, organisation d'excursions, réservations d'hôtels (commission 3 €) et consigne (3 € par bagage).

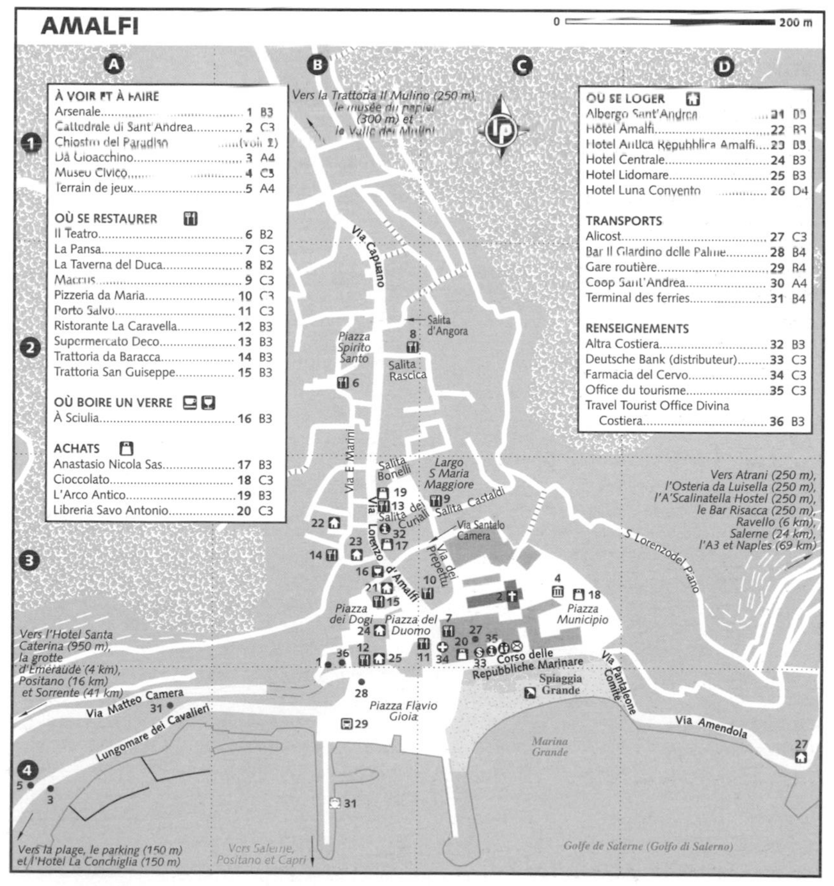

Cathédrale Sant'Andrea (p. 230) JENNY JONES

étonnante, a été reconstruite à deux reprises, la dernière à la fin du XIXe siècle. Bien que l'édifice soit de caractère hybride, le style arabo-normand de Sicile prédomine, notamment dans la maçonnerie bicolore et le campanile du XIIIe siècle. Les grandes portes en bronze méritent également l'attention. Ce sont les premières du genre en Italie, qui furent commandées par un noble local à un atelier syrien et transportées par bateau jusqu'à Amalfi. L'intérieur, baroque, est moins impressionnant. On peut néanmoins y admirer de belles statues d'autel et quelques mosaïques des XIIe et XIIIe siècles. En saison, de 10h à 17h, l'entrée se fait par le Chiostro del Paradiso, attenant, ce qui signifie que vous devez payer 2,50 €.

À gauche du portique de la cathédrale, le **cloître du Paradis** (Chiostro del Paradiso ; ☎ 089 87 13 24 ; adulte/enfant 2,50/1 € ; 🕑 9h-19h juin-oct, 9h-13h et 14h30-16h30 nov-mai) vaut largement le petit droit d'entrée. Construit en 1266 pour accueillir les tombes des citoyens illustres, c'est un modèle d'élégance architecturale, avec son péristyle de 120 colonnes en marbre supportant des arcs arabes élancés entourant un jardin central. Du cloître, on accède à la basilique del Crocefisso qui renferme divers objets religieux exposés dans des vitrines et quelques fresques délavées du XIVe siècle. Au sous-sol se trouve une crypte de 1206 où sont conservés les restes de saint André.

Musées

Occupant une salle de l'hôtel de ville, le **Musée municipal** (Museo Civico ; ☎ 089 87 10 66 ; Piazza Municipio ; entrée libre ; 🕑 8h30-13h lun-ven) conserve, entre autres documents historiques, les *Tavole Amalfitane*, un ancien manuscrit du code maritime d'Amalfi. Vous pouvez prendre une feuille-guide éclairant la visite au guichet situé à mi-hauteur de l'escalier d'entrée.

L'autre musée notable est le fascinant **musée du Papier** (Museo della Carta ; ☎ 089 830 45 61 ; www.museodellacarta.it ; Via delle Cartiere ; entrée 3,70 € ; 🕑 10h-18h30 avr à mi-nov, 10h-15h mar, mer et ven-dim reste de l'année), installé dans un moulin à papier du XIIIe siècle (le plus vieux d'Europe). Là, sont conservées avec amour les presses d'origine, en parfait état de marche comme vous pourrez le constater pendant la visite guidée de 15 minutes (en anglais). La papeterie vendue à la boutique fait un joli cadeau souvenir.

Remontant à l'époque de la grandeur maritime d'Amalfi, le vaste **arsenal** (Arsenale ; Via Matteo Camera ; entrée libre ; 🕑 9h-13h30 Pâques-sept) était autrefois le grand chantier naval de la ville. Il accueille aujourd'hui des expositions temporaires.

Plages et bateau

Amalfi ne laisse pas de souvenir impérissable en matière de baignade. La **Spiaggia Grande**, 150 m d'un sable grossier, n'est pas très attirante, même si les visiteurs se pressent chez les plagistes du Corso delle Repubbliche Marinare. À une quinzaine de minutes à pied de là, **Atrani** possède aussi une petite plage de sable noir.

Si vous avez vraiment envie de nager, vous avez intérêt à louer un bateau. Plusieurs prestataires sont installés le long du Lungomare dei Cavalieri, dont **Da Gioacchino** (☎ 328 649 41 92 ; www.amalfiboats.it ; Spiaggia del Porto, Lungomare dei Cavalieri), qui loue des bateaux (à partir de 50 €/2 heures) et propose des excursions le long de la côte.

Si vous avez des enfants, vous pourrez les emmener au **manège** et au **trampoline**, situés à proximité de cette agence, et à quelques mètres de là, de l'autre côté de la rue, il y a une **aire de jeux** en piteux état, avec toboggan et cage à poules.

FÊTE

La **Régate des Quatre Anciennes Républiques maritimes**, organisée en alternance à Amalfi, Venise, Pise et Gênes, a lieu le premier dimanche de juin. Le tour d'Amalfi reviendra en 2009.

OÙ SE LOGER

Si Amalfi attire principalement des visiteurs d'un jour, son parc hôtelier est assez étoffé, surtout en catégories moyenne et supérieure. Mieux vaut cependant réserver, les mois d'été étant très chargés, et l'offre restreinte en hiver. Si vous êtes en voiture, cherchez plutôt un hôtel avec parking, car le stationnement dans la rue pose problème.

ALBERGO SANT'ANDREA HÔTEL €

☎ 089 87 11 45 ; Via Santolo Camera ; s/d 50/80 € ; ⏲ mars-oct ; ❄

Profitez de l'animation de la Piazza del Duomo confortablement installé dans votre chambre. Juste en face de la cathédrale, ce modeste deux-étoiles loue des chambres sommaires qui n'en ont pas moins tout ce qu'il faut : elles sont propres, la TV et la clim fonctionnent, l'eau chaude marche et les tarifs sont raisonnables. Seule ombre au tableau : le bruit de la place. La même famille tient le Ristorante Pizzeria Sant'Andrea, de l'autre côté de la place.

A'SCALINATELLA HOSTEL AUBERGE DE JEUNESSE €

☎ 089 87 14 92 ; www.hostelscalinatella.com ; Piazza Umberto I ; avec petit déj, dort 21-25 €, d 73-83 €, d avec sdb commune 50-60 € ; 💻

Juste derrière le cap, à Atrani, cette auberge rudimentaire loue des dortoirs à 10 lits et des chambres, ainsi que des appartements un peu partout dans le village. Tout superflu est banni ; n'attendez rien d'autre qu'un lit et l'eau courante, mais vous profiterez des commodités habituelles aux auberges (Internet, buanderie et cuisine) et d'une tonique ambiance de voyageurs. Fermeture des portes à 2h du matin.

HOTEL AMALFI HÔTEL €€

☎ 089 87 24 40 ; www.starnet.it/hamalfi ; Vico dei Pastai 3 ; avec petit déj, s 60-120 €, d 80-160 € ; P ❄

Confortable trois-étoiles familial situé dans une petite rue à deux pas de la grande artère piétonne. Les chambres, dont certaines avec balcon, ont un sol en céramique et des sdb modernes. En haut, le jardin suspendu est un endroit tranquille pour prendre un verre. Parking (18-20 €/jour).

HOTEL ANTICA REPUBBLICA AMALFI HÔTEL €€

☎ 089 873 63 10 ; www.starnet.it/anticarepubblica ; Vico dei Pastai 2 ; ch 90-160 € ; ⏲ tte l'année ; ❄

Hôtel chic douillettement installé dans un palais blanc du XIe siècle. À l'intérieur, vous aurez toute la chaleur des sols en terre cuite, des vases en poterie, des céramiques florales et des lampes en fer forgé. En haut, les chambres sont décorées avec goût à défaut d'être grandes. Petit déjeuner servi sur la terrasse panoramique du toit.

HOTEL CENTRALE HÔTEL €€

☎ 089 87 26 08 ; www.hotelcentraleamalfi.it ; Largo Piccolomini 1 ; avec petit déj, s 70-100 €, d 85-135 €, tr 125-165 €, q 140 € ; ⏲ tte l'année ; P ❄

Un des meilleurs rapports qualité/prix d'Amalfi. L'entrée donne sur une toute petite place du centre historique mais beaucoup de chambres donnent en fait sur la Piazza del Duomo. Ce sont de belles chambres récentes à carrelage bleu et jaune, murs blancs et sdb immaculée. Certaines ont même un balcon. Bonus supplémentaires : petit déjeuner sur la terrasse du toit et parking (16 €/jour).

HOTEL LA CONCHIGLIA HÔTEL €

☎ /fax 089 87 18 56 ; Lungomare dei Cavalieri ; d 100 €, demi-pension par pers 80 € ; ⏲ Pâques-oct ; P

Une des rares options pour voyageurs à petit budget d'Amalfi. Hôtel plein de caractère, à 5 minutes à pied du centre, sur le front de mer après la marina. Là, rien de très pittoresque mais les chambres aux murs blancs sont assez confortables et meublées à l'ancienne. Le parking est un avantage certain. Demi-pension obligatoire de juillet à mi-septembre.

HOTEL LIDOMARE HÔTEL €€

☎ 089 87 13 32 ; www.lidomare.it ; Largo Duchi Piccolomini 9 ; s/d avec petit déj 50/110 € ; ⏲ tte l'année ; ❄

Sympathique hôtel familial plein de caractère. Les chambres spacieuses ont un véritable air de noblesse avec leur décor d'un séduisant désordre, leurs carreaux démodés et leurs belles antiquités. Certaines (comme la 31) disposent même d'un Jacuzzi, d'autres (la 57, entre autres) ont vue sur la mer. Parmi tout ce bric-à-brac, on notera la crèche géante dans le vestibule.

HOTEL LUNA CONVENTO HÔTEL €€€

☎ 089 87 10 02 ; www.lunahotel.it ; Via Pantaleone Comite 33 ; s avec petit déj 160-200 €, d 180-220 € ; tte l'année ; P

La cour centrale de cet hôtel – un ancien monastère franciscain de 1226 – est certainement l'une des plus belles qu'on puisse trouver en Italie, et un merveilleux endroit pour prendre un verre. Chambres aménagées dans les cellules, qui n'ont plus rien de monastique, avec carreaux colorés, balcons et vue panoramique sur la mer. Certaines comportent même même des fresques religieuses au-dessus du lit. De l'autre côté de la route, la tour sarrasine renferme un restaurant et une piscine d'eau de mer. Parking (20 €/jour) sur demande.

HOTEL SANTA CATERINA HÔTEL €€€

☎ 089 87 10 12 ; www.hotelsantacaterina.it ; Strada Amalfitana 9 ; d 250-700 €, ste à partir de 500 € ; mars-oct ; P

Un monument d'Amalfi et l'un des hôtels les plus célèbres d'Italie. Le luxe à son comble : du service discret aux fabuleux jardins, de la plage privée (en fait, plutôt une plate-forme qu'une plage) aux chambres somptueuses. Et la vue est l'une des plus belles de la côte. Les mariés en lune de miel opteront pour la suite Roméo et Juliette, une maisonnette dans un coin pittoresque du domaine, entre 650 et 1 300 € la nuit, une affaire !

OÙ SE RESTAURER ET PRENDRE UN VERRE

Naturellement, la plupart des restaurants du centre et de ses abords travaillent avec les touristes. Mais qu'on se rassure, le niveau est assez élevé et il est rare (mais pas impossible, cependant) de mal manger. La plupart des établissements servent des pizzas, les meilleures étant cuites au feu de bois dans des fours traditionnels (signalés par la mention *forno a legna*), et un choix de pâtes, de viandes grillées et de poissons. La vie nocturne est très discrète et du genre café avec terrasse sur la rue plutôt que pub bruyant. Atrani est un peu plus dévergondée, sans excès néanmoins.

Pour faire vos courses, vous disposez d'un supermarché **Deco** (**Salita dei Curiali ; 8h-13h30 tlj et 17h-20h30 lun-sam**).

À SCIULIA SNACKS €

☎ 339 589 36 08 ; Via Fra Gerardo Sasso 2 ; granita 5 € ; 10h-2h tlj mars à mi-nov

La meilleure *granita* au citron de la ville. Petite boutique aux couleurs vives où l'on vend aussi sorbets, yoghourts et salades de fruits, tous préparés sur place et délicieux.

BAR RISACCA BAR €

☎ 089 87 28 66 ; Piazza Umberto I 16, Atrani ; pizza/bruschetta à partir de 4/3 €

Bar très animé, populaire auprès des jeunes voyageurs logeant à l'auberge voisine A'Scalinatella. La musique bastonne pendant que des étudiants bronzés sirotent des cocktails et des bières sur des tables carrées. Happy-hours entre 18h et 20h. Pizza et bruschetta pour calmer une petite faim.

IL TEATRO TRATTORIA €€

☎ 089 87 24 73 ; Via Herculano Marini 19 ; repas autour de 25 € ; jeu-mar fév-déc

Une des meilleures trattorias, nichée dans les rues blanches du centro storico. Tables en terrasse dans la ruelle, ou à l'intérieur dans la vaste salle décorée de photos en noir et blanc et d'objets divers. Le poisson prédomine sur la carte, avec des plats tels que des *spaghetti e cozze* (spaghettis aux moules) ou *farfalle con gamberi e rucola* (*farfalle* aux crevettes et à la roquette). Viandes également et quelques bonnes options végétariennes, dont des *scialatielli* à la tomate et à l'aubergine.

LA PANSA CAFÉ €

☎ 089 87 10 65 ; Piazza del Duomo 40 ; cornettos et pâtisseries à partir de 1,50 € ; mer-lun tte l'année

Café chic sur la Piazza del Duomo servant un magnifique petit déjeuner italien : *cornetto* tout frais et cappuccino mousseux. Grand choix de gâteaux, tous faits sur place et irrésistibles.

LA TAVERNA DEL DUCA RESTAURANT €€€

☎ 089 87 27 55 ; Piazza Spirito Santo 26 ; repas autour de 35 €, pizzas à partir de 6 € ; ven-mer tte l'année

Restaurant reputé, surtout pour son poisson. Les plats du jour varient selon l'arrivage, avec éventuellement un *carpaccio di baccalà* (carpaccio de morue) ou des *linguine* aux scampi. Pour le reste, on trouve un steack au vinaigre balsamique et de très bonnes pizzas. La salle en bois sombre est tapissée de bouteilles poussiéreuses et de peintures. Au coin d'une petite place à distance du centre, avec quelques tables en terrasse.

MACCUS RESTAURANT €€€

☎ 089 873 63 85 ; Largo S Maria Maggiore 1-3 ; repas autour de 38 € ; 🕒 19h30-22h30 mer-dim

Un cadre intime et élégant et une cuisine supérieure à la moyenne. La carte change tous les jours, avec une prédominance de poisson, tel l'espadon à la tomate et à l'huile d'olive, ou les *paccheri* (grosses pâtes tubulaires) à la rascasse. Desserts originaux et goûteux, notamment la Coppa Maccus, mélange de gâteau de Savoie, mascarpone, rhum, torrone et amaretto. On peut manger en terrasse sur la toute petite place ou dans la jolie salle, à l'éclairage tamisé.

OSTERIA DA LUISELLA TRATTORIA €€€

☎ 089 87 10 87 ; Piazza Umberto, Atrani ; repas autour de 30 € ; 🕒 jeu-mar tte l'année

Une cuisine fameuse, de l'animation et un cadre chaleureux sont ici les ingrédients du succès. Située sous les arcades de la Piazza Umberto I, à Atrani, cette *osteria* est réputée pour ses mets régionaux à dominante de poisson. La carte change souvent, mais ne ratez pas, s'ils sont proposés, les délicieux raviolis au poisson et la nourrissante *cassuola* (ragoût de calamar). Pour les végétariens, rien ne vaut la *caporalessa*, un gratin d'aubergines et de tomates. Vin excellent, service décontracté mais efficace.

PIZZERIA DA MARIA PIZZERIA €€

☎ 089 87 18 80 ; Via Lorenzo D'Amalfi 16 ; pizzas à partir de 5 €, repas autour de 28 € ; 🕒 déc-oct ;

À deux pas de la Piazza del Duomo, au début de la grande artère piétonne, ce vaste espace attire inévitablement une foule de touristes. Mais allez-y sans crainte, surtout le soir quand les visiteurs d'un jour sont repartis, car les pizzas au feu de bois sont fameuses. Pâtes et plats de résistance à l'avenant, mais chers pour ce qu'ils sont. Service rapide et langues étrangères parlées.

PORTO SALVO SNACKS €

☎ 338 906 01 69 ; Via Supportico Marina Piccola 8 ; glace/panini à partir de 2/3,50 € ; 🕒 tte l'année

On vient ici pour grignoter une part de pizza, un panini, des boulettes de riz frit, des croquettes, etc. Tout est bon. À côté, la *gelateria* du même nom permet de conclure le repas en douceur. À emporter ou manger sur place (quelques tables en terrasse).

RISTORANTE LA CARAVELLA RESTAURANT €€€

☎ 089 87 10 29 ; Via Matteo Camera 12 ; repas autour de 60 €, menu dégustation 75 € ; 🕒 mer-lun jan à mi-nov

Un des rares endroits d'Amalfi où l'on paye pour la cuisine et non pour l'emplacement, lequel, en l'occurrence, n'a rien de spectaculaire. La clientèle est faite de gastronomes avertis et discrets, qui viennent pour les mets régionaux, tendance nouvelle cuisine : moules farcies à la mozzarella et aux crevettes sur un lit de câpres et de tomates à la crème, ou raviolis noirs à l'encre de sèche, aux scampi et à la ricotta. Les amateurs de vin pourront rêver devant la carte de 15 000 crus.

TRATTORIA DA BARACCA TRATTORIA €€

☎ 089 87 12 85 ; Piazza dei Dogi ; repas autour de 25 €, menu touristique 17 € ; 🕒 jeu-mar fév-oct

Avec ses auvents bleus à rayures, son bric-à-brac nautique, ses serveurs cordiaux et son chanteur de charme, cette joyeuse trattoria fait impression. Carte sans surprise, affichant des lasagnes et des *gnocchi alla sorrentina*, des pâtes aux moules, aux clams et à toutes sortes de sauces au poisson. Soupe de poisson exceptionnelle.

TRATTORIA IL MULINO TRATTORIA €€

☎ 089 87 22 23 ; Via delle Cartiere 36 ; repas autour de 20 €, pizzas autour de 6 € ; 🕒 tte l'année

Près du musée du Papier, une *trattoria/pizzeria* des plus authentiques, avec la télé dans un coin et les enfants qui courent entre les tables. À éviter pour un dîner romantique, mais très bien pour manger un bon et copieux plat de pâtes et une viande ou un poisson grillé. La *scialatiella alla pescatore* (pâtes aux crevettes, aux moules, à la tomate et au persil) est recommandée, de même que les calamars à la *cassuola* (ragoût). Service lent mais prix honnêtes.

TRATTORIA SAN GIUSEPPE TRATTORIA €€

☎ 089 87 26 40 ; Salita Ruggiero II 4 ; repas autour de 22 €, pizzas à partir de 5 € ; 🕒 ven-mer tte l'année

Pour certains, on mange là les meilleures pizzas de la ville. Certes, elles sont bonnes (mais pas exceptionnelles), avec des garnitures allant de la traditionnelle margherita (tomate, mozzarella et basilic) à des mélanges de fruits de mer (clams, crevettes et anchois). Les pâtes ne sont pas oubliées, en rations gargantuesques. Emplacement pittoresque dans une ruelle, mais si vous dînez dehors vous trouverez peut-être un peu trop pittoresques les petites odeurs passagères de vieilles canalisations. Dans ce cas, repliez-vous dans la salle rafraîchie au ventilateur.

ACHATS

Vous n'aurez aucune difficulté à faire provision de souvenirs. La Via Lorenzo d'Amalfi est jalonnée de boutiques tapageuses vendant les céramiques locales, des cadeaux en papier et du *limoncello*. Prix "touristiques" – ce n'est pas ici que vous ferez de bonnes affaires.

ANASTASIO NICOLA SAS ALIMENTATION

☎ 089 87 10 07 ; Via Lorenzo D'Amalfi 32 ; 🕑 tte l'année

Boutique de souvenirs gourmands. Au milieu des jambons suspendus, le choix est vaste : fromages, conserves, café, chocolat, *limoncello* et pâtes. Également, choix de savons parfumés aux fruits.

CIOCCOLATO CHOCOLAT

☎ 089 87 32 91 ; Piazza Municipio 12 ; 🕑 mer-lun tte l'année

Difficile de résister à l'odeur de chocolat qui s'échappe du magasin. Pourquoi le devriez-vous, du reste ? Offrez-vous une boîte de délicieux chocolats maison, vous ne le regretterez pas.

L'ARCO ANTICO PAPIER

☎ 089 873 63 54 ; Via Capuano 4 ; 🕑 fermé jan-fév

L'affinité d'Amalfi avec le papier remonte au XIIe siècle, quand les premiers moulins furent construits pour subvenir aux besoins de la petite armée de bureaucrates de la république. Aujourd'hui, peu de papier est fabriqué sur place, mais on peut en acheter et de très bonne qualité. Ce beau magasin vend toute une gamme de produits : papier à lettres, carnets à reliure en cuir et albums photos géants.

LIBRERIA SAVO ANTONIO LIVRES ET CARTES

☎ 089 87 11 80 ; Via Repubbliche Marinare 17 ; 🕑 7h-23h

Au milieu des piles de livres poussiéreux, de bandes dessinées et de journaux étrangers qui encombrent cette sombre librairie-marchand de journaux, vous trouverez un bon choix de cartes locales, indispensables pour découvrir la région.

DEPUIS/VERS AMALFI

Bateau

Le moyen d'accès le plus pratique est le bus ou, de Pâques à mi-septembre, le bateau. Les compagnies suivantes desservent Amalfi :

Alicost (☎ 089 87 14 83 ; Largo Scario 5). Ligne de ferries depuis/vers Salerne (5,50 €, 6/jour) et Ischia (19 €, 1/jour)

Alilauro (☎ 081 497 22 67 ; www.alilauro.it ; Stazione Marittima, Naples). Services depuis/vers Capri (13,50 €, 2/jour)

Coop Sant'Andrea (☎ 089 87 31 90 ; www.coopsantandrea.it ; Lungomare dei Cavalieri 1). Bateaux depuis/vers Maiori (2 €, 8/jour) et Minori (2 €, 8/jour)

Metrò del Mare (☎ 199 44 66 44 ; www.metrodelmare.com). Les lignes MM2 et MM3 s'arrêtent à Amalfi. Avec l'une ou l'autre, on peut rejoindre Positano (6 €, 5/jour), Sorrente (7 €, 4/jour), Naples (10 €, 4/jour) et Salerne (6 €, 2/jour).

TraVelMar (☎ /fax 089 87 29 50 ; Largo Scario 5). Liaisons avec Salerne (ferry/hydroglisseur 4,50/5 €, 7/jour), Positano (ferry/hydroglisseur 5,50/6 €, 7/jour) et Sorrente (8 €, 3/jour).

Bus

Les bus **SITA** (☎ 199 73 07 49 ; www.sita-on-line.it, en italien) partant de la Piazza Flavio Gioia desservent Sorrente (2,40 €, 1 heure 30, au moins 12/jour) via Positano (1,30 €, 40 min), Ravello (1 €, 25 min, ttes les 40 min), Salerne (1,80 €, 1 heure 15, au moins ttes les heures) et Naples (3,10 €, 2 à 3 heures selon l'itinéraire, 7/jour). Vous pouvez acheter vos billets et consulter les horaires au **Bar Il Giardino delle Palme** (Piazza Flavio Gioia), en face de l'arrêt.

Voiture et moto

Venant du nord, quittez la A3 à Vietri sul Mare et suivez la SS163. Du sud, quittez la A3 à Salerne et prenez la direction de Vietri sul Mare, puis la SS163.

RAVELLO

Perchée dans les hauteurs dominant Amalfi, Ravello est une ville d'une parfaite élégance entièrement dédiée au tourisme.

Fière de son passé littéraire et bohème – Wagner, D. H. Lawrence et Virginia Woolf y ont séjourné –, elle eſt aujourd'hui réputée pour ses jardins et ses vues, les plus belles du monde, à en croire un de ses anciens résidents, le romancier Gore Vidal ; en tout cas, certainement les plus belles de la côte.

La plupart des visiteurs viennent d'Amalfi pour la journée – un trajet de 7 km riche en émotions, par le Valle del Dragone – mais pour bien s'imprégner de son atmosphère hors du temps, il faut y reſter pour la nuit.

À VOIR ET À FAIRE

Cathédrale

Dressée du côté eſt de la Piazza Duomo, la **cathédrale** (Piazza Duomo ; 🕓 8h30-13h et 16h30-20h) fut édifiée en 1086 et plusieurs fois remaniée par la suite. La façade eſt du XVIe siècle, mais la porte centrale en bronze, qui fait partie des deux douzaines de spécimens analogues du pays, date de 1179. L'intérieur eſt une interprétation fin-XXe siècle de l'aspect que devait avoir l'édifice à son origine. La chaire retient particulièrement l'attention avec ses six colonnes torsadées reposant sur des lions en marbre et décorée de flamboyantes mosaïques de paons, d'oiseaux et de lions dansants. On notera également l'inclinaison du sol vers la place, un choix délibéré afin d'accentuer l'effet de perspective. À droite de la nef centrale, des escaliers descendent vers le **musée** (entrée 2 €), qui rassemble une petite collection d'objets religieux.

Villas et jardins

Au sud de la cathédrale, une tour du XIVe siècle marque l'entrée de la **Villa Rufolo** (☎ 089 85 76 57 ; adulte/moins de 12 ans et plus de 65 ans 5/3 € ; 🕓 9h-crépuscule), célèbre pour ses **jardins**. Créés en 1853 par un Écossais, Scott Neville

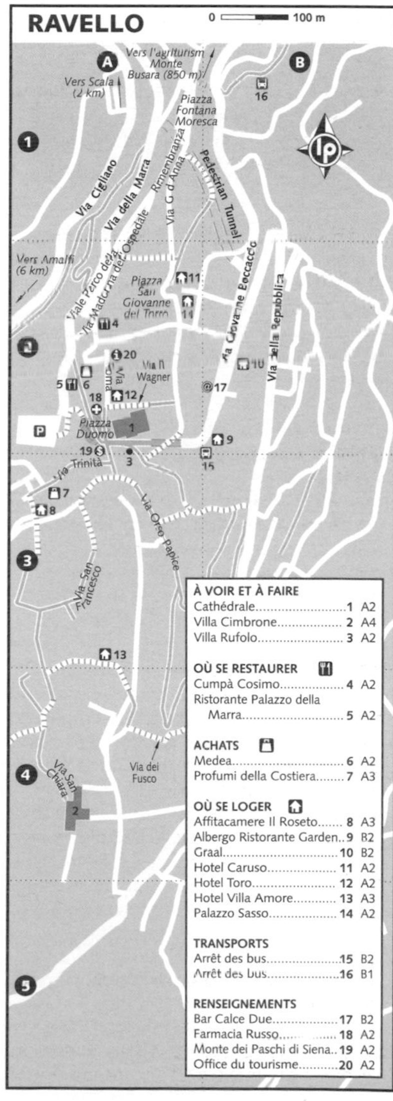

RENSEIGNEMENTS

- **Bar Calce Due** (☎ 089 85 71 30 ; Via Boccaccio 11 ; Internet 30 min 5 € ; 🕓 8h30-13h et 15h-24h, fermé lun nov-fév). Bar proche de l'arrêt de bus, avec accès Internet.
- **Farmacia Russo** (☎ 089 85 71 89 ; Piazza Duomo 5). Pharmacie.
- **Monte dei Paschi di Siena** (☎ 089 85 71 20 ; Piazza Duomo 8). Banque avec distributeur de billets.
- **Office du tourisme** (☎ 089 85 70 96 ; www.ravellotime.it ; Via Roma 18bis ; 🕓 9h-20h tlj). Distribue une utile brochure en couleurs, *Ravello The City of Music*, comprenant un plan, un rappel historique et des suggestions de promenades.
- **Toilettes** (0,50 €). À l'angle ouest de la Piazza Duomo.

Les jardins de la Villa Cimbrone GREG ELMS

Reid, ils sont véritablement magnifiques et offrent des vues qui ne le sont pas moins. C'est un monde stupéfiant de couleurs exotiques, de tours tombant artistiquement en ruine et de floraisons luxuriantes. Wagner, qui s'y promena le 26 mai 1880 écrivit : "Le jardin enchanté de Klingsor (décor du deuxième acte de *Parsifal*) est trouvé." Les jardins servent aujourd'hui de cadre aux concerts du festival de musique classique de la ville. La villa elle-même fut construite au XIIIe siècle pour la riche famille Rufolo. Plusieurs papes y résidèrent, ainsi que Robert d'Anjou.

À quelque distance à l'est de la Piazza Duomo, la **Villa Cimbrone** (☎ 089 85 80 72 ; adulte/moins de 12 ans et plus de 65 ans 5/3 € ; 🕒 9h-crépuscule) vaut absolument le détour, sinon pour la villa elle-même, du début du XXe siècle et devenue un hôtel de luxe, du moins pour les vues fabuleuses que ménagent ses jardins délicieusement négligés. Considérées comme les plus belles du monde par Gore Vidal, ces vues s'admirent le mieux depuis le **Belvédère de l'Infini**, impressionnante terrasse bordée de faux bustes antiques. Sorte de retraite bohème à ses débuts, la Villa Cimbrone protégea ensuite les amours de Greta Garbo et de Leopold Stokowski.

Promenades

Ravello est le point de départ de nombreuses promenades empruntant, pour certaines, d'antiques sentiers à travers les monts Lattari. Si vous avez un peu de souffle, vous pouvez descendre jusqu'à **Minori**, ou de l'autre côté, jusqu'à Amalfi, en passant par le village de **Scala**. Ancien centre religieux prospère ayant compté plus d'une centaine d'églises, Scala est aujourd'hui un bourg endormi où le vent siffle dans les rues vides et où quelques habitants vaquent à leurs occupations. Sur la place centrale, le **Duomo** (Piazza Municipio ; 🕒 8h-12h et 17h-19h tlj), de style roman, a gardé un reste de sa grandeur du XIIe siècle. L'office du tourisme de Ravello vous renseignera précisément sur les possibilités de promenades.

FÊTES ET FESTIVAL

De juin à mi-septembre, le **festival de Ravello** (☎ 089 85 83 60 ; www.ravellofestival.com) transforme la ville en scène de spectacle. Concerts de musique symphonique et de musique de chambre, ballets, projections de films et expositions sont organisés dans lieux en plein air des plus charmants, notamment la terrasse suspendue des jardins de la Villa Rufolo.

Cependant, il n'est pas nécessaire de venir en plein été pour écouter un concert. Le programme de musique classique commence en mars et se poursuit jusqu'à fin octobre, avec deux temps forts en juin et septembre pour le Festival international de piano et les Semaines de musique de chambre. Les prestations des musiciens italiens et étrangers sont de niveau mondial et les deux lieux (la Villa Rufolo et le couvent Santa Rosa à Conca dei Marini – voir p. 229) inoubliables. Le prix des places, que l'on peut réserver par téléphone, fax ou Internet, commence à 20 €. Pour tout renseignement complémentaire et réservation, adressez-vous à la **Ravello Concert Society** (☎ 089 85 81 49 ; www.ravelloarts.org).

Le saint patron de Ravello, San Pantaleon, est célébré dans la joie et les feux d'artifice fin juillet.

OÙ SE LOGER

Ravello est une ville chic, ce qui se reflète dans ses lieux d'hébergements. On y trouve quelques ravissants hôtels haut de gamme et plusieurs jolis établissements de catégorie moyenne. Cependant, si vos moyens sont plus réduits, il y a un bel *agriturismo* dans le voisinage et une ou deux options à tarif moindre en ville. Réservez longtemps à l'avance pour la période estivale, surtout pendant le festival.

AFFITACAMERE IL ROSETO

CHAMBRES À LOUER €

☎ 089 858 64 92 ; Via Trinità 37 ; www.ilroseto.it ; d 80 € ; tte l'année

Les amateurs de simplicité, à proximité de tout, seront comblés. Deux chambres seulement, d'une médicale blancheur : murs blancs, draps blancs, sols blancs. Un manque de charme compensé par le prix, et pour de la couleur, vous pouvez installer à l'extérieur dans la jolie roseraie.

AGRITURISMO MONTE BUSARA

SÉJOUR À LA FERME €

☎ 089 85 74 67 ; www.montebrusara.com ; Via Monte Brusara 32 ; avec petit déj 35 €/pers, demi pension 50 €

Une authentique ferme en activité à flanc de montagne, à une rude demi-heure de marche (1,5 km) du centre de Ravello. Une voiture n'est pas indispensable mais fortement conseillée. Idéal pour les familles avec enfants – ils donneront à manger au poney pendant que vous admirerez la vue – ou ceux qui aiment la solitude. Trois chambres minimalistes cependant confortables, nourriture fabuleuse et charmant propriétaire. Les campeurs peuvent planter leur tente (12 €/pers).

ALBERGO RISTORANTE GARDEN

HÔTEL €€

☎ 089 85 72 26 ; www.hotelgardenravello.it ; Via Boccaccio 4 ; ch 110 € ; mi-mars à fin oct

S'il n'est plus le pôle d'attraction des célébrités qu'il a été – Jackie Kennedy y séjourna avec sa petite famille et Gore Vidal était un habitué du restaurant en terrasse (repas autour de 25 €) – ce trois-étoiles familial reste une valeur sûre. Les chambres plutôt petites ne font guère impression (propres et au décor quelconque), à la différence de la vue depuis leur terrasse privée, parmi les plus belles de la côte. Si vous arrivez en bus, vous vous épargnerez le transport des bagages, car l'hôtel est juste en face de l'arrêt.

GRAAL

HÔTEL €€

☎ 089 85 72 22 ; www.hotelgraal.it ; Via della Repubblica 8 ; avec petit déj, s 75-95 €, d 130-170 € ; tte l'année ;

Plus beau à l'intérieur qu'à l'extérieur, voilà un trois-étoiles correct possédant des chambres raffinées et un excellent restaurant panoramique (menu à 30 €). Les parties communes manquent de charme, mais les chambres aux couleurs de mer et de soleil, les vues depuis les balcons et la piscine découverte garantissent le succès de votre séjour.

HOTEL CARUSO

HÔTEL €€€

☎ 089 85 88 01 ; www.hotelcaruso.com ; Piazza San Giovanni del Toro 2 ; s avec petit déj 446 €, d 608-743 € ; mi-mars à nov ; P

Il n'y a pas une piscine plus sensationnelle que celle du Caruso, posée au bord d'un précipice (en fait, les jardins de l'hôtel se trouvent quelques mètres en contrebas), et dont l'eau bleue se mêle au bleu du ciel et de la mer. À l'intérieur, le palais du XIe siècle admirablement restauré n'est pas moins impressionnant, avec ses arcs mauresques formant cadres de fenêtres, ses plafonds voûtés du XVe et ses céramiques de grande classe. Les chambres, comme il se doit, sont équipées des luxes modernes : prises anglaise, allemande et américaine, TV/lecteur DVD qui surgit miraculeusement d'un coffret en bois au pied du lit. Wifi à disposition.

HOTEL TORO

HÔTEL €€

☎ /fax 089 85 72 11 ; www.hoteltoro.it ; Via Wagner 3 ; s/d avec petit déj 78/109 € ; Pâques-nov

Excellent rapport qualité/prix pour Ravello, que cet hôtel historique tout confort ouvert à la fin du XIXe siècle et magnifiquement situé, tout près de la Piazza Duomo (et des cloches de la cathédrale…). Les chambres sont aménagées dans le style habituel de la côte, avec carrelage en terre cuite ou marbre clair et mobilier crème apaisant. Dehors, le verdoyant jardin clos est un endroit délicieux pour prendre un verre au crépuscule. Grieg, le compositeur norvégien, et Escher, l'artiste néerlandais, y ont séjourné.

HOTEL VILLA AMORE

HÔTEL €

☎ /fax 089 85 71 35 ; Via dei Fusco 5 ; avec petit déj, s 50-56 €, d 75-95 € ; tte l'année

Accueillante *pensione* dans une petite rue calme, le meilleur choix de Ravello dans sa catégorie. Les chambres, modestes, meublées avec ce qui tombait sous la main, se doublent de sdb immaculées. Certaines, comme la n°3, ont un balcon avec vue sur la mer au loin, d'autres une baignoire, et quelques-unes les deux. Le restaurant dans le jardin est un plus :

les mets sont délicieux, la vue mémorable et les prix justes (autour de 20 € le repas).

PALAZZO SASSO — HÔTEL €€€

☎ 089 81 81 81 ; www.palazzosasso.com ; Via San Giovanni del Toro 28 ; d avec petit déj 192-320 €, avec vue sur la mer 312-520 € ; mars-oct ;

Un des 3 hôtels de luxe de Ravello, ouvert en 1880, et ayant vu passer quelques grands de ce monde, comme le général Eisenhower qui prépara ici l'attaque alliée sur le Monte Cassino, ou Roberto Rossellini et Ingrid Bergman qui dînèrent en amoureux au restaurant. Cet étonnant palais rose pâle du XIIe siècle est meublé d'antiquités magnifiques, le tout dans environné de sculptures modernes. Le bassin de 20 m de la piscine jouit de vues extraordinaires et le restaurant est étoilé au Michelin.

OÙ SE RESTAURER

Étrangement, Ravello compte peu de bons restaurants. On trouve facilement des cafés vendant des panini et des pizzas à des prix exorbitants, mais plus difficilement un restaurant ou une trattoria correcte. Il existe quelques hôtels dotés de bons restaurants, la plupart du temps ouverts à la clientèle extérieure, et deux restaurants excellents (mentionnés ci-dessous), et c'est à peu près tout. Tous sont très fréquentés en été, particulièrement le midi, et les prix sont partout élevés.

CUMPÀ COSIMO — TRATTORIA €€€

☎ 089 85 71 56 ; Via Roma 44-6 ; repas autour de 30 € ; fermé lun nov-fév, tlj mars-oct

Si vous avez envie d'une honnête cuisine italienne sans complication, vous ne pouvez pas tomber mieux que dans cette affaire familiale : la viande est fournie par le boucher de la famille, les légumes et les fruits viennent du jardin et le vin produit sur place. Pâtes artisanales, gnocchis et quelques plats de resistance, dont un lapin à la tomate et des écrevisses grillées.

RISTORANTE PALAZZO DELLA MARRA — RESTAURANT €€€

☎ 089 85 83 02 ; Via della Marra 7 ; repas autour de 40 €, menu déj touristique 17 € ; mer-lun, fermé nov et jan-fév

Une cuisine régionale innovante, à déguster sous les voûtes de ce palais du XIIe siècle restauré avec goût. La carte maintient l'équilibre entre poissons et viandes, avec des plats tels que des *paccheri* à l'espadon et aux crevettes, un canard fumé accompagné de crème au fenouil, ou un filet de bœuf au thym. Touche créative aussi pour les desserts, avec un tiramisu à la crème de pistache. Le midi, le menu comprenant pâtes, plat et légumes est intéressant.

ACHATS

Limoncello et céramique sont les deux piliers de l'industrie des souvenirs sur la côte amalfitaine, et vous en trouverez donc à Ravello.

MEDEA — CÉRAMIQUE

☎ 089 858 62 83 ; www.medeaceramiche.com ; Via della Marra 14 ; 9h-23h tlj mai-oct, 9h-17h lun-ven nov-avr

Si vous voulez sortir de l'éternel compotier jaune vif, il n'y a pas mieux que cette galerie-laboratoire-boutique qui présente un choix intéressant de vases, lampes, animaux, figurines, assiettes et carreaux originaux faits main. Les grands vases rouge et noir du céramiste Ugo Marano attirent le regard. Si vous vous posiez la question... eh bien oui, ils valent une fortune ! Pour un vase de taille humaine, il faudra débourser autour de 12 000 €.

PROFUMI DELLA COSTIERA — LIMONCELLO

☎ 089 85 81 67 ; www.profumidellacostiera.it ; Via Trinità 37 ; 8h30-19h avr-oct, jusqu'à 17h30 nov-avr

Le *limoncello* vendu ici est concocté à base de citrons de la région (de la variété *sfusato amalfitano*) et selon des recettes traditionnelles sans conservateurs ni colorants. Ceci, ce ne sont pas seulement les propriétaires qui le disent, c'est attesté par le label européen IGP (Indication géographique protégée).

DEPUIS/VERS RAVELLO

La SITA assure un service de bus toutes les heures depuis Amalfi (1 €, 25 min), partant de l'arrêt situé sur le côté est de la Piazza Flavio Gioia. Depuis l'arrêt de bus de Ravello, traversez le petit tunnel en direction de la Piazza Duomo. Beaucoup de bus, mais pas tous, s'arrêtent en chemin à Scala.

En voiture, à 2 km à l'est d'Amalfi, tournez vers le nord. Le centre de Ravello est interdit à la circulation, mais les places ne manquent pas dans les parkings gardés situés à la périphérie de Ravello.

D'AMALFI À SALERNE

MINORI

À 3,5 km à l'est d'Amalfi, ou 1 km de Ravello par un raidillon assassin, Minori est une petite bourgade ordinaire prisée des vacanciers italiens. Moins raffinée que ses cousines Amalfi et Positano, elle n'en dépend pas moins du tourisme, mais l'atmosphère y est plus authentique, avec son front de mer festif et ses embouteillages cacophoniques. Un petit **office du tourisme** (☎ 089 87 70 87 ; www.proloco-minori.sa.it ; Via Roma 30 ; ⌚ 9h-12h et 17h-20h lun-sam, 9h-11h dim) est installé sur le front de mer.

L'unique monument notable est la **Villa Roma Antiquarium** (☎ 089 85 28 93 ; Via Capodipiazza 28 ; entrée libre ; ⌚ 9h-19h tlj juin-août, jusqu'à 18h30 mai et sept, jusqu'à 18h avr et oct, jusqu'à 17h30 mars et nov, jusqu'à 17h fév et déc, jusqu'à 16h30 jan), plus belle ruine romaine de la côte. Écrasée par les constructions modernes environnantes, cette demeure du Ier siècle de notre ère est un exemple typique des villas de plaisir de l'aristocratie romaine, avant l'éruption du Vésuve, en 79. Les pièces les mieux conservées sont celles qui entourent le jardin, au rez-de-chaussée. À côté de l'entrée, un musée de deux salles contient divers objets, dont une collection d'amphores allant du VIe siècle av. J.-C. au VIe siècle de notre ère.

Avant de quitter la ville, vous pouvez vous arrêter pour grignoter un morceau au **Bar de Riso** (☎ 089 85 36 18 ; Piazza Cantilena 1), sur le front de mer principal. Les tables en terrasse, voisines des pompes à essence, ne forment pas un cadre des plus attrayants, mais les gâteaux valent le détour (le café est très bon également). La spécialité de la maison est le baba au *limoncello* (2 €) ou au rhum (1,50 €).

MAIORI

En suivant la côte vers l'est, on arrive à Maiori, une des cités balnéaires les plus importantes et les plus modernes de la côte. Fondée au IXe siècle et devenue le siège de la puissante amirauté de la république d'Amalfi, la ville fut presque entièrement détruite par une inondation en 1954. Ressuscitée en tant que station balnéaire, c'est désormais un lieu agité, plein de grands hôtels de front de mer, de bars, de restaurants et de discothèques de plage.

Attenant à une charmante cour-jardin sur le Corso Reginna, l'artère principale de Maiori, l'**office du tourisme** (☎ 089 87 74 52 ; www.aziendaturismo-maiori.it ; Corso Reginna 73 ; ⌚ 9h-13h et 16h-20h lun-sam, 9h-13h dim avr-oct, 9h-13h et 15h-17h lun-sam, 9h-13h dim nov-mars) fournit des renseignements sur la ville et ses environs.

Un escalier sur le côté de la cour mène à l'**église Santa Maria a Mare** (☎ 089 87 70 90 ; ⌚ 8h30-12h30 et 18h-20h lun-sam, 8h-12h et 18h-20h dim), du XIIe siècle, un des rares édifices ayant survécu à l'inondation de 1954. À l'intérieur, le petit **musée des Arts sacrés** (Museo di Arte Sacra ; entrée 2 € ; ⌚ 10h-12h tlj) conserve un *paliotto* (devant d'autel) en albâtre du XIVe siècle qui serait le plus ancien de la sorte en Italie.

À 3 km à l'est de la ville, l'**abbaye Santa Maria de Olearia** (☎ 339 580 34 86, 089 87 74 52 ; ⌚ sur rdv uniquement) est un monastère peu courant du Xe siècle, creusé dans la roche au-dessus de la route côtière. Constitué de trois chapelles superposées, il mérite une brève visite pour admirer ses fresques assez décolorées du XIe siècle, les plus belles se trouvant dans la crypte, au niveau le plus bas.

CASA RAFFAELE CONFORTI — HÔTEL €€

☎ 089 85 35 47 ; www.casaraffaeleconforti.it ; Via Casa Mannini 10 ; ch avec petit déj 86-136 € ; ❄ ; ⌚ mars-nov, ouvert aussi à Noël

Hôtel unique en son genre, à l'étage supérieur d'un palais du XIXe siècle, extraordinaire monument glorifiant le raffinement d'un autre âge. Neuf chambres toutes décorées différemment, mais le style d'ensemble est le même : fresques, antiquités et miroirs dorés, carreaux de céramique et soieries épaisses. Les curiosités foisonnent : la suite Maria Sica recèle une cheminée en pierre et une porte dérobée vers la sdb ; dans la Camera delle Muse, la sdb est aménagée dans une penderie (pour protéger les fresques, semble-t-il). Accueil chaleureux et situation centrale.

LOCANDA AMALPHITANA — RESTAURANT €€

☎ 089 87 74 39 ; Via Nuova Chiunzi 9 ; repas autour de 25 €, pizza à partir de 5 € ; ⌚ fermé mi-jan à mi-fév

Juste en retrait du front de mer, un des meilleurs restaurants touristiques de Maiori,

Maiori au coucher du soleil (p. 241)

JOHN HAY

avec une carte couvrant à peu près tous les goûts possibles. Liste complète de pizzas, ou plats standard tels que pâtes aux aubergines, à la tomate et à la mozzarella. Poissons et fruits de mer corrects, tout comme les viandes. Vous prendrez place dans la salle bleue ou à une table en terrasse, sur la rue.

RESIDENCE HOTEL PANORAMIC HÔTEL €€

☎ 089 854 23 01 ; www.residencehotelpanoramic.com ; Via Santa Tecla 12 ; s 45-75 €, d 80-130 €, app 2/4/5 pers 1 050/1 500/1 600 €/sem ; ⌚ tte l'année ; P ❄

Un bon choix pour les familles ou les voyageurs soucieux de leur indépendance, et un des rares hôtels du secteur ouverts toute l'année, à un pâté de maisons du front de mer. Endroit chaleureux comprenant 26 appartements de 1 ou 2 chambres, tous aménagés en bleu marine et blanc. Kitchenette équipée et moderne, TV satellite, et clim en été. Les tarifs cités concernent le mois d'août ; en hiver, ils sont plus que divisés par deux.

CETARA

Juste après **Erchie** et sa belle plage (cf. la nuée de scooters garés au bord de la route), Cetara est un pittoresque village un peu délabré réputé pour sa gastronomie. Son port est actif depuis l'époque médiévale et, aujourd'hui encore, sa flotte de thoniers est l'une des plus importante de la Méditerranée. La nuit, les pêcheurs sortent sur de petites embarcations (appelées *lampare*) équipées de lampes puissantes pour pêcher les anchois. Récemment, les villageois ont repris la fabrication de la *colatura di alici,* un extrait d'anchois au goût très fort que l'on considère comme un descendant du *garum*, la fameuse sauce au poisson des Romains. Chaque année, fin juillet ou début août, Cetara rend hommage aux deux rois de son assiette au cours de la *sagra del tonno,* fête dédiée au thon et à l'anchois. Vous obtiendrez de plus amples renseignements auprès du petit **office du tourisme** (☎ 328 015 63 47 ; Piazza San Francesco 15 ; ⌚ 9h-13h et 17h-24h).

Pour rapporter quelques souvenirs gastronomiques de Cetara, vous trouverez un bon choix de denrées conditionnées chez **Sapori Cetaresi** (☎ 089 26 20 10 ; Corso Garibaldi 44 ; ⌚ 10h-13h et 16h-22h tlj mai-sept, fermeture 20h et lun oct-avr), à côté de la petite plage.

AL CONVENTO TRATTORIA €€

☎ 089 26 10 39 ; Piazza San Francesco 16 ; repas autour de 20 €, menu dégustation 26 € ; ⌚ tlj mi-mai à sept, fermé mer oct à mi-mai

Ce restaurant de poisson offre le meilleur rapport qualité/prix de la côte. Vous vous y régalerez de spécialités locales, sur une jolie terrasse ombragée, au-dessus de la rue principale de Cetara. Ainsi du thon en antipasto, fumé avec de l'espadon, ou légèrement grillé en plat de résistance, et des anchois diversement préparés. Les *spaghetti con alici e finocchietto selvatrico* (spaghettis aux anchois et au fenouil sauvage) sont un délice, tout comme le classique gâteau au chocolat avec ricotta et crème.

VIETRI SUL MARE

Dernière localité de la route côtière (ou première si l'on vient de Salerne), Vietri sul Mare (Vietri) est la capitale de la céramique de la Campanie. Sa production remonte à l'époque romaine mais ne démarra vraiment à une échelle industrielle qu'aux XVIe et XVIIe siècles, avec l'apparition des hauts fours à trois étages. Le style local, reconnaissable à sa liberté de trait et à ses intenses couleurs méditerranéennes, plut à la cour royale de Naples, qui fut un de ses meilleurs clients. Plus tard, dans les années 1920 et 1930, l'arrivée d'artistes étrangers (principalement allemands) entraîna un renouvellement du répertoire. Pour en savoir plus sur l'histoire de la céramique à Vietri, visitez le **musée de la Céramique** (Museo della Ceramica ; ☎ 089 21 18 35 ; Villa Guerriglia ; entrée libre ; 🕑 8h-13h15 et 14h-15h mar-sam, 9h-13h dim), dans le village voisin de Raito.

Le petit centre historique de Vietri, sans rien d'extraordinaire, est rempli de boutiques de céramique. La plus célèbre, **Ceramica Artistica Solimene** (☎ 089 21 02 43 ; www.solimene.com ; Via Madonna degli Angeli 7 ; 🕑 8h-19h lun-ven, 8h-13h30 et 16h-19h sam), est un vaste magasin d'usine où l'on vend de tout – coquetier, chope, lampe et même sirène ornementale. Même si vous n'entrez pas, allez voir l'incroyable façade en verre et céramique de la boutique. Pour quelque chose d'un peu plus moderne, essayez **Klaus** (☎ 089 21 04 67 ; Corso Umberto I 94 ; 🕑 9h-20h30 tlj été, 9h-13h et 14h30-20h30 tlj hiver), où les céramiques à motifs orange et rouge rappellent ceux de Picasso. Les prix vont de 25 à 500 €.

Pour trouver un hébergement à Vietri, adressez-vous à l'**office du tourisme** (☎ 089 21 12 85 ; Piazza Matteotti ; 🕑 10h-13h lun-sam et 17h-20h lun-ven), près de l'entrée du centre historique.

LA FÊTE EN CUISINE

La cuisine a toujours occupé une place importante dans les traditions locales. Au fil du temps, les villes ont développé des spécialités qu'elles célèbrent par des festivals annuels, les *sagre*. Ces grandes fêtes gastronomiques bénéficient d'un soutien important, attirent les foules et offrent un bel aperçu de la vie amalfitaine. Les plus importantes sont :

Juillet

Cetara La deuxième quinzaine de juillet, les pêcheurs de Cetara rendent hommage à leur principale pêche lors de la *Sagra del Tonno* (fête du thon).

Août

Conca dei Marini Célèbre sa vénérable spécialité, un chausson à la ricotta nommé *sfogliatella*, le premier dimanche du mois.

Maiori La *Sagra delle Melanzane al Cioccolato* est l'occasion de goûter au mets local, les aubergines au chocolat.

Atrani Les citoyens d'Atrani honorent le petit anchois lors de la *Sagra del Pesce Azzurro* (fête du poisson bleu), habituellement la 3e semaine du mois.

Septembre

Minori On vient de toute la côte participer au Gustaminori, la fête gastronomique locale, au début du mois.

Octobre

Scala Les châtaignes sont cuisinées de diverses façons – grillées, dans le jambon, dans des gâteaux et en garniture de crêpes – pour la *Sagra della Castagna* (fête de la châtaigne).

Décembre

Positano Les *zeppole* (beignets à la crème pâtissière) sont les vedettes de la *Sagra delle Zeppole*.

SALERNE (SALERNO)

Marquant l'extrémité est de la côte amalfitaine, Salerne vous ramènera brutalement à la réalité après tous les paysages de carte postale traversés précédemment. Ce grand port et capitale régionale (une des cinq de la Campanie) a peu de chance de vous retenir longtemps, bien qu'il ait un certain charme. Le lieu de promenade le plus agréable est le centre historique, zone compacte où les églises médiévales voisinent avec les trattorias de quartier, les bars à vin éclairés au néon et les salons de tatouage branchés. Salerne est aussi un nœud de communication par lequel vous passerez si vous vous rendez à Paestum (p. 168) et sur la Costiera Cilentana.

Colonie étrusque à l'origine, puis romaine, Salerne prospéra avec l'arrivée des Normands au XIe siècle. Sous le règne de Robert Guiscard, qui fit de la cité la capitale de son duché en 1076, la Scuola Medica Salernitana était réputée la plus grande école de médecine de l'Europe médiévale. Plus récemment, les durs

RENSEIGNEMENTS

- **Banca Nazionale del Lavoro** (Piazza Vittorio Veneto 1). Distributeur de billets à la gare ferroviaire. Plusieurs banques avec distributeur sur le Corso Vittorio Emanuele.
- **Internet Point** (☎ 089 24 18 74 ; Via Roma 26 ; 30 min 2,50 € ; ⏰ 10h30-13h30 et 16h30-22h30 tlj). Internet, impression de photos numériques et fax.
- **Mail Box** (Via Diaz 19 ; 25 min 1,50 € ; ⏰ 9h-13h30 et 17h30-20h lun-sam). Accès Internet.
- **Office du tourisme** (☎ 089 23 14 32 ; Piazza Vittorio Veneto 1 ; ⏰ 9h-14h et 15h-20h lun-sam, plus 9h-12h30 et 17h-19h30 dim juil et août)
- **Ospedale Ruggi d'Aragona** (hôpital ; ☎ 089 67 11 11 ; Via San Leonardo)
- **Police** (☎ 089 61 31 11 ; Piazza Amendola 16)
- **Poste** (☎ 089 257 21 11 ; Corso Garibaldi 203)
- **Salerno City** (www.salernocity.com, en italien). Site Internet avec répertoires fournis, horaires de ferries et programmes des festivals locaux.
- **Salerno Memo** (www.salernomemo.com, en italien). Version en ligne des listes gratuites du guide *Memo*.

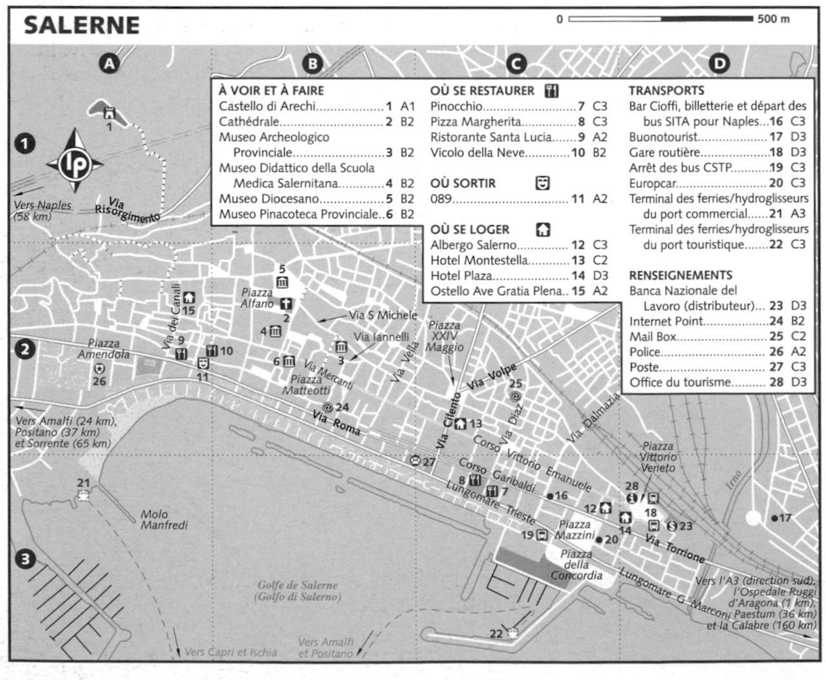

combats livrés en 1943 au sud de la ville, lors du débarquement de la 5e Armée américaine, la laissèrent en ruine.

ORIENTATION

La gare ferroviaire donne sur la Piazza Vittorio Veneto, à l'extrémité est de la ville. C'est aussi le terminus de la plupart des bus longue distance, et il y a un certain nombre d'hôtels alentour. Principale artère commerçante, le Corso Vittorio Emanuele, interdit à la circulation, prend la direction du nord-ouest pour rejoindre la partie médiévale de la ville. Le Corso Garibaldi, qui lui est parallèle, devient la Via Roma en se dirigeant vers la sortie de la ville et la côte amalfitaine. Bordé d'arbres, le Lungomare Trieste, le long du front de mer, change de nom pour devenir le Lungomare Marconi à la hauteur de la vaste Piazza della Concordia et se dirige vers la sortie sud-est de la ville en direction de Paestum.

À VOIR ET À FAIRE

Cathédrale

Le trésor architectural du centre historique est la **cathédrale** (☎ 089 23 13 87 ; Piazza Alfano ; 🕓 10h 18h). Construite par les Normands au XIe siècle, sous Robert Guiscard, elle fut remaniée au XVIIIe et sévèrement endommagée lors du tremblement de terre de 1980. Elle est dédiée à San Matteo (saint Matthieu), dont les reliques apportées à Salerne en 954 reposent désormais sous l'autel principal de la crypte voûtée.

L'entrée principale, la **Porta dei Leoni**, (porte des Lions) du XIIe siècle – ainsi dénommée à cause des lions en marbre au pied de l'escalier – conduit à un harmonieux atrium à péristyle dominé par un impressionnant campanile du XIIe siècle. Derrière les grandes portes de bronze fondues à Constantinople au XIe siècle, les trois nefs de l'intérieur sont, pour l'essentiel, baroques. Il ne reste que quelques vestiges de l'église d'origine, dans le transept, le pavement du chœur et les deux ambons surélevés, devant les stalles du chœur.

Dans l'abside de droite, les croisés venaient faire bénir leurs armes dans la **chapelle des Croisades** (Cappella delle Crociate) avant de partir en Terre Sainte. Le pape du XIe siècle Grégoire VII est enterré sous l'autel.

Musées

Au nord de la cathédrale, le **Musée diocésain** (Museo Diocesano ; ☎ 089 23 91 26 ; Largo del Plebiscito 12 ; entrée libre ; 🕓 9h-13h30 tlj, et 16h-19h dim) conserve une modeste collection d'objets normands et lombards, dont le fleuron est un *paliotto* (devant d'autel) en ivoire du XIIe siècle, orné de 54 scènes de l'Ancien et du Nouveau Testaments.

Le port de Salerne

RUSSELL MOUNTFORD

Non loin, se trouve le **Musée archéologique** (Museo Archeologico Provinciale ; ☎ 089 23 11 35 ; Via San Benedetto 28 ; entrée libre ; 9h-13h30 et 14h-15h15 mar-ven, 9h-13h dim), où ont été déposées les trouvailles archéologiques faites dans la province. Outre des objets d'époque préhistorique, on remarquera une belle tête d'Apollon en bronze, du Ier siècle av. J.-C., découverte dans la baie de Salerne en 1930.

En plein cœur du quartier médiéval, la petite **Pinacothèque** (Museo Pinacoteca Provinciale ; ☎ 089 258 30 73 ; Via Mercanti 63 ; entrée libre ; 9h-13h et 14h-15h15 mar-sam, 9h-13h dim) conserve une intéressante collection d'art de la Renaissance à la première moitié du XIXe siècle, comprenant notamment quelques beaux tableaux de l'enfant du pays, Andrea Sabatini da Salerno, et un choix d'œuvres d'artistes étrangers installés dans la région.

Logé dans l'ancienne église San Gregorio, le **musée de l'école de médecine de Salerne** (Museo Didattico della Scuola Medica Salernita ; ☎ 089 24 12 92 ; Via Mercanti 72 ; entrée libre ; 9h-13h et 16h-19h mar-sam, 9h-13h dim) se distingue par une rafraîchissante absence d'objets archéologiques et de sculptures antiques. À leur place, vous découvrirez des documents et des images racontant l'intéressante histoire de l'école de médecine de Salerne. Sans doute fondée au IXe siècle, elle fut le plus important foyer de connaissances médicales en Europe au Moyen Âge, son apogée se situant au XIe siècle. Elle fut fermée au début du XIXe siècle.

Château d'Arechi

Le plus célèbre monument de Salerne est le **Castello di Arechi** (☎ 089 22 55 78 ; Via Benedetto Croce ; fermé pour travaux de restauration), dont la silhouette menaçante se profile à 263 m au-dessus de la ville. Cette forteresse byzantine fut construite au VIIIe siècle par le Lombard Arechi II, duc de Bénévent, puis remaniée par les Normands et les Aragonais, ainsi qu'au XVIe siècle. Aujourd'hui, elle accueille une collection permanente de céramiques, d'armes et de pièces de monnaie. On y donne également des concerts en été.

Pour s'y rendre depuis le centre-ville, prendre le bus 19 sur la Piazza XXIV Maggio (20 min, 1 €).

OÙ SE LOGER

Salerne ne compte que peu de lieux d'hébergement et aucun ne sort vraiment du lot. Quelques petits hôtels bon marché sont commodément situés aux abords de la gare ferroviaire, et il y a une auberge de jeunesse très fréquentée dans le centre historique. Les prix sont très inférieurs à ceux pratiqués sur la côte amalfitaine.

Toutes les adresses mentionnées ici sont ouvertes toute l'année.

ALBERGO SALERNO — HÔTEL €

☎ 089 22 42 11 ; www.albergosalerno.com ; 5e ét, Via G. Vicinanza 42 ; s 45-50 €, d 55-60 €

Ne vous découragez pas à la vue de l'entrée et de l'ascenseur bringuebalant, ce modeste deux-étoiles est plus pimpant à l'intérieur qu'à l'extérieur. Perché au 5e étage d'un palais banal, il renferme de grandes chambres à plafond haut et une salle commune lumineuse dotée de canapés. Clim en supplément (8 €), mais en été, les chambres disposent de petits ventilateurs.

HOTEL MONTESTELLA — HÔTEL €

☎ 089 22 51 22 ; www.hotelmontestella.it ; Corso Vittorio Emanuele 156 ; s/d/t avec petit déj 70/94/104 €

Sur la principale artère piétonne de la ville, à mi-chemin entre le centre historique et la gare ferroviaire. Tous les sites intéressants sont accessibles à pied. Avec les tarifs compétitifs, c'est le point fort de cet hôtel de 45 chambres quelconques mais correctes – propres, avec la clim, la TV et un décor d'un goût douteux orange et brun.

HOTEL PLAZA — HÔTEL €

☎ 089 22 44 77 ; www.plazasalerno.it ; Piazza Vittorio Veneto 42 ; s/d/t avec petit déj 65/100/115 €

À courte distance de la gare, un hôtel commodément situé et confortable, le charme en moins. Les chambres assez spacieuses, à moquette brune et sdb étincelantes, sont en fait très intéressantes pour leur prix. Celles à l'arrière ont une terrasse donnant sur la ville et les montagnes.

OSTELLO AVE GRATIA PLENA — AUBERGE DE JEUNESSE €

☎ 089 79 02 51 ; info@ostellodisalerno.it ; Via dei Canali ; dort avec petit déj 14 €, en s/d/t/q 26/20/20/20 €/pers

Sise en plein cœur du historique, l'auberge HI de Salerne occupe un ancien couvent du XVIe siècle. L'espace ne manque pas, avec sa charmante cour centrale et une gamme complète de chambres, du dortoir à la double avec sdb individuelle. Avant de partir, allez plonger votre regard dans l'église attenante comme faisaient autrefois les moniales qui assistaient à la messe sans croiser le regard des hommes. Fermeture des portes à 2h du matin.

OÙ SE RESTAURER ET SORTIR

L'animation se concentre dans le quartier médiéval et sur la Via Roma où l'on trouvera tout ce qu'il faut, de la trattoria familiale au glacier en passant par les bars à vin jazzy, les pubs et les restaurants chic. Arrêtez-vous au **089** (☎ 089 22 18 44 ; Via Roma 51), un bar tendance en acier et néons fort prisé à l'heure de l'apéritif.

En été, le front de mer est la destination naturelle de la promenade du soir.

PINOCCHIO TRATTORIA €€

☎ 089 22 99 64 ; Lungomare Trieste 56 ; repas autour de 22 € ; fermé ven

Demandez l'adresse d'un restaurant à votre hôtel et l'on vous indiquera sûrement cet endroit sur le front de mer. La cuisine est bonne, vous dit-on, excellente pour son prix, et le patron est un grand gars gentil du nom de Rodolfo. De fait, la cuisine sans prétentions saura vous contenter ; spécialités de poisson, avec aussi quelques viandes : saucisses, steak et *scaloppine* (escalopes de veau panée). En été, des tables sont installées dans une rue latérale et en hiver, tout se passe dans la salle au joilleux décor de posters de Pinocchio et de mobiles de chambre d'enfant.

PIZZA MARGHERITA PIZZERIA €

☎ 089 22 88 80 ; Corso Garibaldi 201 ; pizzas/buffet à partir de 5,50/4,50 €, menu déj 7 € ; tlj

Une cantine moderne et sans caractère, l'un des restaurants les plus populaires à l'heure du déjeuner. On fait régulièrement la queue pour profiter du magnifique buffet de mozzarella, salami, préparations de moules et salades variées. Sinon, le menu comprenant pâtes, plat, salade et un demi-litre d'eau est parfait, et la carte propose toute une liste de pizzas, pâtes et plats de résistance.

RISTORANTE SANTA LUCIA RESTAURANT €€

☎ 089 22 56 96 ; Via Roma 182 ; repas autour de 22 € ; fermé lun

La Via Roma a beau être le quartier à la mode, on ne trouvera rien de clinquant dans ce délicieux restaurant de poisson. Les *linguine ai frutti di mare* et autres seiches grillées n'ont rien d'original mais préparés ici, elles deviennent exceptionnelles. De même que les pizzas au feu de bois. Atmosphère décontractée, service efficace et chaleureux. Juste à côté, l'hôtel éponyme loue 9 chambres une-étoile basiques (simples/doubles 35/55 €).

VICOLO DELLA NEVE TRATTORIA €€

☎ 089 22 57 05 ; Vicolo della Neve 24 ; repas autour de 25 € ; le soir jeu-mar

Une institution que cette trattoria typique du centre historique avec ses voûtes en brique et ses fausses fresques. Les murs sont couverts d'œuvres d'artistes locaux et la carte est traditionnelle : pizzas, *calzoni, pasta e fagioli, pepperoni ripieni* (poivrons farcis) et une délicieuse *parmigiana di melanzane*. Il y a souvent foule, vous devrez sans doute attendre qu'une table se libère.

DEPUIS/VERS SALERNE

Bateau

D'avril à octobre, **TraVelMar** (☎/fax 089 87 29 50 ; Largo Scario 5, Amalfi) assure des liaisons avec Positano (ferry/hydroglisseur 6,50/7 €, 7/jour) et Amalfi (ferry/hydroglisseur 4,50/5 €, 7/jour), et **Alicost** (☎ 089 87 14 83 ; Largo Scario 5) 6 navettes par jour sur Amalfi (5,50 €). Tous les bateaux partent du Porto Turistico, au bout du quai, à 200 m de la Piazza della Concordia. Les billets s'achètent aux guichets voisins des embarcadères.

Partant du Molo Manfredi, au Porto Commerciale, **Metrò del Mare** (☎ 199 44 66 44 ; www.metrodelmare.com) dessert Positano (7 €, 3/jour), Amalfi (6 €, 2/jour) et Sorrente (8 €, 3/jour). Pour Capri, **LMP** (Linee Marittime Partenope ; ☎ 081 704 19 11 ; www.consorziolmp.it) propose 5 navettes quotidiennes (ferry/jet 14,50/16 €).

Bus

Les bus **SITA** (☎ 199 73 07 49 ; www.sita-on-line.it, en italien) pour Amalfi (1,80 €, 1 heure 15, au moins 1/heure) partent de la Piazza Vittorio Veneto, à côté de la gare ferroviaire. Ils desservent Vietri sul Mare, Cetara, Maiori et Minori. Les billets sont en vente à l'agence sur le côté ouest de la place. Cependant, les bus pour Naples partent toutes les 25 minutes de devant le **Bar Cioffi** (☎ 089 22 75 75 ; Corso Garibaldi 134), où l'on achète son billet (3,20 €).

Pour Pompéi, prenez le bus 50 **CSTP** (☎ 089 48 70 01 ; www.cstp.it, en italien) sur la Piazza Vittorio Veneto. Il y a 15 départs quotidiens et le trajet d'une heure coûte

1,80 €. Pour la côte sud et Paestum (2,90 €, 1 heure 20, 12/jour), il faut emprunter le bus 34, sur la Piazza della Concordia.

En collaboration avec la SITA, **Buonotourist** (c/o SITA ; ☎ 089 40 51 45 ; Via Vinciprova) assure 4 services quotidiens à destination de l'aéroport Capodichino de Naples, depuis la gare ferroviaire. Les billets (7 €) s'achètent à bord et le trajet dure une heure.

Voiture et moto

Salerne se trouve sur la A3 entre Naples et Reggio di Calabria. L'autoroute est gratuite vers le sud à partir de Salerne.

Train

Salerne est une gare importante sur les lignes à destination de la Calabre et des côtes ionienne et adriatique. La gare se trouve sur la Piazza Vittorio Veneto. Des trains desservent régulièrement Naples (3,20 €, 50 min, ttes les 30 min), Rome (Eurostar 25 €, 2 heures 30, ttes les heures), et Reggio di Calabria (31 €, 4 heures 30, 15/jour).

COMMENT CIRCULER

Rien de mieux que de se déplacer à pied si vous logez dans le centre de Salerne. Le centre historique est distant de 1,2 km de la gare ferroviaire, en remontant le Corso Vittorio Emanuele. Les bus municipaux orange sont gérés par la CSTP. Les billets, valables pendant 80 minutes, coûtent 1 €.

Pour louer une voiture, une agence **Europcar** (☎ 089 258 07 75 ; www.europcar.com. Via G. Vicinanza) est installée non loin de la gare.

WAYNE WALTON

AVEC UN PEU DE TEMPS…

Au sud-est de Salerne, le **parc national del Cilento e Vallo di Diana** est une zone peu visitée de monts sauvages et de vallées désertes s'étendant jusqu'à la Basilicate. C'est le deuxième parc national italien par la taille.

À 40 km de Salerne, les **grottes de Castelcivita** (☎ 0828 77 23 97 ; adulte/réduction/0-5 ans 8/6,50 €/gratuit ; visites en groupes 10h, 11h30, 13h30, 15h, 16h30 oct à mi-mars, 10h, 11h, 12h, 13h30, 14h30, 15h30, 16h30, 17h30, 18h30 mi-mars à août) sont un ensemble de grottes où Spartacus aurait trouvé refuge pendant sa révolte d'esclaves, en 71 av. J.-C. Plus à l'est, les **grottes de Pertosa** (☎ 0975 39 70 37 ; visites guidées adulte/enfant 10/8 € ; 9h-19h mars-oct, 9h-16h nov-fév), longues de 2,5 km, sont hérissées de stalactites et de stalagmites.

En suivant l'autoroute A3 vers le sud, on arrive à **Padula**, village où se trouve l'un des trésors les moins connus de la région, la magnifique **chartreuse San Lorenzo** (☎ 0975 777 45 ; adulte/18-25 ans/moins de 18 ans et plus de 65 ans 4/2 €/gratuit ; 9h-19h30). La Certosa di Padula est l'un des plus grands monastères d'Europe. Elle comprend une immense cour centrale, une bibliothèque lambrissée et des chapelles décorées de fresques. À l'intérieur, on pourra jeter un coup d'œil aux modestes collections du **musée archéologique** (Museo Archeologico Provinciale della Lucania occidentale ☎ 0975 771 17 ; entrée libre ; 8h-13h15 et 14h-15h mar-sam, 9h-13h dim).

Sur la côte, à 75 km au sud de Salerne, la modeste ville grecque d'Élée, devenue **Ascea (Velia)**, fondée au milieu du VIe siècle av. J.-C., devint une cité balnéaire en vogue chez les riches Romains. Les **ruines** (☎ 0974 97 23 96 ; adulte/18-25 ans/moins de 18 ans et plus de 65 ans 2/1 €/gratuit ; 9h-1 heure avant le crépuscule lun-sam) ne sont pas en merveilleux état. Plus bas sur la côte, après Palinuro, on pourra profiter de magnifiques plages de sable blanc.

Au sud de Paestum, **Agropoli** constitue un bon point de chute. Cette station balnéaire, active en été tranquille le reste de l'année, est bien pourvue en hébergements. Au nord de la ville, l'**Ostello La Lanterna** (☎ 0974 83 83 64 ; lalanterna@cilento.it ; Via Lanterna 8, dort avec petit déj 11 € ; mi-mars à oct) est digne de confiance, et dans le centre, l'**Hotel Carola** (☎ 0974 82 64 22 ; www.hotelcarola.it ; s/d 62/80 € ; P) offre des chambres 3-étoiles correctes.

Le bus **CSTP** 34 (☎ 089 48 70 01 ; www.cstp.it, en italien) allant de Salerne (Piazza della Concordia) à Celso dessert Agropoli et d'autres villes de la côte.

CARNET PRATIQUE

AMBASSADES ET CONSULATS

Ambassades et consulats italiens à l'étranger

France Ambassade (☎ 01 49 54 03 00 ; http://sedi.esteri.it/ambparigi ; 51 rue de Varenne ; 75007 Paris). Consulats (Lyon ☎ 04 78 93 00 17 ; 5 rue du Commandant-Faurax ; Marseille ☎ 04 91 18 49 18 ; 56 rue d'Alger ; Lille ☎ 03 20 08 15 08).

Belgique Ambassade (☎ 02 643 38 50 ; www.ambbruxelles.esteri.it ; rue Émile-Claus 28 ; 1050 Bruxelles). Consulats (Bruxelles ☎ 02 543 15 50 ; rue de Livourne 38 ; Liège ☎ 04 230 28 00 ; Place Xavier-Neujean 31 B).

Suisse Ambassade (☎ 031 350 07 77 ; www.ambberna.esteri.it ; Elfenstrasse 14 ; 3006 Berne). Consulats (Genève ☎ 022 839 67 44 14 rue Charles-Galland ; Lausanne ☎ 021 341 12 91 ; rue du Petit-Chêne 29).

Canada Ambassade (☎ 613 232 2401 ; www.ambottawa.esteri.it ; 275 rue Slater, 21e ét, Ottawa K1P 5H9). Consulat (Montréal ☎ 514 849 8351 ; 3489 avenue Drummond).

Consulats étrangers à Naples

Pour obtenir les coordonnées d'une ambassade ou d'un consulat qui ne serait pas listé ci-dessous, consultez l'annuaire téléphonique aux rubriques *Ambasciate* ou *Consolati* ou demandez aux offices du tourisme.

France (carte p. 284 ; ☎ 081 59 80 711 ; Via Francesco Crispi 86, 80122 Naples).

Belgique (☎ 081 551 21 10 ; 78 Via A. Depretis, 80133 Naples).

Canada (☎ 081 40 13 38 ; Via Carducci 29 ; 80121 Naples).

ARGENT

L'Italie a adopté l'euro le 1er janvier 2002.

Au verso de la couverture de ce guide sont indiqués les taux de change en vigueur pour les francs suisses et les dollars canadiens.

Cartes de crédit et distributeurs automatiques de billets (DAB)

Les cartes de crédit peuvent être utilisées aux distributeurs de billets (*bancomat*) affichant le logo correspondant. Visa et MasterCard sont les plus répandues, avec Cirrus et Maestro, Amex étant moins courante. Si vous n'avez pas de code secret personnel, certaines banques (mais pas toutes) vous feront une avance d'espèces au comptoir. Les cartes de crédit sont acceptées dans les supermarchés, hôtels et restaurants d'une certaine importance, mais les *pensioni* et les petites trattorias et pizzérias ne prennent que de la monnaie sonnante et trébuchante.

Les opérations de retrait à un distributeur s'accompagnent de frais, en général 2% minimum du montant du retrait (variable selon les cartes de crédit), et des frais de conversion si vous venez d'une zone non-euro. Vous pouvez aussi, selon les cas, payer des intérêts sur la somme retirée. Renseignez-vous avant votre départ sur le montant des commissions pratiquées par votre banque.

Il n'est pas rare que les DAB italiens rejettent les cartes étrangères. Si cela vous arrive, essayez un autre distributeur : le problème ne vient pas forcément de votre carte.

En cas de perte, de vol ou si votre carte a été avalée par un DAB, appelez le numéro gratuit du centre de gestion pour bloquer son utilisation aux numéros gratuits suivants : MasterCard ☎ 800 87 08 66 ; Visa, ☎ 800 81 90 14 ; et Amex ☎ 800 86 40 46.

Change

Vous pouvez changer de l'argent dans les banques, à la poste ou dans un *cambio* (bureau de change). Généralement plus fiables, les banques ont aussi tendance à pratiquer des taux plus intéressants.

Reçus

En vertu des lois visant à renforcer le contrôle sur le paiement des impôts, il incombe à l'acheteur de demander, et de conserver, un reçu pour tous les biens et services payés. En théorie, un officier de la *guardia di finanza* (police financière) peut vous intercepter à la sortie d'un magasin pour contrôler votre reçu - il est rare néanmoins que cela se produise. Si vous ne l'avez pas, vous encourez une amende

Chèques de voyage

Bien qu'en voie de disparition, les chèques de voyage ne doivent pas être totalement ignorés, constituant une excellente roue de secours en cas de problème, notamment parce qu'ils peuvent être remboursés en cas de vol (à condition d'avoir pris la précaution de noter leurs numéros et de les avoir conservés séparément des chèques).

LA CAMPANIA ARTECARD

Pour profiter au mieux de votre temps et de votre argent à Naples, et dans toute la Campanie, investissez donc dans la **Campania Artecard** (☎ 800 600 601 ; www.campaniartecard.it en italien). Cette carte forfaitaire donne accès aux musées et permet d'utiliser les transports en commun gratuitement. Différentes formules existent. Le billet "Napoli e Campi Flegrei" (13 €, valable 3 jours) par exemple permet l'accès gratuit à deux sites (parmi ceux participant à cette offre), et 50% de réduction pour d'autres sites, ainsi que les transports gratuits dans Naples et pour aller aux champs Phlégréens. D'autres formules, allant de 25 € à 28 €, comprennent la visite de Pompéi ou de Paestum. La Campania Artecard s'achète dans les gares, les kiosques à journaux, les musées participant à l'opération, mais aussi par Internet et même par téléphone. Attention, les guichets des sites touristiques ferment généralement une heure avant la fermeture.

Si vous comptez visiter Pompéi et Herculanum, vous ferez des économies en achetant le billet combiné (adulte/Européens 18-25 ans/Européens moins de 18 ans et plus de 65 ans 20/10 €/gratuit) qui couvre également Oplonte (Oplontis), Stabie (Stabiae) et Boscoreale.

Les chèques American Express, Visa et Travelex sont les plus faciles à changer, surtout s'ils sont libellés en euros, livres ou dollars.

En cas de perte ou de vol, appelez : Amex ☎ 800 72 000 ; Travelex ☎ 800 33 55 11 ; Visa ☎ 800 874 155.

CARTES ET PLANS

Les cartes et plans de ville figurant dans ce guide, combinés à ceux distribués par les offices du tourisme, devraient suffire à vous repérer dans les principales villes de la région. Les offices du tourisme vous fourniront également des plans de promenades, mais si vous prévoyez de faire de véritables randonnées, mieux vaut acheter une carte détaillée. L'une des plus fiables est la *Monti Lattari, Peninsola Sorrentina, Costiera Amalfitana: Carta dei Sentieri* (8 €) du Club Alpino Italiano (CAI).

Les cartes routières et plans de ville publiés par Agostini, le Touring Club Italiano (TCI) et Michelin, excellents, sont en vente dans les librairies.

CARTES DE RÉDUCTION

De nombreux musées d'État et sites archéologiques accordent la gratuité aux citoyens européens de moins de 18 ans et de plus de 65 ans, et 50% de réduction aux 18-25 ans, sur présentation d'un passeport ou d'une carte d'identité.

Autre possibilité, le *biglietto cumulativo*, qui permet d'accéder à plusieurs sites proches les uns des autres à un coût plus avantageux qu'en payant l'entrée de chaque site séparément

Dans beaucoup d'endroits, la **carte ISIC** (International Student Identity Card), émise par l'ISTC (International Student Travel Confederation ; www.istc.org), ne suffit plus, les tarifs prenant en compte l'âge de l'étudiant. Munissez-vous donc de votre carte d'identité, de votre permis de conduire ou de la carte **Euro<26** (www.euro26.org). La carte ISIC est toutefois toujours utile pour les billets d'avion à bas prix, les places de théâtre et de cinéma à tarifs réduits. Les moins de 26 ans qui ne sont plus étudiants obtiendront les mêmes avantages avec la **carte IYTC** (International Youth Travel Card), émise par la **FIYTO** (Federation of International Youth Travel Organisations ; www.fiyto.org).

Ces cartes jeunes et étudiants sont émises par les associations d'étudiants, les auberges de jeunesse et certaines agences de voyages pour étudiants. À Naples, vous pourrez obtenir une carte ISIC, ITIC ou Euro<26 auprès de l'agence du **CTS** (carte p. 280 ; ☎ 081 552 79 60 ; www.cts.it en italien ; Via Mezzocannone 25).

CLIMAT

Le sud de l'Italie bénéficie d'un climat méditerranéen. Les étés sont longs, chauds et secs, et les températures peuvent dépasser les 35°C. Il fait généralement plus frais sur la côte amalfitaine et les îles de la baie de Naples. Les hivers sont assez doux, avec des températures avoisinant les 10°C. Le printemps et le début de l'automne sont les saisons idéales pour se rendre à Naples, la température y est généralement fort agréable. En revanche, entre décembre et mars, il peut pleuvoir beaucoup. Pour d'autres informations sur la saison touristique, voir p. 17.

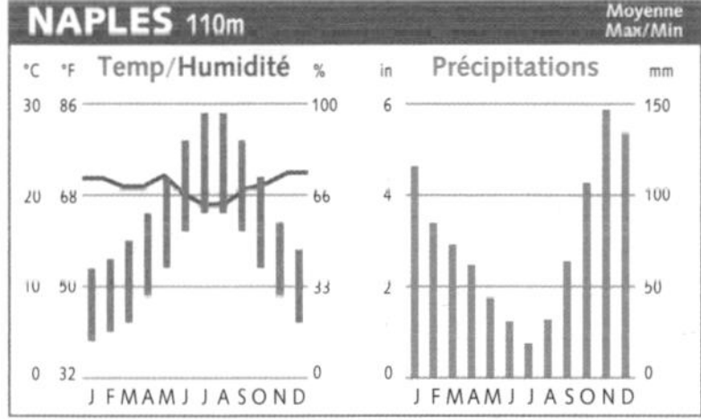

COURS

À Sorrente, la **Sorrento Cooking School** (carte p. 206 ; ☎ 081 878 32 55 ; www.sorrentocookingschool.com ; Viale Dei Pini 52, Sant'Agnello) offre divers cours de cuisine, entre autres des stages d'une journée à partir de 140 €, et le **Centro Linguistico Internazionale Sorrento Lingue** (carte p. 206 ; ☎ 081 807 55 99 ; www.sorrentolingue.com ; Via San Francesco 8) propose des cours de langue allant de 206 à 760 €. Détails complémentaires p. 209.

À Naples, l'**Istituto Italiano di Cultura** (IIC ; ☎ 081 546 16 62 ; www.istitalianodicultura.org en italien ; Via Bernardo Cavallino 89) vous renseignera en détail sur toutes les études possibles.

Les plongeurs trouveront quantité d'agences dispensant des cours pour débutants ou pratiquants confirmés. En voici quelques-unes :

Captain Cook (carte p. 190 ; ☎ 335 636 26 30 ; www.captaincook.it ; Ischia Porto, Ischia)
Nettuno Diving (carte p. 206 ; ☎ 081 808 10 51 ; www.sorrentodiving.com ; Via A Vespucci 39, Marina del Cantone)
Procida Diving Centre (☎ 081 896 83 85 ; www.vacanzeaprocida.it/framediving01-uk.htm ; Procida)
Sercomar (carte p. 173 ; ☎ 081 837 87 81 ; www.caprisub.com ; Marina Grande, Capri)
Sorrento Diving Center (carte p. 206 ; ☎ 081 877 48 12 ; www.sorrentodivingcenter.it ; Sorrente).

Pour des renseignements complémentaires, reportez-vous aux sections des destinations concernées.

DOUANES

La vente de produits hors taxe n'existe plus au sein de l'Union européenne (UE). La réglementation du marché unique prévoit que les marchandises achetées et exportées à l'intérieur de l'UE ne sont soumises à aucune taxe supplémentaire, dans la mesure où elles sont destinées à la consommation personnelle et où les frais de douane ont été payés dans un des pays de l'UE.

Les visiteurs en provenance de pays hors UE ont en revanche le droit d'importer hors taxe les articles suivants : 1 l d'alcool, 2 l de vin, 60 ml de parfum, 250 ml d'eau de toilette, 200 cigarettes, ainsi que d'autres marchandises totalisant au maximum 175,50 €. Au-delà de ce montant, une déclaration en douane doit être effectuée et les droits correspondants payés. Vous pouvez aussi emporter jusqu'à 12 500 € en espèces.

ÉLECTRICITÉ

En Italie, le courant est de 220V. Les Canadiens pourront se procurer des adaptateurs dans les boutiques spécialisées.

ENFANTS

Naples et la côte amalfitaine sont des destinations éprouvantes pour les enfants. Naples vit à un rythme qui épuise tout le monde, adultes comme enfants ; Pompéi et ses sols inégaux sont aussi un cauchemar pour les promeneurs en herbe, et les lacets de la route en corniche de la côte amalfitaine les rendront à peu près tous malades.

Cela dit, tout n'est pas perdu, vous êtes en Italie et les enfants sont partout accueillis à bras ouverts.

Renseignez-vous auprès de l'office du tourisme pour connaître les hôtels et les activités les plus adaptés aux familles. Les enfants (généralement de moins de 12 ans mais parfois juste en fonction de la taille) voyagent à tarif réduit dans les transports publics et paient moins cher l'entrée des musées et des sites.

Réservez votre hébergement et surtout vos places de train si vous ne voulez pas voyager debout. La plupart des agences de location de voitures peuvent vous fournir des sièges enfant, mais vous devez, dans ce cas aussi, les réserver. Il en va de même pour les chaises hautes et les lits d'enfant – la plupart des hôtels et des restaurants en sont équipés mais en nombre limité.

Si vous voyagez avec des tout-petits, vous pourrez vous procurer en pharmacie du lait en poudre et des produits de stérilisation. Les couches jetables sont en vente dans les supermarchés et les pharmacies, au prix de 10 € environ le paquet de 25. Les supermarchés et les bars affichant l'enseigne "Latteria" vendent du lait frais dans des briques en carton. Par précaution, conservez avec vous une brique de lait car les bars ferment en général à 20h.

Baby-sitting

Mieux vaut ne pas y penser ! Même si certains hôtels de luxe peuvent fournir des baby-sitters, en Italie du Sud les enfants participent à la vie sociale et familiale de leurs parents et sont trimballés à peu près partout.

À voir et à faire

Pour réussir un voyage avec des enfants, mieux vaut le planifier avec soin. Une des raisons les plus courantes d'énervement est de vouloir en faire trop. La chaleur et la foule mettent les nerfs à rude épreuve, même ceux des enfants (et des parents) les plus patients. N'oubliez pas de prévoir du temps pour les laisser jouer et pensez à équilibrer une grosse journée au musée par une journée à la plage. Associez vos enfants autant que possible à la préparation de l'emploi du temps. S'ils ont contribué au choix des sites à visiter, ils seront beaucoup plus intéressés une fois sur place.

On trouvera dans l'encadré p. 76 une liste de sites susceptibles d'éveiller l'intérêt des petits à Naples. Ailleurs, les ruines de **Pompéi** (p. 160) parleront aux plus grands tandis que la **Grotte bleue** (Grotta Azzurra, p. 178) de Capri impressionnera tout le monde. À Sorrente, le petit **City Train** (p. 209) permet de visiter la ville de manière amusante. Des parcs de jeux pour les enfants (qui ne comportent bien souvent qu'une ou deux balançoires, mais c'est mieux que rien) ont été aménagés à **Anacapri** (p. 178), **Sorrente** (p. 208) et **Amalfi** (p. 232), et les fronts de mer de **Minori** et **Maiori** sont remplis de stands de jeux tapageurs à souhait.

HANDICAPÉS

Naples n'est pas une ville confortable pour les personnes handicapées (*disabili*). Rues pavées, trottoirs obstrués et ascenseurs exigus rendent la vie difficile aux personnes en fauteuil roulant. Quant à l'anarchie de la circulation automobile, elle désoriente les personnes à vision ou audition réduite. Ailleurs, les surfaces inégales de Pompéi sont pratiquement rendues impossibles aux fauteuils roulants et les rues escarpées des villages de la côte amalfitaine représentent un obstacle considérable.

L'excellent site www.turismoaccessibile.it recense les musées, hôtels et services de transport de Naples aménagés pour les handicapés.

Si vous prenez le train, le **bureau des services à la clientèle** (☎ 081 567 29 91 ; 7h-21h tlj) de la gare centrale de Naples (Stazione Centrale ; carte p. 280) peut aider les personnes en fauteuil roulant à accéder à leur place. Pour cela, il faut téléphoner 24 heures avant le départ et se présenter au bureau 45 minutes avant l'heure de départ. De même, le personnel de **Metrò del Mare** (carte p. 278 ; ☎ 199 60 07 00 ; www.metrodelmare.com) peut vous aider à monter et à descendre des ferries.

Quelques autobus, R2 et R3 notamment, sont équipés de rampes d'accès et d'espace suffisant pour un fauteuil roulant.

Deux organisations pourront vous rendre service :

Accessible Italy (☎ 378 94 11 11 ; www.acessibleitaly.com). Une société de Saint-Marin spécialisée dans les services de vacances aux handicapés.

Consorzio Cooperative Integrate (COIN ; ☎ 06 712 90 11 ; www.coinsociale.it). Basée à Rome, COIN est la meilleure ressource pour les voyageurs handicapés, avec des contacts dans tout le pays.

En France, l'**Association des paralysés de France** (APF, 17 bd Auguste-Blanqui, 75013 Paris, ☎ 01 40 78 69 00, fax 01 45 89 40 57, www.apf.asso.fr) peut vous fournir d'utiles informations sur les voyages accessibles aux handicapés.

HÉBERGEMENT

Naples et la côte amalfitaine ne sont pas menacées d'une pénurie d'hébergements, la règle étant, sans surprise, que les établissements soient plus onéreux sur la côte et les îles de la baie qu'à Naples, avec peu d'options bon marché et beaucoup, en revanche, dans la catégorie de grand standing.

Tout au long de ce guide, nous avons classé les hébergements par ordre alphabétique, assortis d'une évaluation de leur tarif : € (jusqu'à 90 € pour une double), €€ (entre 90 et 190 €) et €€€ (au-dessus de 190 €). Les icônes à la fin des coordonnées signalent la présence de la climatisation et de l'accès à Internet.

De manière générale, les hôtels et les pensions (*pensioni*) sont les plus nombreux, mais il existe d'autres formules d'hébergement : chambres d'hôtes et gîtes ruraux, Bed & Breakfast, auberges de jeunesse ou location d'appartements. Quant aux prix, ils varient énormément selon les périodes. Ainsi, attendez-vous à payer des tarifs de haute saison à Pâques, en été (de juin à septembre), ainsi que pendant la période de Noël et du Jour de l'an. La fourchette moyenne se situant entre 80 et 300 € pour une double dans un hôtel trois-étoiles, à peu près partout. À moins que cela ne soit mentionné, les prix indiqués dans cet ouvrage concernent la haute saison.

Les auberges de jeunesse (*ostelli per la gioventù*) sont gérées par l'**Associazione Italiana Alberghi per la Gioventù** (AIG ; ☎ 06 487 11 52 ; www.ostellionline.org ; Rome), affiliée à **Hostelling International** (HI ; www.iyhf.org). Il faut être en possession d'une carte HI en cours de validité, que vous pouvez vous procurer dans votre pays d'origine ou dans nombre d'auberges elles-mêmes. Normalement, un lit en dortoir coûte entre 15 et 25 €, souvent avec le petit déjeuner. Dans beaucoup d'endroits, vous pourrez aussi dîner pour 10 € environ.

Les campeurs ne sont pas bien lotis dans la région, en dehors des deux terrains corrects situés à Sorrente. Comptez entre 5 et 12 € par personne et entre 5 et 12 € pour planter la tente.

L'*agriturismo* (séjour à la ferme) est une forme d'hébergement qui tend à se répandre. Ces établissements raviront les vacanciers soucieux d'échapper à la foule ou ayant des enfants – l'espace ne manque pas et en plus, il y a les animaux de la ferme –, mais ils sont parfois difficiles à atteindre sans voiture. Des listes d'adresses sont distribuées par les offices du tourisme et **Agriturist Campania** (carte p. 278 ; ☎ 081 28 52 43 ; www.agriturist.it en italien ; 8ᵉ ét, Corso Arnaldo Lucci 137).

Les B&B sont en plein développement, particulièrement à Naples, mais aussi sur la côte. Il peut s'agir de corps de fermes restaurés, de *palazzi* en ville, de bungalows en bord de mer ou tout simplement de chambres chez l'habitant. Les prix varient considérablement, mais il faut généralement compter entre 70 € et 150 €. Renseignez-vous auprès de l'organisme **Bed & Breakfast Italia** (☎ 06 687 86 18 ; www.bbitalia.it en français ; à Rome) ou, à Naples, auprès de **Rent A Bed** (carte p. 280 ; ☎ 081 41 77 21 ; www.rentabed.com en français ; Vico d'Afflitto 16).

Pour faire une réservation dans un hôtel ou un *agriturismo*, vous devrez souvent confirmer par e-mail ou fax et donner un numéro de carte de crédit par sécurité (ou un mandat couvrant la première nuit).

Les offices de tourisme de la région distribuent des listes d'adresses et certains, comme à Sorrente, disposent d'un service de réservation.

Il n'est pas toujours facile de trouver un hébergement à louer à Naples, mieux vaut donc, peut-être, vous adresser à une agence spécialisée qui, moyennant une commission, vous aidera. Pour réserver, vous devrez certainement verser un acompte (en général un mois à l'avance) et, plus la location courra sur une courte durée, plus les prix seront élevés.

Dans les grandes stations balnéaires, telles Capri, Amalfi ou Positano, les offices du tourisme possèdent une liste des appartements et villas à louer dans la région. Comme tarif de base, comptez au moins 1 000 € par semaine, en haute saison, pour un 3-pièces avec services ménagers.

Les agences ci-dessous proposent des locations d'appartement et/ou de villas, à Naples et/ou sur la côte amalfitaine.

Casa d'Arno (☎ 01 44 64 86 00, 36 rue de la Roquette, 75011 Paris, www.casadarno.com). Une agence parisienne fondée par une Italienne. Location d'appartement à Naples et de villas dans la campagne et sur la côte amalfitaine.

Cuendet & Cie Spa (www.cuendet.com en français ; appel gratuit depuis la France ☎ 0800 900 381 ; appel gratuit depuis la Belgique ☎ 0800 15 330 ; appel gratuit depuis la Suisse ☎ 0800 553 183 ; en Italie ☎ (00 39) 0577 57 63 30). Installée à Sienne, cette grande agence italienne dispose de villas sur la côte amalfitaine.

Destination Italie (☎ 00 39 055 833 65 32, Castello di Pratelli, Via di Pratelli 1A, 50064 Incisa in Val d'Arno, Toscane, www.destination-italie.net). Locations à Naples et sur la côte amalfitaine.

Far Voyages et agritourisme (☎ 01 40 13 97 87, 8 rue Saint-Marc, 75002 Paris, www.locatissimo.com). Appartements, gîtes ruraux, villas... à Naples et sur la côte amalfitaine.

Italie Loc'Appart (☎ 01 45 27 56 41, 75 rue de la Fontaine au Roi, 75011 Paris, www.destinationslocappart.com). Locations d'appartements et de villas, à Naples et sur la côte amalfitaine.

Solemar/Interhome (www.solemar.it ; en France ☎ 0805 650 350, 15 avenue Jean-Aicard, 75011 Paris ; en Belgique ☎ 02 648 99 55, av. Louise 226, 1050 Bruxelles ; en Suisse ☎ 022 317 8737, rue du Vieux-Collège 7, Case postale 3307 CH, 1211 Genève 3). Un large choix d'appartements et de villas.

Ville in Italia (☎ (00 39) 055 41 20 58, Via Michelazzi Luigi, 50141 Florence, www.villeinitalie.com en italien et en anglais). Locations sur la côte amalfitaine.

HEURE LOCALE

L'Italie est à l'heure GMT plus 1 heure en hiver et GMT plus 2 heures en été (on change d'heure le dernier dimanche d'octobre et le dernier dimanche de mars).

HORAIRES D'OUVERTURE

Les magasins de Naples ouvrent en général du lundi au samedi de 9h30 à 13h30 et de 16h30 à 20h (en hiver) ou 16h à 20h30 (en été). Il arrive qu'ils ferment le samedi après-midi ou le lundi matin. La plupart des grands magasins et des supermarchés de la ville font maintenant la journée continue, de 9h à 19h30, du lundi au samedi. Certains établissements ouvrent même de 9h à 13h le dimanche.

Les banques sont généralement ouvertes au public de 8h30 à 13h30 et de 14h45 à 16h30, du lundi au vendredi. Elles ferment le week-end mais, à Naples et dans les zones touristiques, on trouve des bureaux de change (*cambio*) ouverts 7 jours/7.

Les bureaux de poste principaux fonctionnent du lundi au vendredi de 8h30 à 18h, et le samedi jusqu'à 13h. Tous les bureaux de poste ferment deux heures plus tôt le dernier jour ouvré de chaque mois (hors samedi).

Les *farmacie* (pharmacies) vous accueillent du lundi au vendredi de 9h à 13h et de 16h à 19h30. Le week-end, l'adresse de la pharmacie de garde la plus proche est affichée sur la porte.

Bars et cafés sont en général ouverts de 7h30 à 20h, et certains ne ferment qu'à 1h ou 2h du matin. Les clubs et les discothèques ouvrent vers 22h, mais ils ne se remplissent qu'aux environs de minuit.

Les restaurants assurent deux services, de 12h à 15h et de 19h30 à 23h (plus tard en été). Restaurants et bars sont tenus de fermer un jour par semaine, bien que dans les zones touristiques les plus fréquentées, cette règle ne soit pas toujours respectée.

Les horaires d'ouverture des musées, galeries et sites archéologiques sont extrêmement variables, mais beaucoup sont fermés le lundi. En été, de plus en plus de musées nationaux et de sites restent ouverts jusqu'à 22h.

On notera que les horaires d'ouverture des commerces de la côte amalfitaine et même de la grande banlieue de Naples sont différents de ceux des commerces du centre-ville de Naples.

HOMOSEXUALITÉ

Si l'homosexualité – légale en Italie – est bien tolérée dans la plupart des grandes villes comme Naples, certaines marques d'affection trop démonstratives peuvent toutefois choquer dans les petites cités du Sud et de la côte amalfitaine. En Italie, l'âge légal du consentement est 16 ans.

La plus grande association gay de Naples, **Arcigay-Circola Antinoo** (carte p. 280 ; ☎ 081 552 88 15 ; www.arcigaynapoli.org ; Vico San Geronimo alle Monarche 19), organise des événements divers et peut vous renseigner sur le milieu gay de la ville.

Vous pouvez consulter les adresses de bars et d'hôtels figurant sur le site www.gay.it/guida (en italien).

Renseignements complémentaires dans l'encadré p. 132.

INTERNET (ACCÈS)

Les cybercafés sont bien sûr le moyen le plus simple d'accéder à Internet en voyage. À Naples, on peut essayer les suivants :

Internetbar (carte p. 280 ; ☎ 081 29 52 37 ; Piazza Bellini 74 ; 3 €/heure ; 🕑 9h-2h lun-sam, 20h-2h dim)
Navig@ndo (carte p. 280 ; ☎ 081 193 60 030 ; Via S Anna dei Lombardi 28 ; 2 €/heure ; 🕑 9h30-20h30 tlj)
Zeudi Internet Point (carte p. 284 ; ☎ 081 251 22 50 ; Via Chiaia 199c ; 3 €/heure ; 🕑 9h30-21h lun-sam)
Pour les villes de la côte amalfitaine, reportez-vous aux sections qui leur sont consacrées au chapitre *La côte amalfitaine*.

Les bornes wifi ne sont pas nombreuses, mais les hôtels de grand standing en sont équipés.

JOURNAUX ET MAGAZINES

Le grand quotidien napolitain est *Il Mattino*, mais les quotidiens nationaux *La Repubblica* et le *Corriere della Sera* ont aussi un cahier napolitain.

La presse étrangère est distribuée en général un ou deux jours après sa publication, dans les grands kiosques de Naples et, plus couramment, dans les stations de la côte amalfitaine.

OFFICES DU TOURISME

La région compte de nombreux offices du tourisme, certains plus utiles que d'autres et qui tous pourront vous fournir des listes d'hôtels, des plans et des cartes, des détails sur les transports et des précisions sur les sites importants.

Ils vous accueillent de 8h30 à 12h30 ou 13h et de 15h à 19h, du lundi au vendredi. En été, les offices du tourisme restent ouverts plus tard et certains ouvrent également les samedis et dimanches. Dans les grandes villes et les zones touristiques, le personnel parle généralement anglais, parfois français, et les publications sont souvent en plusieurs langues.

Offices du tourisme italiens à Naples

L'**office du tourisme régional** (carte p. 284 ; ☎ 081 40 53 11 ; www.campaniafelix.it en italien ; Piazza dei Martiri 58 ; 🕑 9h-14h lun-ven) est situé à Chiaia.

Toutefois, les offices du tourisme indiqués ci-dessous sont plus efficaces, car ils distribuent la brochure touristique *Qui Napoli* :
Piazza del Gesù Nuovo (plan p. 280 ; ☎ 081 552 33 28 ; 🕑 9h30-13h30 et 14h30-18h lun-sam, 9h-13h30 dim)
Gare centrale (*Stazione Centrale* ; carte p. 280 ; ☎ 081 26 87 79 ; 🕑 9h-19h30 lun-sam, 9h-13h30 dim)
Gare de Mergellina (carte p. 284 ; ☎ 081 761 21 02 ; 🕑 9h-19h30 lun-ven, 9h-13h30 sam)
Via San Carlo 7 (carte p. 284 ; ☎ 081 40 23 94 ; 🕑 9h30-13h30 et 14h30-18h lun-sam, 9h-13h30 dim)

Pour connaître les offices du tourisme en dehors de Naples, reportez-vous aux rubriques *Renseignements* du chapitre *La côte amalfitaine*.

Offices du tourisme italiens à l'étranger

France (☎ 01 42 66 66 68 ; www.enit-france.com ; 23 rue de la Paix ; 75002 Paris)
Belgique (☎ 02 647 11 54 ; 176 avenue Louise ; 1050 Bruxelles)
Suisse (☎ 04 346 640 40 Uraniastrasse 32 ; 8001 Zurich)
Canada (☎ 416 925 48 82 ; www.italiantourism.com ; 175 Bloor Street, suite 907, South Tower ; M4W3R8 Toronto)

PHARMACIES

Arborant une croix verte comme en France, les pharmacies sont le premier recours à tenter en cas de problème mineur. Pour les stations balnéaires de la côte amalfitaine, leur adresse figure dans l'encadré *Renseignements* de chaque ville. À Naples, vous pouvez essayer :
Farmacia Cannone (carte p. 283 ; ☎ 081 556 72 61 ; Via A Scarlatti 75 ; 🕑 9h-24h ; Funicolare Centrale jusqu'à Fuga). Bien fourni en homéopathie.
Officina Profumo Farmaceutica di Santa Maria Novella (carte p. 284 ; ☎ 081 40 71 76 ; Via Santa Caterina a Chiaia 20 ; bus CS Piazza dei Martiri)

PHOTO

Si vous utilisez un appareil photo numérique, assurez-vous d'avoir suffisamment de mémoire pour sauvegarder toutes vos photos. Si la mémoire est saturée, le mieux est de graver vos photos sur un CD. Un nombre croissant de laboratoires proposent aujourd'hui ce service.

Pour télécharger vos images depuis un cybercafé, vous aurez besoin d'un câble USB et d'un lecteur de carte. Certains établissements fournissent un câble USB sur demande, mais beaucoup interdisent de connecter son appareil photo aux ordinateurs, ce qui ramène à la première solution : le CD.

POLLUTION

La pollution atmosphérique – due essentiellement à la circulation – constitue un réel problème à Naples. Lors des pics de pollution, assez fréquents en été, il est vivement déconseillé de sortir aux personnes âgées, aux enfants et aux personnes souffrant de troubles respiratoires. Renseignez-vous, le cas échéant, à l'office du tourisme ou à votre hôtel.

POSTE

Le service postal italien, le très critiqué groupe **Poste italiane** (☎ 803 160 ; www.poste.it), a fait de grands progrès ces derniers temps, sans devenir pour autant un modèle d'efficacité.

Les timbres *(francobolli)* s'achètent dans les postes et les bureaux de tabac (*tabacchi*, reconnaissables à leur T blanc sur fond noir). Si vous avez du courrier urgent, vous pouvez l'envoyer par *postacelere*, (aussi connu sous le nom de poste CAI), un service de la poste italienne.

La généralisation du courrier électronique a rendu la poste restante *(fermo posta)* quasiment obsolète. Cependant, si vous voulez écrire à l'encre, sur papier, à l'objet de votre amour, il faut rédiger l'adresse comme suit :

Jean MARTIN
Fermo Posta,
80100 Napoli,
Italie

Ledit objet de votre amour devra se rendre à la **poste principale** de Naples (carte p. 284 ; ☎ 081 790 47 54 ; Piazza Matteotti) pour retirer la lettre en personne, muni(e) de sa carte d'identité ou de son passeport.

Pour toute information supplémentaire sur les services postaux, contactez le ☎ 800 22 26 66 ou connectez-vous au site www.poste.it (en italien et en anglais).

POURBOIRES

Le service est généralement compris dans l'addition, mais il est d'usage de laisser un petit pourboire. Si le service n'est pas inclus, comptez une somme (non obligatoire) représentant 10% à 12% de la note. Dans les bars, les Italiens posent souvent une pièce de 0,10 ou 0,20 € sur le comptoir en commandant un café. Si le pourboire n'est habituellement pas prévu pour les chauffeurs de taxi, n'oubliez pas en revanche d'en donner un au bagagiste des grands hôtels.

RADIO

Les stations publiques RAI 1 (89,3 ou 94,1 MHz FM ou 1332 KHz AM), RAI 2 (91,3 ou 96,1 MHz FM et 846 KHz AM) et RAI 3 (93,3 ou 98,1 MHz FM) diffusent de la musique de variété ainsi que, toutes les demi-heures, un bulletin d'informations.

SANTÉ ET ASSURANCE

La carte européenne d'assurance maladie, nominative et individuelle, remplace le formulaire E111 et assure l'aide médicale d'urgence (mais non le rapatriement sanitaire) aux citoyens de l'Union européenne. Vous devez en faire la demande auprès de votre caisse d'assurance maladie. Comptez un délai de deux semaines pour la réception.

Il est conseillé de souscrire une police d'assurance qui vous couvrira en cas d'annulation de votre voyage, de vol, de perte de vos affaires, de maladie ou encore d'accident. Lisez avec la plus grande attention les clauses en petits caractères : c'est là que se cachent les restrictions.

Vérifiez notamment que les "sports à risques", comme la plongée, la moto ou même la randonnée, ne sont pas exclus de votre contrat, ou encore que le rapatriement médical d'urgence, en ambulance ou en avion, est couvert. De même, le fait d'acquérir un véhicule dans un autre pays ne signifie pas nécessairement que vous serez protégé par votre propre assurance.

Attention ! Avant de souscrire une police d'assurance, vérifiez bien que vous ne bénéficiez pas déjà d'une assistance par votre carte de crédit, votre mutuelle ou votre assurance automobile. C'est bien souvent le cas.

SÉCURITÉ

Naples a une certaine réputation de ville dangereuse et les récents événements ne sont pas de nature à modifier cette image. Fin 2004, début 2005, une guerre entre gangs camorristes a fait 47 morts. Si vous avez peu de chance d'être pris dans un règlement de comptes mafieux, vous devrez néanmoins faire très attention, dans la rue, à vos affaires. La petite criminalité est élevée ; les pickpockets et les voleurs à l'arraché se baladant à scooter sont actifs dans les grands centres touristiques.

Évitez de vous promener seul(e) dans les rues le soir, surtout dans les quartiers de Mercato, de La Sanità et les Quartiers espagnols (Quartieri Spagnoli), ainsi que sur la Piazza Garibaldi.

Hors de Naples, il n'y a pas de problème majeur à signaler. À Pompéi, méfiez-vous cependant des rabatteurs qui se font passer pour des guides patentés et, dans les ruines, des éventuels chiens errants.

Escroqueries

Sur la Piazza Garibaldi, il faut se méfier du "coup" du téléphone portable. Vous achetez un téléphone tout neuf à un prix imbattable et une fois rentré à l'hôtel, vous découvrez que vous avez payé pour une boîte avec une pierre à l'intérieur. Il n'y a aucune parade à cette escroquerie sinon celle de refuser toutes les propositions douteuses de téléphone ou autres appareils électriques.

Beaucoup de combines jouent sur le manque de familiarité des étrangers avec les billets en euros. L'escroquerie sur le rendu de la monnaie est le jeu le plus répandu. Vous payez un panino de 4 € avec un billet de 20 € et le caissier vous rend distraitement une pièce d'un euro et un billet de 5 € avant de tourner les talons. L'astuce, à ce moment-là, est simplement d'attendre et vous avez des chances de voir arriver le billet de 10 € sans avoir à dire un mot.

L'échange de billets est aussi une pratique courante. Vous payez une course en taxi ou un billet de train avec un billet de 20 € ; le chauffeur ou le guichetier fait rapidement disparaître le billet dans sa main et agite un billet de 10 € en prétendant que vous avez payé avec celui-ci et non avec un billet de 20 € comme vous le pensiez. Dans votre confusion, vous ne savez plus très bien ce que vous avez fait et vous acceptez ce qu'on vous dit.

Vol

Les pickpockets sévissent prioritairement au milieu d'une foule compacte et surtout dans les gares et les transports en commun. Dans la majorité des cas, une personne vous distrait pendant qu'une autre s'occupe de vos poches. Méfiez-vous des bandes de jeunes d'allure débraillée vendant des journaux et réclamant votre attention. Un portefeuille ou un appareil photo peuvent disparaître en un clin d'œil. N'oubliez pas non plus que les pickpockets chevronnés sont souvent bien habillés.

Quand vous sortez, mettez votre argent, vos cartes et autres objets précieux en plusieurs endroits séparés sur le corps ou plusieurs sacs. Une ceinture portefeuille pour le passeport, l'argent, les cartes de crédit et les billets d'avion est une bonne idée. Cependant, pour éviter de devoir l'ouvrir en public, portez l'argent de la journée dans un portefeuille séparé. Ne faites pas étalage de montres, d'appareils photos et d'autres objets coûteux. Les appareils photos et sacs en bandoulière excitent l'appétit des voleurs à l'arraché qui, très souvent, opèrent à moto ou en scooter. Portez vos appareils et sacs devant vous et gardez les bras près du corps. Soyez également vigilant dans les cafés ; passez toujours la lanière de votre sac autour de la jambe quand vous êtes assis.

Les voitures en stationnement, surtout celles immatriculées à l'étranger ou identifiées comme voiture de location, constituent des cibles de choix. Lorsque vous circulez en ville, faites attention quand vous êtes à l'arrêt à un feu ; verrouillez les portières et remontez les vitres à bonne hauteur. Un des coups favoris consiste pour un scooter à raser votre voiture en heurtant le rétroviseur extérieur, et pendant que vous passez le bras pour le remettre en place, un complice à bord d'un second scooter s'approche et vous arrache votre montre.

Le vol de voiture est un problème à Naples. Vous avez donc intérêt à laisser votre véhicule sur un parking surveillé. Si vous stationnez dans la rue, vous risquez de voir venir un (faux) agent de stationnement vous réclamant de l'argent. Vous n'avez bien sûr rien à lui donner, mais il est clair que vous courez alors le risque de retrouver votre voiture endommagée.

En cas de vol ou de perte, adressez-vous à la police dans un délai de 24h et demandez une déclaration écrite, indispensable pour obtenir un remboursement de votre assurance.

Circulation

La circulation à Naples peut se décrire comme chaotique ou franchement dangereuse pour les touristes non préparés. Les chauffeurs préfèrent faire une embardée plutôt que de s'arrêter pour laisser passer les piétons, même aux passages protégés. Les Italiens s'engagent simplement sur la chaussée et traversent avec détermination au milieu des voitures. Le système semble efficace, aussi, si vous hésitez à traverser une rue animée, attendez un Italien et suivez-le.

Attention, dans nombre de villes, des rues apparemment à sens unique pour les voitures possèdent parfois une voie à contresens pour les bus – regardez toujours à droite et à gauche avant de traverser !

SERVICES MÉDICAUX

Le service public de santé italien est légalement tenu de soigner toute personne en situation d'urgence.

En cas d'urgence, présentez-vous au service des urgences (*pronto soccorso*) d'un hôpital public (*ospedale*). Vous pouvez aussi y recevoir des soins dentaires d'urgence. Dans des cas moins graves, appelez le médecin de garde local (*guardia medica*), dont le numéro vous sera communiqué par votre hôtel ou l'office du tourisme le plus proche. Les pharmaciens (voir p. 255) peuvent vous donner des conseils médicaux de base.

Ambulance (☎ 118, ☎ 081 752 06 96)

Ospedale Loreto-Mare (plan p. 280 ; ☎ 081 20 10 33 ; Via Amerigo Vespucci 26)

TAXES ET REMBOURSEMENT

En Italie, tous les produits sont soumis aux 19% de TVA, appelée IVA en italien (*Imposta di Valore Aggiunto*). Si vous résidez hors de l'Union européenne et dépensez plus de 180 € pour un achat, vous pouvez obtenir le remboursement de cette taxe en quittant l'UE. Le remboursement ne concerne que les articles achetés dans les magasins de détail agréés affichant la mention "Tax free for tourists".

TÉLÉPHONE

Appels nationaux

Le prix des communications, notamment interurbaines, est assez élevé en Italie. Le prix moyen d'une communication est de 0,06 € la minute pour un appel local, 0,13 € pour un appel longue distance et 0,40 € pour un appel vers un mobile. Les appels depuis les téléphones publics coûtent encore plus cher. Pour téléphoner à moindre coût, effectuez vos appels locaux, et même internationaux, de minuit à 8h, et le dimanche. Le tarif plein s'applique de 8h à 18h30 du lundi au vendredi et jusqu'à 13h le samedi.

Les indicatifs régionaux commencent tous par "0" et comportent jusqu'à quatre chiffres. L'indicatif régional de Naples est le 081. Les numéros de portables débutent par un indicatif à trois chiffres tels que 330. Les numéros gratuits ou *numeri verdi* commencent généralement par 800, les numéros d'appel nationaux par 848 ou 199.

Pour appeler les renseignements téléphoniques, composez le ☎ 1254.

Appels internationaux

Pour appeler à l'étranger, composez le ☎ 00 (indicatif international), l'indicatif du pays (☎ 33 pour la France, ☎ 32 pour la Belgique, ☎ 41 pour la Suisse et ☎ 1 pour le Canada), puis le numéro de téléphone de votre correspondant.

Le prix des communications vers l'étranger est prohibitif : pour l'Europe, comptez quelque 0,61 € la minute et près de 1 € depuis un téléphone public. Si vous prévoyez de beaucoup téléphoner à l'étranger, renseignez-vous avant de partir sur les cartes prépayées valables à l'étranger. Vous pouvez facilement appeler à l'étranger depuis un téléphone public à carte. La tranche horaire la moins chère se situe entre minuit et 8h du lundi au samedi, ainsi que toute la journée du dimanche.

Pour passer un appel en PCV en Europe depuis un téléphone public, composez le ☎ 15, pour les autres pays, appelez le ☎ 170. Tous les opérateurs parlent au moins l'anglais. Vous avez aussi la possibilité, plus simple et souvent moins coûteuse, de joindre le service des appels en PCV de votre pays d'origine, dont voici les numéros :

France ☎ 172 00 33

Canada ☎ 172 10 01

Pour téléphoner en Italie depuis un autre pays européen, composez le ☎ 00 39, depuis le Canada le ☎ 011 39.

Pour appeler les renseignements téléphoniques internationaux, faites le ☎ 892412.

Téléphones portables

L'Italie est l'un des marchés les plus saturés au monde en téléphones portables. Ce fut également l'un des premiers pays à introduire les téléphones à vidéo. Tous fonctionnent sur le réseau GSM 900/1800 compatible avec le reste de l'Europe et l'Australie mais pas avec le GSM 1900 de l'Amérique du Nord ni avec le système japonais (bien que certains téléphones GSM 1900/900 marchent ici aussi).

Si vous possédez un mobile GSM bi ou tri-bandes que vous pouvez déverrouiller (consultez votre opérateur), l'activation d'une carte SIM prépayée (*prepagato*) ne vous coûtera peut-être que 10 €. TIM (Telecom Italia Mobile), Wind et Vodafone-Omnitel offrent des cartes SIM et tous disposent de boutiques à Naples et à Salerne. On vous demandera votre passeport pour ouvrir un compte.

Téléphones publics et cartes téléphoniques

L'entreprise publique Telecom Italia gère la majorité des télécommunications en Italie. Ses cabines téléphoniques, de couleur argent, sont disséminées dans tout le pays. Aujourd'hui, la plupart fonctionnent uniquement à carte (*schede telefoniche*), mais certaines acceptent également les pièces. Dans d'autres, on peut utiliser des cartes de crédit.

Les cabines téléphoniques sont installées dans les rues, les gares, certains grands magasins et les agences Telecom Italia. Ces dernières emploient parfois des opérateurs, ce qui vous permet de passer un appel international et de le régler ensuite.

Les cartes téléphoniques se vendent aux prix fixes de 5/10/20 € dans les postes, les bureaux de tabac et les kiosques à journaux. Il faut détacher le coin supérieur gauche avant de s'en servir. Sachez que ces cartes téléphoniques ont une date d'expiration.

Vous trouverez à Naples de nombreux centres d'appel à prix réduit. Ils dépendent de sociétés privées et pratiquent des tarifs plus bas que Telecom Italia pour les communications internationales. Vous téléphonez depuis une des cabines, vous payez après votre communication.

TÉLÉVISION

L'Italie compte sept grandes chaînes de télévision : trois sont gérées par la société publique RAI (RAI 1, RAI 2 et RAI 3), trois par Mediaset, la société de Silvio Berlusconi (Rete 4, Canale 5 et Italia 1), La7 étant la propriété de Telecom Italia. Le niveau est plutôt médiocre avec une profusion d'émissions de variétés interminables, de sitcoms et de soap-opéras. Les hôtels de catégories moyenne et supérieure sont généralement abonnés à un bouquet de télévision par satellite

TOILETTES

Les toilettes publiques sont rares à Naples. La plupart des gens utilisent les sanitaires des bars et des cafés, mais il faut consommer d'abord. Les gares routières et ferroviaires possèdent des toilettes publiques.

Sur la côte amalfitaine, les villes les plus touristiques sont équipées de toilettes publiques (0,50 €). À Pompéi et Herculanum, les toilettes sont gratuites.

TRAVAILLER À NAPLES

Les citoyens des pays membres de l'Union européenne peuvent travailler en Italie mais doivent se procurer un *permesso di soggiorno* au poste de police principal, de préférence avant de chercher un emploi. Les personnes non ressortissantes de l'UE ne sont pas autorisées à travailler en Italie sans un permis de travail, parfois difficile à obtenir. Pour plus de détails, voir p. 260.

Les lois sur l'immigration prévoient que tous les travailleurs étrangers, quel que soit le type d'emploi qu'ils occupent, doivent être déclarés par leur employeur, lequel doit alors s'acquitter de leurs cotisations sociales. Le travail au noir n'a toutefois pas disparu.

Les possibilités de travail dépendent de plusieurs facteurs (lieu de l'emploi, période de disponibilité, nationalité, qualifications, etc.), mais, dans la plupart des villes du moins, les voyageurs (en particulier les anglophones) seront surpris par la diversité des offres. Emportez votre CV (si possible en italien) et soyez convaincant.

Vous pouvez consulter le site en français www.leader-city.com/italy ou, si vous lisez l'anglais, le très utile guide de Travis Neighbor Ward et Monica Larner, *Living, Studying and Working in Italy* (2003, Owl Books).

Les emplois saisonniers dans les bars, les auberges de jeunesse, les fermes ou comme babysitter sont les plus faciles à trouver. Il est toujours possible d'essayer d'enseigner sa langue. Tentez votre chance en mettant des petites annonces dans les magasins et les universités.

URGENCES

En cas de vol de votre voiture, appelez le ☎ 081 794 14 35. À Naples, le **poste de police principal** (carte p. 280 ; ☎ 081 794 11 11 ; Via Medina 75) dispose d'un bureau spécial pour les étrangers.

Ambulance	☎ 118
Assistance routière	☎ 803 116
Garde-côtes	☎ 1530
Pompiers	☎ 115
Police	☎ 112 et 113

VACANCES ET JOURS FÉRIÉS

Comme en France, la plupart des Italiens prennent leurs vacances en août, entraînant la fermeture de nombreuses entreprises et commerces pour une partie du mois au moins, surtout autour de Ferragosto (Assomption), le 15 août.

Les vacances des écoles durent 3 mois en été, de mi-juin à mi-septembre, 3 semaines à Noël et une semaine à Pâques. Voir p. 18, le calendrier des fêtes et festivals régionaux.

Outre les fêtes nationales listées ci-dessous, chaque ville possède ses propres jours fériés, durant lesquels on célèbre le saint patron de la localité.

Les jours fériés sont :

Jour de l'an (Capodanno) 1er janvier
Épiphanie (Epifania) 6 janvier
Lundi de Pâques (Pasquetta) mars/avril
Fête de la Libération (Giorno della Liberazione) 25 avril
Fête du Travail (Festa del Lavoro) 1er mai
Fête nationale (Festa della Repubblica) 2 juin
Assomption (Ferragosto) 15 août
Toussaint (Ognisanti) 1er novembre
Immaculée Conception (Immacolata Concezione) 8 décembre
Noël (Natale) 25 décembre
Saint Étienne (Festa di Santo Stefano) 26 décembre

VISAS

Les résidents des pays membres de l'Union européenne n'ont pas besoin de visa pour entrer en Italie. Les ressortissants canadiens et suisses doivent présenter un passeport en cours de validité mais ils sont, à l'heure où nous mettons sous presse, exemptés de visa pour un séjour touristique d'une durée inférieure à 90 jours. Même si vous n'avez pas besoin de visa, n'oubliez pas d'apporter avec vous un document d'identité en cours de validité (passeport ou carte nationale d'identité).

Si vous êtes citoyen d'un pays non mentionné ci-dessus, renseignez-vous auprès du consulat italien pour savoir si vous avez besoin d'un visa.

Permis de séjour

Tous les visiteurs, sauf les vacanciers, sont théoriquement tenus de se présenter dans une *questura* s'ils prévoient de résider au même endroit plus d'une semaine, afin de recevoir un *permesso di soggiorno* (permis de séjour). Cette mesure ne s'applique pas aux touristes descendant dans les hôtels, car ce sont les hôteliers qui déclarent leurs clients à la police.

Ce *permesso di soggiorno* n'est en fait nécessaire que si l'on désire étudier, exercer un emploi déclaré ou vivre en Italie. En obtenir un n'a cependant rien d'une partie de plaisir... Aussi, vérifiez bien quels sont les papiers requis avant de vous ranger dans l'(inévitable) file d'attente à l'**Ufficio Immigrazione** (bureau de l'immigration ; carte p. 278 ; ☎ 081 606 41 11 ; Via G Ferraris 131 ; 8h30-13h lun-ven et 14h30-17h30 lun et mer, 15h-17h mar et jeu).

VOYAGER SEULE

Vous aurez peut-être du mal à rester seule. De manière générale, ignorez les indésirables qui vous abordent. Si cette stratégie ne fonctionne pas, dites que vous attendez votre *marito* (mari) ou votre *fidanzato* (fiancé) et, éventuellement, allez-vous en. Évitez l'agressivité, pour ne pas aboutir à une confrontation, certainement désagréable. En désespoir de cause, adressez-vous à un policier.

Autre problème : les mains baladeuses, en particulier dans les transports bondés. Adossez-vous au mur ou, si quelqu'un vous touche, faites un esclandre. Les mots "*che schifoso !*" ("quel sale type !"), prononcée d'une voix forte, se révèlent plutôt efficaces.

À Naples, les femmes éviteront de se retrouver seules le soir dans les quartiers de La Sanità, de Mercato, des Quartieri Spagnoli et sur la Piazza Garibaldi. Elles éviteront également de faire de l'autostop seules.

TRANSPORTS

AVION

Aéroports

L'**aéroport Capodichino** (NAP ; ☎ 081 789 62 59 ; www.gesac.it) est situé à environ 8 km au nord-est du centre-ville. C'est l'aéroport principal du sud de l'Italie. Il dessert la plupart des grandes villes italiennes et plusieurs grandes villes européennes.

Pour se rendre en centre-ville, il y a deux possibilités : le bus n°3S d'**ANM** (☎ 800 63 95 25) à destination de la Piazza Garibaldi (1 €, 30 min, toutes les 15 min) ou la navette d'**Alibus** (carte p. 280 ; ☎ 08 53 11 705) qui arrive Piazza del Municipio (3 €, 20 min, toutes les 30 min).

Les tarifs officiels des taxis sont : 19 € depuis un hôtel du front de mer ou le terminal des hydroglisseurs de Mergellina ; 16 € depuis la Piazza del Municipio ; et 12,50 € depuis la Stazione Centrale.

Curreri (☎ 081 801 54 20 ; www.curreriviaggi.it) assure 6 services par jour entre l'aéroport et Sorrente. Le trajet de 75 minutes coûte 7 €, et les tickets sont vendus à bord.

Depuis la France

Il faut environ 2 heures 15 pour aller à Naples depuis Paris. Sur une ligne régulière, il faut compter, à l'heure où nous mettons sous presse, au moins 200 € pour un aller-retour. Cela dit, toutes les compagnies aériennes proposent des tarifs promotionnels. La compagnie à prix réduits Easyjet propose des vols directs depuis Paris (à partir de 70 € l'aller simple) et Bâle (à partir de 60 FS l'aller simple).

CIRCULATION AÉRIENNE ET CHANGEMENTS CLIMATIQUES

Les changements climatiques représentent une menace sérieuse pour les écosystèmes dont dépend l'être humain et la circulation aérienne contribue pour une large part à l'aggravation de ce problème. Si Lonely Planet ne remet en aucun cas en question l'intérêt des voyages, nous restons toutefois convaincus que nous avons tous, chacun à notre niveau, un rôle à jouer pour enrayer le réchauffement de la planète.

Le "poids" de l'avion

Pratiquement toute forme de circulation motorisée génère la production de CO_2 – principale cause du changement climatique induit par l'homme. La circulation aérienne détient de loin la plus grosse responsabilité en la matière, non seulement en raison des distances que les avions parcourent, mais aussi parce qu'ils relâchent dans les couches supérieures de l'atmosphère quantité de gaz à effet de serre. Ainsi, deux personnes effectuant un vol aller-retour entre l'Europe et les États-Unis contribuent autant au changement climatique qu'un ménage moyen qui consomme du gaz et de l'électricité pendant un an !

Programmes de compensation

Climatecare.org et d'autres sites (comme www.actioncarbone.org ou www.co2solidaire.org) utilisent des "compteurs de carbone" permettant aux voyageurs de compenser le niveau des gaz à effet de serre dont ils sont responsables par une contribution financière à des projets de développement durable menés dans le secteur touristique et visant à réduire le réchauffement de la planète. Des programmes sont en place notamment en Inde, au Honduras, au Kazakhstan et en Ouganda.

Lonely Planet, en association avec Rough Guides et d'autres partenaires de l'industrie touristique, soutient les opérations à l'initiative de www.climatecare.org. Lonely Planet "compense" d'ailleur la totalité des voyages de son personnel et de ses auteurs. Pour plus d'informations, consultez notre site en anglais : www.lonelyplanet.com.

Voici les adresses de compagnies aériennes desservant Naples ainsi que d'agences de voyage.

Air France (www.airfrance.com ; en France ☎ 36 54 ; en Italie ☎ 848 88 44 66). Vols quotidiens directs depuis Paris.
Easyjet (www.easyjet.com ; en France ☎ 0899 70 00 41 ; en Italie ☎ 0848 88 77 66). Vols directs depuis Paris.
Meridiana (www.meridiana.it ; en France ☎ 01 42 61 61 50 ; en Italie ☎ 89 29 28). Vols directs depuis Paris.
Nouvelles Frontières (www.nouvelles-frontieres.fr ; réservations et informations ☎ 0825 000 747)
SNCF (www.voyages-sncf.com)
Thomas Cook (www.thomascook.fr ; ☎ 0826 826 777)
Voyageurs Associés ; Marseille (☎ 04 91 47 49 40 ; 39 rue des Trois-Frères-Barthélemy ; ☎ 04 91 96 92 20 ; 159 bd Henri-Barnier).
Voyageurs du Monde (www.vdm.com ; ☎ 0892 235 656)

Pour les jeunes et les étudiants :
OTU (www.otu.fr ; ☎ 01 55 82 32 32)
Odysia (www.odysia.fr ; ☎ 0825 0825 25)
Wasteels (www.wasteels.fr ; ☎ 01 55 82 32 33)

Depuis la Belgique

Naples est à environ 2 heures 30 de Bruxelles. Comptez autour de 210 €
Airstop (☎ 070 233 188 ; www.airstop.be ; 28 rue du Fossé-aux-Loups, 1000 Bruxelles)
Connections (☎ 070 23 33 13 ; www.connections.be) ; Bruxelles (☎ 02 647 06 05 ; 78 av. Adolphe-Buyllan, 1050 Bruxelles) ; Gand (☎ 092 23 90 20 ; 28 Hoogpoort, 9000 Gand) ; Liège (☎ 042 23 03 75 ; 7 rue Sœurs-de-Hasque, 4000 Liège)
Éole (☎ 022 27 57 80 ; 39/41 chaussée de Haecht, 1210 Bruxelles)

Depuis la Suisse

Il est possible de se rendre à Naples par vol direct depuis Bâle (à partir de 220 FS l'aller-retour).
Swiss International Air Lines (www.swiss.com ; ☎ 0848 700 700)
Easyjet (www.easyjet.com ; ☎ 0900 000 195).

Vous pouvez aussi vous renseigner auprès de l'agence de voyages suivante :
STA Travel (www.statravel.ch) ; Lausanne (☎ 058 450 48 50 ; 20 bd de Grancy, 1006 Lausanne) ; Genève (☎ 058 450 48 30 ; 3 rue Vigner, 1205 Genève ; et ☎ 058 450 48 00 ; 10 rue de Rive, 1204 Genève).

Depuis le Canada

Il n'y a pas de vols directs entre le Canada et Naples. Renseignez-vous pour prendre une correspondance à Paris ou à Londres. Voici quelques adresses d'agences et de transporteurs :

Air Canada (www.aircanada.ca ; ☎ 888 247 2262)
Easyjet (www.easyjet.com ; au Royaume-Uni depuis l'étranger ☎ 00 44 8706 000 000 ; en Italie ☎ 0848 88 77 66). Vols directs depuis Londres.
Travel Cuts – Voyages Campus (www.travelcuts.com ; ☎ 514 281 6662 ; 225 Président Kennedy PK-R-206, Montréal, Québec H2X 3Y8). La meilleure agence de vente de billets à prix réduits.

BATEAU

Des ferries et des hydroglisseurs (*aliscafi*) desservent Capri, Sorrente, Ischia, Procida et Forio depuis le Molo Beverello situé devant le Castel Nuovo. La compagnie Alilauro et la SNAV assurent aussi un service d'hydroglisseurs pour Ischia, Procida et Capri au départ de Mergellina.

Les ferries longue distance pour Palerme et Milazzo en Sicile, Cagliari en Sardaigne, les îles Éoliennes (Isole Eolie) et la Tunisie partent de la **gare maritime** (*stazione marittima*, carte p. 280).

Les horaires des bateaux pour la baie de Naples sont publiés dans le mensuel *Qui Napoli*.

Les billets pour les petits trajets s'achètent aux guichets du Molo Beverello et de Mergellina. Pour les trajets longue distance, adressez-vous aux bureaux des compagnies maritimes ou aux agences de voyages.

Attention, en cas de mauvais temps, des trajets peuvent être annulés au dernier moment. En hiver, la baisse de la demande entraîne une réduction des départs.

Vous trouverez ci-dessous la liste des compagnies maritimes présentes à Naples. Toutes possèdent un guichet et/ou des bureaux à la gare maritime. Sauf mention contraire, les tarifs indiqués correspondent à un aller simple pour une personne en classe pont et en haute saison.

Alicost (☎ 089 87 14 83 ; Largo Scario 5, Amalfi). Ferries ordinaires et rapides Salerne-Amalfi (5,50 €, 6/jour), Salerne-Positano (7 €, 5/jour), Amalfi-Ischia (19 €, 1/jour), Amalfi-Capri (16 €, 8/jour), Amalfi-Positano (6 €, 6/jour), Positano-Ischia (19 €, 1/jour) et Positano-Capri (15,50 €, 5/jour).

Alilauro (plan p. 280 ; ☎ 081 497 22 67 ; www.alilauro.it ; Stazione Marittima, Naples). Hydroglisseurs Naples-Sorrente (9 €, 7/jour), Naples-Ischia (13,50 €, 9/jour) et Naples-Forio (15,50 €, 5/jour), et ferries Capri-Ischia (15,50 €, 1/jour) et Capri-Amalfi (13,50 €, 2/jour).
Caremar (plan p. 278 ; ☎ 081 551 38 82 ; www.caremar.it ; Molo Beverello, Naples). Dessert les lignes Naples-Capri (ferry/hydroglisseur 7,60/12,50 €, 5/jour), Naples-Ischia (5,60/12,15 €, 13/jour), Naples-Procida (4,50/9,25 €, 12/jour) et Sorrente-Capri (ferries 7,80 €, 4/jour).
Coop Sant'Andrea (☎ 089 87 31 90 ; www.coopsantandrea.it ; Lungomare dei Cavalieri 1, Amalfi). Liaisons Amalfi-Maiori (2 €, 8/jour) et Amalfi-Minori (2 €, 8/jour).
LMP (plan p. 280 ; Linee Marittime Partenope ; ☎ 081 704 19 11 ; www.consorziolmp.it ; Via Guglielmo Melisurgo 4, Naples). Hydroglisseurs Sorrente-Capri (12 €, 20/jour) et Sorrente-Naples (9 €, 8/jour) ; ferries Sorrente-Positano (7 €, 3/jour), Sorrente-Amalfi (7,50 €, 3/jour), Capri-Positano (13 €, 6/jour), Capri-Amalfi (13,50 €, 7/jour) et Capri-Salerne (14,50 €, 5/jour).
Medmar (plan p. 280 ; ☎ 081 551 33 52 ; www.medmargroup.it ; Stazione Marittima, Naples). Services Naples-Ischia (8,50 €, 4/jour) et liaisons hebdomadaires avec les îles Éoliennes (42 €), la Sardaigne (55 €), la Corse (55 €) et Tunis (90 €).
Metrò del Mare (☎ 199 44 66 44 ; www.metrodelmare.com). L'été uniquement, liaisons entre Naples et Sorrente (4,50 €, 3/jour), Positano (9 €, 4/jour), Amalfi (10 €, 4/jour) et Salerne (10,50 €, 2/jour) et entre les principales villes de la côte amalfitaine.
Navigazione Libera del Golfo (NLG ; ☎ 081 552 07 63 ; www.navlib.it en italien, Molo Beverello, Naples). Hydroglisseurs Naples-Capri (14 €, 9/jour) toute l'année.
Siremar (plan p. 280 ; ☎ 081 017 19 98 ; www.siremar.it ; Stazione Marittima, Naples). Bateaux vers les îles Éoliennes et Milazzo (44 €, 6/semaine en été, service réduit de moitié en basse saison).
SNAV (plan p. 280 ; ☎ 091 428 55 55 ; www.snav.it ; Stazione Marittima, Naples). Hydroglisseurs pour Capri (14 €, 11/jour), Procida (11 €, 4/jour) et Ischia (14 €, 4/jour) ; et ferry pour Palerme (16 €, 1/jour). En été, services quotidiens pour les îles Éoliennes (85 € jusqu'à Lipari).
Tirrenia (plan p. 280 ; ☎ 081 720 11 11 ; www.tirrenia.it ; Stazione Marittima, Molo Angioino, Naples). Un bateau hebdomadaire Naples-Cagliari (classe pont 34,89 €) et Naples-Palerme (classe pont 43,83 €). Fréquence de 2/semaine en été. Depuis Palerme et Cagliari, services sur la Tunisie, directs ou via Trapani (Sicile).
TraVelMar (☎ /fax 089 87 29 50 ; Largo Scario 5, Amalfi). Dessert les lignes Salerne-Amalfi (ferry/hydroglisseur 4,50/5 €, 7/jour), Salerne-Positano (ferry/hydroglisseur 6,50/7 €, 7/jour), Amalfi-Positano (ferry/hydroglisseur 5,50/6 €, 7/jour), Amalfi-Sorrente (8 €, 3/jour) et Positano-Sorrente (7 €, 3/jour).

BUS

La plupart des **bus ANM** (☎ 800 63 95 25 ; www.anm.it en italien) qui desservent les quartiers centraux partent et arrivent Piazza Garibaldi. Au centre de cette place se trouve un **kiosque de renseignements de l'ANM** (carte p. 280), où vous pourrez obtenir des informations sur les trajets et le nom des arrêts.

Les bus qui vous seront le plus utiles sont les suivants :

3S De la Piazza Garibaldi à l'aéroport.
24 De la Piazza del Municipio à la Piazza Dante et Capodimonte.
140 De Santa Lucia à Pausilippe via Mergellina.
152 Piazza Garibaldi, Corso Garibaldi, Via Nuova Marina, Via Colombo, Molo Beverello, Via Santa Lucia, Piazza Vittoria et Via Partenope.
201 Stazione Centrale, Museo Archeologico Nazionale, Piazza del Municipio et retour vers la Piazza Garibaldi via la Piazza Dante.
404D Bus nocturne circulant de 23h20 à 4h (départs toutes les heures) Stazione Centrale, Piazza del Municipio, Mergellina et Vomero, puis retour vers la Stazione Centrale.
C9 Piazza Vittoria, Riviera di Chiaia, Piazza Sannazzaro, Viale Augusto, Via Diocleziano, jusqu'à Bagnoli et la Via Coroglio.
C25 De la Piazza Amedeo à la Piazza Bovio via le Castel dell'Ovo et la Piazza del Municipio.
C28 Piazza Vittoria, Via dei Mille jusqu'à la Piazza Vanvitelli à Vomero.
E1 Piazza del Gesù, Via Constantinopoli, Museo Archeologico Nazionale, Via Tribunali, Via Duomo, Piazza Nicola Amore, Corso Umberto I et Via Mezzocannone.

VOS BILLETS, S'IL VOUS PLAÎT

La billetterie des transports publics de Naples et de la Campanie est gérée par le consortium Unico Campania (www.unicocampania.it). Dans Naples intra muros, les tickets Unico Napoli sont vendus dans les gares, aux guichets ANM et chez les buralistes. Le ticket simple coûte 1 €, il est valable 90 minutes pour un trajet illimité sur les autobus, trams, métro, funiculaires, Ferrovia Cumana ou Circumflegrea. Un ticket valable une journée revient à 3 € seulement en semaine et 2,50 € le week-end, et un ticket d'une semaine, à 9 €. Ils ne permettent pas d'aller à Pompéi et Ercolano par la Circumvesuviana. Sur des distances plus longues et à l'intérieur de la Campanie, le prix dépend de la distance : 2,30 € de Naples à Pompéi, et 3,20 € pour Sorrente, Positano et Amalfi.

R1 De la Piazza Medaglie D'Oro à la Piazza Carità, la Piazza Dante et la Piazza Bovio.
R2 Part de la gare centrale (*Stazione Centrale*), suit le Corso Umberto I et rejoint la Piazza Bovio, la Piazza del Municipio et la Piazza Trento e Trieste.
R3 De Mergellina le long de la Riviera di Chiaia jusqu'à la Piazza del Municipio, la Piazza Bovio, la Piazza Dante et la Piazza Carità.
R4 De Capodimonte à la Piazza Municipio par la Via Dante et retour.

Un certain nombre de compagnies de bus desservent des lignes régionales. La plus utile d'entre elles, la **SITA** (☎ 199 73 07 49 ; www.sita-on-line.it en italien) offre des services au départ de Naples sur Pompéi (2,30 €, 40 min, ou ttes les demi-heures), Sorrente (3,20 €, 1 heure 20 min, 2/jour), Positano (3,20 €, 2 heures, 2/jour), Amalfi (3,20 €, 2 heures, 6/jour) et Salerne (3,20 €, 1 heure 10, ou ttes les 25 min). Elle relie également Salerne à Amalfi (1,80 €, 1 heure 10, ou ttes les demi-heures) et dessert les villes de la côte amalfitaine. Elle est présente aussi sur des destinations plus lointaines avec une ligne Salerne-Bari via Naples (22,36 €, 4 heures 30, 2/jour) et des lignes sur l'Allemagne : Dortmund (112 €) via Munich (90 €), Stuttgart (€90), Francfort (98 €) et Dusseldorf (112 €), avec correspondance pour Berlin (118 €) et Hambourg (118 €). L'achat des billets et le départ s'effectuent soit à la Stazione Marittima, soit Via G Ferraris près de la Stazione Centrale. On peut aussi acheter les billets au **Bar Clizia** (Corso Arnaldo Lucci 173).

La plupart des bus nationaux partent de la Piazza Garibaldi. Vérifiez soigneusement les destinations ou renseignez-vous au kiosque au centre de la place. **Marino** (☎ 080 311 23 35) dessert Bari (19 €, 3 heures) ; **Miccolis** (☎ 081 20 03 80) dessert Tarante (16 €, 4 heures), Brindisi (23,60 €, 5 heures) et Lecce (26 €, 5 heures 30) ; et **CLP** (☎ 081 531 17 07) dessert Foggia (9 €, 2 heures), Perugia (27,37 €, 3 heures 30) et Assise (28,92 €, 4 heures 30).

MÉTRO

La **Metropolitana** (☎ 8000 56 88 66 ; www.metro.na.it) circule en fait la plupart du temps en surface.

Ligne 1 (🕓 6h-22h20 tlj). Départ de la Piazza Dante en direction du nord, terminus à Piscinola. Arrêts à : Museo (correspondance avec la ligne 2, station Piazza Cavour), Materdei, Salvator Rosa, Cilea, Piazza Vanvitelli, Piazza Medaglie D'Oro et 7 autres stations.

Ligne 2 (🕓 5h30-23h tlj). Va jusqu'à Pouzzoles et dessert Gianturco, à l'est de la gare centrale, Piazza Garibaldi (gare centrale), Piazza Cavour, Montesanto, Piazza Amedeo, Mergellina, Piazza Leopardi, Campi Flegrei, Cavalleggeri d'Aosta et Bagnoli.

Les tickets Unico Napoli sont valables dans le métro (voir encadré p. 263).

Les taxis officiels, équipés d'un compteur, sont blancs et portent l'emblème de Naples sur les portières avant (le Pulcinella, facilement reconnaissable à son chapeau blanc en forme de cône et son long nez crochu). Pour obtenir un taxi, plutôt que d'en héler un dans la rue, le mieux est de se rendre à une station. Vous en trouverez sur la plupart des grandes places. Vous pouvez aussi appeler une compagnie, par exemple **Napoli** (☎ 081 556 44 44) ou **Consortaxi** (☎ 081 552 52 52), **Cotana** (☎ 081 570 70 70), **Free** (☎ 081 551 51 51) et **Partenope** (☎ 081 556 02 02).

Le montant minimum pour une course est de 4,15 €, dont 2,60 € de prise en charge. La liste des suppléments est impressionnante : 0,80 € pour appel d'un radio-taxi, 1,60 € les dimanches et jours fériés, 2,10 € entre 22h et 7h, 2,60 € pour une course vers l'aéroport et 0,50 € par bagage dans le coffre. Les chiens d'aveugle et les fauteuils roulants sont transportés gratuitement. Les tarifs officiels des courses vers l'aéroport sont indiqués p. 261.

TRAIN

Il n'y a pas de liaisons ferroviaires directes entre Naples et la France – sauf depuis Nice –, la Belgique et la Suisse. Il faut forcément effectuer un changement, généralement à Milan, à Turin ou à Rome. Les trains entre Rome et Naples sont très fréquents (jusqu'à 30 par jour) et prennent environ 2 heures. Vous trouverez tous les horaires et les tarifs sur le site Internet de la compagnie ferroviaire nationale italienne **Trenitalia** (☎ 89 20 21 ; www.trenitalia.com en italien et en anglais). Il existe 3 types de trains : régionaux lents, InterCity (IC) rapides et Eurostar (ES), très rapides. On compte chaque jour une trentaine de trains sur Rome (17,53 € en IC, 2 heures), certains s'arrêtant à la gare de Mergellina, et une vingtaine sur Salerne (6,37 € en IC, 35 min).

Il est recommandé – et même parfois obligatoire – de réserver sur les trains internationaux depuis et vers l'Italie. Renseignez-vous auprès de la compagnie ferroviaire de votre pays de départ :

SNCF (☎ 36 35 ; www.sncf.com)
SNCB (☎ 02 558 28 28 ; www.b-rail.be)
CFF (www.ccf.ch)

La Cumana et la **Circumflegrea** (☎ 800 00 16 16 ; www.sepsa.it) partent de la Piazza Montesanto (carte p. 280), à 500 m au sud-ouest de la Piazza Dante, et desservent Pouzzoles (Pozzuoli, 1 €, toutes les 25 min) et Cumes (Cuma, 1 €, 6/j).

La **Circumvesuviana** (plan p. 280 ; ☎ 081 772 24 44 ; wwww.vesuviana.it ; Corso G. Garibaldi), au sud-ouest de la Stazione Centrale (suivez les flèches depuis le hall central de la Stazione Centrale), dessert Sorrente (3,20 €, 70 min) via Ercolano (1,70 €, 20 min), Pompéi (2,30 €, 40 min), et d'autres villes de la côte. On compte une quarantaine de départs quotidiens entre 5h et 22h30 (service réduit le dimanche).

TRAM

Les deux lignes de tram suivantes peuvent être pratiques :

Tram n°1 Il part de l'est de la gare centrale (*Stazione Centrale*), traverse la Piazza Garibaldi, le centre-ville et longe le front de mer jusqu'à la Piazza Vittoria.
Tram n°29 Il va de la Piazza Garibaldi au centre-ville en suivant le Corso G. Garibaldi.

VOITURE ET MOTO

Pour ceux qui en ont le courage, conduire dans Naples est un beau défi à relever. En tant que moyen de locomotion, la voiture présente peu d'intérêt. L'anarchie du traffic est telle qu'on dépasse rarement la vitesse d'un piéton et le stationnement est un cauchemar absolu. Un scooter est plus rapide et plus facile à garer, mais sa conduite est plus dangereuse. En outre, les vols de voitures et de motos sont un vrai problème.

Si néanmoins vous prenez le volant, vous devrez vous habituer aux voitures qui collent au pare-choc et faire attention à ce qui est devant vous et non derrière. Surveillez également les scooters, laissez passer les piétons, d'où qu'ils viennent, et abordez les carrefours et les feux avec la plus extrême prudence. Surtout, restez calme.

Officiellement, une grande partie du centre-ville est interdite aux non-résidents la majeure partie de la journée. Des restrictions de circulation sont en vigueur dans le centro storico, les abords de la Piazza del Municipio et la Via Toledo, et à Chiaia autour de la Piazza dei Martiri. Elles sont variables mais vont, normalement, de 8h à 18h30, parfois plus tard.

Stationner si vous êtes en voiture n'est pas non plus une partie de plaisir. Les lignes bleues qui longent la chaussée signalent que le parking est payant. Les tickets s'achètent aux parcmètres ou chez les buralistes. Les tarifs vont de 1,50 à 2 € l'heure. Ailleurs, le stationnement est régi par des gardiens illégaux qui s'attendent à recevoir 1 ou 2 € en échange de leur surveillance. Vous courrez moins de risque à verser cette obole qu'à tenir à des principes. À l'ouest du centre ville, vous trouverez un parking accessible 24h/24 sur la Via Brin (1,10 € les premières 4 heures, puis 0,30 € par heure).

En dehors de Naples, la voiture retrouve son utilité, mais sachez que la route qui longe la côte amalfitaine est riche en émotions qui ne sont pas qu'esthétiques. Les bus négocient les virages en épingle à cheveux à toute allure et les Italiens doublent tout ce qui se trouve sur leur passage. Sur les îles – Capri, Ischia et Procida –, le scooter est le moyen de locomotion idéal.

Naples est située sur le grand axe routier nord-sud du pays, l'Autostrada del Sole : A1 vers Rome et Milan, et A3 vers Salerne et Reggio di Calabria. La A30 contourne Naples par le nord-est, et la A16 se dirige vers Bari.

À l'approche de la ville, l'autoroute rencontre la Tangenziale di Napoli qui enserre la ville par le nord. Sur ce périphérique viennent se greffer, à l'est, la A1 vers Rome et la A2 vers l'aéroport de Capodichino, puis il continue vers les Campi Flegrei et Pozzuoli, à l'ouest.

Pour aller à Sorrente, prenez la A3, au sud, jusqu'à Castellammare di Stabia et suivez ensuite la SS145 vers le sud-est. La route continue au-delà de Sorrente, fait le tour de la péninsule et va rejoindre la SS163 qui dessert Positano, Amalfi et Salerne.

Location

Les grandes sociétés de location sont toutes présentes à Naples.

Avis (plan p. 280 ; ☎ 081 28 40 41 ; www.avisautonoleggio.it ; Corso Novara 5 et aéroport de Capodichino)

Europcar (☎ 081 780 56 43 ; www.europcar.it ; aéroport de Capodichino)

Hertz (plan p. 280 ; ☎ 081 20 62 28 ; www.hertz.it ; Via G. Ricciardi 5, aéroport de Capodichino et à Mergellina)

Maggiore (plan p. 280 ; ☎ 081 28 78 58 ; www.maggiore.it ; Stazione Centrale et aéroport de Capodichino)

Rent Sprint (plan p. 284 ; ☎ 081 764 13 33 ; Via Santa Lucia 36). Scooters uniquement.

Ailleurs, vous trouverez une multitude d'agences à Sorrente et sur la côte amalfitaine (voir les chapitres correspondants).

Un modèle d'entrée de gamme vous coûtera environ 60 € par jour, et 35 € pour un scooter. Tâchez si possible de louer votre véhicule à l'avance pour bénéficier de tarifs avantageux. De même, les agences d'aéroport sont plutôt plus chères que les succursales de centre-ville.

Pour louer une voiture, vous devez avoir 21 ans (25 ans pour certaines grosses cylindrées) et posséder une carte de crédit. Avant de signer, soyez certain de savoir ce que couvre le contrat de location (assurance, kilométrage illimité, essence, etc.). S'il ne prévoit aucune couverture contre le vol et les dommages en cas d'accident, il est fortement conseillé de payer les suppléments prévus à cet effet.

Code de la route

Les permis de conduire de l'UE sont valables en Italie. Si vous possédez l'antique permis anglais vert ou un permis de pays non européen, vous devrez vous munir du permis de conduire international, délivré par les associations automobiles nationales sur présentation du permis et d'une photo d'identité. Ayez soin d'emporter aussi votre permis national, car l'IDP n'est pas valable seul.

Contrairement parfois aux apparences, un code de la route est en vigueur en Italie. Les principales règles sont les suivantes :

Le port de la ceinture de sécurité est obligatoire à l'avant, et l'arrière s'il y en a.

Le port du casque est obligatoire sur les deux-roues.

En cas d'arrêt d'urgence, vous devez placer un triangle de présignalisation et porter une veste fluorescente.

Votre taux d'alcool ne doit pas dépasser 0,5 g par litre de sang.

La vitesse est limitée à 130 km/h sur autoroute, 110 km/h sur route à double sens et à 50 km/h dans les agglomérations.

L'**Automobile Club d'Italia** (ACI ; ☎ 081 725 38 11 ; www.aci.it ; Piazzale Tecchio 49D) est la meilleure source d'informations automobiles. Il gère également un service de dépannage opérationnel 24h/24 (☎ 803 116).

Funicolare Centrale (🕓 6h30-22h lun et mar, 6h30-0h30 mer-dim). Monte de la Via Toledo à la Piazza Fuga.

Funicolare di Chiaia (🕓 6h30-22h mer et jeu, 6h30-0h30 ven-mar). Relie la Via del Parco Margherita à la Via Domenico Cimarosa.

Funicolare di Montesanto (🕓 7h-22h tlj). De la Piazza Montesanto à la Via Raffaele Morghen.

Le quatrième, le **Funicolare di Mergellina** (🕓 7h-22h tlj), relie le front de mer, à la hauteur de la Via Mergellina, avec la Via Manzoni. Les tickets Unico Napoli (voir encadré p. 263) sont valables pour un aller simple sur les funiculaires.

VOYAGES ORGANISÉS

Les voyages organisés par les agences suivantes sont au départ de la France :

Clio (www.clio.fr)

Donatello (www.donatello.fr)

Des adresses pour ceux qui veulent découvrir Naples et la côte amalfitaine à pied :

Terres d'aventure (www.terdav.com)

Chemins du Sud (www.cheminsdusud.com)

LANGUE

En réalité, tout le monde est polyglotte, le tout est d'oser. Il ne faut donc pas s'inquiéter, même si l'on n'a jamais étudié une langue étrangère ou si les années d'apprentissage au collège n'ont guère laissé de souvenirs… Même la grammaire, après tout, n'est pas essentielle. Il suffit de vouloir communiquer pour apprendre la langue du pays où l'on voyage. Le *Guide de conversation français-italien* publié par Lonely Planet (256 p., 7,90 €) permet d'acquérir les bases grammaticales et les rudiments de prononciation pour se faire comprendre. Facile à utiliser, il comprend également un mini-dictionnaire bilingue.

PRONONCIATION

c	comme le "k" de "kangourou"devant a, o et u ; comme "tch" dans "tchèque" devant e et i
ch	comme le "k" de "kangourou"
g	comme le "g" de "gai" devant a, o, u et h ; comme "dj" dans "djellaba" devant e et i
gli	comme le "lli" de "million"
gn	comme le "gn" de "montagne"
h	toujours muet
r	roulé, comme le font les chanteurs d'opéra
sc	comme le "ch" de "chaud" devant e et i ; comme le "sk" de "ski" devant a, o, u et h
z	comme le "ts" de 'tsé-tsé', sauf au début d'un mot, où il se prononce "dz"

CONVERSATION

Rencontres

Bonjour.
Buon giorno. bwon *djor*·no
Au revoir.
Arrivederci. a·ri·vé·*dèr*·tchi
S'il vous plaît.
Per favore. pér fa·*vo*·ré
Merci (beaucoup).
Grazie (mille). *gra*·tsyé (*mil*·lé)
Sì/No.
Sì/No. si/no
Parlez-vous français ?
Parla francese ? par·la frann·*tchè*·zé
Vous (me) comprenez ?
Capisce? ka·*pi*·ché
Oui, je comprends.
Sì, capisco. si ka·*pi*·sko
Non, je ne comprends pas.
No, non capisco. no nonn ka·*pi*·sko

Pourriez-vous s'il vous plaît… ?
Potrebbe...? po·*tré*·bé...
répéter cela
ripeterlo ri·*pè*·tér·lo
parler plus lentement
parlare più lentamente
par·*la*·ré pyou lènn·ta·*mènn*·té
l'écrire
scriverlo *ski*·vér·lo

Sortir

Qu'y a-t-il au programme… ?
Che c'è in programma...? ké tché inn pro·*gram*·ma...
par ici
in zona inn *dzo*·na
ce week-end
questa finesettimana *kwè*·sto·fi·né·sét·ti·*ma*·na
aujourd'hui
oggi *o*·dji
ce soir
stasera sta·*sè*·ra

Où y a-t-il… ?
Dove sono...? *do*·vé *so*·no...
des clubs
dei club *dé*·ille kloubs
des lieux gays
dei locali gay *dé*·ille lo·*ka*·li gueille
des restaurants
posti dove mangiare *po*·sti *do*·vé mann·*dja*·ré
des pubs
dei pub *dé*·ille pab

Y a-t-il un guide des spectacles de la ville ?
C'è una guida agli spettacoli in questa città?
tché ou·na *gwi*·da al·yi spé·*ta*·ko·li inn kwè·sta tchit·*ta*

EXPRESSIONS UTILES

Questions

Qui ?	Chi? ki
Quoi ?	Che? ké
Quand ?	Quando? *kwann*·do
Où ?	Dove? *do*·vé
Comment ?	Come? *ko*·mé

Nombres cardinaux

0	zero *dzè*·ro
1	uno *ou*·no
2	due *dou*·é
3	tre tré
4	quattro *kwa*·tro
5	cinque *tchinn*·kwé
6	sei seille
7	sette *sè*·té
8	otto *ot*·to
9	nove *no*·vé
10	dieci *dyè*·tchi
11	undici *ounn*·di·tchi
12	dodici *do*·di·tchi
13	tredici *tré*·di·tchi
14	quattordici kwa·*tor*·di·tchi
15	quindici *kwinn*·di·tchi
16	sedici *sé*·di·tchi
17	diciasette di·tcha·*sè*·té
18	diciotto di·*tcho*·to
19	dicianove di·tchan·*no*·vé
20	venti *vènn*·ti
21	ventuno vènn·*tou*·no
22	ventidue vènn·ti·*dou*·é
30	trenta *tren*·ta
40	quaranta kwa·*rann*·ta
50	cinquanta tchinn·*kwann*·ta
60	sessanta sés·*sann*·ta
70	settanta sét·*tann*·ta
80	ottanta ot·*tann*·ta
90	novanta no·*vann*·ta
100	cento *tchènn*·to
1000	mille *mil*·lé

Jours

lundi	lunedì lou·né·*di*
mardi	martedì mar·té·*di*
mercredi	mercoledì mer·ko·lé·*di*
jeudi	giovedì djo·vé·*di*
vendredi	venerdì vé·ner·*di*
samedi	sabato *sa*·ba·to
dimanche	domenica do·*mé*·ni·ka

Hébergement

Je cherche...
Cerco... *tchér*·ko...
une maison d'hôtes
una pensione
ou·na pènn·*syo*·né
un hôtel
un albergo ou nal·*bèr*·go
une auberge de jeunesse
un ostello per la gioventù
ounn o *stè*·lo pèr la djo·vènn·*tou*
Avez-vous des chambres libres ?
Ha camere libere? a· *ka*·mè·ré *li*·bè·rè

Je voudrais...
Vorrei... vo·*reille*...
une chambre simple
una camera singola ou·na *ka*·mé·ra *sin*·go·la
une chambre double
una camera matrimoniale
ou·na *ka*·mé·ra ma tri mo *nya* lé ma·tri·mo·*nya*·le
une chambre à deux lits
una camera doppia ou·na *ka*·mé·ra *dop*·pya
une chambre avec salle de bains
una camera con bagno
ou·na *ka*·mé·ra kon *ba*·nyo

Combien cela coûte-t-il...?
Quanto costa...? *kwann*·to *ko*·sta...
par nuit per la notte per la *not*·té
par personne per ciascuno per tchya·*skou*·no

Banque

J'aimerais...
Vorrei... vo·*reille*...
encaisser un chèque
riscuotere un assegno ri·*skwo*·té·ré oun a·*sé*·nyo
changer de l'argent
cambiare denaro kamm·bya·ré dé·na·ro
changer des chèques de voyage
cambiare degli assegni di viaggio
kamm·*bya*·ré dél·yi as·*sè*·nyi di *vya*·djo

Où est le plus proche...?
Dov'è il... più vicino? do·*vè* i... pyou vi·*tchi*·no
distributeur bancomat *bann*·ko·mat
bureau de change cambio *kamm*·byo

Poste

Où est le bureau de poste ?
Dov'è l'ufficio postale? *do*·vè lou·*fi*·tcho po·*sta*·lé

Je veux envoyer...
Voglio spedire... *vo*·lyo spe·*di*·ré...
une lettre una lettera ou·na *lèt*·té·ra
un colis un pachetto oun pa·*kèt*·to
une carte postale una cartolina ou·na kar·to·*li*·na

Je veux acheter...
Voglio comprare... *vo*·lyo komm·*pra*·ré...
une enveloppe una busta *ou*·na *bou*·sta
un timbre un francobollo oun frann·ko·*bo*·lo

Téléphones fixes et mobiles

Je veux acheter une carte téléphonique.
Voglio comprare una scheda telefonica.
vo·lyo komm·*pra*·ré ou·na *skè*·da té·lé·*fo*·ni·ka

Je veux...
Voglio fare... *vo*·lyo *fa*·ré...
téléphoner (à...)
una chiamata (a...) *ou*·na kya·*ma*·ta (a...)
téléphoner en PCV
una chiamata a carico del destinatario
ou·na kya·*ma*·ta a *ka*·ri·ko dél dé sti·na·*ta*·ryo

Où puis-je trouver un/une...?
Dove si trova... *do*·vè si *tro*·va...
Je voudrais un/une...
Vorrei... vo·reille...
un adapteur
un addattatore oun a·dat·*to*·ré
un chargeur
un caricabatterie oun *ka*·ri·ka ba·té·*ri*·é
un portable à louer
un cellulare da noleggiare
oun *tchél*·lou·*la*·ré da no·lé·*dja*·ré
un portable prépayé
un cellulare prepagato oun *tchél*·ou·*la*·ré pré·pa·*ga*·to
une carte SIM pour votre réseau
un SIM card per la vostra rete telefonica
oun *simm* kard pér *vo*·stra *ré*·té té·lé·*fo*·ni·ka

Internet

Où y a-t-il un café Internet ?
Dove si trova l'internet point?
do·vé si·*tro*·va *linn*·ter·net poynt

Je voudrais...
Vorrei... vo·*reille*...
consulter ma boîte e-mail
controllare le mie email konn·tro·*la*·ré lé *mi*·é i·*mèl*
aller sur Internet
collegarmi a internet ko·lé·*gar*·mi a·*linn*·tér·nét

Achats

Je voudrais acheter...
Vorrei comprare... vo·*reille* komm·*pra*·ré...
Avez-vous...?
Avete...? a·*vè*·té...
Combien ça coûte ?
Quanto costa? kwann·to *kos*·ta

plus	più pyou
moins	meno *mé*·no
plus petit	più piccolo/a pyou *pi*·ko·lo/la
plus grand	più grande pyou *grann*·dé

Acceptez-vous... ?
Accettate...? a·tché·*ta*·té...
les cartes de crédit
carte di credito *kar*·té di *kre*·di·to
les chèques de voyage
assegni di viaggio as·*sè*·nyi di *vya*·djo

TRANSPORTS

À quelle heure part... ?
A che ora parte...? a ké *o*·ra *par*·té...

le bateau	la nave la *na*·vé
le bus	l'autobus *laou*·to·bou se
le train	il treno il *trè*·no

À quelle heure passe le... bus ?
A che ora passa... autobus? a ké o·ra pa·sa... aou·to·bous

premier	il primo il *pri*·mo
dernier	l'ultimo *loul*·ti·mo
prochain	il prossimo il *pros*·si·mo

Mettez le compteur, s'il vous plaît.
Usi il tassametro, per favore.
ou·za il tas·sa·*mé*·tro pér fa·*vo*·ré
Combien pour... ?
Quant'è per...? kwann·*tè* pér...
Emmenez-moi à (cette adresse), s'il vous plaît.
Mi porti a (questo indirizzo), per favore.
mi·*por*·ti a (*kwè*·sto in·di·*ri*·tso) pér fa·*vo*·ré

URGENCES

C'est une urgence !
È un'emergenza! é ou·né·mér·*djènn*·tsa
Pouvez-vous m'/nous aider, s'il vous plaît ?
Mi/Ci può aiutare, per favore? mi/tchi pwo a·you·*ta*·ré pér fa·*vo*·ré
Où est la préfecture de police ?
Dov'è la questura? do·*vè* la kwés·*tou*·ra

Appelez... !
Chiami...! *kya*·mi...
la police
la polizia la po·li·*tsi*·a
un médecin
un medico oun *mé*·di·ko
une ambulance
un'ambulanza ou·nam·bou·*lan*·tsa

SANTÉ

J'ai besoin d'un médecin (qui parle français).
Ho bisogno di un medico (che parli francese).
o bi·*zo* nyo di ounn·*mè* di·ko (ké *par*·li frann *tchè*·zé)
Où est le/la plus proche... ?
Dov'è... più vicino? do·*vè*... pyou vi·*tchi*·no/na
la pharmacie (de garde)
la farmacia (di turno) la far·ma·*tchi*·a (di tour·no)
le médecin
il medico il *mé*·di·ko
l'hôpital
l'ospedale lo·spé·*da*·lé

GLOSSAIRE

albergo, alberghi (pl) – hôtel(s)
alimentari – épicerie
autostrada, autostrade (pl) – autoroute(s)
bagno – salle de bains, également WC
bancomat – DAB (distributeur automatique de billets)
biblioteca, biblioteche (pl) – bibliothèque(s)
biglietto – billet
calcio – football
cambio – bureau de change
camera – chambre
campanile – clocher
carabinieri – gendarmes
carta – papier
carta d'identità – carte d'identité
carta telefonica – carte téléphonique
casa – maison
castello – château
catacomba – catacombe
centro – centre-ville
centro storico – centre historique, vieille ville
chiesa, chiese (pl) – église(s)
cimitero – cimetière
colle/collina – colline
commissariato – commissariat
comune – équivalent d'une ville ou d'un canton ; conseil municipal ; historiquement, cité ou ville indépendante
corso – cours, avenue
cupola – coupole
farmacia – pharmacie
fermo posta – poste restante
ferrovia – ligne de chemin de fer, voie ferrée
festa – jour férié
fiume – fleuve
fontana – fontaine
forno – boulangerie
forte/fortezza – fort/forteresse
forum, fora (pl) – (latin) place(s) publique(s)
francobolli – timbres
gabinetto – WC, toilettes
gasolio – gasoil
gelateria – glacier
guglia – obélisque
isola – île
lago – lac
largo – petite place
lavanderia – laverie
libreria – librairie
lido – plage
lungomare – front de mer
mercato – marché
monte – montagne
mura – mur d'enceinte
orto botanico – jardin botanique
ospedale –hôpital
ostello – auberge de jeunesse
palazzo, palazzi (pl) – palais, grand bâtiment en général (y compris immeuble d'habitation)
panetteria – boulangerie
pasticceria – pâtisserie
pensione – petit hôtel ou maison d'hôtes, souvent avec pension complète
pescheria – poissonnerie
piazza, piazze (pl) – place(s)
piazzale – esplanade, grande place ouverte
pinacoteca – galerie d'art
polizia – police
ponte – pont
porta – porte
questura – préfecture de police
reale – royal
sala – salle d'un musée ou d'une galerie
salumeria – charcuterie
sedia a rotelle – escalier
seggiolone – siège pour enfants
servizio – service
stazione – gare
strada – route
tabaccheria – tabac
teatro – théâtre
tempio – temple
terme – thermes
torre – tour
treno – train
via – rue
vicolo – ruelle, chemin

LES GUIDES LONELY PLANET

Tout commence par un voyage : en 1972, Tony et Maureen Wheeler rallient l'Australie après avoir traversé l'Europe et l'Asie. À cette époque, on ne disposait d'aucune information pratique pour mener à bien ce type d'aventure. Pour répondre à une demande croissante, ils rédigent le premier guide Lonely Planet, un fascicule écrit sur le coin d'une table.

Depuis, Lonely Planet est devenu le plus grand éditeur indépendant de guides de voyage dans le monde, et dispose de bureaux à Melbourne (Australie), Oakland (États-unis), Londres (Royaume-Uni) et Paris (France).

La collection couvre désormais le monde entier, et ne cesse de s'étoffer. L'information est aujourd'hui présentée sur différents supports, mais notre objectif reste constant : donner des clés au voyageur pour qu'il comprenne mieux les pays qu'il visite.

L'équipe Lonely Planet est convaincue que les voyageurs peuvent avoir un impact positif sur les pays qu'ils visitent, pour peu qu'ils fassent preuve d'une attitude responsable.

EN COULISSES

À PROPOS DE CET OUVRAGE

Cette 2e édition française est adaptée de la 2e édition anglaise du guide *Naples & the Amalfi Coast*. Duncan Garwood et Josephine Quintero ont rédigé la précédente édition.

Traduction française Dominique Lablanche et Frédérique Hélion-Guerrini
Responsable éditorial : Didier Férat
Coordination éditorial : Michel MacLeod
Coordination graphique : Jean-Noël Doan
Maquette : Gudrun Fricke
Cartographie : cartes originales de Mark Griffiths assisté de Helen Rowley, Piotr Czajkowski, Amanda Sierp et Simon Tillema, adaptées en français par le cartographe et polyinstrumentiste Christian Deloye
Couverture : couverture originale de Rebecca Dandens adaptée en français par Jean-Noël Doan et Sébastienne Ocampo
Remerciements à Rose-Hélène Lempereur, à l'habile Dominique Spaety et à la précieuse Françoise Blondel pour leur contribution au texte. Merci également à Xavière Quincy pour son travail de référencement ainsi qu'à Dorothée Pasqualin pour le suivi du courrier des lecteurs. Merci à Olivia Scotti pour sa diligente et efficace collaboration. Un grand merci à la parfois suppilactée mais toujours chronophore Dominique Spaety, encore elle. Sans oublier Ruth Cosgrove, du bureau australien, et Clare Mercer et Becky Rangecroft, à Londres. Enfin *last* but sûrement pas *least* à Cécile et Emilie.

Photos de couverture Sorrente, Demetrio Carrasco, Alamy
Photos à l'intérieur Lonely Planet Images et Greg Elms, sauf mention contraire et photos ci-dessous :
p. 17 Jean-Bernard Carillet ; p. 21 Dallas Stribley ; p. 25 Jean-Bernard Carillet ; p. 35 Martin Moos ; p. 43 Dallas Stribley ; p. 63 Martin Moos ; p. 155 Jean-Bernard Carillet ; p. 169 Stephen Saks ; p. 249, p. 261 et p. 277 Jean-Bernard Carillet.
Toutes les illustrations sont la propriété des photographes sauf mention contraire. La plupart des photos sont disponibles auprès de Lonely Planet Images : www.lonelyplanetimages.com.

UN MOT DES AUTEURS

DUNCAN GARWOOD

Un grand merci à toi Toby Whiting, dont j'ai beaucoup apprécié l'art de déchiffrer les cartes et la compagnie à Capri. Merci également au personnel des différents offices du tourisme qui m'ont aidé de leur mieux, en particulier Lucia à Salerne et Giovanni Romano à Positano. Chez Lonely Planet, je remercie Paula Hardy de m'avoir chargé de ce guide et apporté son assistance, ainsi que Cristian Bonetto pour son enthousiasme et son travail formidable. À la maison, je suis reconnaissant à Lidia de s'être courageusement occupée de Ben et de Nick pendant que je me baladais sur la côte amalfitaine. Enfin, merci à ses parents, Nello et Nicla, pour leur soutien durant les chauds mois d'été.

CRISTIAN BONETTO

Avant tout, je veux dire un énorme merci à Duilio "Babà" Verardi pour son soutien, sa perspicacité et son humour précieux. Je remercie de même Paula Hardy de m'avoir confié cette mission et Duncan Garwood pour ses paroles de sagesse. *Grazie infinite* à Marcello Donnarumma, Giovanni Caccavale, toutes les personnes interviewées, Leonardo Recchia, le Professore Renato Ruotola, Josephine Quintero, Sally O'Brien, Carolyn Jackson et Peter Bardwell, ainsi que Carolyn Court et ma famille.

À NOS LECTEURS

Nos sincères remerciements aux lecteurs de l'édition précédente qui ont partagé avec nous leurs expériences, leurs conseils et leurs anecdotes :

Albertini Vicenzo, Bertin Brigitte, Durette Louise, Rambion Jean-Louis

INDEX

Les références des cartes sont indiquées en **gras**.

Les références des cartes sont indiquées en **gras**.

VOS RÉACTIONS ?

Vos commentaires nous sont très précieux et nous permettent d'améliorer constamment nos guides. Notre équipe lit toutes vos lettres avec la plus grande attention. Nous ne pouvons pas répondre individuellement à tous ceux qui nous écrivent, mais vos commentaires sont transmis aux auteurs concernés. Tous les lecteurs qui prennent la peine de nous communiquer des informations sont remerciés dans l'édition suivante, et ceux qui nous fournissent les renseignements les plus utiles se voient offrir un guide.

Pour nous faire part de vos réactions, prendre connaissance de notre catalogue et vous abonner à Comète, notre lettre d'information, consultez notre site web : **www.lonelyplanet.fr**.

Nous reprenons parfois des extraits de notre courrier pour les publier dans nos produits, guides ou sites web. Si vous ne souhaitez pas que vos commentaires soient repris ou que votre nom apparaisse, merci de nous le préciser. Pour connaître notre politique en matière de confidentialité, connectez-vous à www.lonelyplanet.fr/confidentialite/index.cfm.

ENCADRÉS

CARTES ET PLANS

LÉGENDE DES CARTES

ROUTES

Autoroute payante
Autoroute
Nationale
Départementale
Cantonale
Petite route
En construction
Sentier
Sens unique
Voie non carrossable
Rue piétonne/escaliers
Tunnel
Promenade
Détour
Ruelle
Chemin

TRANSPORTS

Ferry
Bus
Métro
Voie ferrée
Voie ferrée souterraine
Train rapide
Tram

HYDROGRAPHIE

Rivière, ruisseau
Rivière intermittente
Canal
Eau

LIMITES ET FRONTIÈRES

Internationale
Provinciale
Régionale
Ancienne enceinte

TOPOGRAPHIE

Aéroport
Zone touristique
Édifice
Information
Divers
Transport
Cimetière chrétien
Autre cimetière
Forêt
Terre
Zone piétonne
Parc
Sports
Ville

POPULATION

CAPITALE (NATIONALE)
Ville importante
Petite ville
CAPITALE RÉGIONALE
Ville moyenne
Village

SYMBOLES

À voir/à faire
Église
Synagogue
Monument
Musée
Centre d'intérêt
Ruine
Piscine
Zoo, ornithologie

Où se restaurer
Restauration

Où sortir
Bar

Activités
Spectacle

Shopping
Magasins

Où se loger
Hôtel

Transports
Aéroport
Gare routière

Renseignements
Banque, DAB
Ambassade/consulat
Hôpital
Informations
Cybercafé
Police
Poste
Toilettes

Géographie
Sens du courant

Note : tous les symboles ne sont pas utilisés dans cet ouvrage

AGGLOMÉRATION DE NAPLES

A B C D

1 2 3 4 5 6

Materdei
Via delle Fontanelle
Piazza Fontanelle alla Sanità
Monte Donzelli
Tangenziale
Materdei
Via Materdei
Via R Imbriani
Via Salita Arenella
Via B Caracciolo
Via F Verrotti
Via Salvator Rosa
Voir p. 283
Medaglie d'Oro
Via Giotto
Via E Suarez
S Rosa
Piazza Mazzini
Salita Tarsia
Vico dei Monte
Via Ventaglieri
Viale Michelangelo
Viale Raffaello
Piazza Olivella
Montesanto
Vomero
Cilea
Stazione Cumana di Montesanto
Via Luca Giordano
Via Solimene
Vanvitelli
Via A Scarlatti
Via F Cilea
Largo San Martino
Piazza Fuga
Via Mattia Preti
Via Luca Giordano
Via Luigia Sanfelice
Tangenziale di Napoli
Parco Lamaro
Villa Floridiana
Via Filippo Palizzi
Vico della
Via Aniello Falcone
6 7
Parco Elena
Viale Privato Diaz
Piazzetta Carjati
Corso Europa
Parco Ameno
Corso Vittorio Emanuele I
Via Santa Caterina da Siena
Via T Tasso
Amedeo
Piazza Amedeo
Via Francesco Crispi
Via dei Mille
Via Arso Mirelli
Via Campiglione Martucci
Via G Piscicelli
Via Cavalerizza a Chiaia
Via Chiaia
Via Michelangelo Schipa
Via Pontano
Via Ascensione
Via G Bausan
Via G Carducci
Via Monte di
Via A d'Isernia
Piazza dei Martiri
Mergellina
Via Carlo Poerio
Chiaia
Riviera di Chiaia
Stazione Zoologica (Aquario)
Vialla Comunale
Largo Nunziatella
Piazza della Repubblica
Viale Anton Dohrn
Piazza Vittoria
Via Francesco Caracciolo
Piedigrotta
Largo Torreta
Rotonda Armando Diaz
Via Piedigrotta
Mergellina
Via Giordano Bruno
Viale Antonio Gramsci
Piazza Sannazzaro
Via Francesco Caracciolo
Via Mergellina
11
Porticciolo di Mergellina
Largo Barbaia
Via Catullo
Via Orazio
Voir p. 284

Voir p. 286

Voir p. 280

À VOIR ET À FAIRE (p. 95)

Albergo dei Poveri	1	G1
Église San Giovanni a Carbonara	2	F2
Église Santa Caterina a Formiello	3	G2
Jardin botanique	4	F1
Porta Capuana	5	G2

OÙ PRENDRE UN VERRE (p. 130)

Grooming	6	B4
St Tropez	7	B4

OÙ SORTIR (p. 131)

Blu Angels	8	H2
Freezer	9	H1

OÙ SE LOGER (p. 149)

Hotel Casanova	10	G2
Hotel Paradiso	11	A6
Hotel Zara	12	G2

TRANSPORTS

Bus Alibus pour l'aéroport	13	G2
Alilauro	14	F4
Avis	15	G2
Caremar	16	E4
Linee Lauro	(voir 14)	
Maggiore	17	G2
Medmar	(voir 14)	
Metrò del Mare	(voir 14)	
Navigazione Libera del Golfo	(voir 16)	
SNAV	(voir 14)	
Tirrenia	(voir 14)	

RENSEIGNEMENTS

Agriturist Campania	18	H3

CENTRE DE NAPLES

Voir p. 286

A B C D

1 2 3 4 5 6

Via S Guiseppe dei Nudi
Piazza Museo Nazionale
34
Via Salvatore Tommasi
Via Francesco Saverio Correra
Via d Anticaglia
132
Vico Giganti
Vico dei Gerolomini
57
11
Via Pisanelli
Via San Paolo
Vico Cinquesanti
16
Piazza San Gaetano
44
118
Via S Gaudioso
Via del Sole
Vico Purgatorio ad Arco
Via Atri
Via F del Giudice
Via della Sapienza
78
Via Broggia
128
Via Santa Maria di Costantinopoli
138
116
Via Bellini
1
Via Conte di Ruvo
94
Via Enrico Pessina
99
95
92
131
76
50
77
Piazza Bellini
151
Via Pietro a Maiella
Piazza Luigi Miraglia
29
27
71
65
22
108
49
Via G Maffei
Via San Gregorio Armeno
113
Via dei Tribunali
Vico S Nicola al Nilo
Palazzo Marigliano
Via San Biagio
Salita Pontecorvo
Via G Brombeis
Vico S Domenico Soriano
Via Port'Alba
68
85
25
6
21
105
59
140
106
69
Dante
Via de Sanctis
63
Piazza Tarsia
52
Piazza Dante
Via Tarsia
Convitto Nazionale
100
Vico San Domenico Maggiore
15
143
62
Piazzetta del Nilo
5
Vico SS Filippo e Giacomo
Vico S Severino
124
42
97
37
56
Salita Tarsia
Via Montesanto
112
Via S Sebastiano
Palazzo Filomarino
Via Benedetto Croce
18
Vico Donnaromita
Via Pellegrini
Via Cisterna dell'Olio
96
91
12
110
81
149
Archives nationales
75
41
103
3
Via Pallonetto S Chiara
Vico San Geronimo
36
53
Via Porta Medina
Via D Capitelli
Via S Anna dei Lombardi
142
Via S Chiara
Via S G Magg Pignatelli
Via Mezzocannone
13
10
Via Forno Vecchio
93
Calata Trinità Maggiore
136
Via Pignatelli
117
114
Via T Senise
104
Via Pasquale Scura
Via D Lioy
153
Largo Giusso
Université
Via Nilo
90
Palazzo Giusso
40
66
Via Carrozzieri all'Posta
125
Vico I Gravina
24
150
Via Pignasecca
Via T Caravita
47
Largo Banchi Nuovi
88
Piazza Monteoliveto
Vico II Gravina
Vico Banchi Nuovi
Via Sedile di Porto
Corso Umberto I
Via G Marotta
Via S Liborio
Via Formale
19
Via S Aspreno
17
Piazza Carità
Via Monteoliveto
Via Donnalbina
Vico Campanile
Via G Simonelli
89
Via S Maria la Nova
Via Porta di Massa
Via Francesco Girardi
86
46
Via Toledo
Vico P Galluppi
Via Bracco
Via C Battisti
82
Via D Cerriglio
51
Piazza Bovio
74
Via G C Cortese
Via G Sanfelice
148
Piazza Matteotti
Via Concezione a Montecalvario
152
Via Catalana
Via Graziella
Via Marchese Campodisola
Via Montecalvario
101
Via A Diaz
Via D Fiorentini
Vico Due Porte a Toledo
107
123
39
Vico Medina
Via Agostino Depretis
Via Alcide De Gasperi
83
Via Potracarrese a Montecalvario
139
Via S Tommaso d'Aquino
127
Via Cristoforo Colombo
28
Via Ponte di Tappia
14
Via S Bartolomeo
Via F Gioia
Vico Lungo S Matteo
Vico Giardinetto
120
Vico Lungo del Gelso
Via Icoronata
Via Medina
134
Via S Giacomo
23
154
Vico del Leone
Via G Melisurgo
Vico Tre Re a Toledo
33
133
Vico della Tofa
Piazza Francese
48
129
147
Vico Tirnità degli Spagnoli
Via P E Imbriani
55
98
Vico d'Afflitto
141
84
Vico Corrieri
72
144
Via Santa Brigida
Emanuele III
Parc Castello
Via Speranzella
Teatro Augusteo
80
Via G Verdi
35
8
119
31
Gare maritime

Voir p. 283

Voir p. 284

0 400 m

E F G H

Via dei Tribunali
Spaccanapoli
Via S Nicola dei Caserti
Via Santa Maria a Cancello
Vico della Pace
Vico Scassacocchi
Via della Zite
Vico dei Carbonari
Via Duomo
Vico Zuroli
Via Pietro Colletta
Via dell'Annunziata
Via Maddalena
Via Duchesca
Via S G Calasanzio
Via Mancini
Via Ranieri
Piazza Garibaldi
Garibaldi
Gare centrale
Via G Pica
Via Silvio Spaventa
Via G Ricciardi
Via Forcella
Via Egiziaca a Forcella
Via Vicaria Vecchia
Via S Agostino alla Zecca
Via S Arcangelo a Baiano
Via Cesare Sersale
Piazza Vincenzo Calenda
Corso Umberto I
Via Lavinaio
Via Nolana
Piazza Nolana
Via Sopramuro
Via S Cosmo Fuori Porta Nolana
Stazione Circumvesuviana
dei Librai
Piazza Museo Filangieri
Palazzo Cuomo
Via d'Alagno
Via dei Cimbri
Vico Barre
Via A de Pace
Via B Capasso
Via Giacomo Savarese
Via C Carmignano
Corso G Garibaldi
Via E Cosenz
Vico S Giovanni
Piazza Nicola Amore
Via Duca di San Donato
Piazza del Mercato
Via L Bianchini
Via Duomo
Via G Manna
Via Bernardino Rota
Via Sant'Eligio
Via del Carmine
Piazza del Carmine
Piazza G Pepe
Via Scialoia
Rua Toscana
Via San Giovanni a Mare
Piazza Masaniello
Via Amerigo Vespucci
Via S Baldacchini
Via L di Genova
Via Ernesto Capocci
Piazzetta Orefici
Via Nuova Marina
Darsena Bacini
Bacino del Piliero

1 2 3 4 5 6

CENTRE DE NAPLES

À VOIR ET À FAIRE (p. 65)

Académie des Beaux-Arts 1 B1
Basilique San Giorgio Maggiore 2 E2
Basilique Santa Chiara 3 C3
Borgo degli Oreficiz 4 E4
Chapelle et musée du Mont-de-Piété 5 D2
Chapelle Sansevero 6 C2
Castel Capuano 7 F1
Castel Nuovo (Maschio Angioino) 8 C6
Castello del Carmine 9 G3
Musée des Sciences naturelles 10 D3
Église dei Girolamini 11 D1
Église du Gesù Nuovo 12 B3
Église du Gesù Vecchio 13 D3
Église della Pietà dei Turchini 14 C5
Église San Domenico Maggiore 15 C2
Église San Paolo Maggiore 16 D1
Église San Pietro Martire 17 D4
Église Sant'Angelo a Nilo 18 C3
Église Sant'Anna dei Lombardi 19 B4
Église Santa Maria del Carmine 20 G3
Église et cloître de San Gregorio Armeno 21 D2
Église San Lorenzo Maggiore et fouilles archéologiques 22 D2
Église San Giacomo degli Spagnoli 23 B5
Église San Giovanni Pappacoda 24 C4
Église San Pietro a Maiella 25 C2
Église Sant'Eligio 26 F3
Église Santa Maria delle Anime del Purgatorio ad Arco 27 C2
Église Santa Maria Incoronata 28 B5
Église Santa Maria Maggiore 29 C2
Cima Tours 30 H1
City Sightseeing Napoli 31 B6
Duomo 32 E1
Fontaine de Neptune 33 C6
Galerie Principe di Napoli 34 B1
Galerie Umberto I 35 B6
Flèche dell'Immacolata 36 B3
Flèche de San Domenico 37 C2
Flèche de San Gennaro 38 E1
Jolly Hotel 39 C5
Largo San Giovanni Maggiore 40 C3
Legambiente 41 B3
Autel de Maradona 42 D2
Musée du Trésor de San Gennaro 43 E1
Napoli Sotterranea 44 D1
Hôpital des poupées 45 E2
Palazzo delle Poste 46 B4
Palais Gravina 47 B4
Palais San Giacomo 48 B6
Palais Spinelli di Laurino 49 C2
Piazza Bellini 50 B2
Piazza Bovio 51 C4
Piazza Dante 52 B2
Piazza del Gesù Nuovo 53 B3
Piazza del Mercato 54 F3
Piazza del Municipio 55 B6
Piazza San Domenico Maggiore 56 C2
Pinacotèque dei Girolamini 57 D1
Pio Monte della Misericordia 58 E1
Port'Alba 59 B2
Porta Nolana 60 G2
Santissima Annunziata 61 F1
Statue du Nil 62 D2
Via San Gregorio Armeno 63 D2

OÙ SE RESTAURER (p. 118)

Antica Gastronomia Ferrieri 64 H1
Antica Trattoria da Carmine 65 D2
Antica Trattoria Don Peppino 66 B4
Avellinese 67 G2
Bellini 68 B2
Caffè Mexico 69 B2
Caffè Mexico 70 H1
(Piazza Garibaldi) 70 H1
Campagnola 71 D2
Ciro a Santa Brigida 72 A6
Da Michele 73 F2
Europa Mattozzi 74 D4
Friggitoria Fiorenzano 75 A3
Il Caffè Arabo 76 B2
Intra Moenia 77 B2
La Cantina della Sapienza 78 C1
La Sfogliatella 79 H1
La Sfogliatella Mary 80 A6
Lombardi a Santa Chiara 81 C3
Ma Tu Vulive'a Pizza 82 C4
Nennella 83 A5
Pintauro 84 A6
Port'Alba 85 B2
Scimmia 86 A4
Trianon 87 F2
Tripperia Fiorenzano 88 A4

OÙ PRENDRE UN VERRE (p. 129)

Aret'a'Palm 89 C4
Kestè 90 D3
Kinky Bar 91 B3
Lontano da Dove 92 B2
Trinity Bar 93 B3

OÙ SORTIR (p. 132)

Bellini 94 B1
Bourbon Street 95 B2
Box Office (voir 35)
Cinema Modernissimo 96 B3
Il Pozzo e Il Pendolo 97 C2
Mercadante 98 C6
Mutiny Republic 99 B2
Rising South 100 C2
Teatro Nuovo 101 A5
Trianon 102 F2
Velvet Zone 103 B3

ACHATS (p. 139)

Antiche Delizie 104 A3
Arte in Movimento 105 D2
Berisio 106 B2
Bershka 107 B5
Blue Chiara Luce 108 D2
Carpisa 109 F2
Charcuterie 110 C3
Crypton 111 E3
Gay-Odin 112 B3
Giuseppe Ferrigno 113 D2
Intimissimi 114 B3
La Duchessa 115 G1
La Galleria delle Bomboniere 116 B1
La Pignasecca 117 A3
Limoné 118 D1
Mercato dei Fiori 119 C6
Napolimania 120 A5
Ottica Strevella 121 F3
Porta Nolana 122 G2
Talarico 123 A5
Tattoo 124 D2

OÙ SE LOGER (p. 148)

6 Small Rooms 125 B4
Albergo Duomo 126 E2
Albergo Napolit'amo 127 C5
B&B Costantinopoli 128 B1
Bella Capri Hostel & Hotel 129 C6
Caravaggio Hotel 130 E1
Costantinopoli 104 131 B2
Dimora dei Giganti 132 D1
Hostel of the Sun 133 C6
Hotel il Convento 134 A5
Hotel Luna Rossa 135 H1
Hotel Pignatelli 136 C3
Hotel Suite Esedra 137 F2
Hotel Toledo (voir 101)
La Locanda dell'Arte & Victoria House 138 B1
Napolit'amo 139 A5
Portalba 33 140 B2
Rent A Bed 141 A6
Sansevero d'Angri 142 B3
Soggiorno Sansevero 143 C2
Toledo 205 144 A6
UNA Hotel Napoli 145 G1

TRANSPORTS

Hertz 146 H1
LMP 147 C6
Tourcar 148 B5

RENSEIGNEMENTS

Arcigay-Circola Antinoo 149 C3
CTS Office 150 D4
Internetbar 151 C2
Commissariat principal 152 C5
Poste principale (voir 46)
Navig@ndo 153 B3
Consulat des Pays-Bas 154 C5
Hôpital Loreto-Mare 155 H3

VOMERO

0
400 m
À VOIR ET À FAIRE (p. 91)
Castel Sant'Elmo 1 C5
Cimetière des Fontanelle 2 D2
Musée national de la Céramique Duca di Martina 3 B6
Villa Floridiana 4 B6
OÙ SE RESTAURER (p. 125)
Acunzo 5 B5
Angolo de Paradiso 6 B4
Antica Cantina di Sica 7 B5
Donna Teresa 8 B5
Friggitoria Vomero 9 B5
OÙ SORTIR (p. 133)
Around Midnight 10 B4
Cappella della Pietà dei Turchini 11 D6
Cinema Plaza 12 B5
Galleria Toledo 13 D5
Otto Jazz Club 14 D6
ACHATS (p. 144)
Supermarché CS 15 B5
De Paola Cameos 16 C5
Giovanni Scafuro Studio 17 D3
L'Angolo a due Ruote 18 B5
Mercatino di Antignano 19 A4
Peter Pan 20 B5
OÙ SE LOGER (p. 153)
Hotel San Francesco al Monte 21 D5
La Casa di Leo 22 C4
La Controra 23 C3
RENSEIGNEMENTS
Farmacia Cannone 24 B5
Materdei
Via delle Fontanelle
Piazza Fontanelle alla Sanità
Calata Fontanelle
Materdei
Piazzetta S Gennaro a Materdei
Via R Imbriani
Via B Caracciolo
Via Salita Arenella
Via Salvator Rosa
Piazzetta Trinità alla Cesarea
Salvator Rosa
Piazza Mazzini
Salita Tarsia
Piazza dell'Immacolata
Via E Suarez
Piazza Medaglie d'Oro
Medaglie d'Oro
Via Giotto
Via N Piccinni
Piazza F Celebrano
Via della Cerra
Via Ottavio Camaino
Via G Sagrera
Piazza Leonardo
Viale Michelangelo
Via Girolamo Santacroce
Vico del Monte
Corso Vittorio Emanuele I
Via Ventaglieri
Salita S Antonia ai Monti
Via Arenella
Via G Paisiello
Piazza degli Artisti
Via S Gennaro al Vomero
Vico Cacciottoli
Vomero
Via Cupa Veccia
Piazza Olivella
Montesanto
Via Montesanto
Stazione Cumana di Montesanto
Cilea
Via Annella di Massimo
Via Luca Giordano
Via Giovanni Merliani
Via Michele Kerbaker
Viale Raffaello
Via Tito Angelini
Via Solimene
Piazza Vanvitelli
Vanvitelli
Via A Scarlatti
Teatro Diana
Via Enrico Alvino
Piazza Fuga
Via Raffaele Morghen
Via Annibale Caccavello
Largo San Martino
Via Domenico Cimarosa
Via Mattia Preti
Via Aniello Falcone
Via Luca Giordano
Via Gaetano Donizetti
Via G Puccini
Via Concezione a Montecalvario
Quartiers espagnols
Vico della Tofa
Villa Floridiana
Via G Tomà
Via Luigia Sanfelice
Via Filippo Palizzi
Piazzetta Cariati
Viale Privato Diaz
Parco Ameno
Via del Parco Margherita
Via Santa Caterina da Siena
Voir p. 286
Voir p. 280
Voir p. 284

SANTA LUCIA ET CHIAIA

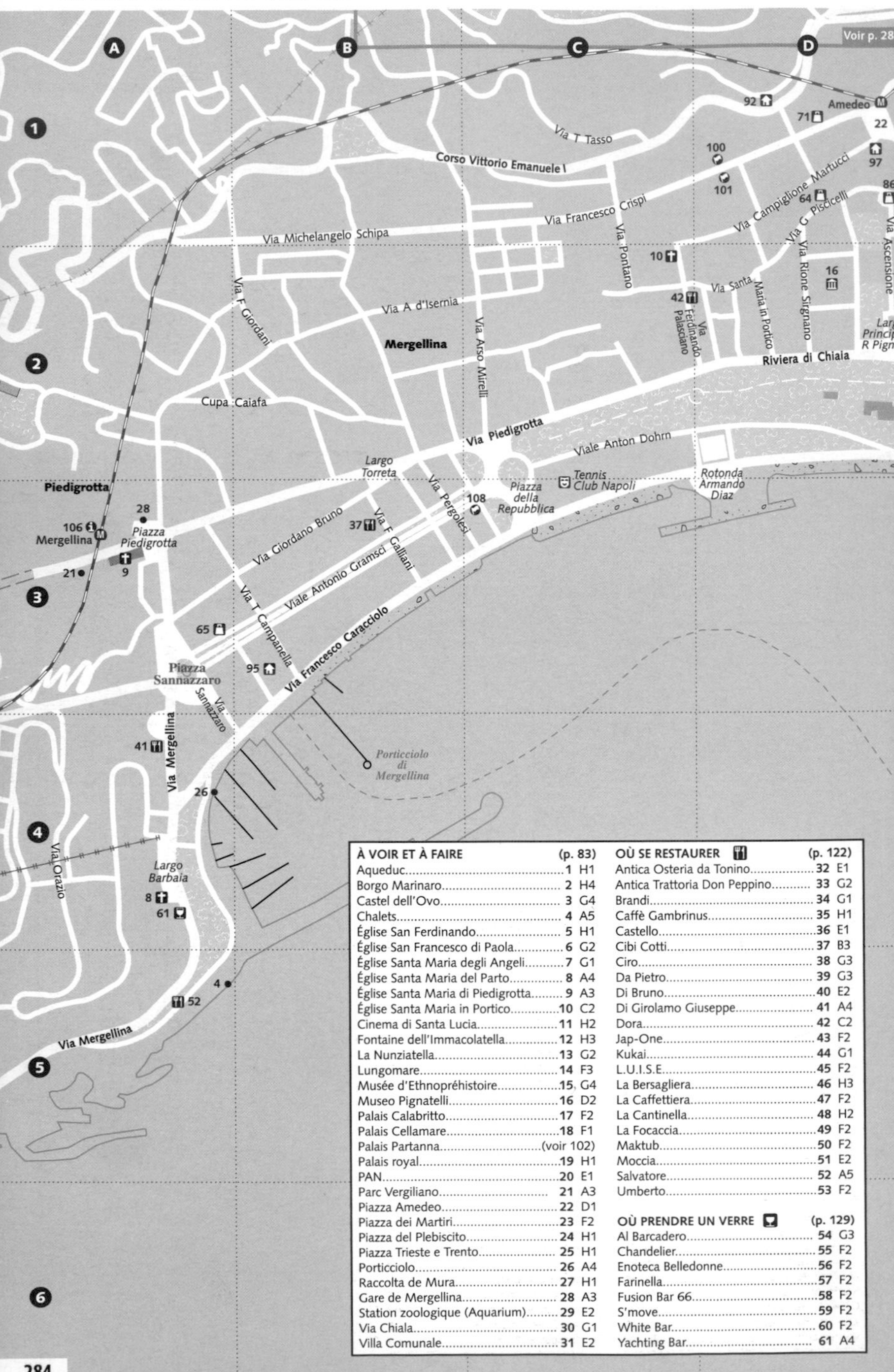

À VOIR ET À FAIRE (p. 83)

- Aqueduc 1 H1
- Borgo Marinaro 2 H4
- Castel dell'Ovo 3 G4
- Chalets 4 A5
- Église San Ferdinando 5 H1
- Église San Francesco di Paola 6 G2
- Église Santa Maria degli Angeli 7 G1
- Église Santa Maria del Parto 8 A4
- Église Santa Maria di Piedigrotta 9 A3
- Église Santa Maria in Portico 10 C2
- Cinema di Santa Lucia 11 H2
- Fontaine dell'Immacolatella 12 H3
- La Nunziatella 13 G2
- Lungomare 14 F3
- Musée d'Ethnopréhistoire 15 G4
- Museo Pignatelli 16 D2
- Palais Calabritto 17 F2
- Palais Cellamare 18 F1
- Palais Partanna .... (voir 102)
- Palais royal 19 H1
- PAN 20 E1
- Parc Vergiliano 21 A3
- Piazza Amedeo 22 D1
- Piazza dei Martiri 23 F2
- Piazza del Plebiscito 24 H1
- Piazza Trieste e Trento 25 H1
- Porticciolo 26 A4
- Raccolta de Mura 27 H1
- Gare de Mergellina 28 A3
- Station zoologique (Aquarium) 29 E2
- Via Chiala 30 G1
- Villa Comunale 31 E2

OÙ SE RESTAURER (p. 122)

- Antica Osteria da Tonino 32 E1
- Antica Trattoria Don Peppino 33 G2
- Brandi 34 G1
- Caffè Gambrinus 35 H1
- Castello 36 E1
- Cibi Cotti 37 B3
- Ciro 38 G3
- Da Pietro 39 G3
- Di Bruno 40 E2
- Di Girolamo Giuseppe 41 A4
- Dora 42 C2
- Jap-One 43 F2
- Kukai 44 G1
- L.U.I.S.E. 45 F2
- La Bersagliera 46 H3
- La Caffettiera 47 F2
- La Cantinella 48 H2
- La Focaccia 49 F2
- Maktub 50 F2
- Moccia 51 E2
- Salvatore 52 A5
- Umberto 53 F2

OÙ PRENDRE UN VERRE (p. 129)

- Al Barcadero 54 G3
- Chandelier 55 F2
- Enoteca Belledonne 56 F2
- Farinella 57 F2
- Fusion Bar 66 .... 58 F2
- S'move 59 F2
- White Bar 60 F2
- Yachting Bar 61 A4

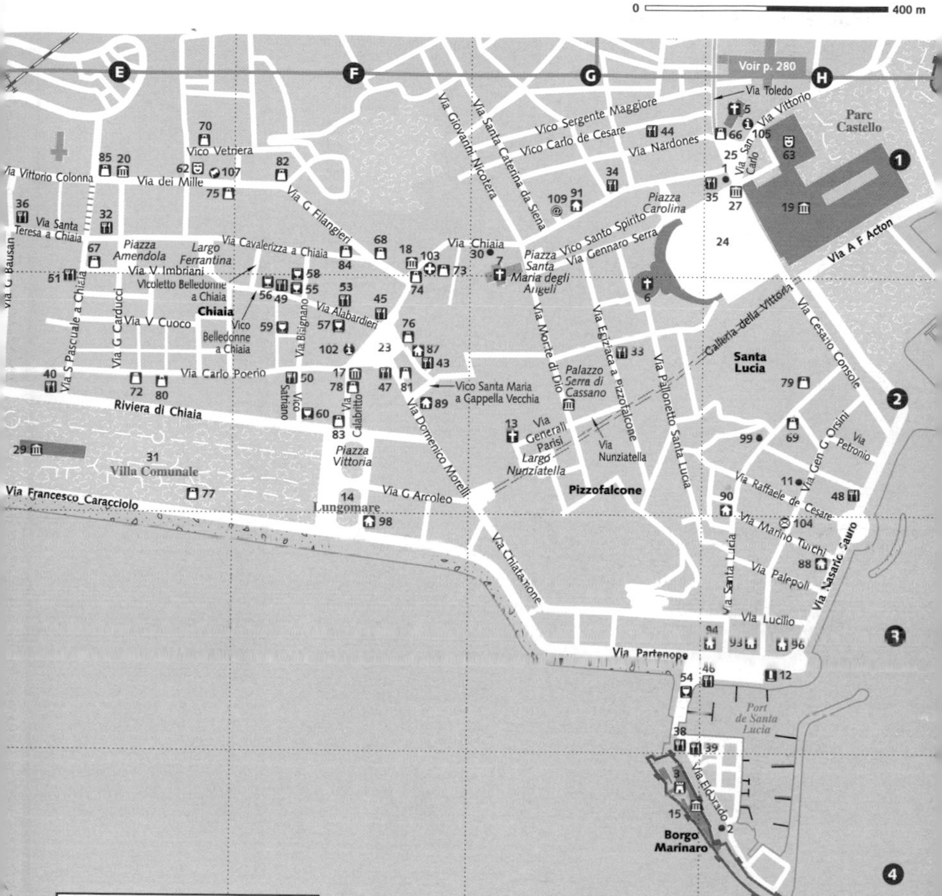

OÙ SORTIR (p. 131)

- Associazione Scarlatti .... (voir 102)
- Billetterie Feltrinelli .... (voir 76)
- La Mela 62 E1
- Théâtre San Carlo 63 H1
- Billetterie du théâtre San Carlo .... (voir 63)

ACHATS (p. 141)

- Amarcord 900 Modernariato e Collezionismo 64 D1
- Anna Matuozzo 65 A3
- Antonio Barbaro 66 H1
- Bancarelle a San Pasquale 67 E1
- Borrelli 68 F1
- Bowinkel 69 H2
- Cesare Attolini 70 E1
- Contemporastudio 71 D1
- Culti Spacafè 72 E2
- Deliberti 73 F1
- Eddy Monetti 74 F2
- Eddy Monetti Men's Store 75 E1
- Feltrinelli 76 F2
- Fiera Antiquaria Napoletana 77 E2
- Finamore 78 F2
- Interfood 79 H2
- Jossa 80 E2
- Livio de Simone 81 F2
- Mariano Rubinacci 82 F1
- Marinella 83 F2
- OK-KO Research 84 F1
- Tabaccheria Sisimbro 85 E1
- Verdegrano 86 D1

OÙ SE LOGER (p. 151)

- B&B Cappella Vecchia 11 .... 87 F2
- B&B I 34 Turchi 88 H3
- B&B Morelli 89 F2
- B&B Santa Lucia 90 H2
- Chiaja Hotel de Charme 91 G1
- Grand Hotel Parker's 92 D1
- Grand Hotel Santa Lucia 93 H3
- Grand Hotel Vesuvio 94 H3
- Hotel Ausonia 95 B3
- Hotel Excelsior 96 H3
- Hotel Ruggiero 97 D1
- Parteno 98 F3

TRANSPORTS

- Rent Sprint 99 H2

RENSEIGNEMENTS

- Consulat de France 100 D1
- Consulat d'Allemagne 101 D1
- Office du tourisme principal 102 F2
- Officina Profumo Farmaceutica di Santa Maria Novella 103 F1
- Poste 104 H3
- Office du tourisme 105 H1
- Office du tourisme 106 A3
- Consulat du Royaume-Uni 107 E1
- Consulat des États-Unis 108 C3
- Zeudi Internet Point 109 G1

CAPODIMONTE

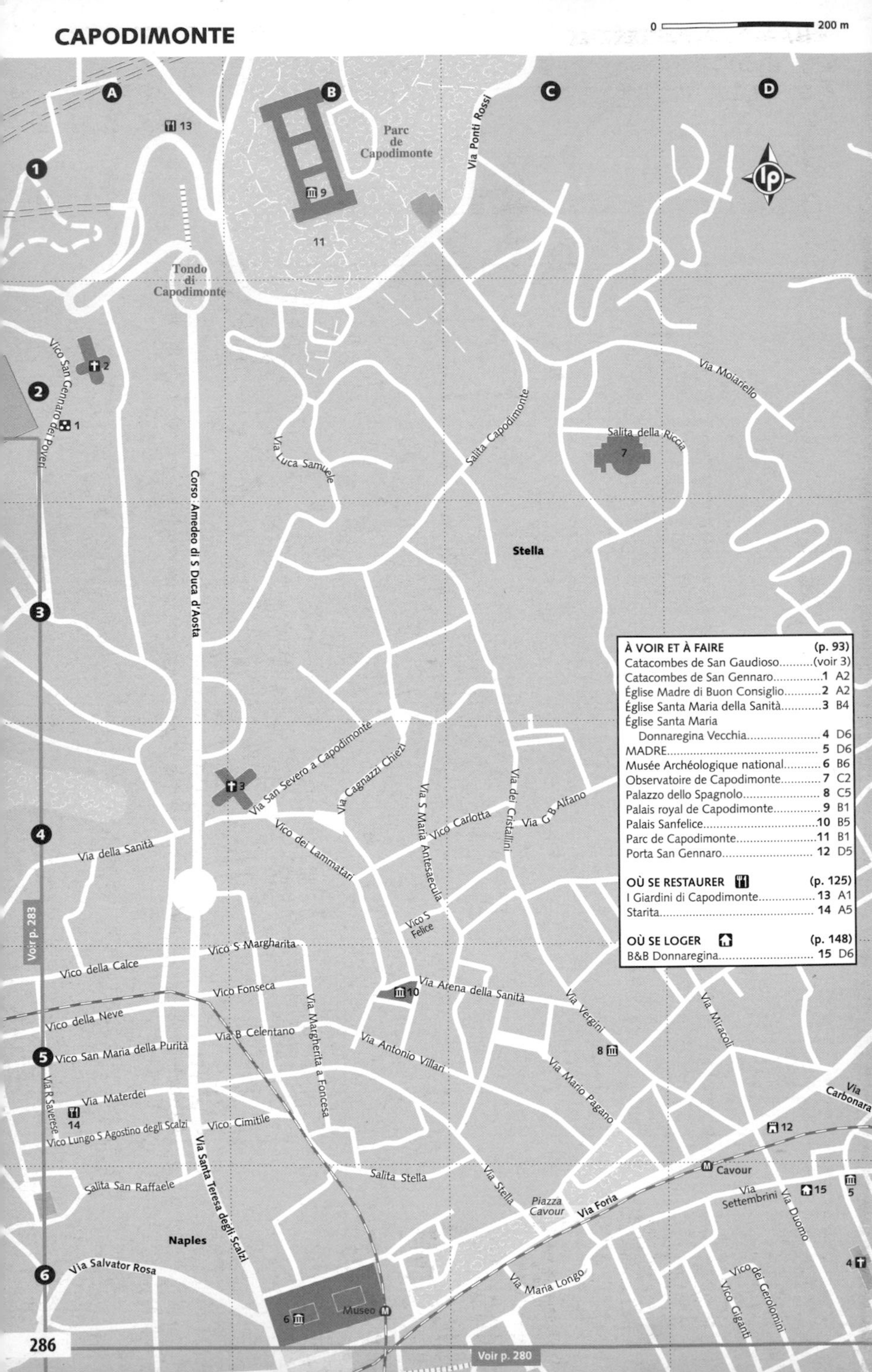

À VOIR ET À FAIRE	(p. 93)
Catacombes de San Gaudioso	(voir 3)
Catacombes de San Gennaro	1 A2
Église Madre di Buon Consiglio	2 A2
Église Santa Maria della Sanità	3 B4
Église Santa Maria Donnaregina Vecchia	4 D6
MADRE	5 D6
Musée Archéologique national	6 B6
Observatoire de Capodimonte	7 C2
Palazzo dello Spagnolo	8 C5
Palais royal de Capodimonte	9 B1
Palais Sanfelice	10 B5
Parc de Capodimonte	11 B1
Porta San Gennaro	12 D5
OÙ SE RESTAURER	**(p. 125)**
I Giardini di Capodimonte	13 A1
Starita	14 A5
OÙ SE LOGER	**(p. 148)**
B&B Donnaregina	15 D6